AF175127

CEUTA 1923 - 1931
DE LA DICTADURA DE PRIMO DE RIVERA
AL GOBIERNO DE BERENGUER

José Antonio Pleguezuelos Sánchez

© Textos: José Antonio Pleguezuelos Sánchez

© Edición: Archivo General de Ceuta

Ciudad Autónoma de Ceuta
Consejería de Educación y Cultura

Depósito Legal: CE-15/2022
ISBN: 978-84-15243-90-8
Impresión y Diseño: Papel de Aguas, S.l. Ceuta.

Quedan reservados todos los derechos:

Esta publicación no puede ser reproducida, ni en todo ni en parte, ni registrada en, ni tramitada por, sistema de recuperación de información, en ninguna forma ni por ningún medio, sea mecánico, fotoquímico, electrónico, magnético, electroóptico, por fotocopia, o cualquier otro, sin el permiso previo de su autor.

ÍNDICE

CAPÍTULO IV. 1925, EL AÑO DE LA REACCIÓN

CAPÍTULO V. 1926, UN AÑO DE ESPERANZAS Y CAMBIOS

PARTE II (1926-1931)

CAPÍTULO I. EL ESTATUTO DE 1926 Y LA JUNTA MUNICIPAL

CAPÍTULO II. 1927, EL AÑO DE LA PAZ

CAPÍTULO III. 1928, EL AÑO DE ASTRAY Y ROSENDE

CAPÍTULO IV. 1929, ENTRE LUCES Y SOMBRAS

CAPÍTULO V. 1930, EL AGOTAMIENTO DEL RÉGIMEN

INTRODUCCIÓN

He sentido la necesidad vital de volver a mis orígenes en Ceuta, la ciudad donde vi la luz, la ciudad donde nació mi padre, la ciudad que acogió a mis abuelos en aquellos años de plena expansión urbanística y demográfica, de claro corte andaluz, a la que acertadamente Manuel Gordillo denominó, en su ya clásico *Geografía urbana de Ceuta*, "marcha sobre Ceuta".

Así pues, con este simple programa de intenciones, plagado de nostalgia e infinitos recuerdos, empecé a afrontar las primeras líneas de este trabajo. Pero pronto tuve que desprenderme de la carga emocional para enfrentarme con la realidad de los archivos, bibliotecas, hemerotecas y fototecas.

Y es eso lo que quiero plantear en primer lugar. Sin tocar a los clásicos como Correa da Franca, Mascareñas, etc., a principios del siglo XX el reconocido arabista Antonio Espinosa Ramos Espinosa de los Monteros, el primer cronista de Ceuta, empezó una labor de investigación realmente interesante y profunda. También el periodista Guerra Lázaro puso su granito de arena. Posteriormente fueron apareciendo las famosas Guías Ortega, el *Libro de Ceuta* (1928) editado por el Centro de Hijos de Ceuta o la *Guía de Ceuta* de 1934. Tras un paréntesis debido a la Guerra Civil y la dura posguerra, y alguna guía que otra, al final de los años cincuenta del siglo pasado la línea investigadora la retomó el Instituto de Enseñanza Media de Ceuta con una serie de acertadas publicaciones respaldadas por firmas solventes. Recogió la antorcha el Instituto de Estudios Ceutíes, que en el año 2019 cumplió su 50 aniversario. Desde su fundación, el referido Instituto está realizando una labor vital para el devenir cultural de la ciudad. Paralelamente, esta incansable línea de publicaciones fue seguida por la desaparecida Caja de Ahorros y Monte de Piedad de Ceuta en su vertiente cultural, el Ayuntamiento de la Ciudad, a través del Archivo General de Ceuta, los cursos de verano de la Universidad de Granada, o la UNED. Igualmente, han surgido algunas iniciativas privadas – no exentas de riesgo- como las de Francisco Sánchez Montoya, que ha publicado varios trabajos de diversa índole, siempre con acierto y éxito.

En cuanto a los autores, la lista es, por suerte, muy amplia, aunque no me puedo sustraer de nombrar a dos figuras señeras, dignísimos heraldos del panorama ceutí de la investigación, como el citado Antonio Ramos o el añorado profesor Carlos Posac. Entre ellos una larga nómina de autores como, Alberto Baeza Herrazti, Antonio Carmona Portillo, José García Cosío, Manuel Gordillo, David Schiriqui, Leopoldo Caballero, José Luis Gómez Barceló, José María Campos, Mª Dolores Díaz Fernández, Carlos Rontomé, el citado Francisco Sánchez Montoya, o José Antonio Alarcón Caballero, uno de los más prolíficos investigadores del primer tercio del siglo XX ceutí… A todos mi reconocimiento por el trabajo silencioso y perseverante.

Esta línea continuada de publicaciones me ha permitido consultar una buena cantidad de libros específicos. Además, el Archivo General de Ceuta está digitalizando su vasto e interesantísimo archivo, que lo hace más accesible al gran público; esfuerzo que suscribo y apoyo sin fisuras. También quiero hacer constar la labor que está realizando la Biblioteca pública del Estado en Ceuta "Adolfo Suárez", en un esfuerzo de ampliar la bibliografía específica de la ciudad, a la vez de la energía que está desplegando por digitalizar los archivos; cuestión en la que no debería cejar tampoco. Al igual que el Instituto de Estudios Ceuties, con su acertada política de convocatoria de las ya reconocidas Jornadas de Historia y sus correspondientes publicaciones, indispensables para conocer la ciudad. No hace falta decir que al frente de estas instituciones se encuentran profesionales de gran capacidad, apoyados por magníficos equipos, que le dan un prestigio y una solvencia, que no voy a descubrir, pero sí a subrayar.

En cuanto al libro se centra en la Dictadura de Primo de Rivera en Ceuta; no obstante, un primer capítulo nos recuerda en qué condiciones partió Ceuta a principios del siglo XX, y el último lo cierra el gobierno de Dámaso Berenguer. Entre medio unos años muy intensos cargados de acontecimientos de todo tipo, que se han dividido en dos partes. La primera abarca desde los meses previos a la Dictadura hasta el fin del Ayuntamiento, en el otoño de 1926; la segunda comienza con la Junta municipal y acaba en los primeros meses de 1931. A todo ello hay que sumar un amplio abanico de ilustraciones que hace el libro más visual y atractivo.

En Ceuta se produjo, como bien señala José Antonio Alarcón en su trabajo "La dictadura de Primo de Rivera y la transición a la República", "la revolución desde arriba". Esta "revolución" va a tener, como todo régimen, sus luces y sus sombras, aunque se va a palpar a lo largo de la exposición que el poder militar se impuso de forma rotunda sobre el civil, quedando las libertades ciudadanas muy mermadas; al igual que el Ayuntamiento de Ceuta se convertiría en una Junta municipal, desgajándose de la Diputación de Cádiz, con un futuro muy incierto al pasar a depender de la Alta Comisaría. No obstante, también el lector podrá percibir que Ceuta vivió un periodo económico expansivo, abriéndose hacia el Campo Exterior, que atraía como un imán a una población inmigrante; periodo que va a configurar una ciudad más moderna y cosmopolita, dotada de más servicios, con una personalidad que en algunos aspectos ha perdurado hasta la actualidad, pero muy distinta al penal que subsistió hasta 1912. Este periodo expansivo va a forjar una nueva clase media (pequeños comerciantes y empresarios, profesionales, obreros cualificados…), que a partir de 1930 va a demandar de forma urgente más participación ciudadana. No obstante, muchas cuestiones quedaron por resolver del todo (inmigración, empleo, vivienda, educación, sanidad, etc.). Era lógico: se había producido un verdadero tsunami inmigratorio, pues de los algo más de veinte mil habitantes de 1910 se había pasado a los más de cincuenta mil en 1930. Estos problemas se empezarían a agravar con la reducción de tropas a partir del invierno de 1927, y se van a solapar con la depresión internacional de 1929; crisis que va a mostrar su peor cara en los años treinta.

Mirando al panorama nacional, el 13 de septiembre de 1923 el general Primo de Rivera impuso una Dictadura en una España inmersa en un mar de problemas y dificultades. Desde 1917, el sistema liberal, representado por la monarquía parlamentaria, estaba francamente amenazado por una revolución encubierta, agravada por severos problemas sociales y una guerra interminable en el Norte de África. Todo ello formaba una amalgama que estaba socavando las estructuras del régimen de la Restauración; régimen que tampoco supo resolver los retos que se le presentaban. En un principio, la Dictadura logró que la sociedad viviera unos años de cierta calma social y desarrollo económico, al igual que resolvió el enquistado problema de la guerra. Sin embargo, como apunta Fernando Díaz Plaja en su libro *Otra Historia de España*: "La prueba de que la llamada a los poderes excepcionales estaba en la imaginación de todos los españoles es la reacción de un periódico liberal como *El Sol*, aceptando alborozado la llegada del gobierno militar y a Bagaría, el dibujante defensor encarnizado de las libertades cívicas, aplaudiendo en una caricatura la limpieza de una charca de la que salían unas ranas y sapos con la figura de Alba, Romanones, Ossorio, Sánchez Guerra, los grandes fracasados.

"... Pero en el pie de otro dibujo de Bagaría advertía Juan Español al militar, que lavaba un trapo con el letrero de 'libertades públicas': 'Oye. Cuando lo tengas bien limpio y purificado, ya debes saber que tu obligación es devolvérmelo'.

Primo de Rivera no lo hizo".

Como dice Ramón Tamames, un régimen que, pretendiendo salvarla, acabó con la monarquía de Alfonso XIII y propició la proclamación de la II República.

No quiero acabar esta introducción sin dar las gracias a la Consejería de Educación y Cultura de la ciudad autónoma de Ceuta, al Archivo General de Ceuta, a la Biblioteca del Estado en Ceuta "Adolfo Suárez", a la Comandancia General de Ceuta, al Instituto de Estudios Ceutíes, a la Cofradía San Antonio de Padua y de forma particular a Rocío Acevedo, José Antonio Alarcón Caballero, Jorge Arbona, José María Campos, Felipe Cerda Adelaida, José Gallardo, Antonio Gijón Romero, José Luis Gómez Barceló, Juan Carlos Jorro, Agustín Marañés, Juan Matres, Francisco Pérez Moya, Rafael Pleguezuelos González, Rafael Pleguezuelos Sánchez, Francisco Sánchez Montoya y Diego Sastre; además de todos aquellos que, de una forma u otra, han colaborado con este trabajo.

EL AUTOR.

PARTE I
1923 - 1926

CEUTA. *Vista parcial y puente Almina*

El puente de la Almina antes de 1926 - Cortesía de Diego Sastre Ruiz

PARTE I (1923-1926)

Capítulo I, los meses previos a la Dictadura

1. De penal a ciudad cosmopolita

Desde la entrada del siglo XX hasta 1923 el cambio poblacional y urbanístico de Ceuta fue muy significativo. Como dice Manuel Gordillo, "son muchos los acontecimientos que van marcando el seguro paso de Ceuta hacia un notable engrandecimiento. Las campañas de África acumulan hombres, como bien acusan las cifras absolutas, pero si se tiene en cuenta que ya las líneas de frentes no se encuentra cercana a la ciudad, que las obras del puerto han adquirido un auge importante y que las actividades de campaña activan el comercio, no es extraño que se alcancen los 35.219 habitantes"[1] en 1920. Desde comienzos de siglo la población de Ceuta había aumentado de forma considerable: según los censos de 1900 y 1910, la población había pasado de 13.269 a 23.907 habitantes. ¿Qué factores hicieron que creciera tanto la ciudad?

Este cambio espectacular que va a sufrir Ceuta no se puede desmarcar de los acontecimientos internacionales que se estaban viviendo. En el escenario colonial del Mediterráneo africano, a principios del siglo XX sólo quedaba Marruecos como país deseado por Francia –ya había ocupado Argelia y Túnez-, pero se encontró con la oposición de los ingleses, españoles e italianos. No obstante, con los acuerdos anglo-franceses de 1904, Gran Bretaña intentó contrarrestar el afán colonialista alemán, que también quería entrar en el tablero africano.

En este contexto, el 2 de mayo de 1904, a bordo del yate *Giralda*, un jovencísimo Alfonso XIII –aún no tenía cumplidos los dieciocho años- visitó Ceuta; visita interpretada como un giro en la política de la nación, y un intento de afirmar y resaltar la presencia española en aquel escenario, al par que significaba un reconocimiento y respaldo moral para Ceuta. Pocos meses después, por R.O. del 20 de septiembre de 1904 quedaba constituida la Junta de Obras del Puerto, y surge un hombre providencial José E. Rosende Martínez, ingeniero director de las obras del puerto (1904-1929), verdadero artífice e impulsor del mismo.

Paralelamente se produce la denominada primera crisis marroquí con la visita, el 31 de marzo de 1905, del káiser Guillermo II de Alemania a Tánger. En este ambiente de tensiones tuvo lugar, entre enero y abril de 1906, la conferencia de Algeciras. La conferencia se concreta en el Acta de Algeciras de mayo, que da paso al Protectorado hispano-francés sobre Marruecos y la ulterior ocupación italiana de Libia (1911-1912).

Fue también en mayo de 1906 cuando José E. Rosende redacta su primer Proyecto del Puerto, y en noviembre del mismo año un segundo proyecto, que son los que iban a configurar el puerto actual[2]. Por otro lado, el alumbrado público fue establecido también a principios de siglo, basado en una central térmica que llegó a estar integrada por cinco generadores[3].

---

1 GORDILLO OSUNA, Manuel: *Geografía urbana de Ceuta*, p. 51.
2 BAEZA HERRAZTI, Alberto: *El presidio de Ceuta*, p. 66.
3 GORDILLO OSUNA, Manuel: Opus cit. p. 364.

Esta política de consolidación de Ceuta como ciudad y la apertura a África se vio respaldada con una nueva presencia del rey en Ceuta en 1909. Pero aún quedaba pendiente para los intereses de España y las aspiraciones de Ceuta la desaparición del penal...

> Corresioná de Ceuta
> mardito sea é,
> que mis huesesitos los tengo molío
> de roá por é[4].

Según apunta Alberto Baeza en su libro *El presidio de Ceuta*, "En los próximos años, la estructura presidial comienza a resquebrajarse. En 1907, una Real Orden (R.O.), en parte previniendo la supresión del establecimiento ceutí, dispone la implantación de una Colonia Penitenciaria en el Penal del Dueso, en Santoña (Santander). Sucesivamente, algunos contingentes de presos, destinados a Ceuta, van siendo desviados a los penales de Figueras y el Puerto de Santa María"[5]. Paralelamente, el 3 de enero de 1909, poniendo en ejecución los proyectos de Rosende, empiezan con buen ritmo las obras del puerto, adjudicadas a los señores Arango y García.

En este ambiente favorable, es nombrado comandante general de Ceuta el general de división Felipe Alfau Mendoza, encargado de impulsar los numerosos retos que tenía pendientes la ciudad. Para Ceuta, desde su llegada en la última semana de septiembre de 1910, fue un hombre providencial. A él se debe la desaparición de los rastrillos, la supresión del penal y la traída de aguas de Benzú. El penal desaparece siendo presidente del Gobierno el gallego José Canalejas Méndez. En 1910 lo sentencian, y en 1911 empieza su traslado. Según apunta David Schiriqui: "A principios del año 1912 se llevaron los cuatrocientos últimos, quedando la plaza limpia de presos"[6].

También en 1911 se produce lo que la historiografía ha denominado segunda crisis marroquí, que se inicia con la revuelta contra el sultán de Marruecos. Francia ocupa Fez el 21 de mayo de 1911. Por su parte, España desembarca en Larache en junio. Y el 1 de julio el cañonero alemán *Panther* se presenta en Agadir. La situación se relaja con el acuerdo franco-alemán de 4 de noviembre de 1911, que le da manos libres a Francia en Marruecos a cambio de territorios en el denominado Camerún alemán.

Sorteado el problema alemán, el 30 de marzo de 1912, el sultán de Marruecos, Mulay Hafid, firma con Francia en Fez el tratado sobre el Protectorado. Unos meses después, en el acuerdo formalizado el 27 de noviembre, Francia reconocía a España el territorio de la zona norte de Marruecos, estableciéndose el Protectorado con capital en Tetuán. A España le corresponden unos veinte mil kilómetros cuadrados habitados por unos setecientos cincuenta mil habitantes. Esta Zona norte está dividida, de occidente a oriente, en tres regiones: Yebala, Gomara y Rif (occidental y oriental). En la costa atlántica del Yebala están las ciudades de Tánger, Arcila, Larache y, a pocos kilómetros de Larache hacia el interior, Alcazarquivir. Más pegado al Mediterráneo, a unos cuarenta kilómetros de Ceuta, se encuentra Tetuán y, a unos sesenta y cinco kilómetros de Tetuán, Xauen (límite natural entre Yebala y Gomara), en plena montaña. En el Rif: Axdir, cerca de la costa, y Nador, cerca de Melilla. Junto a Axdir la famosa bahía de Alhucemas. En el interior del Rif oriental: Annual, Igueriben, Monte Arruit... Todo este territorio estaba a su vez dividido en cabilas, ancladas en un retraso secular, muy celosas de su independencia.

Mientras tanto, el 19 de febrero de 1913 entraba el general Alfau en Tetuán, siendo nombrado el 5 de abril residente general o alto comisario[7]. Y unos días después hace lo propio el jalifa Muley el Mehdi, representante del sultán en la zona del Protectorado español.

---

4   Recogido por FRADEJAS LEBRERO, José: *Ceuta en la literatura*, p. 44.
5   BAEZA HERRAZTI, Alberto: Opus cit., p. 67.
6   Ibídem, p. 69.
7   Gaceta de Madrid núm. 95, 5 de abril de 1913.

Construcción del puerto de Ceuta.
Archivo General de Ceuta (AGCE).

Obras del ferrocarril Ceuta - Tetuán. AGCE.

Desde la desaparición del penal y la creación del Protectorado la vida en Ceuta había cambiado de forma rotunda; las grandes obras, como el puerto, el ferrocarril o la carretera a Tetuán, a las que hay que añadir la construcción de cuarteles, hospitales, etc., habían atraído una gran masa de inmigrantes. Esto dio lugar a la revalorización de los inmuebles, la construcción de otros nuevos, al igual que multiplicó las necesidades primarias de la población. La burguesía se enriquecía, el trabajo no faltaba… convirtiéndose Ceuta en tierra de oportunidades.

Mientras Ceuta crecía, un Real Decreto (R.D.) de 24 de enero de 1916 organiza el Protectorado (*Gaceta de Madrid* nº 27, de 27 de enero de 1916, pp. 209-213). En noviembre de ese mismo año se crea en Barcelona la compañía Trasmediterránea, que absorbe a la compañía de Vapores de Correos de África, y empieza sus actividades en el Estrecho a partir de enero de 1917. En 1918, el año de la inauguración del ferrocarril Ceuta-Tetuán, fue crucial, pues la Comandancia General de Ceuta empezó a depender de la Alta Comisaría (R. D. de 11 de diciembre de 1918)[8]. Y ya, como se ha referido, en 1920 Ceuta era una ciudad de unos treinta y cinco mil habitantes:

Distribución de la población sexo y estado civil, 1920

	Hombres	Mujeres
Solteros	20.903	5.371
Casados	3.330	3.357
Viudos	254	868
Total	24.487	9.596

Fuente: GORDILLO OSUNA, Manuel: *Geografía urbana de Ceuta*, p. 51.

Como se puede constatar, Ceuta era una ciudad de hombres jóvenes y solteros, pues su número cuadriplicaba al de las mujeres. Renovada sangre que buscaba nuevos horizontes…

En cuanto al Protectorado, tras varias campañas se había conseguido pacificar la zona de Anyera –la más próxima a Ceuta-, en septiembre de 1920 se creó en Ceuta el Tercio de Extranjeros y en octubre de ese mismo año entraba el alto comisario Dámaso Berenguer en Xauen. No obstante, en parte del Yebala, el Raisuni seguía imponiendo su ley desde la llegada de los españoles en 1911. Personaje de gran ascendencia, se había erigido en la principal resistencia, al igual que supo aprovecharse de los continuos cambios de Gobierno

---

8   http://www.boe.es/datos/pdfs/BOE/1918/346/A00950-00950.pdf

que se sufrían en España: ora aliado, ora enemigo. Sin embargo, a partir del verano de 1921 la situación se va a complicar con la severa derrota de Annual infligida a los españoles por el carismático líder rifeño Abd el Krim. A partir de aquí, lo que parecía el fin de un largo conflicto se iba a convertir en un problema sin fin. Esto dio lugar a una situación realmente difícil y complicada, que empezó a percibirse de forma más directa en la zona occidental a partir de 1923. Por otro lado, la cuestión política y militar andaba revuelta. Al general Picasso se le había pedido que investigase sobre las responsabilidades del desastre de Annual; investigaciones que se concretarían en el famoso "Expediente Picasso".

2. Los meses previos a la Dictadura

Los primeros meses del año 1923 en Ceuta se van a caracterizar por los diferentes cambios que van a sufrir todas las instancias: Alcaldía, Comandancia General, Alta Comisaría… Síntomas de la inestabilidad que existía en la cuestión del Protectorado, con una opinión pública cada vez más dividida y con el tema de las responsabilidades del desastre de Annual sobre la mesa. Estos síntomas de inestabilidad eran el reflejo de lo que pasaba en el país, sobre todo, desde 1917: en lo político, con continuos cambios de Gobierno y tensiones de los nacionalismos periféricos; en lo laboral, con numerosas huelgas y horas perdidas de trabajo; en lo social, con severos problemas de subsistencias y atraso en muchos pueblos de España; en el orden público, con atentados de todo tipo: en marzo de 1921, por ejemplo, se produjo el magnicidio de Eduardo Dato; y en el propio Ejército, con una oficialidad dividida en junteros y africanistas.

2.1. Cambio en la alcaldía, temporal y cambio en la Alta Comisaría

El año 1923 entró en Ceuta con la celebración de la tradicional fiesta de Reyes. Una rondalla de legionarios de Dar Riffien (aunque el Tercio de Extranjeros se había fundado en Ceuta, el campamento se estableció en Dar Riffien, cerca de Castillejos) había postulado en Navidades por las calles para comprar juguetes con destino a los niños pobres. También, con gran brillantez tuvo lugar el festival infantil organizado por *El Defensor de Ceuta*. El acto se celebró en el Teatro del Rey, repartiéndose 2.000 juguetes[9].

En sesión extraordinaria de 18 de febrero de 1923 tomó posesión el nuevo alcalde reformista Demetrio Casares Vázquez[10], conocido empresario, dueño del Hotel Majestic, que sustituía como alcalde a Isidro Martínez Durán.

Pasadas unas jornadas, un tremendo temporal del noroeste de lluvia y viento se instaló en el Estrecho, causando cuantiosos daños y dificultando la navegación. Pero no sólo el tiempo andaba revuelto.

El alto comisario Luis Silvela Casado. Mundo Gráfico, 21 de febrero de 1923.

También lo estaba el mundo laboral. Por el acuerdo del Ayuntamiento regulando el servicio de carruajes, se declararon en huelga los cocheros[11]. Al igual que fueron detenidos tres obreros del puerto por planear un atentado. Según informaba el diario *Las Provincias*, los obreros detenidos pertenecían al comité anarquista 'Hacia el porvenir'[12].

---

9   La Unión Ilustrada, 14 de enero de 1923. El Siglo Futuro, 10 de enero de 1923.
10   R.O. de 13 de febrero a favor de D. Demetrio Casares Vázquez nombrándole alcalde presidente de este Ayuntamiento. AGCE. LAC núm. 86. Sesión extraordinaria, 18 de febrero de 1923, folios 104 y vto.
11   La Correspondencia de España, 21 de febrero de 1923.
12   Las Provincias, 21 de febrero de 1923.

Tras estos incidentes, el sábado 24, con temporal algo amainado, llegó a Ceuta en el cañonero *Lauria* el alto comisario Luis Silvela. El cañonero había zarpado de Algeciras a las 9 de la mañana y llegó a Ceuta a las 11,30. No fue una travesía agradable, al igual que tampoco lo sería su mandato al frente de la Alta Comisaría. Por expresa decisión del propio Luis Silvela no hubo salvas de ordenanza. Tras los saludos protocolarios, el tren especial que lo esperaba en el muelle de la Puntilla lo trasladó a Tetuán acompañado de los generales Gómez Jordana y Castro Girona y de los funcionarios que desde aquella ciudad habían acudido a recibirle[13].

Luis Silvela Casado, que estuvo al frente de la Alta Comisaría desde el 16 de febrero hasta el 15 de septiembre de 1923, era licenciado en Derecho, militaba en las filas del Partido Liberal, era diputado a Cortes y había sido alcalde Madrid y ministro en diversos gobiernos de García Prieto, aunque no tenía experiencia alguna sobre Marruecos. Además, el momento escogido para su nombramiento no podía ser más inoportuno, con un Abd el Krim crecido y un Raisuni necesitado de actuar, viendo como su prestigio disminuía ante el protagonismo creciente del líder rifeño. Para colmo, su presencia en Tetuán fue acogida con desconfianza no solo por los mandos militares sino también por los funcionarios civiles de la Alta Comisaría, que se consideraban más cualificados. Su llegada a Tetuán vino acompañada de la dimisión de Luciano López Ferrer como secretario general de la Alta Comisaría, cargo que constituía el principal apoyo del alto comisario (R.D. de 24 de enero de 1916). López Ferrer era un diplomático experto en Marruecos que había participado en las negociaciones hispano-francesas de 1912 y había acompañado al general Alfau en la entrada a Tetuán, en febrero de 1913. De igual forma, había pasado largos años destinado en Marruecos y había estado ejerciendo de alto comisario en funciones tras la dimisión del general Burguete (una de las atribuciones del secretario general era sustituir al alto comisario en su ausencia y desempeñar interinamente el cargo mientras estuviera vacante). La renuncia de López Ferrer era consecuencia de su disgusto al verse desplazado del puesto que consideraba le correspondía[14].

Cabe añadir que nada más tomar posesión de la Alta Comisaría, comenzaron los desencuentros con los comandantes generales. Prueba de ello fue que el comandante general de Ceuta, general Vallejo, presentó su dimisión con carácter irrevocable. No se sabían las causas, aunque el ministro de la Guerra, Alcalá Zamora, contestó negativamente[15].

2.2. Ordenanzas municipales y elecciones generales

En sesión celebrada por la Corporación municipal el 23 de junio de 1922 se acordó: "La Presidencia da cuenta que por el negociado correspondiente le ha sido presentado el proyecto de nuevas ordenanzas municipales, se acuerda que la Comisión de Régimen interior, asesorada por el personal técnico, estudie dicho proyecto, y lo someta a la sanción del Ayuntamiento para su aprobación". El Ayuntamiento en sesión de 20 de octubre de 1922 aprobó el informe de la referida comisión, y en sesión del 10 de noviembre del mismo año aprobó definitivamente las nuevas Ordenanzas. Por último, fueron ratificadas por el Gobierno civil de Cádiz el 14 de marzo de 1923.

Las ordenanzas venían a sustituir a las de 1892, según decía el informe de la comisión, "cuando la población de Ceuta era reducidísima y sin variación, y cuando su movimiento industrial y comercial era casi nulo, y limitado solo a su modesta vida local, son ya tan deficientes y arcaicas, y guardan tal desproporción con las exigencias y el continuo desarrollo que en la actualidad se experimenta…"[16].

---

13   El Telegrama del Rif, 25 de febrero de 1923. El Cantábrico, 23 de febrero de 1923. El Sol, 27 de febrero de 1923.

14   Oficialmente cesó el 27 de abril de 1923, aunque había abandonado sus tareas de secretario general con anterioridad. J.A.S.: *El Protectorado español en Marruecos. Repertorio biográfico y emocional*, p. 191.

15   La Correspondencia de España, 9 de marzo de 1923.

16   Ayuntamiento Constitucional de Ceuta-Ordenanzas municipales, año 1923, pp. 1-6.

Ordenanzas municipales de Ceuta, 1923. Biblioteca pública del Estado en Ceuta "Adolfo Suárez".

Las citadas ordenanzas están recogidas en un libro de 179 páginas impreso en la Tipografía de Arturo Sierra. Consta en 1.238 artículos y está firmado por el alcalde Isidoro Martínez y el secretario Julio González. Asimismo, consta de un acuerdo del Ayuntamiento, un informe de la comisión, otros acuerdos del Ayuntamiento, la aprobación del gobernador civil, de dos apéndices y un índice alfabético de materias.

Veamos los primeros artículos de las ordenanzas, que definen muy bien a la ciudad de principios de los años veinte:

"Artículo 1º. El término municipal de Ceuta, comprende desde la línea fronteriza del Campo Marroquí, hasta las últimas estribaciones del monte Acho.

Art. 2º. Sin perjuicio de los proyectos de ensanche que puedan confeccionarse, según las circunstancias lo exijan, en cuanto se relaciona con los distintos servicios y reglas contenidas en estas Ordenanzas, se demarcan dos zonas: casco de la población y zonas exteriores.

Art. 3º. A los efectos electorales, este término constituye una Sección del Distrito electoral de Algeciras.

Art. 4º. A los efectos eclesiásticos, comprende Ceuta dos parroquias, la del Sagrario de la Catedral y la de Santa María de los Remedios, siendo además Obispado, Sede Vacante, administrada apostólicamente por el Ilmo. Sr. Obispo de Cádiz.

Art. 5º. Con arreglo al Censo general de población, efectuado en 31 de diciembre de 1920, la población de Ceuta alcanza a 35.219 habitantes de hecho y 35.453 de derecho.

Art. 6º. A los efectos judiciales, Ceuta constituye un Partido judicial de ascenso con Tribunal industrial.

Art. 7º. La Ciudad y plaza de Ceuta posee los títulos de siempre Noble, Leal y Fidelísima".

Según José García Cosío, las ordenanzas municipales estuvieron vigentes hasta al menos 1984[17]. Por otro lado, como era habitual en la inercia de la Restauración, tras la crisis ministerial que culminó con el paso de Sánchez Guerra a García Prieto, se disolvieron las Cortes, y el 16 de abril de 1923 el rey firmó el decreto correspondiente convocando elecciones generales: para el 29 las de diputados y para el 13 de mayo la de senadores. Tal y como se esperaba, la concentración gobernante de García Prieto obtuvo la mayoría en las dos Cámaras. Con respecto al distrito Algeciras-Ceuta salió elegido Manuel Rodríguez Piñero, abogado reformista que venció al también abogado José Luis Torres Beleña, quien había ostentado la representación de dicho distrito durante más de una década. El nuevo parlamento se abrió el 23 de mayo de 1923. Fueron las últimas elecciones de la Restauración borbónica. Es de referir que desde 1917 García Prieto, líder del Partido Liberal, había sido presidente del Gobierno en cuatro ocasiones.

---

17   GARCÍA COSÍO, José: *Ceuta, Historia Gráfica*, p. 40.

Catedral de Ceuta. AGCE.

2.3. Entrega de la bandera a los Regulares de Ceuta

El domingo 27 de mayo por la mañana, en el parque del Retiro de Madrid, tuvo lugar la ceremonia de la entrega de la bandera al grupo de Regulares de Ceuta n.º 3. Un día espléndido, la solemnidad del acto y el uniforme de gran gala de las tropas que tomaron parte en el desfile, compuestas por un tabor de Infantería y un escuadrón de Caballería de cien caballos, mandadas por el teniente coronel Eliseo Álvarez Arenas, fueron factores que contribuyeron a la brillantez del acontecimiento. Asistieron los reyes, el Gobierno, numerosas personalidades y mucho público. La bandera, de raso con el escudo nacional bordado y el asta rematada por la media luna de los Regulares, se había adquirido por suscripción pública. Fue el duque del Infantado quien entregó la bandera al referido teniente coronel. El abrumador sacrificio justificaba tan merecida recompensa, pues desde su fundación el Grupo había intervenido en 173 hechos de armas y había sufrido 1.769 bajas entre muertos (cinco jefes, 29 oficiales y 517 de tropa) y heridos (siete jefes, 57 oficiales y 1.252 de tropa)[18].

Entrega de la bandera al Grupo de Regulares n.º 3 de Ceuta. Mundo Gráfico, 30 de mayo de 1923.

18   La Voz, 24 de mayo de 1923. La Correspondencia de España, 28 de mayo de 1923. El Siglo Futuro, 28 de mayo de 1923.

2.4. La muerte del teniente coronel Valenzuela y cambios en la Comandancia General

Paralelamente a tan merecido reconocimiento, saltaba la noticia de la dimisión de Alcalá Zamora como ministro de la Guerra, siendo sustituido por el general Aizpuru (26 de mayo de 1923)[19]. Aizpuru llamó seguidamente al comandante general de Ceuta para disuadirle de su propósito de dimitir[20] e informarse de primera mano de la situación en la Comandancia General.

Unos días después, el 5 de junio caía en combate en Tizzi-Aza el teniente coronel Valenzuela, jefe del Tercio. El Ayuntamiento, en la sesión del 8 de junio de 1923, expresó su sentimiento y dolor por la muerte del legionario. Con gran asistencia de autoridades y numerosos ciudadanos, el día 7 por la mañana se celebraron los funerales por su alma. Por el domicilio del heroico jefe desfiló toda la población, que llenó de firmas los pliegos colocados en el pabellón que habitaba[21].

Aún se estaba viviendo el luto del jefe de la Legión, cuando se recibió la noticia de que se había admitido la dimisión que, fundada en el mal estado de su salud, había presentado del cargo de comandante general de Ceuta, el general Antonio Vallejo y Vila. En su lugar fue nombrado el también general de división Manuel Montero Navarro[22]. Pero en realidad, como se ha referido, desde hacía tiempo subyacía un claro desencuentro entre el comandante general y el alto comisario.

La Correspondencia de España de 19 de mayo daba la noticia con este encabezamiento: "ALARMA ¿Qué ocurre en Ceuta?". Y dos días después el mismo diario insistía: "El síntoma, sin precedentes, de que un Comandante General, el Sr. Vallejo, haya presentado su dimisión -con razones fundadísimas-, nos presenta un curioso porvenir en Marruecos". Como es natural, el alto comisario salió al paso negando los disgustos entre él y los comandantes generales. Por su parte, el comandante general de Ceuta también negaba que peligrasen las posiciones[23]. No obstante, la realidad indicaba todo lo contrario. En este ambiente enrarecido, el general Vallejo se despidió expresando su gratitud a las autoridades civiles y a la población de Ceuta, a la vez que felicitaba calurosamente a los generales, jefes, oficiales, clases y tropas[24].

En cuanto al general Montero Navarro, llegó a Ceuta el 23 de junio de 1923, siendo recibido por los generales Vallejo y Gil Yuste, el alcalde y comisiones oficiales[25]. Era su segundo el recién ascendido a general de brigada de Caballería Gonzalo Queipo de Llano, también recién incorporado a la Comandancia General, pues había sido nombrando jefe de la zona de Ceuta el 31 de marzo de 1923. De acusada personalidad, protagonismo y carácter –llegó a fundar la *Revista de Tropas Coloniales* para exponer sus postulados-, Queipo de Llano tuvo continuos roces con el nuevo comandante general, por lo que al año siguiente sería destinado como segundo jefe al Gobierno Militar de Cádiz.

Así pues, con estos antecedentes, el verano de 1923 entraba en Ceuta con numerosas incógnitas: la inacabable Guerra del Rif, que cada vez se percibía más complicada en la zona occidental, los cambios en la Comandancia General y en la Alta Comisaría, las nuevas ordenanzas municipales, el nuevo alcalde, el imparable crecimiento demográfico… Aunque también se estaban efectuando los preparativos para las tradicionales fiestas patronales, que este año iban a contar con la celebración de unos juegos florales y la presencia de una Misión portuguesa…

---

19   El Pueblo de 31 de mayo de 1923
20   El Orzán, 31 de mayo de 1923.
21   La Correspondencia de España, 8 de junio de 1923.
22   La Correspondencia de España, 13 de junio de 1923.
23   El Noticiero Gaditano, 22 de mayo de 1923.
24   La Vanguardia, 19 de junio de 1923.
25   ABC, 24 de junio de 1923.

Misión portuguesa en el Hospital de la Cruz Roja. Mundo Gráfico, 22 de agosto de 1923.

2.5. La fiestas patronales de 1923 y la Misión portuguesa

Las fiestas patronales de 1923 se extendieron entre los días 4 y 7 de agosto. Veamos qué actos anunciaba el programa oficial:

Día 4. A las 16,30, concurso hípico en el campo de la Sociedad Hípica. A las 19, solemne Salve a toda orquesta en el Santuario de Nuestra Señora de África. A las 21, primera noche de velada. A las 22, se quemará una colección de fuegos artificiales en el muelle de comercio.

Día 5. En las primeras horas de la mañana recorrerán las principales calles de la población tocando alegres dianas las bandas de la guarnición. A las 8, reparto de limosnas a los pobres. A las 10, se celebrará en el Santuario de la Patrona función religiosa, cantándose una misa a toda orquesta. A las 16, elevación de globos y fantoches en la plaza de la Constitución (África). A las 17, carrera de resistencia y velocidad en bicicleta. A las 18, gran concurso de vehículos de todas clases adornados, importantes premios. A las 21, segunda noche de velada y cinematógrafo público. A las 22, gran baile en la caseta del Ayuntamiento.

Día 6. A las 8, segundo reparto de limosnas. A las 16, concurso de natación. A las 17, concurso de tenis. A las 18, gran partido de foot-ball, en el que se disputará entre los equipos que previamente hayan resultado vencedores por eliminación, la copa de Ceuta. A las 21, tercera noche de velada. A las 22, fiesta de la belleza.

Día 7. A las 17, inauguración de la Cantina escolar. A las 18, concurso hípico. A las 21, cuarta y última velada. A las 22, gran cabalgata cívico-militar en la que podrán tomar parte todos los vehículos que se hayan presentado al concurso el día 5. A las 24, como final de fiesta se disparará una traca.

Informaba la prensa que la feria transcurrió animadísima. De Gibraltar llegaron mil seiscientos turistas, ingleses y americanos; al igual que procedentes de Tánger y Tetuán los trenes llegaron abarrotados. Además del *Alfonso XIII*, arribaron el acorazado *España* y el crucero *Reina Regente*[26]. Igualmente, se resaltó la brillantez de la función religiosa en honor de la patrona, así como el concurso de carrozas adornadas, que se celebró con gran animación. También había llegado el cañonero portugués *Bengo*, conduciendo una Misión portuguesa, presidida por el teniente coronel y presidente de la Cruz Roja de Portugal, Alfonso Dornellas[27].

---

26   ABC, 7 de agosto de 1923.
27   ABC, 7 de agosto de 1923. El Telegrama del Rif, 7 de agosto de 1923.

2.6. Juegos florales

Tras realizar diversas visitas, el día 7 lo cerró la Misión por la noche con la asistencia a los Juegos florales. El teatro presentaba un aspecto deslumbrante. Durante el acto se leyó la poesía *Castilla*, premiada con la flor natural, de la cual era autor Marciano Zurita. A continuación, Alfonso Dornellas leyó el trabajo "Historia de Ceuta durante el gobierno del portugués Pedro Meneses". Seguidamente, el ministro del jalifa leyó maravillosamente una poesía árabe, que fue premiada. Todos los trabajos leídos fueron objeto de grandes aplausos. Acto seguido, el general Queipo de Llano hizo la presentación del mantenedor, el diputado por Málaga José Estrada, cuya personalidad ensalzó en breves párrafos.

José Estrada, acogido con grandes aplausos, terminó su discurso diciendo que Ceuta "es la llave que Dios puso en manos de España: la esmeralda de Hércules en el Estrecho". El orador fue ovacionado y muy felicitado. Acabada la hermosa fiesta, se celebró un baile en el Centro Cultural Militar (Casino Militar), que resultó animadísimo[28].

2.7. La biblioteca y el museo hispano-lusitano

Pasadas las fiestas y tras visitar el Protectorado, regresó la Misión portuguesa, trasladándose al Hospital de la Cruz Roja, donde fueron recibidos por la superiora, sor Marta, acompañada de la esposa del general Montero, presidenta de la Junta de Damas. Sor Marta pertenecía a las Hermanas de la Caridad de San Vicente de Paúl que se dedicaba a diferentes obras sociales en la ciudad (hospitales, asilos...). A principios de junio de 1924 sor Marta recibiría la Cruz de Beneficencia de primera clase de la mano de la reina[29]. Esta congregación había sido fundada en el siglo XVII por Vicente de Paul y Luisa de Marillac. Las hermanas vicentinas o paúles, que en Ceuta eran denominadas hermanas de la Caridad, se reconocían fácilmente por su gran tocado alado o *corvette* y su largo traje negro. En referencia a la Junta de Damas, se había constituido en Ceuta en enero de 1912. Su primera presidenta fue la esposa del general Alfau, teniendo como principal objetivo "recaudar socorros con destino a los heridos y familias de los muertos en la campaña del Rif"[30]. No obstante, pronto se comprometió con la Cruz Roja y la población ceutí, realizando numerosas y variadas obras sociales, y apoyando en firme la creación de un hospital.

Alfonso Dornellas.
VILLATORO IGLESIAS, Fernando: "En recuerdo de Affonso de Dornellas", p. 45.

Ese mismo día, en la plaza de la Constitución se celebró un importante acto iniciado por la Asociación de la Prensa, consistente en la fundación de una biblioteca y un museo hispano-lusitano, que se iba a instalar en el nuevo Ayuntamiento, que se encontraba en plena construcción, como recuerdo de la visita de la Misión, que había donado importantes obras de la dominación portuguesa en Marruecos y una colección de monedas acuñadas en Ceuta en aquellas fechas (ceitil). El abogado Francisco de las Heras pronunció un discurso exponiendo la importancia del acto cultural, evocó a Camoens y terminó preconizando "la formación de la gran nación Iberia". Seguidamente se entregó el mensaje que el Ayuntamiento

---

28   La Época, 9 de agosto de 1923.
29   La Región, 5 de junio de 1924.
30   La Correspondencia de España, 26 de enero de 1912.

de Ceuta dirigía al de Lisboa y de los títulos de Hijo Adoptivo de la ciudad para Alfonso Dornellas y presidente honorario de la Asociación de la Prensa y de la Junta Patronal de la biblioteca y museo hispano-lusitano. Contestó el propio Dornellas dando las gracias en nombre de Portugal. Asistieron al acto los generales Montero y Queipo de Llano, todos los jefes y comisiones de los cuerpos de la guarnición, Ayuntamiento, la citada Asociación de la Prensa, entidades de Ceuta, el elemento oficial y la población, que se agrupaba en la plaza, donde se habían levantado amplias tribunas.

A continuación, el ilustre Dornellas impuso la corbata a la bandera de las ambulancias de la Cruz Roja y las medallas de oro y de plata a las damas y a los caballeros de dicha institución. El desfile de las fuerzas de la ambulancia resultó brillantísimo. Terminado el acto se formó una impresionante comitiva, que acompañó a la Misión hasta el embarcadero. A las diez de la noche zarpó el cañonero portugués[31].

El lisboeta Alfonso Dornellas (1880-1944) era un hombre cultísimo -académico, investigador, arqueólogo, genealogista y escritor-, que poseía un currículo extraordinario. A lo largo de los siguientes años publicaría en Lisboa varios libros relacionados con la referida visita, como O "Tercio de Extranjeros" do exercito espanhol, Os Jogos Floraes de 1923 em Ceuta, o De Ceuta a Alcacer Kibir em 1923.

2.8. Inquietud en el frente

Poco después, se recibieron cariñosos telegramas de la Misión portuguesa con motivo de su feliz llegada a Lisboa. También el Ayuntamiento de Lisboa, la Asociación de la Prensa y otros centros telegrafiaron en el mismo sentido.

Por otro lado, viendo que llegaban constantes rumores de que la situación se estaba complicando en la zona occidental, los generales Montero y Queipo de Llano marcharon a la línea avanzada del Lau, que separaba los dominios de Abd el Krim de la zona bajo la autoridad del Majzén. Esta línea defensiva iba desde la costa mediterránea, siguiendo el curso del río que le daba nombre, hasta la zona de Xauen. Los referidos generales visitaron diversas posiciones, inspeccionaron los servicios y escogieron el momento del relevo de fuerzas. Después de la inspección, fueron a guarnecer las posiciones avanzadas el primer tabor de Regulares y el segundo batallón del regimiento de Ceuta n.º 60.

Ante estas inquietantes noticias, el comandante general publicó un bando imponiendo restricciones a la circulación por el territorio bajo su mando a fin de evitar la entrada en las poblaciones de partidas o enemigos sueltos que pudieran perturbar la tranquilidad y la seguridad de las vidas y haciendas. El bando empezó a regir el 3 de septiembre, obligando a toda persona de cualquier clase y condición, menos a las mujeres musulmanas, a llevar una tarjeta de identidad[32].

31 ABC, 11 de agosto de 1923.
32 ABC, 31 de agosto de 1923.

CAPÍTULO II
1923, LA DICTADURA Y SU IMPLANTACIÓN

Mientras que en la zona occidental del Protectorado se apreciaba cierta inquietud ante los rumores de la presencia de harkas desafectas, en España resonaban estas palabras: "Españoles: ha llegado para nosotros el momento, más temido que esperado, de recoger las ansias, de atender el clamoroso requerimiento de cuantos amando a la Patria no ven para ella otra solución que libertarla de los profesionales de la política. Este movimiento es de hombres. El que no sienta la masculinidad completamente caracterizada que espere en un rincón sin perturbar los días buenos que para la Patria preparamos. ¡Españoles! ¡Viva España! y ¡Viva el Rey!".

1. El golpe de Estado, 13 de septiembre de 1923

Con la lectura de este manifiesto, el 13 de septiembre de 1923 Miguel Primo de Rivera, capitán general de Cataluña, daba un golpe de Estado apoyado por el denominado *Cuadrilátero*, núcleo conspirativo formado por los generales José Cavalcanti, Federico Berenguer, Leopoldo Saro y Antonio Dabán, que triunfó sin apenas oposición ante la indiferencia de la mayoría de los españoles, muy cansados de gobiernos inestables, numerosos conflictos laborales y sociales y una interminable guerra en el norte de Marruecos que desangraba a la nación.

Miguel Primo de Rivera.
Colección particular.

Por lo que se refiere a Alfonso XIII, aceptó las consecuencias del golpe y, haciendo caso omiso de la Constitución, apoyó la formación de un gobierno de militares, dejando así de ser una monarquía constitucional para convertirse en una dictadura. Una apuesta realmente arriesgada. ¿Qué temores albergaba el monarca para cruzar tan delicada línea? ¿Quizá se estaba quebrando el funcionamiento normalizado de la monarquía constitucional?, (revolución de 1917, magnicidio de Dato, atentados, huelgas, gobiernos efímeros...). ¿Quizá por la interminable guerra del Rif y las responsabilidades del desastre de Annual?, (iba a ser debatido el tema de las responsabilidades en el Congreso de los Diputados en septiembre de 1923).

Como tal dictadura, el nuevo régimen suspendió las garantías constitucionales, disolvió las Cortes, expulsó a los partidos políticos fuera de la vida pública, estableció la censura de prensa, puso en manos de los militares el gobierno de las provincias y extendió a toda España los somatenes, con la misión de velar por la ley y el orden. Esta falta de legitimación fue el perpetuo talón de Aquiles, pues, como señala Ramón Tamames, si bien tuvo éxito y se llevó a cabo sin derramamiento de sangre, "a cada paso más o menos erróneo que daba el régimen, se le recordaba su origen irregular y su inevitable carácter transitorio"[33].

---

33   TAMAMES, Ramón: *Ni Mussolini ni Franco: la dictadura de Primo de Rivera y su tiempo*, p. 365.

2. El golpe de Estado en el Protectorado

Con respecto a la Alta Comisaría, la primera consecuencia del golpe fue la sustitución de Luis Silvela por Luis Aizpuru y Mondéjar (15 de septiembre de 1923 - 16 de octubre de 1924). Recordemos que el ferrolano había sido ministro de la Guerra, sustituyendo a Alcalá Zamora, entre el 26 de mayo y el 15 de septiembre de 1923, en dos gobiernos de García Prieto. Con respecto al golpe de Estado, Aizpuru no había opuesto resistencia alguna. No obstante, presentó su dimisión ante el nuevo jefe de Gobierno, y en el mismo diario en que se publicaba su cese fue nombrado alto comisario de España en Marruecos y general en jefe de los Ejércitos de España en África. Por otro lado, Aizpuru, siendo ministro de la Guerra, se había entrevistado con el alto comisario Silvela, pero también lo había hecho con el dimisionario general Vallejo, comandante general de Ceuta, como con el general Vila, ex comandante general de Melilla. Por lo tanto, en principio, parecía que conocía bien la situación a la que se enfrentaba.

El mismo día 15 Luis Silvela embarcó en el *Hespérides* para Algeciras, aunque desde el día del golpe de Estado su autoridad se hallaba erosionada. Se iba de Marruecos con un regusto amargo, sin haber encontrado la comprensión de los comandantes generales.

Unas jornadas más tarde, a primeras horas del domingo 23, se advirtió inusitado movimiento con ocasión de los preparativos para recibir al nuevo alto comisario. De Tetuán llegaron para esperarle los altos funcionarios. Las escuadrillas de aviones volaron sobre la ciudad, adentrándose en el Estrecho y saludando al crucero *Reina Regente* que conducía al nuevo residente. A las diez de la mañana se congregaron en el embarcadero el Ayuntamiento nutridas representaciones de las fuerzas vivas, el caíd de la cabila de Anyera, Mohamed Ben Alí, todos los jefes y oficiales de la guarnición, marinos de guerra y numeroso público. A las once fondeó el *Reina Regente*, disparándose los quince cañonazos de ordenanza. En una lujosa canoa, cedida por el armador José Romaní, fueron a bordo del crucero el comandante general Montero y el general Queipo para saludarle.

Seguidamente desembarcó en el muelle de la Puntilla, donde el alcalde, Demetrio Casares, le dio la bienvenida, confiando que el Directorio resolvería el arduo problema de Marruecos. El alto comisario contestó con breves frases agradeciendo la salutación. Inmediatamente marchó a la Comandancia General. En la carrera formaron todas las fuerzas de la guarnición, mandando la línea el coronel Julián Serrano Orive. Desde los balcones de la Comandancia presenció Aizpuru el desfile de la columna de honor, felicitando al general Montero. Terminado el desfile tuvo lugar la recepción de cuantos acudieron a recibirle, siendo la más nutrida la del elemento civil, que nunca se distinguió por concurrir a estos actos. A continuación hubo un almuerzo, y a las tres de la tarde, tributándole los mismos honores que a la llegada, se despidieron tomando el tren especial en el que marchó a Tetuán. Este viaje, a diferencia de otros de los altos comisarios, según narraba el cronista de *La Vanguardia*, "había despertado vivo interés en las actuales circunstancias"[34].

A las cuatro de la tarde llegó a Tetuán, donde fue recibido por gran cantidad de público, luciendo las casas colgaduras y gallardetes. La población tenía la sensación de que el general Aizpuru iba a realizar grandes reformas que se esperaban con impaciencia. La nota saliente del desfile fue que las tropas, al pasar ante el general, dieran el "viva" reglamentario, lo cual ocasionó emoción, porque es la primera vez que se hacía en Tetuán[35].

Aizpuru llegaba a la capital del Protectorado entre los recelos de los partidarios de la acción militar exclusiva y el aplauso de los entusiastas de la acción política prioritaria. En cualquier caso, parece claro que el nuevo alto comisario llevaba instrucciones muy precisas del

---

34   La Vanguardia, 25 de septiembre de 1923.
35   La Correspondencia Militar, 24 de septiembre de 1923.

general Primo de Rivera, con antecedentes abandonistas, y, por lo tanto, poco inclinado a una escalada en las operaciones de guerra.

Este programa político le condujo a intentar un pacto con el Raisuni, para lo que no dudó entrevistarse con él el 11 de octubre. La idea era no combatir en dos frentes a la vez. Sin embargo, la hora del Raisuni había pasado, al igual que gran parte del poder que había gozado. Por otro lado, durante su período al frente de la Alta Comisaría, Abd el krim llevó gran parte de la iniciativa, de tal forma que en el verano de 1924 la situación se haría insostenible, con lo que quedaba claro que la acción política había resultado un fracaso, y que la acción militar pasaba por uno de los peores momentos[36]. El 16 de octubre de 1924 fue aceptada la dimisión "por motivos de salud". Todas estas cuestiones se irán desgranando a lo largo de las siguientes páginas, pero no nos adelantemos a los acontecimientos...

3. El golpe de Estado en Ceuta

El 13 de septiembre informaba *El Adelanto*: "De visitar las posiciones avanzadas han regresado a esta plaza los generales Montero y Queipo de Llano", por lo que el día del pronunciamiento las dos máximas autoridades de la Comandancia General de Ceuta ya se encontraban en sus respectivos despachos.

En cuanto a la vida civil, un día después del golpe de Estado hubo sesión del Ayuntamiento. Aunque oficialmente no se trató la cuestión del pronunciamiento, sí se trataron otros temas, entre ellos la elección de la comisión que iba a visitar Lisboa, y el anuncio de una función de gala en el Teatro del Rey en honor del dramaturgo Jacinto Benavente, cuya fama deslumbraba en el panorama literario mundial, pues había obtenido el premio Nobel de Literatura el año anterior. También se trató el problema del corte del alumbrado eléctrico "llegando al extremo de dejar a la población a oscuras durante varias horas", o la carestía de alimentos básicos, como el pan o el azúcar. Tampoco la población ceutí reaccionó en contra del golpe. El diario trasiego transcurría con una naturalidad asombrosa. Es más, en muchos sectores de la población fue bien recibido ante las promesas de Primo de Rivera de regeneración.

Como se ha comentado, el día 15 de septiembre partió para la Península el alto comisario destituido. En el embarcadero le despidieron los generales Montero y Queipo de Llano, el alcalde, funcionarios del Protectorado y algunos amigos. Dada la gravedad de la situación, Silvela se abstuvo de hacer declaraciones[37]. Una despedida fría y protocolaria.

Mientras tanto, el corresponsal de *La Vanguardia* informaba que continuaba reinando gran tranquilidad en toda la zona, al igual que seguían los comentarios de todo tipo alrededor de los sucesos de actualidad. También señalaba que la opinión se mostraba "unánimemente esperanzada" por lo que estaba sucediendo. En cuanto al nombramiento del general Aizpuru como alto comisario, la noticia había producido "excelente efecto por tratarse de un hombre que ha hecho en Marruecos gran parte de su carrera, y ser la discreción una de las dotes que le caracterizan"[38].

Desde luego el ambiente de incertidumbre no era propicio para tomar decisiones extraordinarias, por lo que en la sesión municipal del día 19 se volvió a tratar de nuevo el tema de la visita de una comisión del Ayuntamiento a Lisboa, realizándose una sesión secreta en la que se dio cuenta de que se había "formado una atmósfera poco favorable" en la opinión pública ceutí, "teniendo en cuenta más que nada, las circunstancias especiales porque atraviesa la Nación". Por lo que se decidió aplazar el viaje, aunque oficialmente se argumentó que se demoraba "hasta que la Alcaldía disponga su salida por no estar terminados los obsequios acordados regalar a la Cámara Municipal de dicha Ciudad". También en la misma

36   SARO GANDARILLAS, Francisco: 'Luis Aizpuru Mondéjar', s.p.
37   ABC, 18 de septiembre de 1923.
38   La Vanguardia, 18 de septiembre de 1923.

sesión se dio cuenta de que los Boletines oficiales de la semana, "no contenían disposición alguna de interés que afectara a este Ayuntamiento"[39]. Cabe añadir que el secretario del Ayuntamiento, Julio González Marco, no asistió a la sesión de aquel día, ni a la sesión del día 28; ejerciendo las funciones de secretario accidental Rogelio Díez Añino, oficial mayor del Ayuntamiento.

4. Cambios en la alcaldía

Unas jornadas después, el lunes 1 de octubre por la tarde, tuvo lugar el cambio de Ayuntamiento bajo la presidencia del delegado del comandante general, el auditor de brigada Ramiro Fernández de la Mora y Azcué, y la ausencia del susodicho secretario, levantando acta el citado oficial mayor, "para dar cumplimiento al Real Decreto de la Presidencia del Directorio militar de treinta de Septiembre próximo pasado". Como señalaba el Real Decreto, una vez disuelto el Ayuntamiento, seguidamente se pasó a la formación del nuevo, procediéndose "en votación secreta a la designación de Alcalde Presidente que dio el siguiente resultado: D. Eduardo Álvarez Ardanuy 11 votos (once) [...] Siendo designado por mayoría absoluta de los presentes (21) Alcalde D. Eduardo Álvarez Ardanuy, el que tomó posesión inmediatamente del cargo". A renglón seguido se eligió primer teniente de alcalde a Remigio González Lozana, segundo teniente de alcalde a José B. Alfón Benoliel, tercer teniente alcalde a Francisco Baeza Huesca, cuarto teniente alcalde a Antonio Aranda Hidalgo, y quinto teniente de alcalde a Bernabé Fernández.

Tras la constitución del nuevo Ayuntamiento, el presidente del Directorio envió una cariñosa felicitación al general Montero "por su acierto y discreción al cumplimentar el real decreto sustituyendo a los Ayuntamientos". En igual sentido le felicitó el general Martínez Anido. Por su parte, el general Montero "ha oficiado su satisfacción por el exacto cumplimiento de sus instrucciones al jefe del Cuerpo Jurídico señor Fernández Mora, al comisario Sr. Romeo y al funcionario Sr. Díez Añino"[40].

Sin embargo, Álvarez Ardanuy no va a ejercer su cargo. Así, en la primera sesión del 3 de octubre de 1923, que ya contó de nuevo con el secretario, Julio González, la presidencia la ocuparía Remigio González Lozana. Eduardo Álvarez Ardanuy era un hombre de avanzada edad, teniente coronel del Estado Mayor retirado, arabista y cartógrafo, poseía un gran prestigio profesional al haber sido junto con Jáudenes uno de los miembros de la Comisión de Marruecos en la que permaneció hasta su jubilación en 1909[41]. En mayo de 1925 moriría en Tetuán, donde se había ido a vivir con su hija.

Unas jornadas más tarde, con motivo de la festividad de la Virgen del Pilar, la colonia aragonesa celebró solemnes cultos en la iglesia castrense. Ese día, que amaneció espléndido, también se celebraba la Fiesta de la Raza, por lo que el comercio cerró sus puertas y no se trabajó, marchando muchos ceutíes al campo. Ya por la tarde, en la Comandancia General se celebró una fiesta con motivo de la imposición de condecoraciones de la Cruz Roja portuguesa concedidas a las damas enfermeras. Efectuó la imposición Pilar Prat, esposa del general Montero, presidenta de la citada Junta. Asimismo, hubo gran animación en los paseos, y en el Teatro del Rey debutó con gran éxito la compañía dramática de Martínez Tovar[42]. Este ambiente jovial y lúdico subrayaba la tranquilidad que reinaba en la ciudad.

39   AGC. LAC núm. 87. Sesión ordinaria, 19 de septiembre de 1923, folio 6 y vto.
40   La Correspondencia de España, 10 de octubre de 1923.
41   RONTOMÉ ROMERO, Carlos: 'Las derechas en Ceuta en el periodo de entreguerras', p. 334.
42   La Vanguardia, 14 de octubre de 1923.

Vista aérea del campo de fútbol de la Real Sociedad Hípica. Cortesía de Diego Sastre.

5. Inauguración del campo de fútbol de la Real Sociedad Hípica

El *foot-ball* o "balón-pié", que durante los años veinte se había convertido en un espectáculo de masas, había estado presente durante las fiestas patronales de agosto, disputándose la copa del Ayuntamiento en el campo del Llano de las Damas.

Este deporte se había iniciado en Ceuta en la década anterior a través de los soldados y marinos que llegaban de la Península. Y tal fue su calado y aceptación que en poco tiempo se hizo un deporte muy popular, por lo que se vio la necesidad de construir un campo de fútbol. Las obras, financiadas por el estamento militar, incluían el vallado de la zona y la construcción de gradas en un lateral del campo, con un aforo de mil quinientas personas sentadas. Las dimensiones del terreno de juego fueron ampliadas a 105x64 m[43].

Y a mediados de octubre, el día 15, se inauguró "un magnífico campo de 'football' construido a expensas de la Real Sociedad Hípica, para uso de la Federación Deportiva local. Después de la ceremonia de bendición se jugó un partido para disputar la copa donada por la Sociedad y la Federación. La ganó el Ceuta Sport, que se enfrentó al María Cristina"[44]. Asistieron las autoridades y numeroso público. Para festejar la inauguración se reunieron los equipos en fraternal banquete. Como comentaba *El Sol*, en poco tiempo había adquirido en Ceuta este deporte extraordinario incremento[45].

La Real Sociedad Hípica, situada en el Campo Exterior, cerca del muelle de la Puntilla, era una entidad militar cuya presidencia la ostentaba el comandante general. El 7 de agosto de 1920, en plenas fiestas patronales, se inauguró el hipódromo[46]. Era natural, pues desde 1913 el regimiento de Caballería de Cazadores de Vitoria estaba basado en Ceuta. Igualmente, durante las fiestas patronales, solía colaborar con el Ayuntamiento organizando diferentes eventos deportivos. El "campo de la Hípica", como se le llamaba popularmente, se convertiría en la meca del fútbol ceutí durante una década, hasta que se inauguró el estadio municipal en 1933. Sin lugar a dudas, los años veinte fueron los años dorados de esta Sociedad.

---

43   Ceuta reportajes: 'La Hípica: el primer campo de fútbol de Ceuta', s.p.
44   La Libertad, 17 de octubre de 1923.
45   El Sol, 16 de octubre de 1923.
46   El Correo de Cádiz, 17 de agosto de 1920.

6. Muerte del jalifa

Mientras se inauguraba el nuevo campo de fútbol corría la noticia de que la salud del jalifa se estaba agravando. A principios de octubre, el Directorio militar ya anunciaba la grave enfermedad que padecía. En realidad, el problema lo arrastraba desde hacía unos meses.

En la primavera de ese mismo año había sufrido un envenenamiento del que tenía secuelas. Desde entonces su salud se hallaba quebrantada. Añadía *El Debate* que su esposa favorita fue víctima de un envenenamiento dirigido contra él "por mano misteriosa, y del cual, afortunadamente, pudo salvarse a tiempo". En la mente de todos estaba la figura del Raisuni. A partir de entonces, sus energías físicas fueron decayendo, a pesar de ser un hombre fuerte y robusto. El diagnóstico de los doctores fue que padecía una poliserositis reumática o tuberculosa.

Durante todo el verano estuvo internado en una residencia a las afueras de Tetuán. Sin embargo, no mejoraba. En la esperanza de que cambio de aires pudiera aportarle un alivio, fue trasladado a Ceuta, a la residencia del comandante general que tenía al costado de la ermita de San Antonio, en el monte Hacho; pero lejos de presentar mejoría, se agravó la enfermedad. En vista de su estado, el Gobierno español envió al doctor Armando Costa, un médico militar especialista[47], que poco pudo hacer, y en la madrugada del día 24 se rumoreaba que había fallecido[48].

Ya por la mañana se reconoció la muerte del jalifa. La noticia oficial que dio el alto comisario era que se hallaba en Ceuta y fue trasladado a Tetuán, donde falleció a las diez de la mañana. Por su parte, Primo de Rivera manifestó "que acababa de recibir la noticia de la muerte del jalifa ocurrida en el camino de Ceuta a Tetuán, y al cadáver, que se halla en El Messiam"[49]. Pero la realidad era otra. No había muerto en Tetuán, ni el camino, ni en la residencia del comandante general, sino en un chalet colindante también con la ermita conocida como la Casa de los Arcos, que era propiedad de Salomón Benhamú, una de las figuras más sobresalientes de la comunidad hebrea ceutí[50].

El jalifa Muley el Mehdi Ben Ismael.
Nuevo Mundo, 26 de octubre de 1923.

El príncipe Muley el Mehdi Ben Ismael, que sería enterrado el día 25 con honores militares, era hijo de Muley Ben Abderrahmán, hermano predilecto del sultán de Marruecos, Muley Hassan, y primo, por tanto, de los sultanes Abd-el-Aziz y Muley Yusef. Había sido nombrado el 19 de abril de 1913, e hizo su entrada oficial en Tetuán el 27 del mismo mes, cuando era alto comisario el general Alfau. Con arreglo a la disposición estatutaria de 1912, sustituía interinamente al jalifa, en caso de muerte, el bajá de Tetuán. La propuesta del sucesor se hacía al sultán de Marruecos, enviándole dos nombres, de los cuales elegía libremente[51]. Aunque oficialmente, tal y como se ha referido, la sucesión del jalifa estaba regulada, se abría una gran incógnita, sobre todo por la influencia del Raisuni, eterno aspirante al jalifato y dolor crónico para España.

---

47   El Debate, 25 de octubre de 1923.
48   Diario de Valencia, 24 de octubre de 1923.
49   La Acción, 25 de octubre de 1923.
50   **El Faro, 21 de mayo de 2013.**
51   Ídem.

7. La comunidad hebrea y la Asociación Hispano-Hebrea

Salomón Benhamú. Cortesía de José Antonio Alarcón Caballero.

Como se ha visto, el jalifa murió accidentalmente en la residencia que tenía en el Hacho el banquero Salomón Benhamú Schocrón. Salomón era natural de Tetuán, estaba casado con Miriam Benzaquem Azerrat y tenía cuatro hijos. El 29 de abril de 1926, el diario *ABC* le dedicó unos laudatorios párrafos. Señalaba que era presidente de la comunidad israelita y de la Asociación hispano-hebrea de Ceuta, filántropo, fabricante y banquero de sólida reputación. También le dedicaba unas notas por su cariño a España: "el comandante general le felicitó muy efusivamente en ocasión reciente por una condecoración que le había concedido el Sultán, y el Sr. Ben-hamú dijo que no ostentaría en su pecho la insignia hasta no llevar otra concedida por España". Y acababa la crónica loando su labor como banquero: "Su labor fiduciaria es un nuevo timbre que agregar a los rasgos de la vida del señor Ben-hamú, que desde 1880 posee la casa de banca, una de las sólidamente acreditadas de España, pues aparte de las operaciones que realiza; acuden hasta ella las cancillerías para recoger informes"[52]. La sede bancaria estaba establecida en la calle Gómez Pulido, 26.

Otro judío de gran peso específico era el financiero Coriat Bendahan, bienhechor de Ceuta y hermano del sargento heroico muerto en la Guerra del Rif[53]. Tenía su sede bancaria también en Gómez Pulido. La familia Coriat introdujo la costumbre en las sinagogas de que den los congregados una salva en honor de los reyes de España.

En 1930 en Ceuta había unos doscientos sesenta judíos, que estaban muy integrados en el tejido empresarial y social; por lo que gozaban de un gran prestigio. Así, por ejemplo, en la Junta directiva de la Cámara de Comercio de 1908 encontramos a Samuel Hachuel, tesorero; Menahem Coriat, contador; y vocales Samuel Benasayag y Salomón Benhamú[54]. Durante la etapa primorriverista aparecen miembros de esta comunidad en los dos periodos por los que pasó la institución municipal. En la primera etapa (1923-1926) localizamos como concejales a José Alfón Benoliel, Samuel Barchilón Israel, Jacob Benasayag Azulay o José Roffe. En la segunda etapa (1926-1931), surgen nombres como Abraham Benasayag Coriat, Samuel Benhamú Benzaquén o Abraham Barchilón Israel[55]. Igualmente, algunos de sus miembros fueron integrantes de la Unión Patriótica y el Somatén.

En cuanto a la Asociación Hispano-Hebrea de Ceuta, tenía su origen en las asociaciones hispano-judías del norte de Marruecos, que, a su vez, tenían su fundamento en la Conferencia de Algeciras de 1906, en la que se preparó la zona de influencia española y francesa, buscando la colaboración entre la población local y la española. La primera asociación hispanojudía se fundó en Tánger en 1912, y a ella le seguirían las de Ceuta, Larache y Alcazarquivir. De la importancia de la asociación ceutí habla el hecho de que en 1921 se celebró en esta ciudad la XI Asamblea Hispano-Sefardí[56].

Inicialmente, la Asociación Hispano-Hebrea de Ceuta funcionó como entidad socio-cultural. Estaba presidida por el susodicho Salomón Benhamú, organizador de la citada Asamblea, e integrada por Jacob A. Bensayag (vicepresidente), Manuel Criado (secretario), y Félix Palacios, José Bentata, Jacob Bencid o Menahem Coriat, entre otros. Durante el periodo primorriverista, la Asociación estará presente en numerosos actos oficiales, recibimientos a personalidades ilustres, despedidas, homenajes, adhesiones, etc.

---

52   ABC, 29 de abril de 1926. La Esfera, 14 de noviembre de 1925.
53   ABC, 14 de abril de 1927.
54   ALARCÓN CABALLERO, José Antonio: *La Cámara de Comercio, Industria y Navegación de Ceuta: un siglo en la historia económica y social de Ceuta (1906-2006)*, p. 125.
55   ALARCÓN CABALLERO, José Antonio: 'La dictadura de primo de Rivera y la transición a la República', pp. 231-237.
56   BRIONES, Rafael ad. lat: *Encuentros, Diversidad religiosa en Ceuta y en Melilla*, pp. 103 y 104.

8. Remigio González Lozana, nuevo alcalde

Con respecto al Ayuntamiento, el nuevo alcalde, como se ha referido, presentó su dimisión alegando motivos de salud; tomando posesión accidental del cargo Remigio González[57]. La interinidad del primer teniente de alcalde se va a prolongar durante algo más de un mes, hasta que, a finales de noviembre, viéndose que la situación era irreversible, se eligió por mayoría absoluta alcalde a Remigio González[58].

Agente de aduanas, católico y conservador, tendrá un notable protagonismo en la vida municipal ceutí durante este primer periodo primorriverista. Procedente de Córdoba, había llegado a comienzos de siglo. Tuvo diferentes negocios de seguros y representaciones, pero era más conocido por ser uno de los primeros agentes de aduanas. Asimismo, participó activamente en el mundo social, perteneciendo a sus casinos, a la Cruz Roja o a las cofradías. Profesionalmente participó en la fundación del Colegio Oficial de Agentes Comerciales, del Colegio Oficial de Agentes de Aduanas y de la Cámara de Comercio. Remigio contrajo matrimonio con Josefa López, con la que tuvo dos hijos, ambos ceutíes: José Antonio González López, más conocido como Pepe Remigio, nombre que consta en el callejero de la ciudad; y África González López, la madre de Manuel Chaves[59], presidente de la Junta de Andalucía entre 1990 y 2009.

9. Línea ferroviaria a Ben Karrich y la patrona de Artillería

También en noviembre, el día 17, llegaba la noticia de la inauguración de la línea ferroviaria a Ben Karrich, antesala de Tetuán, primer tramo de unos once kilómetros del ferrocarril militar "que, para el porvenir, nos pondrá en comunicación directa con Xauen"[60]; objetivo que nunca se llegaría a cumplir; aunque sí llegaría hasta Zinat.

Paralelamente llegaba la noticia del viaje a Italia de Alfonso XIII y Primo de Rivera. Un viaje que tuvo lugar entre el 19 y el 28 de noviembre de 1923 con el fin de lograr acuerdos comerciales y una alianza más firme, ante la francofobia que existía por los asuntos del Protectorado. La Italia que visitó Alfonso XIII era la del rey Víctor Manuel y Mussolini, quien había llegado al poder en 1922, tras su famosa marcha sobre Roma. La visita, que tuvo un carácter multitudinario, también se completó con la entrevista que tuvo el rey con el papa Pío XI en el Vaticano. Pero, además de confirmar las buenas relaciones y levantar lazos espirituales entre los dos países, poco más dio de sí. No obstante, Primo de Rivera tomaría algunas notas de aquel viaje para su programa de gobierno.

El mes de diciembre empezó con las fiestas de Santa Bárbara, patrona de Artillería[61]. Por otro lado, la autoridad militar de Ceuta y el alcalde proseguían la campaña en pro del abaratamiento de las subsistencias, por lo que se impusieron multas a comerciantes por defraudar[62]. Asimismo, en un afán de transparencia y regeneración, el 23 de noviembre de 1923 la nueva legislación promulgada por el Directorio para los ayuntamientos, daba opción a que interviniesen el público en las reuniones corporativas. Especial significación tuvo la intervención de Queipo de Llano: "haciendo uso de la autorización concedida a todos los ciudadanos, denunció que en el Ayuntamiento existe un desfalco de 400.000 pesetas. Añadió que el alcalde sabe cuánto se relaciona con la denuncia, por cuanto él mismo se lo dijo". Se acordó nombrar una comisión para aclarar el asunto[63]. Aunque la denuncia se fue difuminando con el tiempo, la sombra planeó sobre el anterior Ayuntamiento.

57 ABC, 16 de octubre de 1923, p. 23.
58 ABC, 28 de noviembre de 1923.
59 El Faro, 27 de noviembre de 2010.
60 La Opinión, 28 de noviembre de 1923.
61 ABC, 5 de diciembre de 1923.
62 El Ideal Gallego, 6 de diciembre de 1923.
63 Ídem.

Entrega de la bandera al regimiento de Ceuta n.º 60. AGCE.

10. La entrega de la bandera al regimiento de Ceuta n.º 60 y una Misión ceutí en Lisboa

Como la presencia militar en Ceuta era muy notable, estaba claro que la comunión que existía entre el estamento civil y el militar había que alimentarla, quedando certificada con la entrega de la bandera al regimiento de Ceuta, cuyo origen se remontaba a la época portuguesa. Fue a propuesta del alcalde Demetrio Casares Vázquez, tras la brillante acción que tuvo un batallón del regimiento en Tetuán, el 22 de agosto de 1923, cuando se acordó entregarle una bandera.

Con objeto de solemnizar tan simbólico acontecimiento, se organizó un amplio programa de festejos para los días 7, 8, 9 y 10[64]. Aunque el acto principal se celebró el domingo 8, día de la Inmaculada Concepción, patrona de Infantería.

Ese día, en el Campo de la Real Sociedad Hípica tuvo lugar el acto de entregar la bandera adquirida por suscripción popular. El regimiento con compañías de todos los cuerpos de la guarnición, formaron en columna, mandado por el coronel Julián Serrano Orive[65], jefe del regimiento desde agosto de 1919. El Ayuntamiento bajo mazas sacó el histórico pendón, insignia de la ciudad. En el artístico altar de la Inmaculada se celebró una misa de campaña, bendiciéndose la bandera. Una vez bendecida, el alcalde, Remigio González Lozana, en nombre de la ciudad, entregó la bandera al coronel, produciéndose diversos discursos. Asistieron los generales Montero, Bazán y Queipo de Llano, terminando el acto con un desfile. A continuación, el Ayuntamiento obsequió a los invitados con un banquete. Por la noche, el regimiento correspondió al Ayuntamiento con otro banquete en el Hotel Majestic, asistiendo representaciones de todas las entidades, vitoreándose con frecuencia al Directorio. Por su parte, el alto comisario envió al alcalde un telegrama lamentando "no poder personalmente recoger de sus manos la gloriosa enseña que el pueblo de Ceuta regala al regimiento de su nombre"[66].

64   Revista de Tropas Coloniales, 1 de enero de 1924.

65   "El general Serrano Orive nació el 25 de enero de 1877, e ingresó en el servicio militar en 1893. Como coronel mandó durante mucho tiempo el regimiento de Ceuta, núm. 60, y aparte los méritos oficialmente reconocidos, estaba considerado como un jefe muy conocedor de la guerra propia de nuestra zona marroquí y muy experto en el mando de fuerzas en campaña". El Sol, 20 de noviembre de 1924.

66   ABC, 11 de diciembre de 1923. La Época, 11 de diciembre de 1923. La Vanguardia, 11 de diciembre de 1923.

Otro acontecimiento que tuvo lugar en diciembre fue la referida visita a Lisboa de la Misión ceutí, que estaba compuesta por el nuevo alcalde Remigio González Lozana, José B. Alfón Benoliel, Cayetano González Novelles, Mariano Ferrer y Manuel Olivencia Amor. Los representantes ceutíes almorzaron en la Legación de España. El ministro de España, Alejandro Padilla, acompañado por todo el personal de la Legación, asistió a la sesión de la Asociación de arqueólogos, donde el doctor Fontes impartió una conferencia sobre Tamuda, Alcazarseguer y Tetuán, con proyecciones. Alfonso Dornellas, por su parte, leyó el informe con respecto a su visita a Ceuta del pasado agosto; a continuación, entregó al capitán Mariano Ferrer Bravo las insignias del Instituto de Coimbra, y, por último, recogió el artístico diploma de hijo adoptivo de Ceuta, realizado por el artista ceutí Benigno Murcia. Al banquete organizado en honor de la Misión asistieron autoridades militares y civiles; se pronunciaron brindis afectuosos, hablando el alcalde, el capitán Ferrer, el periodista Rocha, el profesor Azevedo Neves y el ministro de España. Posteriormente, la Misión visitó al jefe del Estado. Al día siguiente, acompañada por periodistas portugueses, asistió a un almuerzo en los alrededores de Lisboa[67].

Por otro lado, Primo de Rivera había formado un nuevo directorio militar con una base más amplia; dándole carácter de Gobierno. Entre los miembros del Segundo Directorio, instaurado el 17 de septiembre de 1923, se encontraba Francisco Gómez Jordana, que sería el encargado de los asuntos de las plazas de soberanía y del Protectorado.

Con respecto a Ceuta, a mediados de mes se instaló un fuerte temporal, impidiendo la salida del buque correo. También a mediados de mes apareció el nuevo diario *La Gaceta de Yebala*, logrando gran aceptación[68]. Pasado el temporal volvió la Misión ceutí que había ido a Lisboa. Por último, finalizando el año, una comisión catalana llegó a la ciudad para repartir el aguinaldo entre los soldados de aquella región[69]. Era el momento de la Navidad, momento inequívoco para evocar a las familias y recordar a los seres queridos…; pero momento también que invitaba a que las comparsas y rondallas ceutíes recorriesen las calles con alegría, como así se insinuaba en las ordenanzas municipales: "En la noche de Navidad se permitirá, si las circunstancias no lo impidieran, circular por las calles las tradicionales comparsas pero sin cometer excesos de ningún género"[70].

---

67   ABC, 18 de diciembre de 1923.
68   La Vanguardia, 19 de diciembre de 1923.
69   El Ideal Gallego, 2 de enero de 1924.
70   Ayuntamiento Constitucional de Ceuta. Ordenanzas municipales de Ceuta. Año 1923, p. 16.

CAPÍTULO III

1924, UN AÑO DE INCERTIDUMBRES

El golpe de Estado de Primo de Rivera había cambiado el panorama político nacional, teniendo sus lógicas repercusiones en Ceuta y el Protectorado, como fueron el nombramiento de un nuevo alto comisario, con la esperanza de darle un vuelco al problema de Marruecos, y de un nuevo Ayuntamiento controlado por la autoridad militar, que tendrá, hasta el final de la primavera, un prolongado periodo de inestabilidad. No obstante, se había mantenido al general Montero al frente de la Comandancia General, al igual que a su segundo, el general Queipo de Llano; pero la grave situación dará lugar a cambios urgentes. Por otro lado, en 1923 se habían aprobado las nuevas ordenanzas municipales, que le estaban dando un nuevo aire a Ceuta, desprendiéndola de su pasado penitenciario. En el aspecto demográfico, la ciudad seguirá creciendo de forma imparable, al igual que las construcciones de todo tipo.

En cuanto a la guerra, en 1924 se empieza a sentir de lleno los efectos de la ofensiva de Abd el Krim sobre la zona occidental del Protectorado; empezando con el asedio a la posición avanzada de M'Ter, y acabando con la dolorosa retirada de Xauen. Entre medio un carrusel interminable de episodios bélicos. A Ceuta llegarán numerosas bajas, y desde Ceuta partirán miles de soldados al frente. Al igual que otros muchos, minados por los efectos de la guerra, volverán a sus hogares. Mientras tanto, los hospitales ceutíes no darán abasto, al igual que los entierros multitudinarios se convertirán en rituales demasiado habituales...

1. Los primeros días de 1924

El nuevo año entraba en Ceuta con numerosas incertidumbres. El problema de la cercana guerra no se solucionaba... Por otro lado, el 18 de enero de 1924 se crea la Oficina de Marruecos, primer órgano de la Administración de España dedicado exclusivamente a la dirección de los asuntos marroquíes, a cuyo frente se encuentra el general Jordana. Con la creación de la Oficina de Marruecos, que dependía directamente del consejo de ministros, el poder militar se iría consolidando poco a poco en la ciudad, como así señala José Antonio Alarcón: "Comenzarán a tener competencias sobre Ceuta los Altos Comisarios a partir de enero de 1924, en que un decreto del día 18 les asigna amplios poderes civiles y políticos en todo el Protectorado y el derecho de inspección sobre las autoridades civiles de la plazas de Soberanía, que se ampliará en agosto de 1925 a todas del Gobernador Civil al segregarse Ceuta de la provincia gaditana. Las ejercerán a través del comandante general, al que se le concede en el Estatuto de 1926 las prerrogativas de los gobernadores Civiles, Diputaciones y delegado de Hacienda sobre la Junta Municipal, y más adelante, por el Real Decreto de 31 de octubre de 1927, de un delegado gubernativo, que asume competencias similares a las del gobernador civil"[71]. De todo ello se dará cumplida cuenta a medida que vayamos avanzando en la narración.

Con respecto a la alcaldía, Remigio González Lozana se encontraba enfermo, por lo que a lo largo de enero y gran parte del mes de febrero va a presidir las sesiones municipales el primer teniente de alcalde, José B. Alfón Benoliel.

---

71   ALARCÓN CABALLERO, José Antonio: 'La dictadura de Primo de Rivera y la transición a la República', pp. 225-227.

En el aspecto militar el año comenzó con la tradicional Pascua del día 6, que tuvo lugar en la Comandancia General. Ese día, el general Montero pidió fidelidad a sus hombres para las futuras acciones del Directorio; cuestión que fue respaldada con condiciones, pues muchos de los jefes y oficiales se temían que se aplicasen las tesis abandonistas, a las que era tan proclive el presidente del Directorio. Así pues, se esperaban momentos expectantes y difíciles en la Comandancia General.

En cuanto a la vida cotidiana, la Junta de Damas organizó en el Teatro del Rey un festival infantil con objeto de repartir juguetes entre los niños pobres. La fiesta constituyó un acontecimiento realmente emotivo, asistiendo las autoridades civiles y militares, además de diversas entidades. Las músicas militares amenizaron el acto. La fiesta de Reyes se complementó con un partido de fútbol, que tuvo lugar en el campo de la Real Sociedad Hípica, entre el equipo del batallón expedicionario de Badajoz, que vino de Tetuán, y el Ceuta Sport. En esta ocasión el equipo militar venció por dos a cero. El encuentro había despertado vivo interés porque el equipo vencido ostentaba el Campeonato del Norte de África[72].

Pero el mes de enero se va a caracterizar por la abundancia de temporales. En principio, el día 10 un fuerte temporal de viento y agua produjo daños en las redes telegráficas y destruyó viviendas en las barriadas del Campo Exterior. No obstante, el vapor correo pudo conducir a la Península al batallón expedicionario de Tarragona, compuesto de diez jefes y oficiales y 525 individuos, entre clases y soldados[73].

Pasado el temporal, el 23 de enero, día de la onomástica del rey, se celebró con una recepción en el palacio de la Comandancia General. En el salón del trono recibió el general Queipo de Llano. Asistieron los elementos civiles, eclesiásticos y militares, los marinos de guerra, representantes de las entidades y muchos particulares, resultando el acto, que fue amenizado por las músicas militares, lucidísimo. Las baterías de la plaza y los buques de guerra hicieron las salvas de ordenanza, el pabellón nacional ondeó en los edificios públicos, se dio un rancho extraordinario a las tropas y en el Centro Cultural Militar se celebró un baile brillantísimo, al igual que se enviaron al rey numerosos telegramas de felicitación[74].

Asimismo, eran días de fiesta nacional, y por tanto se izaba el pabellón en los centros oficiales, el 10 de mayo, cumpleaños del heredero; el 17 del mismo mes, igual fiesta del monarca; el 21 de julio, cumpleaños de la reina madre María Cristina; el 24 de dicho mes, santo de la misma; el 24 de octubre, cumpleaños de la reina Victoria Eugenia, y el 23 de diciembre, santo de la soberana. También era de fiesta nacional el 2 de mayo y el 12 de octubre. Por último, se izaba el pabellón nacional los domingos y días festivos[75].

Unos días después de la celebración de la onomástica del rey, el lunes 28, de nuevo fue un día de fuerte temporal de agua, viento y granizo. El Estrecho de Gibraltar presentaba imponente aspecto. El vapor correo de Algeciras quedó suspendido y las aguas inundaron varias casas, prestando servicio de salvamento las brigadas municipales. Los buques que se hallaban en Río Martín buscaron refugio en el puerto de Ceuta, igualmente llegaron muchas embarcaciones de arribada forzosa, como el vapor *Isleño*, que horas antes había zarpado hacia Uad Lau cargado de tropas, teniendo una travesía penosísima. También la grúa flotante rompió sus amarres y estuvo en peligro de perderse. Se afirmaba que en esta costa habían embarrancado varios buques. El temporal causó grandes daños en los campamentos y líneas telegráficas. En el barrio de Vista Alegre se hundieron varias casas, aunque, afortunadamente, no ocurrieron desgracias personales.

72   ABC, 9 de enero de 1924.
73   La Voz, 11 de enero de 1924.
74   ABC, 25 de enero de 1924.
75   VALERA Y LÓPEZ CORDÓN, Diego (director): *Anuario General de Marruecos y Guinea, 1927-1928*, p. 23.

Igualmente, en la cara norte del Estrecho se hizo sentir el temporal, quedando suspendidos los viajes de vapores a Gibraltar, Ceuta y Cádiz. Varias embarcaciones se vieron en peligro de zozobrar, buscando un refugio en el surgidero de Puente Mayorga"[76], el fondeadero más seguro de la bahía de Algeciras.

2. La *Revista de Tropas Coloniales*

Revista de Tropas Coloniales, enero de 1925.

Además de los grandes temporales, el año 1924 comenzó con la publicación de la *Revista de Tropas Coloniales*. La prensa se hizo eco de su publicación, loando su buen hacer y su consistente y lograda edición: "que tiene por objeto propagar los estudios hispano-africanos y divulgar las enseñanzas deducidas de nuestra acción en Marruecos [...]. La dirige el general D. Gonzalo Queipo de Llano, e integran su redacción escogidos elementos intelectuales, en las que están representadas las distintas armas de la guarnición. El primer número, por su texto y su factura, compite con sus similares de España y del Extranjero"[77]. Impresa en un principio en los talleres de Arturo Sierra-Ceuta, posteriormente saldría de los talleres de Tropas Coloniales. Según señalaba la propia revista en el núm. 2 de febrero de 1924, la ilustración de la portada, la tricromía *Regulares Indígenas,* reproducción de un cuadro al óleo de M. Bertuchi, era el "primer trabajo tipográfico de esta clase hecho en la Zona"

De claro corte *africanista,* varias son las etapas en las que se pueden dividir la historia de esta revista. La primera comprende nueve números, hasta septiembre de 1924, con la cabecera *Revista de Tropas Coloniales* "propagadora de estudios Hispano- africanos". Seguidamente tuvo un periodo de varios meses de ausencia durante el repliegue de Xauen. A su vuelta, en enero de 1925, sigue con la misma cabecera pero aparece con el subtítulo "propagadora de estudios africanos". En esta reaparición se desprende de su política beligerante contra el abandonismo, y clara muestra de ello es que en la portada indica: "ÉPOCA II-AÑO II CEUTA ENERO 1925 NÚM. 1." siendo ahora su director el teniente coronel Francisco Franco. A partir de febrero de 1926 hasta 1936, la revista pasó a denominarse *África*, *Revista de Tropas Coloniales,* y en su última etapa *África*.

3. El Voto a la Virgen

Por otro lado, fue también en el mes de enero cuando el comandante de Infantería Manuel Herrera Mazotti tomó posesión de su cargo de delegado gubernativo del partido, dictando medidas que afectaban a los servicios públicos, estudiando problemas de la higiene, la vivienda, subsistencias, luz, agua y administración. Igualmente celebró una entrevista con los directores de los periódicos locales, los cuales se ofrecieron a secundarle con entusiasmo en las campañas de saneamiento en todos los órdenes[78]. Como señala José Antonio Alarcón, la "misión teórica es la vigilancia y supervisión del Ayuntamiento, así como dar impulso a la nueva política municipal de lucha anticaciquil y regeneración de la vida pública, garantizando el control militarizado de la administración local"[79].

---

76   La Acción, 28 de enero de 1924.
77   ABC, 25 de enero de 1924.
78   La Vanguardia 2 de febrero de 1924.
79   ALARCÓN CABALLERO, José Antonio: *Historia de Ceuta. El Siglo XX*, p. 231.

Abundando sobre esta cuestión, nada más empezar el mes de febrero empezó a funcionar la Junta de Abastos local, que visitó el mercado público imponiendo multas que ascendieron a 1.500 pesetas, castigando a los abastecedores por defraudación en el peso. Asimismo, empezó una activa campaña para el análisis de las materias alimenticias. La opinión aplaudió la medida, esperando el abaratamiento de las subsistencias que habían llegado a precios insoportables[80].

Paralelamente a la activa campaña contra el fraude y la calidad de los alimentos, como era tradicional, el 9 de febrero se celebró el Voto a la Virgen de África. Los orígenes de la imagen sedente de Santa María de África en Ceuta se remontan a 1421, cuando el Infante Enrique el Navegante mandó traer de su capilla particular una imagen "asaz devota de Santa María a la que pondréis por nombre Santa María de África'. La ciudad la tiene por Patrona y Especial Protectora desde 1651, año en el que por su mediación la ciudad y parte de la Baja Andalucía se vio protegida por una tenaz epidemia de peste. Desde entonces, cada 9 de febrero, se celebra la Festividad del Voto de Acción de Gracias que la ciudad ofrece a nuestra Señora"[81]. Se cumplía así con una tradición iniciada por el conde de Torres Vedras, que fue renovada por el marqués de Campo Fuerte el 1 de julio de 1743, con ocasión de una nueva epidemia de peste declarada en Andalucía y Gibraltar, que terminó tras sacar a la patrona en procesión y colocarla mirando hacia la Península desde el Puente de Almina.

Tras el Voto a la Virgen, reinó otro fuerte temporal, acompañado de fuertes aguaceros, que afectó a toda la zona occidental del Protectorado, desbordándose el río Lucus alcanzando un caudal nunca visto[82]; además, causó grandes daños en las comunicaciones telegráficas y telefónicas, dificultando el servicio en los campamentos[83]. También procedente de Barcelona llegó el vapor *Escolano* conduciendo 1.024 reclutas, la travesía había sido penosísima debido al fuerte temporal, y 514 en el correo *Hespérides*[84].

4. El raid aéreo Cádiz-Ceuta-Cabo Jubi-Canarias-Sevilla

A mediados de febrero la prensa nacional se hacía eco de una noticia relacionada con Ceuta: "En el Hotel Majestic se celebró el banquete popular [14 de febrero] ofrecido a los aviadores señores Franco y Más y al comandante Delgado, que han llegado procedentes de Canarias tripulando el hidroavión que tomó parte en el 'raid' a dichas islas. Más de cien comensales, representantes de los Cuerpos de la guarnición y de las entidades locales, tomaron asiento en la mesa. Por imposibilidad de asistir el comandante general, Sr. Montero, presidió el general segundo jefe, Sr. Queipo de Llano, el cual encomió la labor desarrollada por estos oficiales. También habló de la aviación como arma de combate". El alcalde, presidente de la comisión organizadora, ofreció el banquete y puso de relieve la admiración y cariño que sentía el pueblo de Ceuta "por cuantos heroicamente trabajan y se sacrifican para elevar los prestigios de la patria". Terminó Remigio González con "vítores a España, al Rey, al Cuerpo de Aviación y a Ceuta", que fueron clamorosamente contestados.

Tras las intervenciones del teniente coronel de Ingenieros Enrique Castillo y el coronel de Artillería Nieto, el capitán Ramón Franco agradeció el homenaje, que declinaban, pues ellos "sólo cumplían con su deber sin titubeos" y sólo aspiraban a que "la Aviación española se coloque a la altura de la primera nación del mundo". El acto terminó con aplausos y vítores[85].

Según el relato hecho por el jefe de la expedición, el comandante de Infantería Guillermo Delgado Brackembury, el día 4 de enero partieron de la bahía de Cádiz en el hidroavión

---

80   La Vanguardia, 6 de febrero de 1924.
81   Pasión y Gloria en Ceuta. Ciudad autónoma de Ceuta.
82   La Voz de Asturias, 13 de febrero de 1924.
83   La Correspondencia Militar, 12 de febrero de 1924.
84   La Época, 14 de febrero de 1924.
85   El Sol, 16 de febrero de 1924. La Libertad, 16 de febrero de 1924.

Dornier, llevando el mando del aparato el capitán Franco y yendo como observador el capitán Más. Por lo adverso del tiempo tuvieron que abandonar la ruta de Larache y dirigir rumbo a Ceuta: "Por la parte de Ceuta está muy descubierto, y allá nos dirigimos, doblando cabo Espartel y pasando por Tánger y Alcazarseguer. Poco después, a la hora y veinticinco minutos de nuestra salida de Cádiz, llegamos a Ceuta, donde Franco hace un amerizaje magistral, salvando todos los obstáculos, que no eran pocos, y anclado queda en el puerto nuestro magnífico Dornier".

En Ceuta estuvieron el día 5. Mejorado algo el tiempo, el día 6 continuaron a Casablanca, y el raid fue, con los intervalos del temporal, a Mogador, Cabo Juby, Las Palmas, Santa Cruz de Tenerife, regreso a Las Palmas, Fuerteventura, Lanzarote, Casablanca, nuevamente Ceuta, Bonanza y Sevilla, llegando a la una y media de la tarde del día 15[86].

Como detalles de sobresaliente interés cita el recorrido de cincuenta y ocho kilómetros desde Cabo Espartel a Ceuta, hecho entre una enorme borrasca, cegados por la lluvia y las ráfagas. Otro momento de emoción fue el vuelo sobre el Teide. El récord de distancia lo hicieron en un solo vuelo, desde Arrecife a Casablanca, en cinco horas y veinte minutos los 800 kilómetros[87].

Recorrido del Dorniel Wal nº 3 EC-WAC

FECHA	ETAPA	KM.	TIEMPO
03 de enero	Melilla-Cádiz	370	4 h. 00 m.
04 de enero	Cádiz-Arcila-**Ceuta**	250	1 h. 30 m.
06 de enero	**Ceuta**-Casablanca	360	2 h. 55 m.
07 de enero	Casablanca-Mogador	323	2 h. 55 m.
17 de enero	Mogador-Cabo Juby	550	5 h. 00 m.
17 de enero	Cabo Juby-Las Palma	250	2 h. 00 m.
30 de enero	Las Palmas-Santa Cruz	095	1 h. 50 m.
04 de febrero	Vuelo sobre el Teide	--	1 h. 45 m.
05 de febrero	Santa Cruz-Las Palmas	095	0 h. 36 m.
07 de febrero	Las Palmas-Arrecife	250	1 h. 45 m.
09 de febrero	Arrecife-Casablanca	817	5 h. 20 m.
13 de febrero	Casablanca-**Ceuta**	360	1 h. 55 m.
15 de febrero	**Ceuta**-Sevilla (Bonanza)	245	2 h. 35 m.
16 de febrero	Sevilla (Bonanza)-Melilla	485	4 h. 00 m.
TOTAL		**4.450**	**38 h. 06 m.**

FUENTE· HERRERA ALONSO, E.: 'El primer raid de la aviación militar española: Melilla-Santa Cruz de Tenerife. Ed. Instituto de Historia y Cultura del Ejército del Aire', pp. 11-15.

Simultáneamente a tan merecido homenaje, otro acontecimiento menos agradable estaba sucediendo en la zona occidental del Protectorado; había comenzado el hostigamiento en firme a la posición avanzada de M'Ter. Este episodio llegó a despertar renovados recelos en el ámbito militar africanista, debido a los referidos postulados abandonistas de Primo de Rivera.

---

86   El Sol, 16 de febrero de 1924. La Voz, 16 de enero de 1924.
87   ABC, 19 de febrero de 1924.

5. La posición de M'Ter

Además de la inquietud que existía entre los sectores africanistas -en enero de 1924 Abd el Krim había solicitado el ingreso de la República del Rif en la Sociedad de Naciones- y la inestabilidad municipal, durante los meses de febrero y marzo no paraban de llegar a Ceuta noticias relacionadas con los sucesos bélicos que estaban ocurriendo en M'Ter. M'Ter daba nombre a un río, un poblado y una posición avanzada que se encontraba aislada en la costa de Beni Busra, en el corazón del Gomara, al sureste de Uad Lau. Para comprender la situación, el río Lau hacía de frontera natural desde la costa mediterránea hasta Xauen, que estaba situada en una posición estratégica en plena montaña, entre el Rif y Gomara. Era, en definitiva, la frontera entre los dominios de Abd el Krim y la zona occidental del Protectorado. En este contexto, la posición de M'Ter era la vanguardia costera de ese frente de guerra. No se había podido avanzar más.

Mapa donde se puede apreciar el teatro de las operaciones. PENNELL, C.R.: *La guerra del Rif Abdelkrim el-Jattabi y su Estado rifeño*, p. 229.

Aunque desde hacía tiempo se habían producido algunos incidentes aislados, a mediados de febrero un harca atacó M'Ter causando varias bajas, algunas del regimiento de Ceuta[88]. Dada la situación aislada de M'Ter era mucho más fácil reforzar la posición y evacuar por mar, y es por eso que Ceuta se convirtió en la base que acogía a las bajas; al igual que partían las tropas que desembarcaban en M'Ter, así como los buques de guerra que hostilizaban al enemigo. Buques como el *España número 5* y el *Isleño* se convirtieron en transportes habituales; mientras que los cruceros *Cataluña* y *Extremadura* o el cañonero *Lauria*, entre otros, eran los encargados de proteger y dar escolta a los transportes, así como dar apoyo y cobertura a los desembarcos y a las repatriaciones.

6. Inestabilidad en el Ayuntamiento y carnavales aguados

En cuanto a la vida municipal, repuesto de una grave enfermedad, ocupó de nuevo la alcaldía el comerciante Remigio González, que presidió la sesión del día 22 de febrero, donde se leyó un oficio del comandante general en el que anunciaba que el comandante de Infantería, Manuel Herrera Mazotti, era el delegado gubernativo del partido. Mientras tanto, los temporales no cedían. En Algeciras, cerca del pasaje conocido por Calanera, embarrancó un vapor italiano. Y en Ceuta, en la línea férrea a Benzú, las aguas causaron grandes averías[89]. También se hundieron varias viviendas en el patio de la viuda de Marcos Medina[90].

Unas jornadas más tarde, el martes 26 de febrero, tuvo lugar en el Consistorio municipal una sesión extraordinaria, presidida por Manuel Herrera, para la toma de posesión de nuevos concejales y la elección de un nuevo alcalde. En primer lugar, Remigio González Lozana presentó la dimisión. A continuación se procedió a la votación, siendo elegido alcal-

---

88 ABC, 19 de febrero de 1924.
89 Ídem.
90 ALARCÓN CABALLERO, José Antonio: 'La dictadura de Primo de Rivera y la transición a la República', p. 243.

de Rafael Vegazo con 21 votos, primer teniente de alcalde el ingeniero Francisco de Paula Gómez Pérez, y segundo teniente de alcalde Remigio González Lozana. Entre los nuevos regidores se encontraba Mariano Bertuchi, el afamado pintor granadino. Pero Rafael Vegazo no va a asistir a ninguna sesión[91], por lo que la cuestión municipal no quedó cerrada.

Por otro lado, se estaban ultimando las actuaciones para el carnaval. El carnaval de Ceuta tenía claras influencias del carnaval gaditano, pues de la provincia de Cádiz no sólo llegaban numerosos inmigrantes, sino que también la ciudad pertenecía a esta provincia. En el año de 1924 se celebró a primeros de marzo: domingo, lunes y martes (días 2, 3 y 4). Decía *El Adelanto de Salamanca* que el carnaval había permanecido desaparecido[92], y que había pasado inadvertido en las calles a causa de la lluvia. En cambio, los bailes y demás festivales de los Círculos de recreo no podían estar más animados[93].

Precisamente, el mismo día 2 llegó el cañonero *Recalde* procedente de la costa de Gomara con el cadáver de Joaquín Navarro Garay, capitán del regimiento de Ceuta. Al día siguiente por la mañana tuvo lugar el entierro, convirtiéndose en una imponente manifestación de duelo, pues el finado llevaba doce años destinado en Ceuta.

7. El crucero *Cataluña* y las Fuerzas Navales del Norte de África

El capitán de corbeta Jaime Janer Robison y el crucero Cataluña. Nuevo Mundo, 7 de marzo de 1924.

Aún se estaba llorando al capitán Joaquín Navarro, cuando el mismo día 3 de marzo entró a última hora de la tarde el crucero *Cataluña* precedente también de la zona de Gomara, desembarcando varios cadáveres y heridos, que fueron llevados a los hospitales Central y O'Donnell.

Estando el crucero frente a la posición de M'Ter, desde el campo enemigo dispararon varias granadas explosivas. Una de ellas, chocando contra el candelero del buque, estalló, matando al tercer comandante, capitán de corbeta Jaime Janer Robinson, y a los marineros Jesús Menéndez Rodríguez y Manuel Rodríguez Sánchez, e hiriendo a varios más. El suceso se había producido ese día por la mañana. En el Hospital Central se instaló la capilla ardiente, colocándose en la misma los tres cadáveres. Al saberse en la población lo ocurrido, fue general el sentimiento que produjo. Velaron a los fallecidos muchos oficiales, clases y marinos de las dotaciones surtas en el puerto.

Al día siguiente, a las diez de la mañana, de Tetuán llegó el alto comisario, general Aizpuru, acompañado de los generales Correa y Castro Girona, celebrando una conferencia con el comandante general, Manuel Montero, marchando a continuación al crucero *Cataluña* y a los hospitales donde se encontraban los heridos. Y a las cuatro de la tarde se efectuaron los entierros. En la propia iglesia castrense, anexa al hospital, tuvieron lugar las exequias. El acto revistió carácter de imponente sentimiento, cesando el carnaval, cerrando los comercios y los círculos de recreo y concurriendo todo el pueblo en masa a tributar homenaje a las víctimas. Sobre tres austeros armones de Artillería tirados por caballos enlutados iban los féretros envueltos en la bandera nacional y cubiertos materialmente de coronas. La presidencia del duelo la formaba el comandante general, comandante del crucero *Cataluña*, alcalde ac-

91   AGCE, LAC núm. 87. Sesión extraordinaria, 26 de febrero de 1924, folios 91-93.
92   El Adelanto, 4 de marzo de 1924.
93   La Libertad, 4 de marzo de 1924.

cidental, generales Bazán y Queipo de Llano, y comandante del puerto. En el acompañamiento figuraban prácticamente todas las fuerzas vivas. Rindió honores una compañía de desembarco y la música del Tercio[94].

La muerte del aún joven e ilustre capitán de corbeta Jaime Janer, que dejaba esposa y cuatro hijos, autor de varios libros sobre temas navales, también fue muy sentida en Galicia, sobre todo en Marín, donde había fundado y dirigido la Escuela de Tiro Naval. La Corporación municipal de la ciudad pontevedresa, agradecida por sus servicios, decidió poner su nombre a una calle. Aunque, como se ha señalado, inicialmente fue enterrado en Ceuta, sus restos reposan en el Panteón de Marinos Ilustres de San Fernando[95].

Mientras tanto, no paraban de entrar buques cargados de bajas de aquella posición[96]. Esta grave situación dio lugar a que se crease el cuarto tabor de Regulares del Grupo de Ceuta[97]. Asimismo, fueron llegando nuevas tropas, haciendo una magnífica labor el vapor *Hespérides*, que también hacía de correo en la línea Algeciras-Ceuta y viceversa. De 907 toneladas de registro bruto y 59,46 m de eslora, se había incorporado a Trasmediterránea en 1916. En enero de 1917 pasó a cubrir las líneas del Estrecho[98].

El alto comisario Luis Aizpuru.
Comandancia General de Ceuta.

Por otro lado, ante el cariz que estaba tomando la situación en las costas del Protectorado, también hubo cambios en la Armada. El artículo primero del Real Decreto de 22 de marzo de 1924 decía: "Todas las fuerzas navales que operen en África o estén afectas a aquel servicio se denominarán 'Fuerzas Navales del Norte de África' y estarán bajo el mando de un Contralmirante de la Armada"; mientras que el artículo segundo señalaba: "Para los efectos de jurisdicción dependerán dichas fuerzas del Capitán General del Departamento de Cádiz. La residencia oficial del Comandante General de las Fuerzas Navales del Norte de África será Tetuán, para que pueda asesorar al Alto Comisario constantemente en cuantos asuntos navales necesite. Las Fuerzas Navales del Norte de África estarán a disposición del Alto Comisario para cuanto sea necesario". Dos días después de la creación de las citadas Fuerzas Navales, se nombró jefe de las mismas al contralmirante Eduardo Guerra Goyena[99]. En referencia a su composición, estaban formadas por dos cruceros, seis cañoneros, cuatro torpederos, once guardacostas y otros buques menores. Como buque insignia se le asignó el crucero ligero *Reina Victoria Eugenia*, de 4.860 toneladas y 140,80 m de eslora, que había entrado en servicio a principios de 1923. Una escuadra diseñada no para medirse con otra escuadra -Abd el Krim no suponía una amenaza seria en el mar-, sino para vigilar y controlar las costas, combatir el contrabando, proteger la navegación de cabotaje, apoyar al Ejército y dar cobertura a las posiciones costeras.

---

94   ABC, 6 de marzo de 1924. Mundo Gráfico, 12 de marzo de 1924. La Libertad, 6 de marzo de 1924.
95   RODRÍGUEZ GONZÁLEZ, Agustín Ramón: 'Jaime Janer Robinson: un gran marino ilustrado', s.p.
96   La Época, 17 de marzo de 1924.
97   El Sol, 10 de marzo de 1924.
98   TORREMOCHA SILVA, Antonio: 'La Compañía Trasmediterránea en el puerto de Algeciras (II)', s.p.
99   Diario Oficial del Ministerio de Marina, 24 de marzo de 1924. Núm. 69.

8. Continúa la inestabilidad en el Ayuntamiento

A principios de marzo la prensa nacional se había eco de la dimisión del alcalde y de su sustituto. La noticia está fechada el día 8: "Ha presentado la dimisión, con carácter irrevocable, el alcalde recién nombrado, ingeniero de Caminos Rafael Vegazo. Su sustituto, el comandante de Ingenieros Francisco de Paula Gómez, también ha presentado su dimisión con carácter irrevocable"[100]. Rafael Vegazo era junto con Rosende uno de los miembros constitutivos de la Junta de Obras del Puerto de 1904, y posteriormente será el jefe del Partido Republicano Radical por el que concurrirá a las elecciones de 1931, siendo el primer delegado gubernativo de la República. Aunque después se incorporaría a la Unión Republicana[101].

Y en sesión extraordinaria del 11 de marzo, el citado comandante Manuel Herrera Mazzoty leyó la renuncia de Rafael Vegazo y de Francisco de Paula Gómez. Tras las pertinentes votaciones, obtuvo mayoría de votos José Álvarez Sanz, quedando "nombrado alcalde interino de cuyo cargo se posesiona"[102]. Al día siguiente se produjo una nueva votación, siendo elegido por 15 votos de 25: "Y habiendo obtenido mayoría absoluta el Sr. D. José Álvarez Sanz, quedó proclamado Alcalde presidente". Aunque poco tiempo estaría en la presidencia de la alcaldía[103]. El rondeño Álvarez Sanz, comerciante de tejidos y propietario inmobiliario, era un viejo político de la élite conservadora de la ciudad. Hombre de la poderosa Cámara de Comercio, había sido alcalde de Ceuta dentro de las candidaturas liberales[104]. Durante su anterior época de alcalde ocurrió en Madrid el magnicidio del presidente del Gobierno José Canalejas, en noviembre de 1912, la gran esperanza de la Restauración.

9. Mariano Bertuchi, "pintor de cuadros"

Mariano Bertuchi, pintor de la luz.
Cortesía sucesores de Bertuchi.

Como hemos apuntado con anterioridad, uno de los nuevos regidores de la elección de concejales del 26 de febrero fue el artista Mariano Bertuchi. El "pintor de cuadros", como así aparecía en las diversas guías que se publicaban por aquellos años. Mariano Bertuchi Nieto (Granada, 1884-Tetuán, 1955), se había instalado con su familia en Ceuta a finales de 1918. Tenía su domicilio en la Calle Soberanía Nacional 1. Y en Ceuta trabajó para diversos organismos públicos y privados. El prestigio del que gozaba era enorme. Veamos el perfil de Bertuchi según *El Financiero* de agosto de 1923:

"Nos referimos a un verdadero artista, que es un caso de precocidad, pues a los diez años ya obtuvo un premio en un concurso para un cuadro de Historia en el Liceo de Granada. Hizo sus primeros estudios formales en la Escuela de Bellas Artes de Málaga, en donde, desde luego, llamó la atención

100 ABC, 10 de marzo de 1924. El Sol, 10 de marzo de 1924.
101 RONTOMÉ ROMERO, Carlos: Opus cit., pp. 334 y 335.
102 AGCE. LAC núm. 87. Sesión extraordinaria, 11 de marzo de 1924, folio 99 vto.
103 AGCE. LAC núm. 87. Sesión ordinaria, 12 de marzo de 1924, folio 101.
104 RONTOMÉ ROMERO, Carlos: Opus cit., p, 335.

por sus excepcionales aptitudes. Amante de la luz y del color, como la mayoría de los pintores andaluces y valencianos, marchó a Tánger, donde encontró ancho campo para desarrollar sus iniciativas, y pintó numerosos cuadros sobre asuntos propios del país, que fueron colocados ventajosamente en el mercado inglés. A los trece años ingresó por oposición en la Academia de San Fernando, de Madrid, donde recibió las enseñanzas de profesor tan eminente como el insigne artista D. Antonio Muñoz Degrain.

En 1902 obtuvo el premio oficial de la clase de paisaje, y en el mismo año, en la Exposición del Círculo de Bellas Artes de Madrid, tuvo el alto honor de que S. M. la Reina adquiriese un cuadro suyo y S. A. R. la Infanta Doña Isabel, otro.

La esplendidez de luz y de color del paisaje, le atrajeron nuevamente a África, pasando largas temporadas en Marruecos, donde trabajó con gran afán, produciendo infinidad de obras, de sabor esencialmente local, que fueron adquiridas en el Extranjero. Ha realizado una notable campaña, y últimamente ha estado en Tetuán pintando varios cuadros por encargo de distintas unidades de aquella guarnición. En la actualidad reside en Ceuta, donde trabaja con intensidad y siempre con una modestia y aislamiento, que seguramente le perjudica para obtener el nombre y fama de gran artista, a que tiene perfecto derecho por sus excepcionales condiciones. Recientemente, y gracias a sus indiscutibles méritos, ha sido nombrado académico correspondiente de la Real Academia de Bellas Artes de San Fernando en Tetuán, nombramiento que consideramos muy acertado y merecido, pues hombres como el Sr. Bertuchi son los que hacen falta para conservar y perpetuar los tradicionales prestigios de la raza, sobre todo en cuanto al arte se refiere".

10. Nuevos temporales y cancelación de la visita de la reina

En la noche del 13 de marzo, en el expreso de Andalucía, marchó a Algeciras la reina Victoria Eugenia para pasar unos días en compañía de su madre, la princesa Beatriz de la Gran Bretaña, que se encontraba en Gibraltar. La acompañaban la duquesa de San Carlos y el marqués de Bendaña[105]. Y al día siguiente llegó a la estación. A pesar de la lluvia torrencial y el fuerte viento de levante acudieron a recibir a la soberana numerosísimas personas que llenaban los andenes, tributándosele un recibimiento cariñosísimo. Seguidamente, se dirigió al Hotel Reina Cristina, donde se hospedaría[106]. Entre los actos programados, estaba prevista una visita a Ceuta y sus hospitales, para ver en cuanto podía ayudar a los afectados por la guerra; para ello atracó en Algeciras el crucero Cataluña, que estuvo a su disposición en todo momento.

Pero el temporal de levante continuaba, llegándose a suspender el vapor correo[107]. Por lo tanto, a pesar de la expectación y el entusiasmo que reinaba en Ceuta, la visita se fue posponiendo. Sin embargo, el miércoles 19 a la una de la tarde se publicó un bando anunciando la visita de la reina

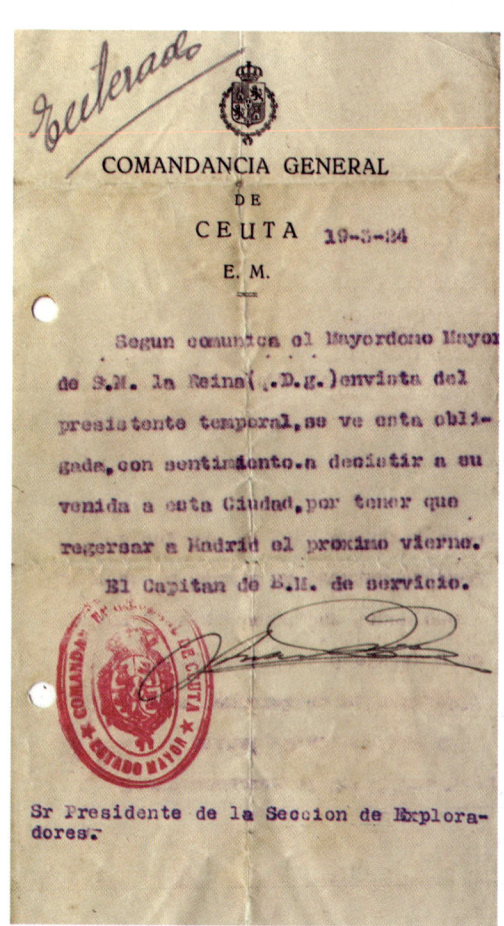

Escrito de la Comandancia General anunciado la cancelación de la visita de la Reina. AGCE.

105   La Acción, 13 de marzo de 1924.
106   El Sol, 15 de marzo de 1924.
107   La Época, 17 de marzo de 1924.

para el día siguiente, provocando enorme entusiasmo entre la población. Ese mismo día habían llegado el alto comisario y los duques de la Victoria procedentes de Melilla; al igual que un buque de guerra procedente de M'Ter con el cadáver del capitán de Regulares de Ceuta José Moreno Ureña, que tuvo gran eco en la ciudad, y varios oficiales heridos. También se recibió un telegrama anunciando que se cancelaba la visita definitivamente[108]: "Según comunica el Mayordomo Mayor de S. M. la Reina (q.D.g.) en vista del persistente temporal, se ve ésta obligada, con sentimiento, a desistir a su venida a esta Ciudad, por tener que regresar a Madrid el próximo viernes"[109]. Esa fue la versión oficial que dio la Comandancia General, aunque también circuló otra en la que se decía que "no se lo consintió el palacio mismo"[110].

11. Homenaje a los defensores de M'Ter

Amainado algo el temporal, el 17 partió el *Hespérides* para Algeciras, y los cruceros *Extremadura* y *Jaime I* marcharon a recorrer la costa de Gomara y las posiciones de Uad Lau y M'Ter. Asimismo, procedente de Algeciras, donde estuvo a las órdenes de la reina, arribó el crucero *Cataluña*.

También se celebró un banquete dado por los jefes y oficiales de la guarnición a los jefes y oficiales que defendieron la posición de M'Ter, pertenecientes al batallón de Ceuta. El banquete fue presidido por el coronel Serrano Orive, ya famoso por haber conseguido asegurar la posición[111]. Al igual que los suboficiales, brigadas y clases obsequiaron a sus compañeros con una comida. No obstante, durante los días siguientes fueron llegando nuevas bajas[112]. A pesar que M'Ter pudo ser salvada, estos acontecimientos despertaron no pocas dudas en el Directorio.

12. 'Pasividad e inacción'

Como vemos, la cuestión militar seguía en un primer plano con rumores y recelos de todo tipo. En este contexto, el teniente coronel Franco, que formaba parte del consejo de redacción de la *Revista de Tropas Coloniales*, escribió en el número de abril de 1924 el artículo 'Pasividad e inacción', que comenzaba con un párrafo sonoro y rotundo: "La pasividad y la inacción, son en la guerra forzosos aliados del vencido. Estudiar los más elementales principios del arte militar, detener la vista en las páginas guerreras de la historia, revisar las campañas coloniales de las distintas naciones, y en todo encontraréis la confirmación a estas palabras"; trasladando a continuación este argumento al problema marroquí: "Por más que queramos definir el protectorado marroquí, por mucho que ansiemos la paz de Marruecos, de hecho existe un problema militar que solucionar, una guerra en que vencer, y en ella, la inacción y la pasividad conducen irremisiblemente a ser vencidos". Y acababa con una propuesta inequívoca: "La primavera del año 24 puede abrir un paréntesis en nuestra actuación...; pero antes de que nuestros economistas nos hagan las cuentas de la guerra, preciso es que apaguemos los focos de rebeldía y en las zonas sometidas reine la tranquilidad y confianza aseguradas por el desarme. De otra manera el más ligero viento podrá convertir en pavesas nuestro edificio".

Estos contundentes párrafos iban dirigidos en contra de las tesis abandonistas de Primo de Rivera, y es por ello que no cayó bien en el seno del Directorio. También la prensa se hizo eco del artículo: "En la *Revista de Tropas Coloniales*, periódico que se publica en Ceuta y del que es director el gobernador militar de dicha plaza, Sr. Queipo de Llano, ha aparecido

---

108   La Vanguardia, 21 de marzo de 1924.

109   Carta de la Comandancia General de Ceuta al presidente de la sección de Exploradores, 19 de marzo de 1924. AGCE. Correspondencia, 1924.

110   PANDO DESPIERTO, Juan: 'Jordana. Vivir con fe, morir en cumplimiento'. p. 54.

111   MARTÍNEZ CAMPOS, Carlos: *España bélica, el siglo XX. Marruecos*, pp. 287 y 288.

112   ABC, 21 de marzo de 1924.

un interesantísimo artículo 'Pasividad e inacción', que tanto por su contenido como por la firma que lo avala –el teniente coronel del Tercio D. Francisco Franco- será, a no dudarlo, muy leído"[113]. No iba muy descaminado *El Imparcial*, pues incluso el "embajador de Francia en Madrid, M. de Fontenay, informaba a su jefe en París, el 15 de mayo de 1924, que en un artículo aparecido en una revista, órgano de la oficialidad africanista más descarnada, el general [teniente coronel] Franco, a quien su prestigio y su ascendiente entre sus tropas coloniales autorizan a hablar con cierta desenvoltura, critica vivamente la pasividad y la inacción tan características de la campaña marroquí…"[114]. Asimismo, Queipo de Llano, en el mismo número de la citada revista, publicó un largo artículo titulado 'Hablemos de recompensas', sobre los ascensos por méritos de guerra; polémica que se había establecido desde hacía unos años entre los militares junteros y africanistas. Esta cuestión venía a profundizar el cisma que, a grandes rasgos, existía en la sociedad y en el seno de las fuerzas armadas desde la anterior década.

Sin lugar a dudas, la *Revista de Tropas Coloniales* había nacido con un claro objetivo; se había convertido en la tribuna de las tesis africanistas, situándose muy lejos del abandonismo que planeaba sobre parte de la sociedad española, cansada de la pérdida de miles vidas y cientos de millones de pesetas en aquellos resecos parajes.

13. Una difícil primavera

También, a principios de abril, procedente de Algeciras, llegó el crucero *Cataluña* trayendo al contralmirante Eduardo Guerra Goyena, recién nombrado interventor principal de Marina en el Protectorado. Tras pernoctar en Ceuta, al día siguiente marchó a Tetuán, donde tenía su residencia oficial[115]. Por otra parte, aunque la presión se había rebajado en cierta medida en M'Ter, la ofensiva rifeña seguía buscando puntos débiles en las defensas.

Mientras tanto, las noticias que llegaban de acciones personales eran realmente conmovedoras, como fue la actuación del cantinero Andrés, que hallándose en la citada posición cedió su cantina para enfermería y ayudó a evacuar a los heridos. Además, acudió diariamente al peligroso servicio de la aguada, y se negó a abandonar M'Ter cuando se le invitó al llegar el primer convoy de evacuación. Asimismo, tuvo lugar un banquete en el Casino Militar en honor del teniente médico Antonio Barbería Vázquez; acto en el que sus compañeros le rindieron un homenaje por su heroico comportamiento del 17 de febrero. Los sitiadores habían herido gravemente al teniente de la mehala jalifiana Arturo Jiménez y otros soldados que se hallaban en la avanzada del lado opuesto del río M'Ter. A causa de la enorme crecida del río era imposible vadearlo; pero, a pesar del incesante fuego del enemigo, lo cruzó, no sin dificultad, a nado, llevando sujeto en la boca el estuche de cirugía. Una vez en la avanzada, y mientras curaba a los heridos, aguantó estoicamente nutridas descargas. Dado cumplimiento a su misión, tuvo que permanecer hasta que se hizo de noche, regresando también a nado. Ofreció el homenaje el teniente Valmort[116].

En cuanto a la vida municipal, la primavera de 1924 transcurrió entre varios asuntos. Como consecuencia del Estatuto Municipal de 1924, el Ayuntamiento, hasta ahora solo en pleno, comenzó a funcionar en régimen de comisión permanente y de pleno, trasladándose la mayor parte de las competencias a la nueva comisión permanente, pasando a ser el pleno ordinario, antes semanal, a cuatrimestral. El 10 de abril de 1924 celebrará la permanente su primera sesión, compuesta por el alcalde, José Álvarez Sanz, y siete tenientes de alcalde[117].

Igualmente, se va a caracterizar por los problemas económicos. Así, por ejemplo, el gestor de la Cantina escolar Reina Victoria Eugenia envió un escrito al Ayuntamiento donde decía

113 El Imparcial, 7 de mayo de 1924.
114 MORALES LEZCANO, Víctor: *El colonialismo hispanofrancés en Marruecos (1912-1927)*, p. 142.
115 La Vanguardia, 6 de abril de 1924.
116 El Imparcial, 8 de abril de 1924. La Época, 8 de abril de 1924.
117 ALARCÓN CABALLERO, José Antonio: Opus cit., pp. 243 y 244.

Cuartel del Rebellín. AGCE.

Cuartel de la Reina. AGCE.

que por carecer de recursos "ha quedado suspendido el suministro de las comidas". El presupuesto municipal para 1924-1925 se había fijado en 1.685.422,63 pesetas[118]. Esto dio lugar a que el Ayuntamiento buscase nuevas fuentes de financiación; cuestión que va a chocar con gran parte del empresariado local; y que a la postre va a originar una nueva crisis.

Por otro lado, el día 10, en sesión solemne, le fue impuesta a los ex-alcaldes Demetrio Casares y Remigio González Lozana la medalla de oro de la ciudad de Lisboa, que les había sido concedida con motivo de la visita a la capital lusitana en el mes de diciembre. El presidente de la Comisión, el académico Mariano Ferrer, pronunció un brillante discurso enalteciendo la confraternidad hispano-lusitana. Por su parte, el comandante general Montero articuló significativas frases y entregó las medallas a los condecorados[119].

En cuanto a la vida militar, honda conmoción produjo la muerte del teniente del grupo de Regulares Santiago Álvarez Arenas, de 29 años, hijo de Ceuta y hermano menor del teniente coronel Eliseo, que mandaba las fuerzas de Regulares de Ceuta[120]. El cadáver llegó procedente de M'Ter a bordo del guardacostas *Wad-Ras* el 14 de abril por la mañana, siendo instalada la capilla ardiente en el Hospital Central. Ya por la tarde tuvo lugar el entierro asistiendo gran cantidad de ceutíes. Tributó honores una sección de Regulares con la nuba[121]. Sin salirnos del mundo de la milicia, en el cuartel de la Reina del regimiento de Ceuta tuvo lugar la entrega y recepción de la nueva bandera y entrega de la vieja bandera al coronel Serrano en presencia del general Queipo de Llano[122].

Con respecto al apartado de sucesos, causó conmoción entre los empleados de Correos el asesinato de dos de sus compañeros en el expreso de Andalucía; hecho que fue ampliamente difundido por la prensa nacional y que inquietó hondamente a la opinión pública. Como es natural, la permanente aprobó que constase en acta la enérgica protesta por el bárbaro atentado, así como "dar el pésame al Cuerpo de Correos"[123].

14. Homenajes al coronel médico Enrique Pedraza y al general Serrano Orive

A principios de mayo hubo dos homenajes. El primero lo fue en honor del coronel médico Enrique Pedraza, que marchaba a su nuevo destino en La Coruña. Por tal motivo, se celebró un banquete con asistencia de todos los médicos de la localidad[124]. El segundo tuvo lugar en el Hotel Majestic. En esta ocasión la oficialidad del regimiento de Ceuta obsequió con un banquete a su veterano coronel Julián Serrano Orive con motivo de su ascenso a general de brigada (26 de abril). Presidieron el acto el agasajado y los generales Montero, Bazán y

118   AGCE. LAC núm. 88. Comisión permanente, 1 de mayo de 1924, folios 10 recto y vto.
119   La Libertad, 13 de abril de 1924.
120   La Voz, 15 de abril de 1924.
121   La Libertad, 17 de abril de 1924.
122   El Ideal Gallego, 23 de abril de 1924.
123   AGCE. LAC núm. 88. Comisión permanente, 24 de abril de 1924, folio 8.
124   ABC, 6 de mayo de 1924.

Queipo de Llano, los cuales, en sentidos discursos, encomiaron la labor del general Serrano durante su mandato del regimiento, poniendo de relieve sus altas dotes militares[125].

Unos días después, el 11 de mayo, también se celebró otro banquete popular en honor del citado general, al que asistieron 300 comensales, que representaban a todas las clases sociales. Ofreció el homenaje en nombre del pueblo el alcalde, José Álvarez Sanz, "enalteciendo las dotes del agasajado y recordando su brillante historia militar y los importantes servicios prestados a la Patria"[126]. Tras los susodichos homenajes, Serrano Orive marchó a su nuevo destino en el Gobierno militar de Badajoz. Pero bien pronto regresaría al frente de guerra, pues sus servicios eran muy necesarios.

Volviendo al mes de mayo de 1924, ante la situación de incertidumbre se publicó una orden de la autoridad militar en la que quedaba prohibida la entrada en Ceuta de todo súbdito extranjero que no estuviera provisto de un pasaporte visado por el cónsul del punto de procedencia, exceptuándose a los turistas que llegasen de Gibraltar. La orden empezó a aplicarse a partir del día 15.

Por otro lado, la comunión que existía entre el Ejército y la sociedad civil era evidente, y prueba de ello fue que el presidente del prestigioso Casino Africano, el doctor Manuel Matres, le entregó al general Sanjurjo un diploma de socio honorario de dicha entidad[127]. Asimismo, con motivo del cumpleaños del Príncipe de Asturias los buques de guerra estuvieron empavesados y las baterías hicieron las correspondientes salvas de ordenanza[128]. Unos días después, el 17 de mayo, cumplía años el rey, por lo que igualmente tuvieron lugar diversos actos oficiales y las preceptivas salvas de ordenanza. Como estamos viendo, el resonar de los cañones estaba muy ligado a la ciudad; incluso se solían efectuar frecuentes ejercicios de tiro, como el que tuvo lugar en el otoño de 1930, que con su intenso fragor destrozó los cristales del cementerio de Santa Catalina[129]. También, a finales de mayo, Luis Mejía, en representación de la Sociedad Cultural Unión Artística Ceutí, solicitó permiso al Ayuntamiento para celebrar una kermesse (verbena de carácter benéfico) en el jardín de Prim[130].

Con respecto a la *Revista de Tropas Coloniales*, aprovechando el eco y la repercusión que había tenido el artículo del teniente coronel Francisco Franco, publicó una carta de felicitación dedicada al rey por su trigésimo octavo cumpleaños, en la que de nuevo volvía a insistir sobre el abandonismo[131].

15. Nueva crisis en el Ayuntamiento

Pasado el ciclo de actos oficiales, reivindicaciones de los militares africanistas, llegada de tropas, bajas, homenajes y gran actividad en el puerto, el 9 de junio hubo una sesión extraordinaria en el Ayuntamiento donde el delegado de Hacienda no autorizaba la copia del presupuesto ordinario del Ayuntamiento para el ejercicio económico 1924-1925, además de exponerse las reclamaciones de varios vecinos industriales: Diego Trujillo González, abogado y vicepresidente de la Asociación de la Prensa; Andrés de Mesa y León, presidente de la Cámara de la Propiedad; José Encina Candebat, secretario permanente de la Cámara Oficial de Comercio, Industria y Navegación, quien certificaba que el firmante, Manuel Delgado Villalba, era el presidente de dicha Cámara; Juan Acevedo Ponce, presidente de la Empresa de Alumbrado Eléctrico de Ceuta; industriales del ramo del café, restaurantes, hoteles y tabernas; farmacéuticos de la ciudad; propietarios de fincas urbanas y José Baeza Huesca, gerente de la Sociedad Baeza Hermanos[132].

125 Ídem.
126 ABC, 12 de mayo de 1924.
127 ABC, 13 de mayo de 1924.
128 ABC, 12 de mayo de 1924.
129 BOCCE núm. 219, 6 de noviembre de 1930. Comisión permanente, 25 de octubre de 1930.
130 AGCE. LAC núm. 88. Comisión permanente, 22 de mayo de 1924, folio 16 vto. y 17.
131 Revista de Tropas Coloniales, 1 de mayo de 1924.
132 AGCE. Reclamaciones contra el presupuesto. Caja 84/7. Expediente 1630/4.

Tras la sesión, los tenientes de alcalde miembros de la permanente, Mariano Bertuchi, Ramón Companys, José Romaní, Bonifacio López y Mariano Díaz, redactaron un escrito, que fue leído en la sesión del día 12, presentando la dimisión de sus respectivos cargos con carácter irrevocable y renunciaban al de concejal, "por estimar que su gestión ha sido unánimemente mal acogida por el pueblo, como se demuestra por las numerosas protestas que se han formulado contra el presupuesto". Igualmente presentó la dimisión el concejal Joaquín Utor. Ante esta situación, el alcalde, "estimando que su gestión al frente de la Alcaldía no ha sido bien acogida, dimite de su cargo y renuncia al de concejal", por lo que entregó la presidencia al primer teniente de alcalde, Remigio González Lozana[133].

Así pues, el Ayuntamiento entraba de nuevo en crisis. Desde el primer Ayuntamiento nacido en octubre de 1923, fruto del golpe de Estado, hasta principios del mes de junio, se habían sucedido los siguientes alcaldes: Eduardo Álvarez Ardanuy, Remigio González Lozana, Rafael Vegazo Mancilla[134] y José Álvarez Sanz; es decir, cuatro alcaldes en apenas unos meses. Parecía que el nuevo régimen no terminaba de cristalizar desde el punto de vista municipal. Quizá la ilegitimidad del Gobierno y la impopularidad de las nuevas medidas impositivas determinaban que los diferentes alcaldes no cuajaran en sus cargos.

16. La Unión Patriótica

Sin embargo, la implantación del nuevo régimen en la ciudad seguía su curso. Ante la desaparición de los partidos políticos "clásicos", la dictadura de Primo de Rivera quiso dar soporte físico a sus ideales a través de una institución de carácter nacional, aunque, a pesar de estar dirigida por el propio Gobierno, su formación se gestó desde los pueblos y ciudades.

Tras evaluar algunas opciones, Primo de Rivera comunicó, el 25 de abril de 1924, en una circular a los gobernadores civiles y a los delegados gubernativos, que el nuevo gran partido "apolítico" se llamaría Unión Patriótica y les pedía que invitaran "a los ciudadanos a organizar el nuevo partido, a constituir juntas locales y provinciales". El 29 les dio instrucciones "para organizar las nuevas huestes ciudadanas" creando comités *upetistas* y muchos de ellos fueron designados para formar los nuevos ayuntamientos según la normativa del Estatuto recién aprobado. Con todo, hasta diciembre de 1925 no había ninguna estructura organizada de la Unión Patriótica de rango superior al provincial. Como señala Ramón Tamames, "según el propio dictador, la Unión Patriótica nació al servicio de 'ideales de orden y de justicia' y bajo la divisa *patria, religión, monarquía*, con la pretensión de atraer a los españoles a una nueva formación alejada de los antiguos partidos políticos". Incluso Primo de Rivera llegó a afirmar que la Unión Patriótica sería "una muralla contra el anarquismo y el comunismo tiránico[135], a la vista de la incapacidad de los partidos políticos de hacer frente a las necesidades de los Estados modernos"[136]. También se editaría una revista, que sería Órgano Oficial de Unión Patriótica (UP), con el subtítulo "boletín quincenal", que comenzará a publicarse el primero de octubre de 1926[137].

En cuanto a Ceuta, el 2 de junio de 1924, unos pocos días antes de la dimisión del alcalde y de los concejales, se celebró una reunión en el Ayuntamiento a la que concurrieron "los principales elementos de la ciudad", quedando constituido el Comité local de la Unión Patriótica. Se pronunciaron "patrióticos discursos", y se nombraron los siguientes cargos: presidente, Manuel Matres; vicepresidente, José Pacheco; tesorero, Francisco Romero; secretario, José Magal; y vocales, Demetrio Guillén, Juan Acevedo, Francisco Trujillo y Jacob Benasayag[138]; miembros todos de la oligarquía y clase media ceutí. A partir de aquí la filiación a la Unión Patriótica sería incesante.

---

133   AGCE. LAC núm. 88. Comisión permanente, 12 de junio de 1924, folio 30 vuelto.

134   Su sustituto, Francisco de Paula Gómez, no llegaría a tomar posesión.

135   Tras la revolución rusa y una cruenta guerra civil, el 30 diciembre de 1922 nació la URSS.

136   TAMAMES, Ramón: *Ni Mussolini ni Franco: la dictadura de Primo de Rivera y su tiempo*, p. 206.

137   Boletín número 1 de la Unión Patriótica, 1 de octubre de 1926.

138   ABC, 4 de junio de 1924.

Cabe añadir que tras el fallecimiento de Manuel Matres, en enero de 1928, le sucedería como presidente, a finales de mayo del mismo año, Manuel Delgado Villalba[139]. Sobre el doctor Manuel Matres Toril, proveniente de las filas conservadoras, desarrollaremos unos apuntes biográficos más adelante, cuando sea elegido alcalde en septiembre de 1926. Con respecto a Manuel Delgado Villalba, era empresario, presidente de la Cámara de Comercio y antiguo concejal conservador[140]. Según se anunciaba en los periódicos de la época, Manuel Delgado Villalba era además director del Banco Español de Crédito, propietario de la fábrica de materiales de construcción y de aserrar maderas, al igual que era propietario de un almacén de coloniales. Tenía las oficinas en la calle Gómez Pulido, 24.

Por otro lado, a partir de la formación de la Unión Patriótica ceutí, su presencia será constante en todos los actos oficiales que se van a desarrollar durante los años de dictadura, además de organizar eventos y homenajes, convirtiéndose en uno de los grandes pilares del régimen. La Unión Patriótica desaparecería con la dimisión de Primo de Rivera.

Manuel Delgado Villalba presidente de la Cámara de Comercio. Cortesía de José Antonio Alarcón Caballero.

17. La Cámara de Comercio y la cuestión económica

Vivero de "upetistas" fue la Cámara de Comercio de Ceuta, que nació en el transcurso de una Asamblea de comerciantes, industriales, navieros y hombres de negocios el 5 de mayo de 1906, en el salón de sesiones del antiguo Ayuntamiento, sito en la plaza de la Constitución (actual África). A la reunión asistieron 69 empresarios o representantes de sociedades mercantiles de la ciudad, que firmaron conjuntamente el acta fundacional[141].

La Cámara de Comercio, que tenía su sede en la calle denominada entonces Soberanía Nacional, posteriormente José Luis de Torres, y a partir de 1925, Primo de Rivera, en los números 27 y 29, se había constituido en una de las principales entidades de la ciudad, y, desde el primer momento, "acogerá con especial entusiasmo el golpe de Estado de Primo de Rivera"[142]. Era su presidente en 1924 el citado empresario Manuel Delgado Villalba, quien había sido elegido en sesión del 11 de noviembre de 1923, y su secretario, José Encina Candebat[143].

Presente en todas las actuaciones de la dictadura, como recibimientos a las autoridades, homenajes, celebraciones, conmemoraciones, etc., algunos de sus miembros se irán repitiendo en muchas instituciones locales, como el Somatén, la Unión Patriótica, Ayuntamiento, casinos o asociaciones. Por lo tanto, sus ramificaciones llegaban prácticamente a todos los ámbitos y estamentos más influyentes del tejido institucional y social ceutí.

En un nuevo periodo en el que prácticamente la ausencia de huelgas y reivindicaciones sociales era la tónica general, vivió una época dorada durante estos años, a pesar de las continuas reclamaciones al Ayuntamiento -a partir del otoño de 1926, Junta municipal- y al

139 Ceuta 31. Ha sido elegido jefe local de la Unión Patriótica, don Manuel Delgado Villalba. El Telegrama del Rif, 1 de junio de 1928.
140 ALARCÓN CABALLERO, José Antonio: Opus cit., p. 232.
141 ALARCÓN CABALLERO, José Antonio: *La Cámara de Comercio, Industria y Navegación de Ceuta: un siglo en la historia económica y social de Ceuta (1906-2006)*, p. 67.
142 ALARCÓN CABALLERO, José Antonio: 'La dictadura de Primo de Rivera y la transición a la República', p. 279.
143 AGCE. Caja 84/7. Reclamaciones contra el presupuesto. 1630/4.

Directorio con respecto al tema impositivo -verdadero caballo de batalla de la Cámara-, y es por ello su innegable soporte al régimen, como por ejemplo su participación en la elaboración del Estatuto municipal, el apoyo al plebiscito popular, que tendría lugar en septiembre de 1926, o la generosa donación que hizo para la construcción de la Ciudad Universitaria de Madrid durante la visita de Alfonso XIII a la ciudad, en octubre de 1927.

Tarjeta publicitaria de la Tipografía Olimpia. AGCE.

En una economía donde el sector terciario era el protagonista, según José A. Alarcón, la Cámara llegó a aglutinar un alto porcentaje de la población activa ceutí; así, en 1928 llegó a tener inscritas 520 empresas (389 comerciales, 129 industriales y 2 de navegación)[144]. Representantes de los sectores secundario y terciario. Con respecto a los principales contribuyentes aparecen nombres como Juan Acevedo Ponce, José Sánchez Martín, José Ibáñez Canto, Enrique Delgado Villalba, Constantino López de Pablo, Francisco Ruiz Medina, Salomón Benhamú, Andrés Muñoz Galvez, Manuel Delgado Villalba, Pedro Pompeyo Castelló, Juan García López, Álvaro Cañada Moreno, Francisco Mencía Balbás, Alberto Benarroch Benzaquén, Vicente García Arrazola o Constantino Cosío Cortines[145].

Muchos de estos grandes empresarios solían diversificar sus inversiones. Pongamos un ejemplo. El referido Salomón Benhamú, según se anunciaba, tenía los siguientes negocios: "Banca Benhamu. Consignatario de varias líneas de vapores. Grandes depósitos en Ceuta y Tetuán de gasolina SHELL, petróleo, etc. de la Sociedad Petrolífera Española [empresa anglo-holandesa que se había implantado hacía poco tiempo en España]. Fábrica de conservas y salazones de pescados"; asimismo, era importador de cereales. Igualmente, parte de los beneficios iban dirigidos a la construcción de inmuebles, las referidas "casas de alquiler".

En cuanto a la población activa, al final del periodo primorriverista, alcanzaba 26.100 personas, repartiéndose su distribución entre militares 16.031 (61%) y civiles 10.068 (49%).

POBLACIÓN ACTIVA CEUTA (1930)

Total civil: 10.068 (90,1% hombres, 9,9% mujeres)

Sector primario, 4,8%

Subsectores: Pesca, 57,3%. Agricultura, 39,6%. Ganadería, sin datos. Canteras, 3%.

Sector secundario, 38,8%

Subsectores: Construcción, 22%. Tejidos, 20%. Alimentación, 16%.
Pequeña metalurgia, 13%. Cuero y piel, 9%. Artes gráficas, 5%. Electricidad, 2%.

Sector terciario, 56,4%

Subsectores: Comercio, 32%. Transporte, 18%. Profesiones liberales, 16%.
Servicio doméstico, 9%. Función pública, 7%. Hostelería, 6,6%.

FUENTE: ALARCÓN CABALLERO, José Antonio: 'La dictadura de Primo de Rivera y la transición a la República', pp. 219- 221.

144   ALARCÓN CABALLERO, José Antonio: Opus cit., p. 257.
145   BOCCE núm. 230, 15 de enero de 1931.

Como vemos, el sector primario apenas si tenía peso específico –excepto la pesca-, mientras que el sector terciario (56,4%) –con el subsector del comercio a la cabeza- era el que predominaba en Ceuta, en contraste con el resto del país. España, en 1930, era una nación en vías de desarrollo, por lo que el sector primario aún absorbía casi a la mitad de la población activa:

POBLACIÓN ACTIVA ESPAÑA (1930)

Total: 8.408. 400

Agricultura y pesca	45,5%
Industria	21,3%
Construcción	5,2%
Transporte y comunicaciones	4,6%
Comercio	7,6%
Otros servicios	15,8%

FUENTES: J. Velarde. Recogido por TAMAMES, Ramón: *Ni Mussolini ni Franco: la dictadura de Primo de Rivera y su tiempo*, p. 308. TORTELLA, Gabriel: *El desarrollo de la España contemporánea. Historial económica de los siglos XIX y XX*, p. 227.

POBLACIÓN ACTIVA CEUTA - ESPAÑA (1930)

Sectores económicos	Ceuta	España
Primario	4,8%	45,5 %
Secundario (industria + construcción)	38,8%	26,5%
Terciario	56,4%	28%
Total	**100%**	**100%**

FUENTE: Elaboración a partir de 'Población activa Ceuta (1930)' y 'Población activa España (1930)'.

A la vista de estos datos, dentro del contexto español, Ceuta era un singular modelo de plaza costera con una economía más desarrollada que la media nacional, aunque muy dependiente del Estado, representado principalmente por el Ejército y la Junta de Obras del Puerto; del propio puerto -el gran activo de la ciudad-, que contaba con importantes empresas que le prestaban servicios; Ayuntamiento, cada vez con más peso específico a lo largo del periodo primorriverista (prácticamente se triplicó el presupuesto entre 1923 y 1930); y la demanda de la población, que fue aumentando de forma constante durante estos años. Incidiendo en este sentido, Manuel Gordillo puntualiza: "hay que llegar a la afluencia masiva de inmigrantes para situar algunas industrias en el plano urbano de la ciudad, y aún éstas de simple transformación o de pura artesanía utilitaria, necesarias para el suministro de la población"[146]. A todo ello habría que añadir la clarísima vocación de proyección hacia el Protectorado.

Sumando estos factores, durante los años veinte la economía local creció de forma espectacular; no obstante, sufriría dos crisis. La primera coincidió con la finalización de la Guerra del Rif y la paulatina reducción de tropas. Esta crisis se llegó a solapar con la gran crisis internacional del 1929, que mostraría su peor cara en los primeros años de la siguiente década. Como conclusión, cabe subrayar que la economía de Ceuta de los años 20 basó su desarrollo paralelamente a la implantación del Protectorado español en Marruecos (1912).

Entre las más potentes de las cientos de empresas podemos mencionar a la citada Junta de Obras del Puerto; Compañía Arango y Cía, que abastecía de bloques de piedras al puerto;

---

146   GORDILLO OSUNA, Manuel: Opus cit., p. 290.

Ybarrola, depósitos de aceites y combustibles S.A.; Depósito de Carbones de Ceuta S.A.; Compañía Telefónica Nacional de España (CTNE); Cerámica Castillejos (S.A.), que, aunque no estaba situada en Ceuta, tenía sus oficinas en la calle Sargento Coriat, 2-2°; la Empresa del Alumbrado Eléctrico de Ceuta; el Ferrocarril Ceuta-Tetuán; la empresa de autobuses La Valenciana, que llegó a extender una extensa red de servicios por todo el Protectorado, o la Sociedad Anónima de Abastecimientos de Aguas de Ceuta.

Como industrias locales que tenían cierta implantación e incluso llegaron a exportar sus productos destacaron la Conservera pesquera del Mediterráneo, Mesa y Cía, conservas y salazones, que tuvo cierta presencia por la zona del levante español. Era su propietario el ceutí Andrés de Mesa y León, concesionario de la almadraba Aguas de Ceuta. Además era propietario inmobiliario[147]. Pero quizá la fábrica que tuvo más éxito fue la de chocolate y café del vallisoletano Constantino López de Pablo, en López Pinto, 60 y 62, fundada en 1917. Según informaba *La Esfera*, en 1925 fabricaba "Chocolates para toda la zona del Protectorado, dos mil libras de chocolate diario. Torrefacción de Café, con una producción diaria de 1.500 kilos"[148]. Constantino López también era propietario de la Imprenta Olimpia, que fabricaba los envases para sus productos[149]. Precisamente, en 1927 el arquitecto Gaspar Blein firmó los planos para la casa comercial de Constantino López, en la calle López Pinto. A estas empresas exportadoras podemos añadir, por ejemplo, otras de cierto fuste, como "Gran fábrica de fideos y panificación. Juan Acevedo Ponce, almacenes, fábricas y despacho, Marqués de Santa Cruz, 6"; o Baeza Hermanos & Compañía S.L., que abarcaba la comercialización de un amplio abanico de productos de ferretería y construcción en general, además tenía almacén de maderas y fábrica de muebles en la calle Canalejas. Era su gerente José Baeza Huesca. En noviembre de 1929 Santiago Sanguinetti firmó los planos de una casa de alquiler para Baeza Hermanos en la plaza de Azcárate.

Para cerrar este epígrafe citemos algunos ejemplos de empresas de gran tradición y sabor local, como Casa Marañés, de Joaquín Gustavo Marañés, en Primo de Rivera, 18 y Sargento Coriat, 2, Imprenta Imperio, fundada en 1924, Farmacia Zurita, Almacenes Cutillas, Casa Ros, confitería La Africana, La Campana, también dedicada a la fabricación y venta de productos de confitería y pastelería, Casa Bentolila, El Precio Fijo, en la calle Camoens, Rocher & Muñoz, que se anunciaba como "importadores de víveres, proveedores del Ejército, almacenes y escritorio paseo Colón", o Weil hermanos y Compañía Ramón Weil y hermano, fábrica de pastas alimenticias, fábrica de hielo, fábrica de aguas carbónicas, jarabes y licores. Fundada en 1908, tenía la casa central en Melilla y sucursales en Ceuta (López Pinto, 18) y Tetuán.

18. Paz laboral

Los años anteriores a la dictadura primorriverista no fueron de tranquilidad laboral. A raíz de la gran crisis del 17, la cuestión se fue radicalizando; no quedando Ceuta ajena a estas tensiones.

Sin embargo, es innegable que Ceuta vive un notable desarrollo económico durante estos años, que coincide con una expansión económica mundial y sería uno de los más brillantes de la citada Cámara. Esta paz laboral que se vivió no solamente en Ceuta, sino en casi toda España, fue debida a varios factores. Uno de estos factores fue la creación de los Comités Paritarios, el modelo sindical del periodo primorriverista. Como señala Eduardo Montagut, "Los Comités Paritarios contribuyeron, además de la represión y la bonanza económica, que no deben olvidarse, a que la conflictividad social bajase considerablemente en relación con el período anterior"[150].

---

147   ALARCÓN CABALLERO, José Antonio: *La Cámara de Comercio, Industria y Navegación de Ceuta: un siglo en la historia económica y social de Ceuta (1906-2006)*, p. 208.
148   La Esfera, 14 de noviembre de 1925.
149   Con los años, esta empresa sería adquirida por la familia Borrás.
150   MONTAGUT, Eduardo: 'El modelo sindical de la Dictadura de Primo de Rivera', s/p.

En cuanto a Ceuta, pocos estudios se han hecho sobre esta cuestión; aunque parece ser que no se organizaron los comités paritarios. En Ceuta era presidente de la Delegación de Trabajo el propio presidente de la Junta municipal. Desde esta Delegación se aplicaban los decretos-leyes que dimanaban del Gobierno con respecto a las cuestiones laborales. Así, por ejemplo, el 20 de diciembre de 1927 se publicó un comunicado sobre el descanso nocturno de la mujer, en el que se puede leer en su artículo 4º: "No existiendo en esta localidad Comités Paritarios, el descanso ininterrumpido deberá ser fijado uniformemente mediante pacto concertado en cada Ramo Industrial, en el improrrogable plazo de un mes y dando conocimiento a esta Delegación". Si no se cumplía lo dictado, el artículo 5º disponía: "Las infracciones se castigarán con multas de 25 a 250 pesetas, y las reincidencias con el doble, no siendo de aplicación los preceptos anteriores al trabajo a domicilio, en el prestado en el taller de familia, ni al servicio doméstico". En el mismo comunicado se advertía en su artículo 1º: "Toda ocupación o trabajo de empleadas y obreras en general, cesará necesariamente a las nueve en punto de la noche"; el artículo 2º disponía que quedaba prohibido el trabajo antes de las cinco de la mañana, "debiéndose establecer un descanso mínimo y continuo de doce horas"; mientras que el artículo 3º aclaraba que "Estos descansos se entienden sin perjuicio de la jornada máxima de ocho horas y del descanso dominical o semanal establecidos"[151].

Como vemos, el Gobierno primorriverista "invitaba" al pactismo dentro del marco corporativista legal que había establecido. Esta situación dio lugar a que la Cámara de Comercio tomase algunas iniciativas en el campo de las relaciones laborales. Como apunta José Antonio Alarcón, la Cámara impulsará la constitución de los gremios patronales en diversos sectores. Así, conseguirá que en febrero de 1928 se constituya la Asociación Gremial de Comerciantes en Electricidad, Ferretería y Efectos Navales de Ceuta, que reunirá a los principales empresarios del sector, y será una de las primeras que comiencen a funcionar. A pesar de ello, tendrá que seguir interviniendo en las relaciones laborales en muchas ocasiones a petición de los comerciantes. Es lo que sucede en mayo de ese año a solicitud de los patronos del comercio para que gestione la modificación del pacto colectivo con los dependientes sobre horarios de apertura y cierre[152].

19. Los sindicatos

Con respecto a Ceuta, la Unión General de Trabajadores (UGT) no logrará enraizarse hasta la época primorriverista, coincidiendo con la prohibición del sindicalismo anarquista, que tan combativo se había mostrado antes del golpe de Estado de septiembre de 1923.

Según la página web de la UGT de Ceuta (2020), "su núcleo fundacional parece haberse gestado en torno al Sindicato Ferroviario, que comenzó a funcionar en los años veinte". Sin embargo, a pesar de que la Dictadura de Primo de Rivera supuso un duro golpe para la Confederación Nacional de Trabajo (CNT), el sindicato anarquista, no obstante, las secciones sindicales fueron toleradas y siguieron negociando las condiciones de trabajo. Por su parte, la UGT aprovechó su legalidad durante el periodo para extender su influencia en el movimiento obrero; al igual que la patronal catalana impulsó la afiliación al Sindicato Libre, más afecto a sus intereses[153].

Asimismo, será también en torno a 1930, durante el gobierno de Dámaso Berenguer, cuando se verá resurgir con fuerza a las dos grandes centrales sindicales que dominarán el periodo republicano: la CNT y la UGT"[154]. Sin embargo, ambas centrales no serán vistas de igual manera, pues la CNT se mostrará mucho más beligerante.

---

151   BOCCE, 22 de diciembre de 1927.
152   ALARCÓN CABALLERO, José Antonio: Opus cit., pp. 404 y 405.
153   CNT, Valencia: 'Clandestinidad en la dictadura de Primo de Rivera', s.p.
154   ALARCÓN CABALLERO, José Antonio: Historia de Ceuta, S. XX, p. 224.

20. Queipo de Llano y Federico Grund

Retomando el pulso de la ciudad, el mismo día que se fundó la Unión Patriótica en Ceuta, el 2 de junio, llegó a la plaza el general Federico Grund Rodríguez, que había sido nombrado segundo jefe de la Comandancia General de Ceuta hacía unos días[155]. Federico Grund ocupaba el puesto de Queipo de Llano, quien, por desavenencias con su superior, el general Manuel Montero Navarro, había sido expedientado y luego destinado como segundo jefe al Gobierno Militar de Cádiz[156].

Por otro lado, con motivo de celebrarse el primer aniversario de la muerte del teniente coronel Valenzuela, tuvo lugar en la catedral una función religiosa que estuvo concurridísima[157]. Recordemos que el jefe legionario había muerto el 5 de junio de 1923 en la acción de Tizzi Aza.

21. El problema del agua

De igual forma, el mismo día de la llegada a Ceuta del general Grund, el caíd de la cabila de Anyera, Ben Alí, acompañado por algunos moros notables de Tánger, visitó las obras de los nuevos manantiales adquiridos por la Empresa que surtía de agua a la plaza de Ceuta[158]. Estos nuevos manantiales eran de vital importancia, pues el crecimiento de la ciudad era imparable.

Como señala Leopoldo Caballero, en 1911 se iniciaron las conversaciones para traer agua de los manantiales de Benzú, cosa que se logró poco después construyéndose diversos depósitos y conducciones, recordándose hoy día aquel benefactor que se llamó Alfau, y en memoria del cual hay una placa de piedra proclamando el interés del famoso general por dotar a Ceuta de este servicio de aguas[159].

Benzú y su bahía. AGCE.

Abundado sobre el tema, en febrero de 1911 el general Alfau hizo unas declaraciones a los periodistas donde se recogía todo un programa de intenciones. Entre otras cuestiones señaló que era necesario que se dotara de agua a la ciudad utilizando el manantial recién descubierto[160]. Los planos y trazados originales fueron realizados por los ingenieros militares Félix Medinaveitia y García Benítez; el capital invertido fue de pesetas 2.400.000 y la traída se hizo por completa cañería férrea[161]. Sobre esta cuestión, Manuel Gordillo puntualiza: "Existe un oficio de 11 de julio de 1911, firmado por el general Alfau y dirigido a don Félix Medinaveitia, en el que se hace constar haber sido registrado en dicho Gobierno Militar la escritura de compra de los manantiales de Benzú"[162]. Cabe añadir que las citadas obras se iniciaron en abril de 1911, inaugurándose la traída de aguas en enero de 1912.

---

155   La Voz, 3 de junio de 1924.
156   El Sol, 5 de junio de 1924.
157   El Telegrama del Rif, 6 de junio de 1924.
158   La Voz, 3 de junio de 1924.
159   CABALLERO LÓPEZ, Leopoldo: *Ceuta en el recuerdo*, p. 74.
160   El Noroeste, 24 de febrero de 1911.
161   ABC, 14 de febrero de 1918.
162   GORDILLO OSUNA, Manuel: Opus cit., p, 359.

No obstante, como la ciudad no paraba de crecer, se tuvieron que buscar nuevos manantiales. Así, a mediados de octubre de 1922, la empresa de Aguas de Ceuta con el ministro de Hacienda del Majzen, Bu Benhuma, y el caíd de la cabila de Anyera, el susodicho Ben Alí, vinieron a Ceuta ultimándose las negociaciones "para la adquisición de importantes manantiales que radicaban en los montes de Benzú"[163]. Los análisis de las aguas fueron clasificadas como de "inmejorables condiciones de potabilidad"[164]. El manantial recién adquirido se encontraba en Beliunex (Beliones)[165], en el Biutz. Sobre esta cuestión *La Opinión* decía el 15 de noviembre de 1923: "Con motivo de la terminación de las obras de captación de los nuevos manantiales adquiridos por la empresa abastecedora de Aguas de Ceuta, marcharon a las estribaciones de Sierra Bullones el representante de la empresa, el alcalde, el arquitecto municipal, otros técnicos y los periodistas. Se terminarán dentro de tres meses la doble conducción de aguas a la ciudad, pues la antigua conducción resulta ya insuficiente. El análisis de las nuevas aguas la considera como vírgenes. El caudal es de unos 75 litros por segundo"[166]. Y a principios de mayo de 1924 los jefes y oficiales de la Comandancia de Ingenieros visitaron las obras de los nuevos manantiales, regresando satisfechos, elogiando la labor ejecutada[167].

La empresa encargada del suministro de aguas, como se ha visto, era la Sociedad Anónima Abastecimiento de Aguas de Ceuta, entidad que, a partir de las obras realizadas, podía suministrar 150 toneladas a la hora, abasteciendo no sólo a la ciudad, sino también al puerto. Se fundó esta sociedad en el año 1911, y tenía un capital social de 4 millones de pesetas, tres en circulación. Era su gerente director Ignacio Garay, y el administrador en Ceuta, Enrique Pichot Gal. El Consejo de Administración residía en Bilbao, siendo Florentino Adrián su presidente, en 1926[168].

22. Juicios y Amnistía

Mientras en Ceuta se creaba la Unión Patriótica y se intentaba solucionar el problema del agua, en Madrid corrían tiempos de juicios y amnistías. Primo de Rivera al disolver la Cortes resolvía todos los problemas: no se volvería a hablar del expediente Picasso en lo que le correspondía a la comisión de Cortes: los civiles. Para los militares era harina de otro costal; el dictador no podía impedir la instrucción en el Consejo Supremo de Guerra.

El 19 de junio de 1924 comenzó ante el citado Consejo el juicio contra los generales Dámaso Berenguer, Felipe Navarro, Cavalcanti y otros por sus responsabilidades en África. Navarro fue absuelto, junto con Cavalcanti, y los otros generales recibieron condenas leves: un año de prisión para Tuero y el coronel Sirvent, seis meses para el general Lacanal. Por su parte, Berenguer tuvo que abandonar el servicio activo.

Sin embargo, el 4 de julio se promulgó un decreto de amnistía donde se incluían las sentencias y procesos del Desastre de 1921, por entender que la situación de Marruecos iba pronto a regularizarse. De esta forma, se indultó a los generales Berenguer y Tuero, y a otros jefes y oficiales. Asimismo, la amnistía incluía a otros condenados por atacar a la Dictadura: el intelectual Unamuno, el político Rodrigo Soriano, periodistas, etc. Poco después, Dámaso Berenguer sería ascendido a teniente general. Así pues, se ponía punto y final "a la cuestión tan espinosa de las responsabilidades"[169].

---

163   El Debate, 19 de octubre de 1922

164   Las Provincias, 24 de junio de 1923. 1 de junio de 1923

165   GARCÍA COSÍO, José: *Ceuta, Historia, presente y futuro*, p. 292.

166   La Opinión, 15 de noviembre de 1923.

167   ABC, 6 de mayo de 1924.

168   ABC, 30 de abril de 1926.

169   MALERBE, Pierre C.: 'La dictadura de Primo de Rivera', p. 46.

23. Cambios en la Comandancia General y en el Ayuntamiento

Dos días antes de la promulgación del decreto de amnistía, había firmado el rey un decreto relevando al comandante general de Ceuta, Manuel Montero Navarro, y otro nombrando para sustituirle al general Luis Bermúdez de Castro, hasta ahora subsecretario de Guerra[170]. Bermúdez de Castro, además de su contrastada trayectoria militar y gestora, también tenía un gran prestigio como escritor de temas militares. De la misma forma, Queipo de Llano se vio afectado por estos cambios, pues, una vez que Bermúdez de Castro ocupó la jefatura de la Comandancia, regresaría como jefe de la zona de Ceuta.

El general Bermúdez de Castro, comandante general de Ceuta. Revista de Tropas Coloniales, julio de 1924.

En cuando a la vida municipal, con la formación de la recién creada Unión Patriótica se sentaban las bases de un Ayuntamiento más estable, ya que los dos próximos alcaldes de la ciudad, Ricardo Rodríguez Macedo y Manuel Matres Toril, van a salir de las filas de dicha formación. Por lo tanto, se mataban dos pájaros de un tiro: por un lado, se creaba una formación afecta al régimen; por otro, se le daba estabilidad a la Corporación ceutí.

El proceso de cambio fue el siguiente: en sesión plenaria extraordinaria "con carácter de urgente" del 13 de junio, presidida por Remigio González Lozana, se trató el tema de las dimisiones y renuncias que se habían producido. Y en la sesión plenaria del 27 de junio tomaron posesión los nuevos concejales, siendo elegido alcalde Ricardo Rodríguez Macedo con 21 votos. Seguidamente, el nuevo alcalde expresó su agradecimiento que sobre él había recaído, manifestando "que lo acepta por deber ineludible que le exige el partido" al que estaba afiliado, solicitando el compromiso de todos, y añadiendo por último "que establecerá una línea divisoria entre lo actuado por los anteriores Ayuntamientos y la del presente". Por su parte, Remigio González tomó la palabra para decir que renunciaba a su cargo de primer teniente de alcalde "para dejar completa libertad a la Corporación", continuando con el de concejal[171]. Cuando accedió a la alcaldía, Rodríguez Macedo rondaba los setenta años. Teniente coronel de Carabineros retirado, fallecería en Cádiz en enero de 1938[172].

Durante la alcaldía de Rodríguez Macedo, que se va a prolongar hasta septiembre de 1926, se va a sufrir un periodo de inquietud e incertidumbre en cuanto a los ecos de la guerra, que quedará prácticamente encauzada con el desembarco de Alhucemas en septiembre de 1925; pero también se gozará de una etapa de estabilidad, crecimiento y prosperidad. Dos temas se van a abordar de forma satisfactoria: la reorganización administrativa (reglamentos de empleados municipales y de servicios municipales) y financiera (carta económica de 1925 en función del Estatuto Municipal de 1924). Autores que han tratado profusamente este periodo en Ceuta, como José Antonio Alarcón o Carlos Rontomé, coinciden en esta línea expansiva, a pesar de los problemas inherentes debidos a la continua llegada de inmigrantes que estaba soportando la ciudad y, en consecuencia, la carencia de los servicios necesarios.

Obsesionado con el tema impositivo y consciente que el saneamiento de las arcas municipales era el único camino para conseguir superar estos problemas, su mandato se va a

---

170   SOLDEVILLA, Fernando: *El Año Político, 1924*. p. 225.

171   AGCE. LAP núm. 1. Pleno del 13 de junio de 1924 y Pleno del 27 de junio de 1924, folios 11-14.

172   "El 9 de enero de1938 falleció en Cádiz don Ricardo Rodríguez Macedo, teniente coronel retirado y ex alcalde de Ceuta, a los 82 años. Hijos, don Ricardo, doña Purificación, don Enrique y doña María. Hijos políticos, doña Rosalía Marzo y don Emilio Jáudenes. Nietos, sobrinos". DE MAYORALGO Y LODO, José Miguel: *Movimiento Nobiliario 1931-1940 – AÑO 1938*, p. 9.

caracterizar por lograr que los presupuestos municipales aumenten de forma sustancial. Y en este sentido, será providencial la llegada a Ceuta de Alfredo Meca, el nuevo secretario, y de Luis Martínez Barrié, el nuevo interventor. Y así lo reconoció Enrique Garro, periodista de *ABC*, quien llegó a comentar en el número del 29 abril de 1926 al respecto: "Desde 1924, en que la situación del municipio era agobiada y los ingresos escasos, hasta hoy, en que resplandece la buena dirección iniciada a raíz de la toma de posesión del Sr. Rodríguez Macedo, ha pasado horas de estudios y trabajos enormes, secundado por el personal de Secretaría, Intervención y otras secciones, que nunca lo agradecerán bastante los vecinos de Ceuta". En definitiva, la administración de Rodríguez Macedo sentaría las bases de una ciudad moderna.

Por otra parte, el encuentro del nuevo comandante general y del nuevo alcalde tuvo lugar el día 3 de julio de 1924: "A bordo del cañonero *Cánovas del Castillo*, ha llegado aquí a las nueve de la noche el nuevo comandante general Sr. Bermúdez de Castro. A bordo subió su antecesor, general Montero, y ambos conferenciaron". Ya desembarcado, el alcalde, que se estrenaba en esta faceta, dio la bienvenida al general en nombre del pueblo, deseándole aciertos y felicidades al mando de la plaza. Al muelle acudieron todos los jefes y oficiales francos de servicio, autoridades, representación de varias entidades, comité de Unión Patriótica, Somatén y numeroso público. Seguidamente, el nuevo comandante general se dirigió a su residencia oficial. Y al día siguiente, a primera hora, marchó a Tetuán para conferenciar con el alto comisario, el general Aizpuru[173].

Con respecto al general Montero, había vuelto a Ceuta de la posición de Uad Lau en el cañonero *Laya* el mismo día 3, al igual que habían desembarcado nuevos refuerzos para asegurar las posiciones de aquella línea[174]. Así pues, la situación militar con la que se encontró Bermúdez de Castro no era la más deseable. La línea defensiva del Lau estaba seriamente amenazada y en franco peligro de derrumbe.

Abundando sobre esta cuestión, hemos visto que la posición de M'Ter no pudo ser tomada por Abd el Krim, pero mandó reconocer el frente en busca de otras alternativas. Organizó un par de columnas, que puso a las órdenes de su hermano M'Ahmed, *el Jerizo,* y de Haddi-ben Azús. El Jerizo fue derecho a Koba Darsa, estratégica posición que distaba poco más de un par de leguas de Uad Lau, siguiendo hacia arriba el curso del río, límite geográfico entre la autoridad de Abd el Krim y la del Majzen.

24. Koba Darsa

Con estos antecedentes, casi toda la atención de los últimos días de junio y los primeros de julio se iba a centrar en el asedio a Koba Darsa[175]; lance bélico del que tuvo noticias Primo de Rivera en la capital de España, y que, sin embargo, en Ceuta se vivió de primera mano con gran expectación e inquietud por estar basados la mayoría de sus defensores en los cuarteles de la ciudad y la llegada de numerosas bajas, que de nuevo iban a llenar los hospitales y bastantes nichos de Santa Catalina.

Koba Darsa era una posición que se encontraba en un punto clave, situada sobre tres cotas formando un mogote de 200 m. Como tantas posiciones, dependía del suministro a través de convoyes, y la aguada había que hacerla saliendo a tomarla fuera del recinto fortificado. El cerco comenzó el 26 de junio. En esta pequeña guarnición, que estaba mandada por el teniente Gil de Vergara, que resultó herido en una pierna, se vivieron, en los siete días que estuvo asediada, todo tipo de situaciones cargadas de momentos heroicos. Allí destacaron, entre otros, el oficial Pueyo, el telefonista Primitivo Salomón, el citado teniente Gil de Vergara

---

173 ABC, 4 de julio de 1924. El Telegrama del Rif, 5 de julio de 1924.
174 El Telegrama del Rif, 5 de julio de 1924.
175 MARTÍNEZ CAMPOS, Carlos: Opus. cit., p. 288.

y el telegrafista Pedro Giner, que nunca abandonó su puesto a costa de su vida. También se auxilió a los aviadores que se estrellaron al intentar abastecer la posición con comida y bloques de hielo. Pudo ser liberada gracias a la columna de socorro del general Serrano, que consiguió romper el cerco con un asalto final a la bayoneta al grito de "¡Viva España!"[176].

A pesar de que Koba Darsa pudo ser salvada, y, por lo tanto, restablecida la línea del Lau, el malestar se fue extendiendo por toda la región. Pronto alcanzó a Xauen y a las inmediaciones de Tetuán, quedando el camino de Tánger cortado. Por su parte, el Directorio empezó a vislumbrar que la situación se le estaba escapando de las manos.

Y en Ceuta los entierros militares se estaban convirtiendo en rituales demasiado habituales; rituales cargados de momentos realmente hondos y emotivos. Tomemos como triste ejemplo el entierro colectivo que tuvo lugar el 8 de julio de los tenientes Francisco Agustí Valls y Manuel Carrasco Grajera, y los alféreces Ortiz de Tudela y Bautista Soldevilla Gadea. El acto resultó una imponente manifestación de duelo. Paralelamente, procedente de la posición Uad Lau llegaba el vapor *Lulio* cargado de bajas[177].

Por otro lado, los rumores de todo tipo circulaban por la ciudad, pero lo que sí era cierto es que por suscripción popular se estaba organizando un homenaje a los defensores de Koba Darsa. También, los duques de la Victoria estuvieron visitando los hospitales, atendiendo y consolando a los cientos de ingresados. Tanta era la inquietud entre los ceutíes que el nuevo comandante general al recibir en audiencia al Ayuntamiento y a un comité de la Unión Patriótica, manifestó que estaba "satisfechísimo del resultado de las operaciones, en las cuales, si tuvieron algo crítico, hoy nuestras tropas marchan triunfantes, resolviendo lo objetivos y aplicando a los rebeldes el merecido castigo". Con respecto a Ceuta, subrayó que venía dispuesto a trabajar para conseguir que la ciudad cambiase de aspecto y ocupase el rango principalísimo que le correspondía[178].

25. El recibimiento a los héroes de Koba Darsa

Al día siguiente del magno funeral, el miércoles 9, a bordo del transporte *Almirante Lobo*, llegaron los defensores de la posición de Koba Darsa, pertenecientes al regimiento del Serrallo, y Regulares de Ceuta y Larache. Estas fuerzas habían perdido la mitad de sus efectivos.

Consciente la población de tan enorme sacrificio, el recibimiento fue grandioso. A pesar del imponente calor, todo Ceuta asistió a tributarles homenaje de admiración y cariño. Al pasar por las calles, el vecindario rodeó a los soldados, obsequiándolos y aclamándolos, mientras que desde los balcones les arrojaban flores. En el cuartel del Serrallo (el cuartel del Rebellín), invadido por numeroso público de todas las clases sociales, los jefes y soldados defensores de Koba Darsa besaron su bandera en medio de un imponente silencio, que se desbordó en vítores a "España, al Rey y al Ejército", que fueron frenéticamente contestados. Los coroneles del Serrallo y de Ingenieros, Benito y Güell, hablaron en elevados tonos de patriotismo, encomiando las virtudes de disciplina y sacrificio. Especialmente se hicieron grandes elogios del comportamiento de los Regulares de Ceuta, cuya compañía del primer tabor, al mando del capitán Pereda, sostuvo combate durante diez y ocho horas seguidas. Por su parte, el cuarto tabor, que mandaba el comandante Pío Echevarría, también se batió bravamente, a pesar de llevar este tabor solamente dos meses organizado. En definitiva, era imposible enumerar cuantos hechos gloriosos se relataron[179].

---

176   ABC, 8 y 9 de julio de 1924.
177   La Vanguardia, 8 de julio de 1924.
178   ABC, 10 de julio de 1927.
179   El Sol, 10 de julio de 1924. La Voz, 10 de julio de 1924.

26. La visita de Primo de Rivera, julio de 1924

Estas manifestaciones populares y las palabras del comandante general ante el Ayuntamiento y la Comisión de la Unión Patriótica tenían el claro objetivo de tranquilizar a la población. Sin embargo, la realidad dictaba lo contrario. En este contexto, el 24 de junio Primo de Rivera dijo en Sevilla: "no es posible continuar como se está". Es por eso que decidió realizar una visita a las plazas de soberanía y al Protectorado para calibrar la verdadera situación sobre el terreno. Era su primera visita al norte de África como presidente del Directorio militar.

También los militares *africanistas* esperaban la visita con cierta incertidumbre y no menos preocupación. Recordemos que eran de dominio público las ideas de Primo de Rivera sobre Ceuta y el Protectorado: a lo largo de varios años se había mostrado reacio a seguir en Marruecos, e incluso se había postulado en más de una ocasión por una línea abandonista, o al menos en ceder territorios poco rentables, al igual que se había postulado por un intercambio de Ceuta por Gibraltar. Así que la visita despertó no sólo la expectación de ser el presidente del Directorio, sino también de un militar que no comulgaba con la situación que se estaba viviendo.

Primo de Rivera en Ceuta.
Cortesía de Rosa Ros Amador.

El periplo lo empezó Primo de Rivera en Ceuta y, tras visitar la zona occidental, lo acabaría en Melilla, haciéndose no sólo una verdadera composición de la delicada situación por la que atravesaban las tropas sobre el terreno, sino también del espíritu que reinaba en el frente de guerra. Visita, por otro lado, que tendrá como principales resultados su autonombramiento como alto comisario –por lo que él mismo dirigiría *in situ* todas las operaciones–; un plan de repliegue –la denominada Línea Estella o Primo de Rivera- y la recomposición de las fuerzas militares, con el claro objetivo de concentrarlas y hacerlas más profesionales. Todo ello muy criticado por parte del Ejército. Como es natural, la primera visita del presidente del Directorio a Ceuta despertó una gran expectación en todos los estamentos y clases sociales.

Veamos como transcurrieron tan febriles y emotivos días. Desde la primera hora de la mañana del día 11, reinaba gran animación preparándose el recibimiento. De Tetuán llegó el comisario superior, general Aizpuru, acompañado de sus ayudantes y funcionarios. Y a las seis de la tarde fondeó el crucero *Reina Victoria Eugenia*; mientras, los buques de guerra y los cañones de la plaza realizaron las preceptivas salvas de ordenanza, que resonaron en toda la ciudad, subiendo a bordo para saludar al presidente el comisario superior y los generales Bermúdez de Castro, Bazán y Correa, y el comandante de Marina. Mientras tanto, en el desembarcadero se hallaba el Ayuntamiento, Cámaras de Comercio, Agrícola y de la Propiedad, Junta de las Obras del Puerto, Cabildo de la catedral, Unión Patriótica, Somatén, Asociación Hispano Sefardí, caíd de la cabila de Anyera y el teniente coronel Millán Astray. Una enorme cantidad de público expectante invadía el muelle, haciendo imposible la circulación. Por su parte, las embarcaciones, que se hallaban empavesadas, salpicaban de coloridos destellos los atracaderos y fondeaderos.

Al saltar a tierra Primo de Rivera, los ceutíes, completamente receptivos, le tributaron una imponente ovación. El alcalde, Rodríguez Macedo, le dio la bienvenida en nombre del pueblo, el cual "se honraba con esta visita, de la que el país y Ceuta esperan grandes resultados", clara alusión al problema de la guerra y a la necesidad de terrenos para la expansión de la ciudad. El presidente, con cariñosas frases, agradeció la salutación. Seguidamente revistó fuerzas del regimiento del Serrallo y del Tercio, que desfilaron posteriormente ante las autoridades[180].

Acabado el desfile, se organizó una caravana compuesta por 200 automóviles, marchando a la Comandancia General, donde se le ofreció un té, asistiendo los jefes de la guarnición, autoridades y representantes de diferentes organismos. Después fueron a la estación, donde saludaron al presidente el general Serrano Orive y el jefe del Tercio, Francisco Franco. En la estación, el capitán Planas Tovar, hizo la presentación de los musulmanes notables. También los somatenes tuvieron cierto protagonismo, pues durante la estancia de Primo de Rivera prestaron servicio de inspección y vigilancia en la ciudad y en el Campo Exterior, sin novedad[181].

27. Primo de Rivera en Tetuán

Como se ha referido, el presidente del Directorio llegó por la noche del 11 de julio a Tetuán, siendo recibido en la estación por las autoridades civiles y militares. Rindió honores una compañía de Cazadores de Arapiles, con bandera y música[182]. El día 12 marchó a Xauen, regresando por la tarde a la capital del Protectorado.

Y al día siguiente pronunció un discurso en Tetuán que dio muchísimo que hablar. Hubo optimismo en lo relacionado en la rectificación de frentes y tendencia general a comentar más de la cuenta sobre las frases referentes a la sangre vertida, el dinero despilfarrado, a los programas mínimos y a la paz definitiva en todo el territorio. Pero al corazón del Rif se hizo poca referencia[183], por lo que creó cierta inquietud.

28. Homenaje a los héroes de Koba Darsa

Mientras Primo de Rivera se encontraba en la capital del Protectorado, el mismo día 13 hubo un banquete popular en Ceuta de 400 cubiertos en honor de los defensores de Koba Darsa. El acto tuvo lugar al aire libre en el jardín de Prim, siendo organizado por el Casino Africano. La presidencia la formaba el coronel de Caballería de Cazadores de Vitoria, Javier Obregón, flanqueado a su derecha e izquierda por los oficiales honorados, Augusto Gil de Vergara y Francisco Pueyo Aineto, el alcalde, el general Serrano, el coronel del regimiento del Serrallo, el presidente del Casino Africano y los jefes de Regulares.

Ofreció el homenaje el doctor Manuel Matres, presidente del casino, haciendo grandes elogios: "Esta noche -dijo- es de gloria y honores para los héroes de Koba Darsa. El pueblo de Ceuta, se siente orgulloso de poder homenajear a los valerosos soldados aquí presentes"; a continuación, hizo un brillante recorrido de los sucesos desarrollados en esta posición desde el 28 de junio; por último, dedicó un especial saludo al general Serrano, llamándole "general del pueblo", estallando una gran ovación acompañada por vivas "a España, al Ejército, al Rey y a los defensores de Koba Darsa".

Seguidamente se procedió a la entrega de las recompensas que hacía el Ayuntamiento, empezando el alcalde con las dos medallas militares concedidas por el Gobierno a los oficiales

---

180   Algunas fuentes indican que los legionarios al desfilar ante la tribuna giraron la cabeza hacía donde se hallaba Millán Astray.

181   ABC, 13 de julio de 1924.

182   Ídem.

183   MARTÍNEZ CAMPOS, Carlos: Opus cit., p. 288.

Gil de Vergara y Pueyo; a los tres sargentos de Serrallo, uno de ingenieros, ascendidos, cien pesetas a cada uno y a los 33 soldados del Serrallo, seis de regulares y dos de ingenieros, 50 pesetas a cada uno. Entre atronadoras salvas de aplausos se levantó el coronel Obregón, presidente del acto, diciendo: "Ostento la triple representación del presidente del Directorio, del alto comisario y del comandante general". Dijo que levantaba la copa en honor de los héroes de Koba Darsa, a continuación saludó a los organizadores del homenaje, dedicó palabras de elogio al general Primo de Rivera, celebró el heroísmo de los defensores de Koba Darsa, saludó "al invicto general Serrano" que mandaba las tropas, y acabó con un brindis y un "¡Viva a España!". Su discurso fue correspondido por una ovación delirante. Para finalizar, hablaron los coroneles Millán Astray y del Serrallo, los jefes de Regulares, de Ingenieros y del Tercio, el presidente de la Asociación de la Prensa y el general Serrano, todos los cuales, en elevados tonos, enaltecieron a los héroes[184].

29. El Casino Africano

Hemos visto que el Casino Africano fue el organizador de tan emotivo homenaje. Este casino tenía su sede en un hermosísimo edificio denominado Casa de los Dragones, justo enfrente del Casino Militar; al final de la calle Camones. Según decía *El Financiero*: "Es algo esencial a la vida de Ceuta un Casino Africano. Fundado en 1915 [mayo], integrando su primera Junta José Encina, como presidente, y Diego Trujillo, como secretario, contó desde primera hora con las simpatías del pueblo ceutí". Poco a poco fue creciendo y durante las fiestas patronales de 1920 se inauguró el gran salón estilo Renacimiento español, considerado como una obra de arte[185], en el que se colocó, presidiéndolo, el gran tríptico de Bertuchi *El comercio, la agricultura y la industria*.

Ya en agosto de 1923 el número de sus socios rebasaba la cifra de ochocientos. Instalado con lujo y confort, preparaba en 1923 una ampliación de sus locales, ampliación que beneficiaría singularmente la instalación de la biblioteca[186]. Su presidente, el doctor Manuel Matres, había sido nombrado el año anterior, y ejercerá la presidencia hasta diciembre de 1927, siendo nombrado Socio de Honor en enero de 1928. Tras el fallecimiento del doctor Matres, sería su presidente el arquitecto municipal Santiago Sanguinetti, quien fallecería en 1930. Hasta la fundación del Centro de Hijos de Ceuta, fue el casino civil más importante de la ciudad.

Por otro lado, también era corriente que en estos centros se practicasen diversos juegos de azar. Al igual que tampoco era raro que apareciesen profesionales, como así se recoge en *La Correspondencia de España* de 4 de junio de 1923: "En nuestro colega *África*, que se publica en Ceuta, y en un artículo firmado por un compañero de allá, se habla de que a más de jugarse en determinadas condiciones en algunos Centros que atienden a cosas de orden cultural o humanitarias, se prepara la apertura de chirlatas, a juzgar por la legión de tahúres que allí han llegado. Llamamos la atención de los Ministros de Guerra y Gobernación, al objeto de que impidan que con malas artes estos señores profesionales del juego llenen de lágrimas a numerosas familias...". Esta cuestión, muy generalizada por todo el país, dio lugar a que el Directorio decretase el 1 de noviembre de 1924 la prohibición de los juegos de azar.

30. Continúa la sangría y nueva visita de Primo de Rivera

Retomando la crónica ceutí, al día siguiente del homenaje a los héroes de Koba Darsa, el crucero *Extremadura* trajo de Uad Lau un convoy de heridos de Regulares y del regimiento de Ceuta.

Enterado de la grave situación, Primo de Rivera llegó por la tarde de Tetuán acompañado del alto comisario, de los generales Bermúdez de Castro y Correa, ayudantes y séquito, visitando los hospitales Docker, O'Donnell, Central y Cruz Roja, prodigando a los heridos y enfermos frases de consuelo, y preguntándoles detalles de los combates en que fueron

---

184 La Vanguardia, 16 de julio de 1924. Las Provincias, 15 de julio de 1927.
185 El Correo de Cádiz, 3 de agosto de 1920.
186 El Financiero, agosto de 1923.

heridos. En esas visitas le acompañaron las autoridades civiles, los jefes de los Cuerpos de la guarnición y otras personalidades. Fue después el presidente al Casino Militar, donde departió con los allí presentes, regresando a las ocho de la noche a Tetuán[187]. Primo de Rivera había interrumpido inesperadamente su periplo por la zona del Protectorado occidental. No obstante, durante los siguientes días continuó visitando las principales localidades.

Muy interesante fue la visita a Alcazarquivir, a donde acudió extraordinario número de habitantes a rendir pleitesía; además fue visitado por el general Chambrun, jefe del distrito de Uazán, y coronel Colombat, con cuatro oficiales de su Estado Mayor, con los que celebró una conferencia llena de cordialidad, que duró dos horas. Traían la representación del residente francés, mariscal Lyautey, y un saludo en su nombre. Un gesto amistoso, pero también una manifiesta falta de sensibilidad al no estar presente el propio residente.

Igualmente, el acto de Arcila fue de extraordinaria importancia, pues concurrieron más de 8.000 cabileños del monte, con sus armas, y le estaba esperado el hijo del jerife el Raisuni, que le acompañaría a Tetuán y Ceuta[188].

En Ceuta, mientras tanto, continuaban los entierros, como el del soldado de zapadores Luis Masip a consecuencia de una herida en la pierna en la operación de Koba Darsa[189], o el del teniente de Regulares del Grupo de Ceuta, José Ramón Álvarez Martínez, de 24 años de edad[190], que, presidido por el comandante general y el padre del finado, tuvo lugar el día 16 por la tarde en medio de una gran manifestación de duelo.

Ese día se estaba celebrando la festividad de la Virgen del Carmen. Por la mañana había tenido lugar una solemne función religiosa a la que acudieron las autoridades y numeroso público. Y en el crucero *Reina Victoria Eugenia*, cuyo comandante era el capitán de navío Eduardo Pasquín, se ofreció un *lunch* a las autoridades y miembros destacados de la sociedad ceutí. Por su parte, los buques surtos en el puerto estuvieron todo el día empavesados. Durante esos días se había instalado una formidable ola de calor en toda la región; un "calor de hierro", como diría Gabriel García Márquez, con temperaturas que sobrepasaron los 50º a la sombra en Alcazarquivir[191].

31. Homenaje a Primo de Rivera

Tras el penoso periplo debido al calor reinante y la conferencia con el general Chambrun, Primo de Rivera regresó a Ceuta el 17 de julio al atardecer, donde visitó la Real Sociedad Hípica, y a las diez de la noche asistió al banquete popular con que le obsequiaba el Ayuntamiento. El homenaje, que se celebró al aire libre, tuvo como marco el jardín de Prim, asistiendo unos 300 comensales.

El alcalde, Rodríguez Macedo, ofreció en elocuente brindis el agasajo, elogiando la labor del Directorio, pidiendo protección para Ceuta y que, como recuerdo de su visita, se resolviera el expediente para conceder la propiedad de los campos del interior y del exterior a la ciudad; cuestión que estaba pendiente desde hacía tiempo, ya que significaba mucho para su expansión urbanística. Terminó pidiendo a Dios que inspirase al presidente para resolver el difícil problema de Marruecos. Se vitoreó a "España, al Rey, al Ejército y a Primo de Rivera". También los presidentes de la Unión Patriótica, Manuel Matres, y de la Cámara de Comercio, Delgado Villalba, pronunciaron patrióticos discursos.

A continuación, el general Primo de Rivera agradeció los discursos en nombre del Gobierno, declinando los elogios que se le prodigaron, pues ponía "toda su voluntad en servir a la

187   La Correspondencia Militar, 15 de julio de 1924. La Vanguardia, 16 de julio de 1924.
188   SOLDEVILLA, Fernando: Opus cit., pp. 243 y 244.
189   La Vanguardia, 16 de julio de 1924.
190   ABC, 18 de julio de 1924.
191   La Libertad, 18 de julio de 1924.

Patria". Añadió que visitaba el Protectorado para conocer personalmente el actual estado y para acordar las medidas que tendieran a resolver el problema planteado, llevando a los jefes, oficiales y soldados las ideas que animaban al Gobierno. Asimismo, aludiendo a la petición del alcalde, dijo que el rey y el Directorio, a través del comandante general, la acogerían con todo cariño. Terminó prometiendo que volvería pronto aquí, "bien como jefe de Gobierno o como teniente general, prefiriendo esto último". El discurso presidencial fue acogido con grandes aplausos.

Después del banquete se celebró una función de gala en el Teatro del Rey, a la que asistió el propio Primo de Rivera. Numeroso público esperaba al presidente a las puertas del teatro, recibiéndole con un cerrado y nutrido aplauso. La compañía de Miguel Muñoz interpretó *El gran Galeoto*, el famoso drama en tres actos de Echegaray. Acabada la función, entre renovados aplausos, se dirigió al muelle, donde embarcó en el cañonero *Cánovas del Castillo* con dirección a Melilla[192]. La impresión oficial que dio el Gobierno de la visita fue que el general Primo de Rivera se iba satisfecho del recibimiento que se le había dispensado. Al igual que señalaba que también había encontrado elevada la moral de las tropas, alto espíritu de disciplina y completo orden en todos los servicios del Ejército. Sin embargo, en algunos actos se percibió que se respiraba un ambiente tensionado...

32. Ben Tieb

Aunque en Melilla se esperaba a Primo de Rivera por la mañana, el cañonero no llegó hasta pasado el mediodía, pues el *Cánovas del Castillo* realizó la derrota a marcha moderada para que el presidente pudiera examinar atentamente la costa[193]. Ya en Melilla, el dictador tuvo una apretada agenda, visitando diferentes posiciones para inspeccionar las tropas y los servicios, "siendo muy bien recibido -según notas oficiales- en todas partes". Sin embargo, el momento más tenso del viaje tuvo lugar el 19 de julio en el campamento de Ben Tieb, posición avanzada en la margen izquierda del río Kert, incrustada como una roca en el llano de Sebsa, donde se hallaba acampado el Tercio. Allí se encontró Primo de Rivera un letrero que, según Martínez Campos, decía "La Legión no retrocede"[194]; no obstante, existen diversas versiones sobre esta cuestión. Con este presupuesto tan rotundo se celebró un banquete, del que también se tienen diferentes versiones, ofreciendo el homenaje el teniente coronel Franco, jefe del Tercio, quien pronunció un patriótico discurso, al cual contestó con otro de elevados tonos el general Primo de Rivera[195].

Pero en realidad el viaje no fue tan plácido para el jerezano, pues se hicieron muchos comentarios, llegando a decirse que el general había sido interrumpido en algunos de sus discursos, y que en varios puntos habían aparecido pasquines censurando su actuación. El Directorio lo negó en absoluto, y el periodista Albéniz, que lo comunicó, más o menos pública o particularmente, fue detenido y procesado[196]. Sin embargo, el repliegue que se tenía previsto hasta la margen derecha del referido río Kert, no se llevaría a cabo en todo su curso.

Parece indudable que el general Primo de Rivera, con mayor o menor acierto, pensaba en la conveniencia de reconcentrar fuerzas, para darles mayores condiciones de estabilidad cerca las plazas de soberanía, y que algunos sectores militares, entendiendo que esto podía tener apariencias de retirada, no eran de esta opinión, y así lo exponían, pero sin faltar en lo más mínimo a las exigencias de la disciplina[197]. Por otra parte, una vez acabado el agitado periplo, Primo de Rivera publicó un comunicado donde mostraba su "agrado extraordina-

192   ABC, 19 de julio de 1924. El Telegrama del Rif, 19 de julio de 1924.
193   Ídem.
194   MARTÍNEZ DE CAMPOS, Carlos: *España bélica, el siglo XX. Marruecos*, p. 289.
195   SOLDEVILLA, Fernando: Opus cit., p. 246.
196   Ídem.
197   Ibídem, p. 247.

rio"[198]. Indudablemente, el viaje de Primo de Rivera a las plazas soberanía y al Protectorado le había servido para disponer de datos de primera mano, exponer sus ideas y palpar el ambiente que se respiraba en aquellos momentos tan complicados. Y desde luego el ambiente no era el más favorable.

33. Las fiestas patronales de 1924

También, bien avanzado el mes de julio, el día 20, en el Hospital de la Cruz Roja se celebró la imposición del brazalete a una nueva promoción de damas enfermeras, muy necesarias en aquellos momentos tan difíciles, pues no había suficientes manos para atender a tantos heridos. La señora de Bermúdez de Castro colocó las insignias y el propio comandante general pronunció un discurso de salutación a las nuevas enfermeras, haciendo resaltar el sentido verdadero de su misión. Y no hubo tiempo para más. Tras la imposición de las insignias, Bermúdez de Castro marchó sin dilación a Tetuán, donde su presencia era mucho más valiosa.

Cucañas marítimas en la bahía norte. AGCE.

Y al día siguiente tuvo lugar el entierro de dos oficiales del Grupo de Regulares de Ceuta, el capitán Alfonso Gómez Zarazíbar, de treinta y tres años, natural de Zaragoza, y el teniente Manuel Llamas Molina, de veintiuno, que fallecieron a causa de las heridas que habían recibido en los famosos combates de Koba Darsa. De nuevo, el entierro constituyó una gran manifestación de duelo al que se asoció toda la ciudad[199]. Mientras tanto, las noticias del frente se sucedían sin parar, y no eran precisamente buenas. La ofensiva de Abd el Krim seguía su curso imparable…

Paralelamente, tras los agitados días de la visita de Primo de Rivera, la ciudad se estuvo preparando para celebrar sus fiestas patronales. Una nota de color entre tanto luto; un paréntesis de evasión ante tanta sangre derramada. Fiestas, por otro lado, donde fueron protagonistas las ceremonias y la austeridad; no obstante, llegaron numerosos forasteros, presentando la población un magnífico aspecto. Las fiestas, de las más cortas que se conocen, tuvieron lugar entre los días 4 y 6 de agosto. La situación así lo demandaba. El programa previsto rezaba:

---

198   ABC, 23 de julio de 1924.
199   ABC, 22 de julio de 1924.

Día 4. Llegada de los Exploradores de Gibraltar y Tánger, estableciendo el campamento en el Llano de las Damas. A las 18,30, partido de fútbol entre los equipos Real Balompédica de La Línea y Mixto de Artillería. A las 20, solemne Salve en el Santuario de la Virgen de África organizado por la Asociación de Señoras. A las 22, velada en la plaza de la Constitución, con magnífico alumbrado eléctrico y de acetileno, y a la misma hora cine público en la avenida Villanueva. Esta avenida llevaba el nombre del antiguo ministro de Fomento, Miguel Villanueva Gómez, que había sido nombrado hijo adoptivo y predilecto en 1912 por el impulso que le dio a las obras de la ciudad.

Día 5. Al amanecer alegres dianas por las bandas de la guarnición y Exploradores, y disparo de morteretes. A las 10, reparto a los pobres de una limosna en metálico en la plaza de la Constitución. A las 11, gran función religiosa en el Santuario de la Virgen de África en honor de la Patrona, a toda orquesta, por la Asociación de Señoras. A las 16, cucañas y juegos terrestres en la plaza de la Constitución y elevación de globos y fantoches. A las 16,30, gran partido de fútbol por los equipos Real Sevilla F. C. y Real Hípica F.C. A las 18, entrega en la caseta del Ayuntamiento de un bote y de una máquina de coser Singer, respectivamente, al vecino marinero y a la vecina pobre designados por un Jurado nombrado al efecto. A las 19, concurso de carrozas y coches engalanados en la plaza de la Constitución. Todos los vehículos que concurran a este acto formarán parte al día siguiente de la Retreta. A las 22, segunda velada en la plaza de la Constitución y cine público en la avenida Villanueva. A las 23, se quemará una lucida colección de fuegos artificiales en el muelle del Comercio.

Día 6. A las 13, inauguración de la Cantina Escolar Reina Victoria Eugenia, en los antiguos comedores y escuelas del mismo nombre. A las 17, concurso hípico organizado por la Sociedad Hípica. A las 19, cucañas marítimas y concurso de natación en el Muelle del Comercio. A las 22, tercera y última velada en la plaza de la Constitución y cine público en la avenida Villanueva. A las 23, gran retreta cívico-militar. A las 24, traca final.

También se anunciaba que "Durante las tres noches de festejos en la Caseta y Salón del Ayuntamiento habrá bailes populares, y bailes típicos regionales en otras plazas. Coincidiendo con los festejos se celebrarán en la Real Sociedad Hípica, distintos concursos de fútbol, tenis e hípicos, disputándose en estos últimos la Copa de Ceuta, obsequio del Ayuntamiento".

Como era tradicional, el acto central de las fiestas fue la misa en honor de la Virgen de África, que tuvo lugar con gran brillantez el 5 de agosto a las once de la mañana. Con respecto al concurso hípico, se corrieron las pruebas 'Inauguración' y 'Omnium` por oficiales de la guarnición. En cuanto a la retreta cívico-militar, asistieron los Exploradores de Tánger y Ceuta con sus respectivas bandas, y todos los cuerpos de la guarnición, músicas, Regulares y artísticas carrozas, terminando con una monumental traca.

Otro de los actos más emotivos fue la celebración de una misa de campaña, que tuvo lugar en el Real de la Feria, asistiendo los Exploradores de Ceuta y Tánger, las autoridades civiles y militares y numeroso público[200]. A renglón seguido, el comandante general, acompañado de las autoridades civiles y eclesiásticas, concurrió al Santuario de la Virgen de África, efectuando la histórica ceremonia de poner en manos de la imagen el bastón de mando. Terminado el acto, las autoridades e invitados asistieron a un *lunch* que se celebró en el Ayuntamiento.

Como colofón de los festejos, el Comité de los Exploradores obsequió con un banquete a Juan Carrillo, jefe del grupo de Tánger, que había venido como invitado. También se inauguraron las citadas cantinas escolares patrocinadas por el Ayuntamiento, donde se sirvieron comidas a los pobres"[201]. El alcalde fue muy felicitado "por el éxito brillante de las fiestas, que ha superado a las celebradas otros años"[202]. Otra cuestión que resaltó la prensa fue que los festejos se celebraron sin incidentes[203].

---

200   El Imparcial, 8 de agosto de 1924.
201   ABC, 10 de agosto de 1924.
202   El Telegrama del Rif, 6 de agosto de 1924.
203   El Adelanto, 7 de agosto de 1924. El Cantábrico, 9 de agosto de 1924.

34. La Cantina Escolar Reina Victoria Eugenia, sus orígenes

Según aparece en la revista *El Financiero* de 31 de agosto de 1923, la Cantina Escolar Reina Victoria Eugenia se formó contando solamente con los donativos de centros recreativos y de personas caritativas, a iniciativa del comandante general y alcalde en aquella época, Álvarez del Manzano y [Isidoro] Martínez Durán. En poco más de un mes se construyeron en la parte alta de la playa de San Amaro, y lindando con el antiguo Hospital Municipal, dos espaciosos pabellones destinados a comedores. El día 21 de abril de 1920 se inauguraron, aunque no oficialmente [13 de junio de 1920][204]. Como los que asistían a los comedores eran en su mayoría niños y niñas, surgió la idea de instalar, anexas a los comedores, dos escuelas, una para cada sexo. En poco más de un mes se instalaron las dos escuelas en los jardines de la Fuente del Hierro.

Por otro lado, las salas del antiguo Hospital de San Amaro fueron utilizadas para dormitorios de todos aquellos que de tránsito para la Península o el Protectorado acostumbraban, por falta de medios, a hospedarse en los bancos de las plazas públicas. La inspección de esta casa corría a cargo de una Junta de gobierno, que presidía el alcalde. En 1923, el personal de la misma era: Administrador-jefe, Rafael Orozco García;

Cantina Escolar Reina Victoria Eugenia. AGCE.

maestros: Federico Salvador Díaz Mora y Margarita Guillén Durán; auxiliares de la Administración: Buenaventura Pages y Adolfo Orozco García; profesor de Música, Vicente Alfaro. Además, disponía de cocinero, hortelano, porteros, mandaderos y lavanderas[205].

A esta detallada descripción cabe añadir que desde 1920 se habían estado haciendo nuevas obras, algunas de las cuales se inauguraban durante las fiestas patronales. Sin embargo, no fue hasta 1929 cuando las instalaciones de la Cantina Escolar tuvieron prácticamente su configuración definitiva. Así, en la permanente de 19 de mayo de 1928 se aprobó el presupuesto para "la instalación de un comedor y varias obras en la cantina escolar Reina Victoria Eugenia, ascendiente la suma a 26.712, 45 pesetas". En la del 1 de abril de 1929 se aprobó "la certificación a buena cuenta de obras efectuadas por el contratista Francisco Palma en la instalación de un nuevo comedor en la Cantina Escolar", y el 22 de agosto se aprobó la certificación del "Arquitecto municipal de obras efectuadas en la construcción de nuevos comedores de la cantina escolar Reina Victoria Eugenia".

La labor social que realizaba la Cantina Escolar Reina Victoria Eugenia era realmente importante, pues, según el informe que hizo su administrador, en el año 1929 se facilitaron

---

204   Es inaugurado el Comedor de Caridad "doña Victoria Eugenia" denominado posteriormente, Cantina Escolar San Amaro. GARCÍA COSÍO, José: Opus cit., p. 291.

205   El Financiero, 31 de agosto de 1923.

49.989 comidas[206]. Por otro lado, para intentar paliar el grave problema de la alimentación de los pobres, también se servían comidas en el Hospital de la Cruz Roja y en el Asilo, bajo la denominación de "Comedores Populares". En ambos casos se solían atender a varios cientos de menesterosos. De igual forma, aunque en cantidades sustancialmente menores, atendían a los menos pudientes algunas asociaciones de caridad vinculadas a la Iglesia o damas caritativas[207].

35. Ceremonia para la toma de posesión de los gobernadores

Como se ha visto, uno de los actos más solemnes que tuvo lugar durante las fiestas patronales de 1924 fue que el general Bermúdez de Castro se dirigió al Santuario de la Virgen de África para poner en manos de la Virgen el "bastón". Veamos qué dice José Guerra Lázaro sobre esta tradición de tan notable arraigo en la ciudad:

> "Llegando a la Plaza un nuevo gobernador, con gran solemnidad se efectúa la *toma del bastón* en el Santuario de la Virgen.
>
> Asisten a la ceremonia, los jefes y oficiales francos de servicio, de gala, una comisión del Ilustre Ayuntamiento, una compañía con bandera y música de un cuerpo de la guarnición y numeroso público que acude a contemplar la tradicional y hermosa ceremonia.
>
> El nuevo gobernador de uniforme, preséntase por la mañana a la hora señalada por el Cabildo de la Catedral, donde es recibido por el Cabildo de la misma, cuyo jefe, el Ilustrísimo Deán, refiere al Comandante General, la historia del histórico bastón y cómo D. Pedro de Meneses primer gobernador dirigió y gobernó Ceuta veintidós años con él; le enumera los mil hechos gloriosos llevados a cabo por sus antecesores, e inmediatamente entrega el *palillo de nudos* emblema de tantas hazañas.
>
> Al recibir el gobernador el bastón, promete defender la plaza y mantenerla fiel a España y a sus reyes, seguidamente penetran en la Catedral, donde todos oran breves momentos, saliendo después y dirigiéndose al otro extremo de la Plaza de la Constitución, al Santuario de la Patrona; allí el nuevo gobernador coloca en las manos de la Santa Imagen el bastón que tantas glorias representa, considerándose desde entonces legítimo jefe de la Plaza"[208].

El bastón o *palillo de nudos* que cita José Guerra Lázaro, según ha dejado escrito Alberto Baeza Herrazti, es una vara de acebuche de 85 cm de longitud, con 16 nudos y 240 gr de peso[209]. Correa da Franca, por su parte, añade: "Este Bastón de renuevo delgado y nudoso de Acebuche, con pomo de hueso [marfil], se conserva en Ceuta con nombre de Aleo"[210]. A la vista de estos datos, se puede tomar como referencia la ceremonia del "bastón" para determinar la principal autoridad militar de la plaza.

Por otra parte, además de las noticias que llegaban del frente de guerra y de las fiestas patronales, también se hablaba sobre el ferrocarril Ceuta-Alcazarquivir, presentándose varios proyectos al Directorio[211]. Sin embargo, en aquellos momentos el Gobierno estaba a la defensiva, con otros planes más inmediatos y perentorios, por lo que pocos proyectos de futuro se podían afrontar mientras la situación bélica no cambiase. Asimismo, en el Ayuntamiento se reunió el Patronato Biblioteca del Museo Hispano-Lusitano, integrado por elementos intelectuales de la localidad, con objeto de ocuparse del cuarto centenario del nacimiento del poeta portugués Luis de Camoens[212], que estaba próximo a celebrarse.

---

206 BOCCE núm. 181, 13 de febrero de 1930.
207 ALARCÓN CABALLERO, José Antonio: 'La dictadura de Primo de Rivera y la transición a la República', p. 288.
208 GUERRA LÁZARO, José: *Tradiciones y milagros de Ntra. Señora de África*, pp. 16 y 17.
209 BAEZA HERRAZTI, Alberto: *El Aleo, Bastón de Mando de los Comandantes Generales de Ceuta*, p. 56.
210 Ibídem, p. 58.
211 El Adelanto, 7 de agosto de 1924.
212 El Pueblo Gallego, 16 de agosto de 1924.

36. El recrudecimiento de la ofensiva en el frente occidental

Poco duró la alegría de los festejos. En la primera semana de agosto de 1924 llegaron inquietantes avisos desde las agrestes costas y serranías de Gomara: posiciones sitiadas, aguadas inviables por lo mortíferas, convoyes rechazados; relevos aniquilados bajo la superioridad numérica del enemigo. Su propósito: expulsar a los españoles de la línea del Lau, constituida por 58 posiciones, disparatada anomalía defensiva. De nuevo, el general Serrano Orive, con el comandante Aurelio Matilla, partió para Uad Lau[213].

Según noticias oficiales las columnas efectuaron el día 18 sus objetivos, quedando asegurada la comunicación entre Tetuán y Uad Lau por el camino de la playa, en medio de un calor asfixiante. La situación dio lugar a que el comandante general visitase el teatro de las operaciones.

Por otro lado, al vapor *Valentín* de matrícula de Bilbao, cargado de 1.505 kilos de paja, que esperaba a que amainase el temporal de levante para dirigirse a descargar en Río Martín, se le incendió el cargamento. Aunque el fuego pudo ser controlado, el buque sufrió grandes averías. También llegó al puerto de Ceuta el portahidroaviones *Dédalo* procedente de Puente Mayorga[214]. En realidad, el *Dédalo* estaba navegando por las aguas de Ceuta desde el primero de agosto, tras haber ido a Gran Bretaña a recoger 12 modernos hidroaviones para iniciar su tercera campaña africana –había entrado en servicio en 1922-, relacionada con las operaciones de apoyo al repliegue[215].

37. Cambio de estrategia, comienza el repliegue

Mientras tanto, en la prensa nacional se había entablado un enconado debate sobre la cuestión bélica y la estrategia a seguir. Por un lado, un artículo de *ABC* apoyaba el repliegue de las tropas; por otro, el artículo fue duramente contestado por la *Revista de Tropas Coloniales*. Pero todo estaba decidido.

Por su parte, Abd el-Krim, viéndose fuerte, vigorizado por la situación, desencadenó una durísima ofensiva. A pesar de que el Directorio manifestó que "a la guerra contestaremos con la guerra", lo primero que se hizo fue retirarse a mediados de agosto -el 18 se inició el repliegue- de las posiciones insostenibles del interior.

Las primeras consecuencias de esta nueva estrategia pronto se hicieron notar en Ceuta con la llegada del vapor *Atlante,* que traía de Uad Lau la compañía de Cazadores de Barbastro, que marchó a Tetuán. También transportaba una expedición de heridos y enfermos. Asimismo, tuvo lugar el entierro del alférez de Regulares Mariano Jaquetot, que había muerto de un balazo en el vientre en aquella zona[216].

Ante la gravedad de la situación, el 3 de septiembre Alfonso XIII firmó varios decretos de Guerra. Uno disponiendo que el general de brigada Federico Grund cesara en el cargo de jefe de la zona de Ceuta; otro nombrando jefe de la zona de Ceuta al general de brigada Gonzalo Queipo de Llano y Sierra; y el último destinando en comisión, a las órdenes del alto comisario, al general de brigada Alberto Castro Girona[217], uno de los mejores conocedores de la mentalidad del rifeño.

La situación desde luego no era la más favorable. Es por ello que el día 4 de septiembre la presidencia emitió una nota en la que se rogaba "que aplacen o suspendan todos los actos de homenaje o agasajo con que se proponían conmemorar la próxima fecha del 13 de sep-

---

213 ABC, 10 de agosto de 1924.
214 La Vanguardia, 29 de agosto de 1924.
215 La Razón, 29 de noviembre de 2021.
216 ABC, 21 de agosto de 1924.
217 SOLDEVILLA, Fernando: Opus cit., p. 296. ABC, 4 de septiembre de 1924.

tiembre"[218]. En cuanto a Ceuta, además de servir de base de las operaciones, numerosas bajas llegaban del frente, y desde agosto los hospitales estaban colapsados; al igual que los entierros eran continuos.

38. Nueva visita del presidente, septiembre de 1924

El dictador no estaba para celebraciones, y el 5 de septiembre, en el expreso de Andalucía, marchó hacia el frente de guerra con los generales Gómez Jordana, director general de Marruecos y Colonias, cuyos criterios sobre Marruecos tenían un peso decisivo, Rodríguez Pedré y Mario Muslera. Como se ve, el Directorio comprendió la gravedad de la situación, y Primo de Rivera decidió afrontarla personalmente con sus mejores bazas. Es justo decir que, aparte las errores que pudieran observarse en la dirección de la campaña y en la política del Gobierno, este rasgo fue bien recibido por la opinión[219].

El jerezano arribó a Ceuta en el crucero *Extremadura*. Tras los trámites protocolarios, cogió un tren especial que lo llevó a Tetuán[220]. No había tiempo para más.

39. Nervios a flor de piel

Cuando Primo de Rivera llegó a Tetuán se encontró una situación caótica. Toda la zona de Zinat y el Gorgues se hallaba en llamas. El monte Gorgues, que domina Tetuán y su valle, había caído en manos de los desafectos a la autoridad del Majzen. Entre el 2 y el 6 se produjeron unos combates que conmovió la conciencia de los ceutíes; nos referimos al abastecimiento a Zinat, la posición más avanzada de la línea de repliegue. Situada a unos pocos kilómetros de Ben Karrich, en el camino a Xauen, Zinat estaba comunicada por ferrocarril. Para poder establecer contacto con la columna de Riquelme se tuvo que blindar un tren, que realizó el avance hasta la altura casi de las guerrillas de la columna del general Queipo de Llano, de donde había de retirarse la columna Riquelme, abasteciendo la posición de municiones de boca y guerra[221].

A pesar de que Zinat pudo ser socorrida, el 7 de septiembre Primo de Rivera quedó aislado por el enemigo con los altos mandos de la comitiva, lo que provocó un gran disgusto entre los militares y no pocas dudas. Paralelamente, con respecto a las posiciones de la costa, la evacuación también empezó a primeros de septiembre. Primero se hizo la de M'Ter (8 y 9 de septiembre)[222], aquella posición adelantada en la costa de Gomara que tantos quebraderos de cabeza había dado a principios de la ofensiva rifeña, en el mes de febrero; y seguidamente la línea de la cuenca del Lau, donde se encontraba la mítica Koba Darsa.

De la misma forma, el 12 de septiembre hubo una agresión al ferrocarril de Ceuta a Tetuán en el Rincón del Medik. Todo parecía ir en contra. Sin embargo, el 18 de septiembre, tras más de ocho horas de lucha sin tregua, se tomó el Gorgues. Y con la toma del Gorgues Tetuán quedó aliviada, empezando las operaciones sobre Xauen.

En Ceuta, mientras tanto, la solidaridad de nuevo se mostraba como nunca: a finales de septiembre se constituyó una junta a fin de recibir y repartir los envíos que se hacían desde la Península a los soldados de la campaña. Igualmente, una comisión de periodistas locales recorrió comercios y bancos recogiendo regalos para las tropas. Por su parte, la empresa del ferrocarril Ceuta-Tetuán puso coches con todas las condiciones higiénicas, construidos en sus talleres, para transporte de heridos y enfermos de la campaña[223].

---

218 SOLDEVILLA, Fernando: Opus cit., p. 297.
219 Ibídem, p. 300.
220 La Vanguardia, 9 de septiembre de 1924.
221 La Vanguardia, 13 de septiembre de 1924.
222 Diario Oficial del Ministerio de la Guerra, 24 de octubre de 1925, núm. 237, p.233.
223 El Debate, 1 de octubre de 1924.

También, en estos días, ante la gravedad de la situación, se ocupó la prensa inglesa de los sucesos que se desarrollaban. Respecto a la zona de influencia española, escribía el corresponsal de *The Times* en Tánger: "Las noticias de Tetuán son inquietantes. La rebelión de las tribus en la zona española parece extenderse, [...] el ferrocarril entre Ceuta y Tetuán se halla estrechamente vigilado en toda su longitud, y cada tren lleva dos vagones blindados"[224].

40. Cambios en la Comandancia General de Ceuta: la redención del general Felipe Navarro

El general Felipe Navarro, comandante general de Ceuta. La Esfera, agosto de 1921.

Estando operando Queipo de Llano al frente de su columna por la zona de Tetuán, en plena efervescencia bélica, el 23 de septiembre se firmó su cese como jefe de la zona de Ceuta. Este cese fulminante dio lugar a numerosas interpretaciones, sobre todo porque había sido nombrado hacía muy pocos días de nuevo jefe de la citada zona. Se le atribuyó por una presunta negligencia en la protección de la columna del general Riquelme[225], aunque también se dijo que el cese obedecía a diferencias de criterio personal con el jefe del Directorio, y se habló mucho "de opiniones manifestadas particularmente por dicho general"[226]. Desde luego, como se ha referido, el vallisoletano siempre había estado en contra de la política abandonista. Tras su cese salió de Ceuta sin recibir homenajes ni despedidas tumultuosas[227]. A partir de entonces, ya no ostentaría más cargos en el norte de África.

Pero la cuestión de la Comandancia General de Ceuta no quedó ahí. Tres días después del cese de Queipo de Llano, el 26 de septiembre, se producía el cese del general Bermúdez de Castro. Si no había llegado a cumplir tres meses al frente de la Comandancia General, ¿qué había sucedido? Veamos que dice al respecto el *Diario Oficial* de Ministerio de la Guerra:

> "En consideración a la grave enfermedad contraída en el transcurso de las últimas operaciones de guerra realizadas en el territorio de Ceuta-Tetuán por el General de división don Luis Bermúdez de Castro y Tomás. Vengo en disponer cese en el cargo de Comandante general de Ceuta. Dado en Palacio a veintiséis de septiembre de mil novecientos veinticuatro. Alfonso El Presidente interino del directorio Militar Antonio Magaz y Pers".

El mismo Diario publicaba el nombramiento del general Felipe Navarro y Ceballos-Escalera como comandante general de Ceuta[228].

224 SOLDEVILLA, Fernando: Opus cit., pp. 294 y 295.
225 En marzo de 1926, fue abierto un proceso contra él por una presunta negligencia debida a su actuación en la retirada de las tropas españolas desde Zinat a Ben-Karrich, mandadas por el general José Riquelme. Los rebeldes norteafricanos habían atacado de repente a los soldados patrios y, según parece, Queipo había acudido en su auxilio con demasiada tardanza. Aunque salió bien parado del proceso, el tordesillano consideró que todo aquello no era sino un ataque contra su persona dirigido por Primo de Rivera. Desde aquellos momentos, Queipo se mostró dispuesto a conspirar contra la dictadura.
226 SOLDEVILLA, Fernando: Opus cit., p. 330.
227 La Libertad, 4 de noviembre de 1924.
228 Diario Oficial del Ministerio de la Guerra, D.O. núm. 217, 27 de septiembre de 1924.

El telegrama enviado por el presidente del Directorio a Bermúdez de Castro dice así: "Aunque V.E. quiere el sacrificio impuesto de su elevado espíritu militar hasta el límite de perder ahí su vida, enfermo ya un mes, ni el general en jefe ni yo podemos autorizarlo y como la importancia del puesto no admite interinidades se le releva de él, declarándolo disponible, hasta que, recuperada su salud, puedan utilizarse sus servicios"[229].

Mientras llegaba el general Felipe Navarro, fue nombrado comandante general interino Federico Berenguer. Pero pocas horas duró la interinidad de Berenguer, puesto que a las nueve de la noche del sábado 27, a bordo del cañonero *Laya*, llegó el barón de Casa Davalillo[230]. No era la primera vez que el madrileño ocupaba un puesto de responsabilidad en Ceuta, pues siendo comandante general Fernando Silvestre en 1919, lo reclamó como su segundo. En febrero de 1920 Silvestre pasó a ser comandante general de Melilla, así que el general Navarro asumió el mando accidental de Ceuta durante unos días, hasta que se incorporó el nuevo jefe. Por otro lado, tras la caída de Monte Arruit, en 1921, el general Navarro había permanecido año y medio prisionero en Axdir, donde sufrió numerosas vejaciones exponiendo su vida por sus reclamaciones en defensa de los prisioneros. Fue liberado en 27 de enero de 1923. Tras ir a juicio el día 23 de junio de 1924 por sus presuntas responsabilidades en el desastre de Annual, al día siguiente el fiscal retiró los cargos, y poco después sería ascendido a general de división con antigüedad de 1921. Por razón de su herida en combate en Monte Arruit, le fue concedida la Medalla de Sufrimientos por la Patria pensionada.

Aquel nombramiento, al que no se podía negar Felipe Navarro, tenía la clara finalidad de poner al lado del presidente del Directorio en estos momentos tan espinosos y complicados a personas muy afines, de su plena confianza, pues, como se ha visto, los próximos pasos a dar no eran del agrado para cierta parte del estamento militar. La decisión del divisionario de volver al escenario norteafricano, con una clara vocación de redención, en unos momentos tan complicados, a los sesenta y dos años de edad, no era cuestión menor.

41. El general Navarro en Tetuán

Ese mismo día 27, antes de embarcar para la Península, el general Bermúdez de Castro publicó una orden general despidiéndose del Ejército de la zona occidental. Y a bordo del *Hespérides* marchó para Algeciras acompañado de su familia. Mientras Bermúdez de Castro viajaba hacia Madrid, tenía lugar el entierro del teniente del regimiento del Serrallo Luis Mendicuti Palau, muerto en la operación sobre el camino del Gorgues[231].

Poco antes de que marchase Bermúdez de Castro ya se había iniciado la operación sobre Xauen con las columnas de Serrano, Castro Girona, Berenguer (reserva) y Ovilo. Mientras tanto, los generales Primo de Rivera, Aizpuru y Rodríguez Pedré estuvieron en Zinat, dirigiendo las operaciones, regresando a Tetuán en el ya famoso tren blindado, donde iba a tener una importante reunión.

Para participar en la citada reunión, procedentes de Ceuta llegaron los generales Muslera y Bazán. También asistió el nuevo comandante general, Felipe Navarro, presentándose oficialmente a Primo de Rivera y Aizpuru. Asimismo, del zoco el Jemis de Beni-Arós llegó el general Riquelme. Todos los generales almorzaron reunidos en la Alta Comisaría, cambiándose amplias impresiones respecto a la situación política y desarrollo de las operaciones. Por la tarde regresaron a Ceuta los generales Muslera y Bazán[232]. Por su parte, el general Navarro marchó al zoco de Arbaá de Beni Hassan, al mismo frente de las operaciones, pues la delicada situación así lo requería.

---

229 El Ideal Gallego, 28 de septiembre de 1924. La Correspondencia de Valencia, 29 de septiembre de 1924.
230 ABC, 30 de septiembre de 1924.
231 El Telegrama del Rif, 28 de septiembre de 1924.
232 ABC, 30 de septiembre de 1924.

La incertidumbre en Ceuta era grande, y cuando llegaron las primeras noticias de que las tropas habían roto el cerco de Xauen, empezó a reinar un gran entusiasmo. Sobre esta difícil operación, la *Revista de Tropas Coloniales* notificó: "Xauen. Días 28 al 30. Continúan riñéndose durísimos combates por las columnas. Castro Girona y Serrano en dirección a Xauen, lográndose el día 29 a las 14'30 la entrada victoriosa de las fuerzas acaudilladas por el General Serrano en esta Ciudad,"[233]. Sin embargo, no todas las noticias eran buenas; por un lado, "en los doce días transcurridos, los españoles habían sufrido cerca de 5.000 bajas entre muertos y heridos, y aún les quedaba deshacer todo el camino"[234]; por otro, al comprobarse la retaguardia, la carretera estaba cortada a la altura del Zoco de Arbaá, por lo que de nuevo las comunicaciones terrestres quedaron rotas entre Xauen y Tetuán.

42. Primo de Rivera, alto comisario

Indudablemente, aquellos encuentros que tuvieron lugar a finales de septiembre estaban encaminados a realizar diversos cambios en el Protectorado, y tenían el claro objetivo de revertir la situación tan difícil en la que se encontraba. Por otro lado, la llegada a Xauen de las columnas de Castro Girona y Serrano Orive significaba la preparación del repliegue; cuestión que iba a suponer no pocos descontentos. Igualmente, fue también en el mes de octubre cuando fue suspendida discretamente la combativa y contestataria *Revista de Tropas Coloniales*.

Y en este contexto se produjo un cambio trascendental en la Alta Comisaría. El general Aizpuru, que había llegado al Protectorado con la clara misión de buscar una salida negociada, se encontraba agotado física y mentalmente ante tanto esfuerzo sin resultado alguno, por lo que presentó la dimisión. Los trece meses que había estado al frente de la Alta Comisaría lo habían dejado exhausto. Se iba con una situación al borde del desastre.

En esos momentos tan delicados, Primo de Rivera quiso asumir todas las responsabilidades. Y es por ello que el Real Decreto de 16 de octubre de 1924 lo nombraba "Alto Comisario del Protectorado de España en Marruecos y General en Jefe del Ejército de Operaciones en África". Además, Primo de Rivera había prometido encauzar la situación tomando tres medidas que repercutirían positivamente: la creación de una Oficina de Asuntos Marroquíes dependiente de un solo Ministerio, la unificación del mando militar en la persona del alto comisario y la retirada de Gomara y Xauen hacia la Línea Estella, que se extendía desde Río Martín, cerca de Tetuán, hasta la frontera francesa por el este de Alcazarquivir[235].

Con respecto a Ceuta, también seguía en el mes de octubre la acción conjunta del comandante general y del alcalde contra la especulación, siendo "elogiadísimos por su enérgica campaña contra los comerciantes, agiostistas, panaderos y abastecedores de carnes". Por otro lado, a mediados de mes un fuerte temporal de sudeste azotó el Estrecho obligando al buque correo, que iba a atracar en Algeciras, a refugiarse en el surgidero de Puente Mayorga. Asimismo, el general Aizpuru embarcó con sus ayudantes en el crucero *Extremadura* para la Península. Una despedida sin pena ni gloria. También embarcaron los generales Muslera y Rodríguez Pedré en el mismo crucero, pero con otros objetivos[236]. Pocos días después se anunciaba que debido a las órdenes del general Muslera, se procedía a la instalación de la Estafeta militar de la Comandancia General. La medida fue muy bien acogida, pues facilitaba el abrumador servicio de correspondencia al Ejército de operaciones y al comercio local[237].

Mientras tanto, a finales del mismo mes la comunidad india celebró la Pascua del año nuevo, el Diwali o Deepawali, cerrando el comercio y con prácticas religiosas en sus domicilios[238]. Esta Fiesta de la Luz se celebra en octubre o noviembre, por regirse por la luna, con-

---

233 Revista de Tropas Coloniales, 1 de septiembre de 1924.
234 PENNELL, C.R.: *La guerra del Rif, Abdelkrim-el Jatabbi y si Estado rifeño*, p. 230.
235 VVAA: *Historia de Marruecos*, pp. 253 y 254.
236 El Pueblo, 19 de octubre de 1924. Diario de Valencia, 19 de octubre de 1924.
237 La Gaceta de Tenerife, 23 de octubre de 1924.
238 ABC, 1 de noviembre de 1924.

memorándose la vuelta del Dios Rama. Sobre este colectivo, Manuel Gordillo señala que la única manifestación visible de su religión es la incineración de sus muertos, que practican en lugar reservado en el cementerio para tal fin; al igual que de vez en cuando son visitados por algunos santones o predicadores. En cuanto a su procedencia, anota: "Aunque originarios de la India, los primeros inmigrantes procedían de Gibraltar, que como en todas las colonias inglesas [India no alcanzó la independencia del Reino Unido hasta 1947] contaba con establecimientos mercantiles regidos por hindúes. Los primeros de ellos debieron llegar poco después de terminada la primera gran guerra mundial"[239], siendo una comunidad muy pequeña de apenas una decena y media de individuos que instalaba sus vistosas y exóticas tiendas, que se anunciaban como "objetos indios" o "bazar indio oriental", en los lugares más céntricos y comerciales, como eran Chamllaraim y Compañía, Chanray, J.T., Chellaram D., Dialdas e Hijos (M.), Pohomull hermanos o Udhadavas y Compañía D.[240].

Y al día siguiente de la celebración de la Pascua hindú, el sábado 1 de noviembre, el comandante general, Felipe Navarro, asistió en el Santuario de la Virgen de África a la tradicional ceremonia del bastón[241]. Por lo tanto, antes de las complicadas operaciones militares que se avecinaban, el general Navarro quiso certificar la tradición de los comandantes generales de Ceuta. Con la mente fresca y cumplidos los deberes ceremoniales, estaba preparado para afrontar otro difícil episodio de su agitada y densa vida militar.

También durante esos primeros días de noviembre tuvieron lugar diversos actos emotivos. En el Santuario de la Virgen de África se celebró unos funerales por los oficiales y marineros muertos en campaña[242]. Al igual que con gran solemnidad tuvo lugar el acto por primera vez de prestar juramento a la bandera de la Comandancia de Sanidad de esta plaza[243].

43. Las grandes operaciones

El repliegue diseñado por Primo de Rivera y sus generales afectaba a tres frentes principalmente: Uad Lau, Xauen y la zona montañosa cercana a Alcazarquivir, de la comandancia de Larache. El dictador había dispuesto dejar la montaña a Abd el Krim, pues era consciente que era su medio natural, pero no estaba dispuesto a entregar los puntos neurálgicos del Protectorado.

En la zona de Larache, el repliegue empezó el 15 de noviembre liderado por el coronel González Carrasco. Tras el peligroso y penoso desalojo de diversas posiciones avanzadas, en la mañana del domingo 13 de diciembre la columna del citado coronel inició el repliegue desde Teffer, punto estratégico situado cerca de Alcazarquivir en el camino de Xauen. Las fuerzas continuaron el repliegue ordenadamente hasta Dar-el-Atar. Durante el camino la columna fue recogiendo guarniciones de los puestos intermedios. Por su parte, la columna del coronel Sainz de Retana, que salió de Taatof para proteger el camino de la columna de González Carrasco, estableció contacto con esta en Dar-el-Atar. Y el día 15 del mismo mes se dio por acabada aquella delicada operación.

Con respecto a los otros dos frentes, el repliegue se empezó por Uad Lau, aunque en un principio se vio entorpecido, por lo que se tuvieron que enviar fuerzas de refuerzo de Regulares. En cuanto a Xauen, también comenzó el mismo día que se completó el repliegue de Uad Lau, el 15 de noviembre. Pero veamos cómo transcurrieron los acontecimientos.

239   GORDILLO OSUNA, Manuel: *Geografía urbana de Ceuta*, p. 138, pp.259 y 260.
240   VALERA Y LÓPEZ CORDÓN, Diego (director): *Anuario General de Marruecos y Guinea, 1927-1928*, p. 684.
241   El Sol, 3 de noviembre de 1924.
242   La Libertad, 5 de noviembre de 1924.
243   Noticiario de Soria, 6 de noviembre de 1924.

44. Uad Lau

Esta posición se había reforzado en principio con el tercer tabor de Regulares de Ceuta[244]. Como las operaciones se hicieron lógicamente por mar, teniendo como cobertura la aviación y los buques de guerra, y como base el puerto de Ceuta, la evacuación se pudo realizar escalonadamente, aunque no sin dificultades. Iba a comenzar el día 7, sin embargo la traición de un dirigente local hizo que se suspendiese la operación, enviándose rápidamente refuerzos, en los que figuraban la harka del comandante Muñoz Grande, que fue traída de Larache, y la compañía del capitán Pereda, de Regulares de Ceuta[245].

López Rienda, el corresponsal de *El Sol*, que ya era famoso por sus crónicas de guerra, enviaba el 12 de noviembre la siguiente información: "La columna de Uad Lau está a la ligera. En barcazas y vapores al servicio de transportes, se ha evacuado a Ceuta todo el material e impedimenta de la columna, lo que le permitirá moverse más fácilmente. Queda por evacuar la posición del poblado de Bakali, guarnecida por una compañía de Mahón"[246]. Mientras que *La Libertad* daba cumplido detalle de las últimas operaciones: "Después de cuatro días de combate ha terminado la evacuación de las posiciones del Lau. El viernes se realizó la evacuación de los posiciones de Bakali y San Fernando, […] El sábado [15 de noviembre] se realizó la evacuación final en barcazas de transporte, a pesar del intenso fuego del enemigo, volándose seguidamente las posiciones y el campamento abandonados. […] El general Primo de Rivera, con su Estado Mayor, presenció todas las operaciones desde el crucero *Cataluña*"[247].

45. Xauen

Como es natural, en estos días tan angustiosos toda la atención de los ceutíes estuvo puesta en las noticias que llegaban de la zona de guerra. Aunque se intentaba dar una imagen de aparente normalidad, el frente occidental estaba a punto de derrumbarse, y estos asuntos primaban por encima de todo lo demás en aquellos momentos. En principio, la retirada de Uad Lau se había realizado con éxito, aunque con cierto retraso; ahora, sin embargo, había que poner en práctica la medida más dolorosa que tenía diseñada Primo de Rivera: Xauen se abandona y las tropas concentrarán sus esfuerzos en abrirse paso hasta la capital del Protectorado. Tomada la decisión, el 15 de noviembre comienza la retirada. La apuesta no era fácil, sobre el Estado Mayor planeaban fantasmas del pasado. El propio Primo de Rivera dirigiría las operaciones desde Tetuán y al frente de las mismas se puso al prestigioso Castro Girona, quien, recordemos, había logrado romper el cerco de Xauen a finales de septiembre. En retaguardia el teniente coronel Franco con sus legionarios, que no saldrían de Xauen hasta la madrugada del 17. Todo el interés se puso en evitar la desbandada.

Sobre la retirada de Xauen existe una abundante literatura de todo tipo, aunque no se ha realizado un estudio riguroso del coste humano de la operación; no obstante, se complicó más de la cuenta debido al fuerte temporal de lluvia y viento reinante en toda la zona, que dificultó la marcha hasta lo imposible.

El principio de la retirada se pudo hacer sin ser hostigados. Se había postergado el ataque a propósito porque una delegación de Xauen había pedido que no atacasen la ciudad. Pero a la llegada a Dar Aqaba, y desde allí hasta Tetuán, todo el camino se convirtió en un interminable campo de batalla[248]. Y este calvario pasaba por la citada Dar Aqaba, Xarquía-Xeruta, desfiladero de Hamara, Zoco de Arbaá el Hassan -donde las tropas se estancaron-, Taranés, Zinat, Ben Karrich y la propia Tetuán.

---

244 La Correspondencia de España, 10 de octubre de 1923.
245 El Sol, 18 de noviembre de 1924.
246 El Sol, 18 de noviembre de 1924.
247 La Libertad, noviembre de 1924.
248 PENNELL, C.R.: Opus cit., p. 230.

Todo un interminable mes para recorrer unos sesenta y cinco kilómetros de un terreno accidentado. Poco arriesgaron los montañeses desafectos; ahora se encontraban en la situación que tanto habían esperado, y todo jugaba a su favor. Viéndose en posición ventajosa, querían repetir el desastre de julio de 1921. Animados por este recuerdo y siguiendo la táctica de guerrillas, desde las posiciones más altas hostigaron sin piedad a la columna, que avanzaba trabajosamente por lo intransitable del terreno: entre el 18 y el 19 se había desencadenado un fuerte temporal. Vallespinosa, portavoz del Consejo, llegó a decir a los periodistas: "De Marruecos, no hay nada esta noche, porque no hemos podido tener comunicación con el general en jefe, […] Lo que sí sabemos es que hay una fuerte tormenta por la parte de Ceuta y Tetuán, acompañada de chispas eléctricas, además del temporal que reina en el Mediterráneo"[249].

Así pues, la situación era desesperada en el Zoco de Arbaá, donde las tropas se encontraban atrapadas, y se temía, no sin razón, otro Monte Arruit de Felipe Navarro. No obstante, aquí se demostraría el temple de Castro Girona, y toda vez que mejoró el tiempo, la evacuación comenzó el 8 de diciembre. Tanto costó la retirada que no se completaría hasta varias jornadas más tarde. Así, la operación se dio por acabada el día 13, pero el día 14 aún estaba entrando en Ben Karrich los restos de la columna de Castro Girona. Un verdadero infierno de viento, aguacero, barro, fatiga sin fin, fuego y ríos de sangre...

Aunque se consiguió el objetivo de que la retirada no fuese desordenada, tuvo un altísimo coste humano… Para Pennell, "Las bajas habían sido enorme: posiblemente más de 10.000"[250]. No obstante, otros autores elevan la cifra a 18.000, incluyendo enfermos, heridos, prisioneros y desparecidos[251]. Miles de experiencias únicas que dejaron impresas con tinta indeleble miles de traumas inconfesables… En definitiva, un balance realmente desastroso; siendo abandonadas, además, toda una red de cientos de posiciones.

Mientras tanto, pocas noticias tenemos de la vida cotidiana en Ceuta durante estos dos últimos meses meteóricos, donde la cuestión militar copaba todas las atenciones. Como hemos estado viendo, desde las fiestas patronales de agosto se habían vivido muchos días con gran desazón: ir y venir de tropas, hospitales repletos de heridos, entierros multitudinarios, inquietud por las noticias que llegaban del frente... No obstante, la vida continuaba. La prensa local se lamentaba de los perjuicios que ocasionaba la deficiencia de los servicios telegráficos debido a la acumulación de trabajo por falta de personal. Por su parte, la colonia hebrea celebró la fiesta denominada del Kipur, el perdón, cerrando los comercios y realizando ceremonias religiosas en la sinagoga. También se cambió la hora de salida de los vapores correos de Algeciras para Ceuta, haciéndose a las siete de la mañana, en vez de a las cuatro de la tarde. Asimismo marchó a Madrid el inspector de los Servicios Quirúrgicos en Marruecos, comandante Gómez Ulla, al igual que se multiplicaron los entierros, como el del alférez Eugenio Ramos[252].

Sobre Mariano Gómez Ulla merece la pena hacer un receso. Entre tanta oscuridad que existía en aquella interminable guerra, apareció un rayo de luz, de esperanza… Como se ha señalado, en aquellos momentos era el inspector de los Servicios Quirúrgicos y Operaciones en Marruecos y Hospitales de Evacuación de la Península, creado por Real Orden circular de 5 de septiembre de 1921. Pero el gran éxito del doctor Gómez Ulla fue la creación de un

---

249   El Siglo Futuro, 21 de noviembre de 1924.

250   PENNELL, C.R.: Opus cit., p. 230.

251   Siguiendo esta línea moderada, para el historiador Payne, fue de 1.500 muertos, 500 desaparecidos y 6.000 heridos. No obstante, existe división de opiniones respecto al número exacto. Harris dice en su libro que fueron 800 oficiales y 17.000 soldados; Hernández Mir, 18.000; el conde de Romanones, 16.000; y el general López de Ochoa, 16.000 (cifras que no incluyen a los soldados marroquíes de las Fuerzas Regulares. Ibídem, Nota 74, p. 234. Otros historiadores, como Balfour y Madariaga, siguiendo números extremos, cifraron las bajas entre 12.000 y 18.000, incluyendo enfermos y unos 3.000 prisioneros, siendo muchos de ellos torturados...

252   La Libertad, 21 de noviembre de 1924.

tipo de hospital quirúrgico de montaña que podía instalarse en primera línea. En realidad, eran hospitales transportables a lomo de mulos, que bajaron considerablemente el riesgo de mortalidad por la facilidad de que los médicos llegaran inmediatamente hasta los heridos. La experiencia adquirida en la primera Guerra Mundial y en las campañas de Marruecos, convertirían a Gómez Ulla en una figura quirúrgica de referencia, practicando toda clase de cirugía, excepto la cardiaca. Por las acciones de guerra del norte de Marruecos se le concedieron las Cruces de María Cristina y del Mérito Militar pensionada. En abril de 1927 sería ascendido a teniente coronel[253].

Con respecto a Ceuta, a finales de febrero de 1930 sus compañeros le rendirían honores, dando su nombre a un grupo quirúrgico del Hospital O'Donnell[254]. Un merecido homenaje, pues Gómez Ulla, que ha dejado un sendero de humanidad imposible de obviar, se había convertido en una figura clave de la Sanidad militar española.

46. Los efectos del temporal, la llegada de los cadáveres de Serrano y Temprano, y repatriación de tropas

Volviendo al otoño de 1924, también el susodicho temporal, que tanto había influido en la retirada de Xauen, se había dejado sentir con virulencia en Ceuta, afectando tanto a las comunicaciones marítimas como a las terrestres, obligando a cerrar el puerto y a reforzar las amarras. Asimismo, se recibieron radios procedentes de un buque carbonero que pedía auxilio. Por su parte, el vapor correo *Hespérides* no pudo hacer la travesía de Algeciras. Al igual que llegaban noticias de que el temporal había producido grandes desperfectos en los campamentos y líneas de comunicaciones, y que en Tetuán continuaba diluviando sin interrupción[255]. En cuanto a la ciudad, nubarrones oscuros planearon esos días sobre ella. Especialmente duro fue el día 20 de noviembre: "Las aguas han inundado la carretera de Tetuán, destruyendo la vía férrea y quedando cortadas las comunicaciones. Ha causado penosa impresión la muerte del general Serrano Orive [Xeruta, 19 de noviembre]. La prensa local ha publicado sentidos artículos necrológicos. El cadáver, embalsamado, será trasladado a Ceuta".

El general Julián Serrano Orive, militar muy popular en Ceuta. Nuevo Mundo, 22 de noviembre de 1924.

No obstante, el día 22 hubo una tregua y ya pudo llegar el barco correo de Algeciras y los trenes a Tetuán empezaron a circular, "reparándose con urgencia los desperfectos en la vía y de la carretera"[256].

Precisamente, en el tren de Tetuán de ese mismo día 22 llegaron a las nueve y media de la mañana los cadáveres del general Serrano y del teniente coronel de Regulares de Alhucemas Claudio Temprano, que había muerto también el 19 en el momento en que algunos jinetes daban la carga en los pasos o desfiladero de Hamara. El teniente coronel se puso al frente recibiendo un balazo en el muslo izquierdo, interesándole la femoral[257]. Militar de gran prestigio y larga y gloriosa trayectoria, gozaba del reconocimiento de los altos mandos y de sus compañeros. Dejaba mujer y cinco hijos.

253 RAMIRO DE LA MATA, Javier: "Mariano Gómez Ulla", s.p.
254 La Vanguardia, 28 de febrero de 1930.
255 El Siglo Futuro, 21 de noviembre de 1924.
256 ABC, 25 de noviembre de 1924.
257 ABC, 22 de noviembre de 1924. La Libertad, 21 de noviembre de 1924.

Nuevo Mundo, 28 de noviembre de 1921

Retirada de Xauen. El teniente coronel Claudio Temprano, caído en combate. Resultaron heridos, entre otros, el general Federico Berenguer y los teniente coroneles Álvarez Arenas y Losada. Nuevo Mundo, 28 de noviembre de 1921.

En referencia a la muerte de Serrano Orive, la Presidencia había facilitado a los periodistas una nota oficiosa: "entrando las fuerzas del general Serrano en Xarquia Xeruta, [...] hemos tenido la fatalidad de que un disparo suelto hiriese en el cuello al general Serrano, produciéndole la muerte"[258].

Ya en Tetuán, los jefes y oficiales se turnaron velando los cadáveres. Y al día siguiente tuvo lugar el traslado a la estación de ferrocarril, presidiendo la ceremonia los generales Primo de Rivera, Despujols, Saro y contralmirante Guerra. El acto constituyó una imponente manifestación de duelo[259].

En Ceuta, el recibimiento fue muy emotivo. La estación se convirtió por unos minutos en un improvisado santuario de pesar y dolor. Esperaban todas las autoridades. Entre los que los aguardaban estaba el coronel Millán Astray, quien a causa del temporal no había podido embarcar para la Península para restablecerse de su tercera herida recibida el 26 de octubre, por la que se le tuvo que amputar el brazo izquierdo. El propio Millán Astray, con el instinto vital que le caracterizaba, se acercó al tren y vitoreó a los cadáveres. El momento fue impresionante. Muchos de los presentes lloraban presos de emoción; mientras tanto, los féretros, que venían envueltos en sendas banderas españolas, fueron sacados en hombro de varios sargentos del regimiento de Ceuta, vitoreándose a Serrano y Temprano, a España, al Ejército y a la Marina. En el Hospital Central se estableció la capilla ardiente ante la imposibilidad de trasladarlos a la Península debido al mal tiempo, teniéndose que regularizar la entrada, pues toda Ceuta quería desfilar para rendir homenaje a los cadáveres, que serían trasladados a Madrid y Ceclavín (Cáceres), respectivamente[260].

Abundando sobre el tema, el Gobierno se haría cargo de los gastos del entierro del general Serrano. En cuanto a Ceuta, tan agradecida estaba con el general que no sólo le envió el pésame a la viuda, sino que también le dedicó una calle en diciembre de 1924: "para perpetuar la memoria de tan ilustre como bizarro caudillo llamar el nombre de 'General Serrano' a la calle de la Libertad"[261].

Asimismo, a medida que se reparaban las pistas y las carreteras, iban llegando más enfermos, heridos y muertos a Ceuta. Uno de los convoyes llegó atendido por los facultativos y la duquesa de la Victoria[262]. Y también en Ceuta crecían los temores de las acciones de los rifeños afectos a Abd el Krim, que a mediados de diciembre estaban hostigando Río Martín y la carretera Ceuta-Tetuán, al igual que empezaron a aparecer por la cercana cabila de Anyera...

---

258   El Sol, 20 de noviembre de 1924.
259   ABC, 23 de noviembre de 1924.
260   ABC, 25 de noviembre de 1924. Diario de Córdoba, 23 de noviembre de 1924.
261   AGCE. LAC núm. 88. Comisión permanente, 6 de diciembre de 1924, folio 115.
262   ABC, 29 de noviembre de 1924.

Pero, sin lugar a dudas, un hecho de gran alegría popular y una ligerísima nota de color entre tantos oscuros nubarrones fue el licenciamiento de los soldados de la quinta de 1921 que iban a pasar las Navidades en sus casas, resultado de la reducción de tropas tras el costoso repliegue. Eran tropas agotadas física y mentalmente[263]. Atrás dejaban un cúmulo de experiencias durísimas, difíciles de narrar; mientras tanto, otros compañeros se habían quedado en tierras africanas, y los entierros se multiplicaban, como el del día 17 del cabo Antonio Gómez Chavé y del soldado Juan Esteban Pérez.

Por otro lado, a pesar de los esfuerzos del comandante general y del alcalde, los productos básicos no paraban de subir de precio, por lo que la prensa local no dejaba de denunciar el problema: "arrecia la campaña contra la desenfrenada alza de subsistencias, pidiendo que las autoridades dicten severas sanciones para castigar a comerciantes y acaparadores"[264]. En este sentido, destacó la labor que hizo *El Defensor de Ceuta* llamando a los comerciantes "logreros sin conciencia" y pidiendo a las autoridades "que se cierren los establecimientos de los agiotistas y se les encarcele o se les expulse de la plaza"[265]. Aquel descontrol de precios no era más que el fiel reflejo de la angustiosa situación que se estaba viviendo en los últimos y durísimos meses de 1924.

47. El Defensor de Ceuta

Hemos visto que *El Defensor de Ceuta* se había mostrado muy beligerante con las injusticias que se estaban produciendo. Según aparece en la cuarta edición del libro *Tradiciones y Milagros de Nuestra Señora de África, Patrona de Ceuta,* fue el fundador de *El Defensor de Ceuta* el referido José María Guerra Lázaro, nacido en Ceuta en 1873. Inclinado desde muy joven hacia el periodismo, funda en 1902 el citado diario, del que fue director hasta el día de su muerte, acaecida el 18 de enero de 1922.

El Defensor de Ceuta fue la primera publicación diaria que contó la ciudad. Vio la luz en unos años cruciales, en los que Ceuta, al igual que la nación, se enfrentaba a la necesidad de configurarse una más dinámica y moderna fisonomía de cara al siglo XX. Son también años en los que se iniciaba la acción española hacia el Protectorado, lo que provocó un importante movimiento migratorio y comercial. En este mar de cálidas expectativas se movía *El Defensor de Ceuta*, que, con entusiastas campañas, se hacía eco y portavoz de las aspiraciones ciudadanas en temas tales como la supresión del Penal -conseguida en 1912-, la construcción del puerto y del ferrocarril, el renacimiento económico y cultural, y el imperativo de la expansión urbana, como una conquista del Campo Exterior, saltando la mítica barrera del foso marítimo, y creando nuevas y populosas barriadas, avenidas y servicios en la franja continental.

Igualmente, en 1918, y de la mano del propio José María Guerra, nació la revista *Mauritania*, de periodicidad semanal. Con grandes inquietudes, Guerra Lázaro formó parte del Comité organizador de los I Juegos Florares de Ceuta, en 1921. En atención a sus méritos, Alfonso XIII, por Decreto de 3 de enero de 1921, le nombró Comendador de la Real Orden de Isabel la Católica. Fue autor del citado *Tradiciones y Milagros de Nuestra Señora de África patrona de Ceuta.* Amigo del primer cronista ceutí, Antonio Ramos y Espinosa de los Monteros, que también llegó a colaborar en dicho periódico[266].

---

263 La Vanguardia, 19 de diciembre de 1924.
264 ABC, 2 de diciembre de 1924.
265 La Libertad, 11 de octubre de 1924.
266 GUERRA LÁZARO, José María: Opus cit., pp. 7 y 8.

Año I.   Sábado 27 de Junio de 1903   Núm. 410

EL DEFENSOR DE CEUTA

DIRECCIÓN
Calle de Daoiz número 2
ADMINISTRACIÓN
Soberania Nacional núm. 9!

Precios de suscricion
Ceuta un mes.. . . . . . . 1'25 Pta.
Marruecos un mes. . . . 1'50 »
España un mes. . . . . . . 1'50 »

Diario consagrado al fomento de los intereses morales y materiales de esta Ciudad.

EL AGUA

Fuera de nuestro pais, se asombrarán los que sepan que Céuta se encuentra en peligro eminente de sufrir este verano una escaséz de agua tremenda, y se asombrarán doblemente, cuando sepan, que á un kilómetro escaso de su frontera pierdense en el mar las que brotan de los ricos manantiales de Benzú, en terrenos que legalmente nos pertenecen, si el tratado del sesenta se cumpliera como está estipulado.

¿Que higiene, que industria, ni que desarrollo puede tener Céuta faltándole tan necesario elemento?

Se vá á dar el caso de tener que traer agua de las costas de enfrente, teniendo á nuestras puertas abundancia de ella, riquísima y que nadie aprovecha.

Cuando la cuestion de los cautivos, se interesó que se pidiera la propiedad de estos manantiales en lugar de un puñado de pesetas que tan solo aprovecha el que las recibe, por que llegan al tesoro con gran merma.

¿Que representa para el Erario público, uno, dos ó seis centenares de miles de pesetas ante la concesion de un elemento de vida que cambiaria las condiciones de Céuta en pocos años?

Una comision mora visitó esta plaza como todos recordarán, se estudió el terreno y cuando todos creiamos que la muerte de los infelices hijos de Montes, iban á ser la base para esta legítima aspiracion de Céuta; el Ministro de Estado, declara que las aguas de Benzú no nos pertenecian y que asi era, España renunciaba á su posesion en cambio de una indemnizacion de cien to y pico de miles de pesetas.

Y desde entonces asi estamos, pasando casi todos los veranos gran de escacés, cada vez mas grande, puesto que consume más la poblacion por su aumento constante y lógico.

El Comandante General pidió inmediatamente al gobierno un barco algibe para traer el precioso líquido para el consumo del elemento militar, y el Alcalde ha dado cuenta al gobierno de la escacés de agua, para el mismo fin, despues de adoptar otras disposiciones las dos mencionadas autoridades en evitacion del conflicto que se avecina.

Vergüenza es, que tenemos que confesar ante la realidad, que despues de varios siglos de dominacion no cuente esta plaza con el agua suficiente para sus necesidades.

Ya que nuestra apatia y falta de amor patrio deja en poder de los marroquies los ricos veneros de Benzú, hay que acometer inmediatamente la realizacion de la mejora y hacer en el campo exterior, en la poblacion y en el monte Acho grandes depósitos cubiertos, que recogiendo las aguas que en invierno se pierden sin fruto alguno, eviten estos peligros en adelante y unido al hermoso proyecto del general Bernal de hacer enseguida otro para recoger las aguas que de la Mina se pierden, aseguren para siempre á Céuta de tan grande elemento de vida.

VIDA Y MUERTE

Luego que duelos, ayes y quejas se prosternaron á los piés del divino verbo elevados hasta su trono por el perfumado incienzo de mis plegarias y luego que trágico forcejeo rompió de mi cuerpo las débiles energias contra la presion segura y rasgante de los garfios de la muerte, Dios, el supremo rey de los destinos, el sumo Hacedor de tiempos y cosas, se mostró á mi enternecido, intensa bondad irradió de su inmaterial esencia, me señaló dos opacos y deformes espectros de la naturaleza terrestre armonizando los espacios con su voz vibrante, cólica y eterna y asi medijo:

«Vé criatura, y si tanto te dolió abandonar los dominios de la existencia, contempla la mortaja de tu vida, el sudario de tu alma.»

Bajé á mi sepulcro y contemplé los aquelarreos restos de mi mismo y puesta la vision espiritual de mi alma sobre la silenciosa esfera del reloj del pasado, conté las horas que aquel corazón habia latido al son y compás del mundano deseo y fabriqué la estereoscópica lente que acercó hasta mi todo los cuadros del movimiento y existencia de aquellos remanentes inmundos que un dia, trabados en armazon anatómica, palpitaran de intensidad, vibracion, elasticidad y combustion en sus moléculas, é incendiaranse al fuego y contacto de contradictorias pasiones y hartaranse de infortunios y goces y repararanse con groseras ilusiones y alimentos y aniquilaranse con duelos y hastios sosteniendo desesperado combate en pró y contra ocultos amigos y contrincantes de su organismo endeble, sucio y temeroso.

¡Que tristezas ay, que pensamientos de repulsión y rencor absorbí de aquella deforme aglomeracion de materias y cuerpos como atmósfera que se asimila vapor de agua de los terrenos y mares de la tierra.

¡Ay de mi tierra leve, yace aqui lo que resta de mis corpúsculos mundanales, monton de ilusiones hechas carne, órganos y cédulas que perecieron arrastradas por el mortífero carro de la realidad, que al galope de los hipógrifos del destino, alanceados por el austero palafren ó guia de las cosas verdaderas, voló por el camino que conduce al urbe de las leyes eternas, te arrastró por el túpido y agudo pedregal de la hecatombe fraccionando el cuerpo de tus quimeras, seccionando la vena corta de tus ansias y amores sublunares rajando la frágil y limitada alucinacion de tus sentidos, descoyuntando la falsa articulacion de tus grandezas y penetrando en los umbrales de la verdad sin nubes á cuyas puertas, se paró un instante y en donde disolvió y sumió tus restos en la cuneta sobrega y fria de la tumba y solo yo que fui tu alma paré los céruleos, rientes, fulgidos y brillantes átrios del olimpo cristiano y contemplé lo infinito de Dios.

¡Que te hablo inmóvil y perdurable residuo de lo mortal! adiós cuerpo mudo y frio...

Dije y respondiendo á la vibrante invitacion de mi Padre postre mi amor divino de hinojos y exclamé.

A tí mi porvenir, Dios mio, dejo tras de mi la penosa muerte de mi vida si tu quieres guardar para mi la gloriosa vida de mi muerte.

Federico Maspóns.

NOTAS LOCALES

Mañana á las once en el Hospital Militar se procederá al reconocimiento definitivo de los individuos presuntos inútiles, este acto será presidido por el jefe de Sanidad Militar y al que asistirán todos los profesores médicos de la guarnicion.

Se encuentra enferma la Srta. Ana Rodriguez Llona; á quien deseamos alivio en sus dolencias.

Anoche se hicieron pruebas con los reflectores eléctricos recientemente llegados para el servicio de esta plaza, dando un resultado satisfactorio segun nos aseguran.

Nuestra enhorabuena á la clase pescadora por la abundante pesca recogida hoy y que han pagado entre cinco y siete duros la tina, habiéndose cogido cerca de mil quinientas.

Dicen de Tetuan que procedente de Tanger han llegado fusiles, municiones y cincuenta ginetes, y que las kabilas insurrectas han enviado comisionados al campamento del Roghi para que apresure su llegada. Todas les han enviado la *muna*

SERVICIO TELEGRAFICO
Agencia Almodovar

Madrid 26—4 t.
Comunican de Cartagena que ha sido muy comentado almorzara hoy el Rey á bordo del acorazado *San Luis.*

—Se ha celebrado el anunciado banquete en el *Carlos V.*

La mesa en forma de herradura y adornada con profusion de flores, estaba situada en la cubierta de popa lugar adornado con banderas de distintas naciones formando artisticos grupos.

Madrid 27—8'30 m.
Tanger: Se ha confirmado oficialmente que el ministro Menebhí fué honrosamente derrotado al dirigirse á Tazza, algunos de las kabilas de Sáyata que figuraban en el ejército imperial traicionaronle frente al enemigo, los imperiales tuvieron 600 bajas huyendo el resto con direccion á Fez.

Madrid 27—2 t.
Berna: Realizando una escursion científica diez y seis alumnos de uno de los principales colegios de gimnacia en union de dos profesores por las montañas, sorprendioles la caida de un alud quedando sepultados. Se han extraido doce, entre ellos dos gravemente heridos se desconfia de salvar á los restante y á los profesores.

Imp. de Gamez y Buscató—Ceuta

Biblioteca de EL DEFENSOR DE CÉUTA   68

en las que le hablaba de Dios para darla valor y fuerzas contra sus tormentos. A estas visitas asistia de continuo la señora de Clavieres, otra desdichada á quien la providencia habia dado algun consuelo haciéndola madre.

Radagunda palideció.

—La señora de Bois-Bryant—siguió diciendo el sacerdote—deseaba tambien vivamente tener descendencia, y el cielo escuchó sus súplicas. Vos nacisteis á los cuatro años de matrimonio. Desde entonces la condesa se consagró exclusivamente á vos; pero estaba herida de muerte, y la vida que acababa de daros agotó la suya. La señora de Clavieres y yo no la abandonamos hasta el último momento: á nosotros nos confió vuestro cuidado y nos hizo depositario de sus más secretos pensamientos. La baronesa y yo somos guardadores de una especie de diario que vuestra madre nos escribia. Aquí traigo este precioso manuscrito, que servirá para justificar mi conducta y será vuestra guia en las graves circunstancias actuales. Tomad y leed con especialidad esta página que vuestra madre me dirigió pocos dias antes de su muerte.

Radagunda tomó con santo respecto los papeles que le presentaba el padre Raimundo, y comenzó á leer en alta voz:

«No puedo dejar de acordarme del pasado y

65   Biblioteca de EL DEFENSOR DE CÉUTA.

—¡Caramba! eso depende del carácter; yo no lo hubiera tolerado de ningun modo. Ella era, como voz, dulce y buena, y se hubiera sacrificado una vez más.

—La mayoria haciéndose el casamiento de sus hijas para entregárselas á un desconocido.

—Hay matrimonios muy diferentes, y el marqués no es un desconocido.

—¿Como?

—Creo que no ignoraréis que falto á la palabra de casamiento que habia dado á vuestra madre. la diferencia de fortuna los habia separado, y vuestra madre estuvo á punto de volverse loca. El marqués salió del pais y poco después heredaba al duque de Chautemarne. Vuestra madre recibió duro golpe hasta que el pesar acabó con su existencia. Vuestro padre es tal vez el único que no conoce esta historia.

—¡Mi madre! ¡Y quieren que yo me case con ese hombre! ¡jamás, jamás!

Al pronunciar estas palabras, Radegunda comenzó á verter copioso llanto, y un segundo después caia desplomada privada del conocimiento.

La baronesa de Avrillau trató inútilmente de reanimar á la jóven y viendo la ineficacia de sus esfuerzos, corrió en busca de Juliana.

El Defensor de Ceuta, decano de los periódicos ceutíes en los años veinte del siglo XX.

48. Homenaje a Camoens: el 'Iberismo'

En estos momentos tan difíciles para el Ejército y la población ceutí, minada por la subida de los artículos básicos, la llegada de tantas noticias nefastas, abarrotados sus hospitales y la presencia de continuos entierros, hacía falta una nota de patriotismo.

Una semana después del embarque de las tropas licenciadas, tuvo lugar un homenaje a Camoens. No obstante, en Madrid también se le había hecho un gran homenaje al poeta portugués a mediados de mes de diciembre, con motivo del IV Centenario de su nacimiento, donde el Ayuntamiento de Ceuta estuvo representado por el vicepresidente de la Asociación de la Prensa, Diego Trujillo[267]. En Ceuta, ciudad a la que estuvo tan ligado el ilustre lisboeta, la propia Asociación de la Prensa preparó un homenaje para el día 25 del mismo mes. Precisamente, aprovechando tan señaladas fechas, la citada Asociación solicitó al Gobierno que fuese puesto en libertad el periodista Elías Sancho, del periódico local *La Gaceta del Yebala*, detenido y encarcelado por hacer públicas noticias de la campaña[268]; y en este sentido, recordemos que la censura era muy rigurosa.

La presencia de un representante de Ceuta en los actos del homenaje a Camoens realizados en Madrid era lógica, natural y obligada, pues el autor de las *Os Lusíadas* (1572), donde cantó en verso las gestas lusas, había iniciado en 1547, con 23 años, su carrera militar en Ceuta, donde perdió el ojo derecho de una pedrada en una escaramuza con los moros cuando luchaba a favor del rey João III. A finales de 1549 regresó a Lisboa.

En cuanto al homenaje que se le tributó, se celebró con gran brillantez en el Salón Apolo. En el escenario figuraba un magnífico retrato de Camoens entre los escudos de ambas naciones. Presidieron el acto los representantes del comisario superior, alcalde, director del colegio de los Agustinos, comandante de Marina y la junta organizadora del homenaje. La banda del Tercio interpretó el himno portugués y la Marcha Real. Cabe apuntar que la banda del Tercio, dirigida por el maestro Pedro Córdoba, se había convertido desde su fundación en un referente en la ciudad, pues raro era el acontecimiento festivo en la que no estaba presente. Conocida popularmente como "la música de la Legión", en su variado repertorio figuraban principalmente piezas de zarzuelas, pasacalles y marchas militares[269].

Retomando el homenaje a Camoens, el abogado Diego Trujillo expuso el objeto del acto que se celebraba, procediéndose a la adjudicación de los premios a los trabajos literarios e históricos presentados. Por su parte, el director de los Agustinos, padre Mariano Rodrigo, pronunció elocuentísimo discurso, ensalzando al ilustre lusitano, y aludió a nuestras vicisitudes, formulando votos porque "esta corriente espiritual que une a la raza ibérica se robustezca", siendo el discurso interrumpido con frecuentes ovaciones.

Seguidamente desfilaron los niños de las escuelas, y se efectuó la entrega de varias condecoraciones concedidas por el Gobierno portugués, como el nombramiento de gran oficial de la Orden de Cristo a monseñor Marcial López, obispo de Cádiz; la concesión de la encomienda de la misma orden al ex alcalde Demetrio Casares Vázquez, o el nombramiento de oficiales de dicha Orden a Damián Sala Gavarrón y al abogado Julián Francisco de las Heras. También fue nombrado caballero de la Orden de Cristo Julio González Marco, secretario del Ayuntamiento[270]. Resumió los discursos el coronel de Artillería Patricio de Antonio, quien, en nombre del comisario superior, felicitó a los organizadores de la fiesta[271], que fue de verdadera confraternidad hispanoportuguesa[272].

---

267 El Sol, 15 de diciembre de 1924.
268 La Libertad, 16 de diciembre de 1924.
269 DÍAZ FERNÁNDEZ, María Dolores: *Recuerdos y vivencias de la tercera edad en Ceuta*, p. 55.
270 El Imparcial, 7 de agosto de 1924.
271 ABC, 27 de diciembre de 1924.
272 La Voz, 28 de diciembre de 1924.

Antonio Ramos
y Espinosa de los Monteros

El arabista ceutí Antonio Ramos.
Colección particular.

Tanto el homenaje a Camoens de Madrid, como el de Ceuta, estaban dentro de una corriente que cada vez tenía más fuerza; nos referimos al 'Iberismo', doctrina que propugnaba -y sigue propugnando- la unión política o el mayor acercamiento de España y Portugal. Aunque el iberismo no era una novedad en el devenir histórico de ambas naciones -recordemos el gobierno de ambos territorios bajo el reinado de Felipe II-, tras la I Guerra Mundial se produjo un periodo de distensión y acercamiento, que se vio favorecido por la implantación de la dictadura de Primo de Rivera, que siempre se mostró a favor de esta tesis, a la cual se uniría después la dictadura de Portugal[273].

En este contexto, Ceuta no podía quedar ajena a esta corriente, pues los ceutíes nunca habían olvidado su pasado portugués, que quedaba patentizado en su historia, su singular fisonomía -con sus magníficas fortificaciones-, en su mundo espiritual, representado en la ermita de San Antonio, la Virgen de África o la Virgen del Valle; o en sus símbolos, como el aleo, la bandera y el escudo. El escudo de Ceuta, por cierto, había quedado definitivamente fijado en las ordenanzas de 1923 acentuando por la citada corriente que se estaba viviendo. En el Título I, Capítulo I, Art. 8º de las susodichas ordenanzas se puede leer: "Sus blasones son: Escudo de plata y cinco escusones de azur puestos en cruz, y cargado cada uno de cinco bezantes de plata colocados en aspa y una bordura de gules cargada de siete castillos de oro, dos en jefe, dos en flanco y tres hacia la punta, que es el Escudo de Portugal, a cuyo reino perteneció la Ciudad". El escudo, según la Comisión que había elaborado la ordenanzas, se había establecido "de acuerdo con la tradición histórica, y con el informe emitido en Enero de 1913 por el ilustre y malogrado cronista Don Antonio Ramos Espinosa de los Monteros, (q.e.p.d.)", quien había fallecido el 19 de enero de 1919.

49. Últimos días del año y mensaje de tranquilidad

Por otro lado, por acuerdo municipal se envió al alto comisario y presidente del Directorio el siguiente telegrama: "Compenetrados ante las gravísimas responsabilidades que asumió V. E. para salvar Ejército y resolver el dificilísimo e intrincado problema de Marruecos le felicitamos en nombre y representación de este pueblo el cual entiende que se ha hecho V. E. acreedor a la más alta recompensa". Por su parte, Primo de Rivera contestó al Ayuntamiento "agradeciendo la felicitación"[274]. También la permanente hacía suyo otro telegrama "dirigido por la Presidencia al Gobierno y al Trono contra la inicua campaña de los malos españoles en el extranjero"[275]. En realidad, el susodicho telegrama se refería a la campaña que estaba haciendo desde su exilio francés el reconocido escritor valenciano Vicente Blasco Ibáñez, autor de obras tan señeras como *Cañas y barro* o *Los cuatro jinetes del apocalipsis*, con-

273 JIMÉNEZ REDONDO, Juan Carlos: 'Primo de Rivera y Portugal, 1923-1931: del 'peligro español' a la nostalgia de la España autoritaria', pp. 91-117.
274 AGCE. LAC núm. 89. Comisión permanente, 27 de diciembre de 1925, folio 125.
275 AGCE. LAC núm. 89. Comisión permanente, 27 de diciembre de 1925, folio 125 vto.

tra la monarquía alfonsina y la dictadura de Primo de Rivera, a través de diferentes artículos y folletos. Con este material, escrito entre 1924 y 1925, la editorial Excelsior publicaría el demoledor libelo *Por España y contra el rey* (París, 1925).

En otro orden de cosas, la Compañía Telefónica Nacional de España se encontraba efectuando un nuevo e importante servicio. Se trataba de unir telefónicamente las costas de África y la Península, a cuyo efecto estaba ultimando el contrato de adquisición de cable submarino necesario para proceder al tendido entre Algeciras y Ceuta. Al igual que se estaba ultimando una línea directa entre Madrid y Algeciras[276]. La instalación de este servicio se había convertido en una cuestión estratégica de primer orden para el Estado español.

Para cerrar el año, después de visitar el poblado del Rincón del Medik, Primo de Rivera dictó medidas para mejorar las condiciones de aquel campamento, por tratarse de un punto de gran valor para las comunicaciones con Ceuta. También la columna del teniente coronel Franco estuvo operando desde AinYir con objeto de conocer la situación por la que atravesaban las guarniciones de Telata de Anyera y blocao Tuila. Dichas guarniciones consiguieron replegarse a Ceuta, haciendo marchas nocturnas.

Mientras tanto, el día 29 el propio Primo de Rivera llegó en automóvil a mediodía a la ciudad, tras pasar revista a las tropas que "guarnecen la línea Ceuta-Tetuán". Luego de almorzar en la Comandancia General, conferenció con el general Navarro. Más tarde fue cumplimentado por el alcalde, Rodríguez Macedo, y demás autoridades, regresando en tren a Tetuán, pudiendo apreciar directamente el estado de las posiciones y las vías terrestres de comunicación[277]. Además, lanzaba un claro mensaje de tranquilidad a las autoridades locales y al pueblo de Ceuta, a pesar de las incalculables dificultades vividas.

Asimismo, la compañía arrendataria de los arbitrios de Ceuta dispensó del pago del impuesto correspondiente a los artículos destinados para aguinaldo del soldado que, hasta el día 30, ascendían a 90.000 pesetas. Por otro lado, en un tren procedente de Tetuán llegó el general Castro Girona de paso para Madrid. Recordemos que Castro Girona había roto el cerco de Xauen y había liderado el doloroso repliegue. En prueba de su reconocimiento, en el muelle fue despedido por el comandante general, generales y jefes de la guarnición, y numerosos amigos. Igualmente, el mismo día 30 tuvo lugar el entierro del comandante del tercer batallón del regimiento de Ceuta, José García Verdugo[278]. Al igual que fue nombrado segundo jefe de la Comandancia General Federico Sousa Regoyos[279]. Ese mismo día falleció en el Hospital de la Cruz Roja, a los 23 años de edad, el teniente del regimiento de Caballería de Vitoria Carlos Álvarez de Toledo y Mencos.

Con estas noticias, a pesar de la música de fondo de los villancicos, que tan animadamente entonaban las populares comparsas y rondallas ceutíes, se vivieron unas Navidades envueltas con los negros hilos intangibles de la incertidumbre, la desazón, el pesar y el luto; y, poco a poco, el año se fue consumiendo en su propio devenir. Un devenir realmente difícil de prever...

276   El Financiero, 5 de diciembre de 1924.
277   ABC, 30 de diciembre de 1924.
278   El Imparcial, 31 de diciembre de 1924.
279   Diario Oficial del Ministerio de la Guerra núm. 293, 31 de diciembre de 1924. Tomo IV, p. 951.

CAPÍTULO IV

1925, EL AÑO DE LA REACCIÓN

Como se ha visto, el año 1925 entró en Ceuta con muchas incógnitas, pues aún se estaban viviendo los últimos momentos del repliegue militar, a la vez que se seguía ajustando la Línea Estella. Así, por ejemplo, en la zona de Larache, la columna de Carrasco estableció una posición entre Mainem y Tabaganda, que cerraba el boquete de Tuila[280]. Igualmente proseguían las operaciones para bloquear Anyera en sus límites con la zona internacional de Tánger[281].

Paralelamente, en el correo de Algeciras llegaba el nuevo jefe de esta zona, el referido general Federico Sousa Regoyos[282]. Al igual que ya se anunciaba que se habían realizado las pruebas del cable telefónico entre Algeciras y Ceuta con excelentes resultados[283].

En cuanto a la vida cotidiana, durante la festividad de Reyes, la Junta de Damas, que ya presidía la esposa del general Navarro, organizó un festival para repartir juguetes entre los niños pobres. También en las cantinas escolares, que patrocinaba el Ayuntamiento, se repartieron juguetes entre los niños, que además fueron obsequiados con una comida extraordinaria[284]. Y a mediados de mes fallecieron el canónigo de la catedral, doctor Antonio Schiaffino, y el secretario del Ayuntamiento, Julio González Marco, quien –recordemos- había sido uno de los principales activos en la elaboración de las ordenanzas municipales de 1923, al igual que no estuvo presente en el cambio de alcaldía del 1 de octubre del mismo año. Ambas muertes fueron muy sentidas en la ciudad[285].

En el aspecto cultural la entrada del nuevo año trajo algunas novedades. En primer lugar empezó a publicarse la revista *Bohemia*, que trataba de ciencias, artes y deportes, "integrada por los mejores elementos intelectuales de esta plaza". La nueva revista estaba muy bien presentada, por lo que tuvo una favorable acogida[286]. Siguiendo esta estela, también a principios de 1925 se publicó el libro *Luis de Camoens, su vida y su obra*, del escritor Francisco Silvestre Teva, quien "con ameno estilo describe la inmortal figura del gran poeta lusitano"[287]. Francisco Silvestre había sido el ganador del concurso público convocado por la citada Asociación de la Prensa de Ceuta con motivo del IV Centenario del nacimiento de Camoens. La idea era distribuir el libro entre los escolares ceutíes[288]. Asimismo, tras un paréntesis de varios meses, en el mismo mes de enero reaparecía la *Revista de Tropas Coloniales* bajo la dirección del teniente coronel Francisco Franco Bahamonde, quien, unos días después, el 7 de febrero, sería ascendido a coronel. En la portada se puede leer: "Época II. Año II. Núm. 1".

280   La Atalaya, 3 de enero de 1925.
281   La Libertad, 9 de enero de 1925.
282   Ídem.
283   La Atalaya, 3 de enero de 1925.
284   La Libertad, 9 de enero de 1925.
285   La Vanguardia, 17 de enero de 1925.
286   El Sol, 9 de enero de 1925. ABC, 9 de enero de 1925.
287   ABC, 15 de enero de 1925.
288   GÓMEZ BARCELÓ, José Luis: *Apuntes para la Historia de la prensa ceutí (1820-1984)*, pp. 132 y 135.

1. La entrega de la bandera al Somatén

El 19 de enero, pocos días después de la publicación del libro sobre Camoens, tuvo lugar la entrega de la bandera al Somatén local. Desde luego era el momento oportuno, pues la situación general así lo demandaba. Como se ha visto sobradamente, los actos patrióticos colectivos servían de catarsis para una población que necesitaba de ellos ante tanta incertidumbre. Eran tiempos en que los ecos de los disparos resonaban a unos pocos kilómetros de la ciudad y las malas noticias corrían aún más rápidas.

Emblema del Somatén de Ceuta. Colección particular.

Para la ceremonia de la entrega de la bandera, que había sido bordada por "varias señoritas de Ceuta"[289], llegó procedente de Tetuán el presidente del Directorio. El acto, que fue multitudinario y solemnísimo, tuvo como marco la plaza de la Constitución. En la fachada del Ayuntamiento se instaló un artístico altar presidido por la imagen de la Virgen de Montserrat, patrona adoptada por el Somatén, donde se bendijo la enseña. La madrina, Juana Díez de Lorenzo, iniciadora de la suscripción entre las señoras de la localidad, entregó la enseña al alto comisario, leyendo un sentido discurso en el que puso de relieve los sentimientos patrióticos que animaban a la mujer española. El alto comisario, a su vez, la puso en manos del abanderado Juan Zurita, diciéndose una misa de campaña. Posteriormente, Primo de Rivera, desde la tribuna, pronunció una brillante alocución, diciendo que sabía que Ceuta, "pueblo patriota por sus timbres de siempre, ciudad noble, leal y fidelísima, no podía faltar al núcleo redentor formado por el somatén español para contrarrestar las ideas disolventes que pretenden, ciegamente destruir la vida y el honor de las naciones occidentales". Asimismo, se congratulaba del éxito y del entusiasmo que se había exteriorizado, terminando con vítores "a España, al Rey y al Somatén", que fueron clamorosamente contestados por el enorme público. Las tribunas estaban abarrotadas de señoras que vitorearon a Primo de Rivera, "el regenerador de España". Seguidamente los somatenistas, armados de máuser,[290] en número de cuatrocientos, desfilaron ante el presidente del Directorio en medio de vivas y atronadores aplausos[291].

Que los somatenistas ceutíes portasen fusiles máuser estaba justificado, pues quiso el Directorio dotarlos "con el suficiente armamento y munición como para constituir una posible defensa de la población y sobre todo para que fuera posible darle vida a esta institución en las plazas de soberanía". Cabe añadir que cada máuser iba acompañado de su correspondiente bayoneta y 100 cartuchos de guerra[292].

En referencia al nacimiento del Somatén, Primo de Rivera, al hacerse con el poder, instituyó en todo el territorio nacional los Somatenes Armados de España por el decreto fundacional de 17 de septiembre de 1923. Su principal objetivo era "asegurar y conservar la tranquilidad del país, hacer respetar las leyes y las autoridades legalmente constituidas". El Somatén estuvo formado "por ciudadanos de todas las clases sociales, siempre que lo sean de buena voluntad, celosos y conscientes de sus deberes de ciudadanía y de orden, base fundamental de toda colectividad, que tengan reconocida moralidad y ejerzan profesión u oficio en las localidades donde residan". Asimismo, fueron considerados agentes de la autoridad cuando estaban de servicio, y fuerza armada en caso de declararse el estado de guerra. En 1930,

---

289 La bandera ya estaba acabada en la primavera de 1924. El Ideal Gallego, 23 de abril de 1924.
290 Los cabos, sub-cabos, abanderados y escoltas de Bandera portaban armas cortas. Reglamento de Somatenes, 13 de junio de 1924.
291 ABC, 20 de enero de 1925. La Vanguardia, 21 de enero de 1925.
292 GONZÁLEZ SORROCHE, Francisca: 'El Somatén. Su formación en Melilla (1923-1929)', p. 146.

la caída de la Dictadura propició la desaparición del Somatén, y con la proclamación de la Segunda República esta institución desaparece en el ámbito nacional[293].

Con respecto a Ceuta, la formación del Somatén tuvo lugar entre noviembre de 1923 y enero de 1924. A principios de noviembre, en la Comandancia General se constituyó una Junta organizadora, nombrándose presidente al comandante de Caballería retirado José Pacheco Calvo, y secretario al capitán de Infantería Mariano Ferrer[294]. Días después fue aprobado el reglamento definitivo del Somatén local, procediéndose posteriormente al nombramiento de cabos y sub-cabos[295].

Tras el proceso de alistamiento, a principios de año se reunió en el Ayuntamiento la susodicha Junta para hacer entrega de los nombramientos de cabos y sub-cabos, quedando la ciudad quedó dividida en cinco distritos, y en cuatro el Campo Exterior (al frente de cada distrito había un cabo). Según la prensa de la época, "la recluta de somatenistas se verificó con entusiasmo"[296]. Las bases para su formación quedaron fijadas por Orden telegráfica de 15 de enero de 1924[297].

Desde su fundación, el Somatén local se había mostrado muy activo participando en numerosos actos oficiales. Sus integrantes, que iban vestidos de paisano, se distinguían porque llevaban un distintivo con la bandera nacional, y el escudo metálico de Ceuta con el lema "PAZ, PAZ, Y SIEMPRE PAZ", donde en la parte superior aparece la inscripción "SOMATÉN DE CEUTA".

En Tetuán se creó el Somatén más tarde, en septiembre de 1925, formado por cien somatenistas[298]. Toca precisar que tras el nombramiento de Millán Astray (jefe de la Circunscripción Ceuta-Tetuán) como comandante general del Somatén, en la primavera de 1928, ambos somatenes llegaron a editar conjuntamente la revista mensual *Somatenes Armados de Ceuta-Tetuán* en la Imprenta de Tropas Coloniales, aparecida en 1930. Su formato, de 29x21 cm, se componía de 14 páginas, dejándose de publicar un año más tarde[299], cuando fue disuelto.

2. Reconocimiento al general Navarro y onomástica del rey

Sobre el general Navarro ya hemos trazado algunas líneas biográficas relacionadas con los sucesos de Monte Arruit de julio de 1921 y su juicio en la primavera de 1924. También hemos referido que su nombramiento como comandante general de Ceuta tuvo lugar en septiembre de 1924, al igual que se ha visto su inquebrantable compromiso con Primo de Rivera en las operaciones del repliegue.

Ahora venía un momento de relativa calma, un breve paréntesis, y era la mejor oportunidad de entregarle al sexagenario general la medalla de Sufrimientos por la Patria que le había sido concedida por su herida en combate en Monte Arruit. El día 19, el mismo día de la entrega de la bandera al Somatén, en la Comandancia General se celebró el solemne acto, sin menoscabo del honor militar.

Trayendo la insignia y el pergamino vinieron de Madrid los ex prisioneros teniente de Infantería Esteban Gilabert y el teniente de Caballería Juan Maroto, quienes en unión de los residentes en Ceuta, el comandante de Estado Mayor Sainz y el teniente de la benemérita Nieto, ostentaban la representación de todos los ex prisioneros.

293   PÉREZ ADÁN, Luis Miguel: 'Somos el Somatén', s.p.
294   ABC, 6 de noviembre de 1923. Edición de la tarde.
295   La Correspondencia de España, 26 de noviembre de 1923.
296   El Ideal Gallego, miércoles 2 de enero de 1924. Galicia, diario de Vigo, 2 de enero de 1924. ABC, 2 de enero de 1924.
297   ALARCÓN CABALLERO, José Antonio: *La Cámara de Comercio, Industria y Navegación de Ceuta: un siglo en la historia económica y social de Ceuta (1906-2006)*, p. 318.
298   El Ideal Gallego, 10 de septiembre de 1925.
299   GÓMEZ BARCELÓ, José Luis: Opus cit., pp. 136-142.

En el salón del trono, presididos por Primo de Rivera, se congregaron los generales Navarro, Sousa, contralmirante Guerra Goyena, los jefes de los diferentes cuerpos, Ayuntamiento, Unión Patriótica, jefes del Somatén, autoridades y familia del general Navarro.

El teniente Gilabert ofreció el homenaje con un brillante discurso, en el que se enorgulleció de haber servido a sus órdenes en los días trágicos y gloriosos de 1921, añadiendo "que cuantos vivieron a su lado la dura prisión, hallaron en su noble altivez el ejemplo necesario para mantener incólume la dignidad de patriotas y caballeros, que no dejaron de serlo, aunque la adversidad de una batalla perdida, con honra, los redujera a la impotencia, cautivo". Por último, dijo el teniente que la medalla "representaba el cariño y admiración de los amigos y de la representación de todas las armas, cuerpos y categorías del ejército y la nobleza".

Acto seguido, Primo de Rivera impuso la medalla en el pecho al general Navarro, quien, visiblemente emocionado, agradeció vivamente el cariñoso homenaje, diciendo que, aunque esto le recordaba grandes amarguras, ya todo lo había olvidado, quedándole sólo el grato recuerdo de que sufrió por su patria.

Por su parte, Primo de Rivera dijo que, por la fuerza inexorable del destino, venía actuando políticamente año y medio, y en África algún tiempo, y que si bien tenía graves preocupaciones, también tenía satisfacciones como la presente, en la que se premiaba "el patriotismo y el más alto espíritu militar". Enalteció la figura militar y ciudadana del general Navarro, encomiando las caritativas virtudes de su familia, socorriendo y cuidando en Melilla, durante el cautiverio, a los soldados heridos y enfermos. Acabado el discurso, se vitoreó a "España, al Rey y al Ejército", terminando el acto entre atronadores aplausos.

Seguidamente, el general Primo de Rivera embarcó en el crucero *Cataluña* acompañado del contralmirante Guerra Goyena, sus ayudantes y el presidente de la Unión Patriótica, doctor Matres[300], para asistir en Madrid a la onomástica del rey.

Ese año la onomástica del rey tuvo una significación especial, pues hubo una reacción de protesta por la citada campaña de desprestigio que estaba sufriendo, por lo que surgió la idea de rendirle un homenaje nacional de desagravio el día de su santo. El acto de homenaje debía consistir en declarar a los reyes alcaldes honorarios de todos los Ayuntamientos de España. En Ceuta, la permanente acordó en todo adherirse a estas propuestas y "designar una comisión compuesta por el Sr. Alcalde y los Tenientes de Alcalde Sres. Magal, Ibáñez y Trujillo, para que concurran el 23 del actual a los diferentes actos que tendrán lugar en Madrid con dicho motivo y remitir un giro postal las cinco pesetas con que han de contribuir cada Ayuntamiento de España por suscripción a SS.MM. las insignias, los nombramientos y el álbum que se les entregará dicho día"[301].

Pero el entusiasmo fue tan grande que no se limitaron las diputaciones y ayuntamientos a enviar al acto de homenaje una Comisión oficial de la respectiva entidad, sino que de la mayoría de ellas vinieron agrupaciones numerosas[302]. La manifestación transcurrió desde el Retiro hasta el Palacio Real, en un ambiente marcadamente festivo.

El día 26 regresaron las comisiones del Ayuntamiento, Unión Patriótica y Somatenes, que fueron a Madrid. Con este motivo se dirigieron telegramas al general Primo de Rivera y al general Jordana: "El pueblo de Ceuta entusiasmado ante la visión de los terrenos de Ángulo y del plano del ensanche de la población, acudió en manifestación a recibir a la comisión del Ayuntamiento, agradeciendo el inmenso beneficio y el interés demostrado por V. E. en bien de esta ciudad, que pide y aclama como hijo adoptivo. Respetuosos saludos. El alcalde,

---

300   La Vanguardia, 21 de enero de 1925.
301   AGCE. LAC núm. 88. Comisión permanente, 10 de enero de 1925, folio 134 vto.
302   SOLDEVILLA, Fernando: *El año político, 1925*, pp. 22 y 23.

Rodríguez Macedo; el presidente de la Unión Patriótica, doctor Matres"[303]. Indudablemente, la noticia se refería a la cesión de terrenos en el Campo Exterior; un asunto que se encontraba encallado desde hacía varios años y del que daremos cumplida referencia.

3. La Línea Estella y la recomposición del Ejército de África

Retomando la crónica militar, además de la gran pérdida de Xauen, de la zona interior se habían evacuado cientos de puestos y blocaos desperdigados, y ahora habría un periodo de recuperación. El 14 de diciembre de 1924 los restos del ejército de Castro Girona entraban en Tetuán después de una agotadora, larga y mortífera retirada iniciada en Xauen el 15 de noviembre. Ahora la capital del Protectorado, como señala Juan Pando, se hallaba cercada por un semicírculo de hostilidades: desde la orilla derecha del Martín hasta las alambradas de Ben Karrich, toda la tierra a la vista era enemiga y sus espaldas también, tras sublevarse las tribus de El Haus y Uad Ras. No pocos cónsules extranjeros habían trasladado sus despachos a Ceuta. A los que se mantenían en sus puestos —representantes de Alemania, Francia, Inglaterra y Estados Unidos—, Primo de Rivera añadió el suyo, pues reunía los cargos de alto comisario y presidente del Directorio Militar[304].

Cartel del Escuadrón de Lanceros de la Legión, Mariano Bertuchi. Cortesía sucesores de Bertuchi.

Pero cuando parecía que el *statu quo* se había impuesto, en enero de 1925 se perdió Alcazarseguer, población costera situada entre Ceuta y Tánger. Igualmente fue en ese mismo mes cuando el Raisuni fue cogido prisionero por Abd el Krim, por lo que también se hizo dueño de la región del Yebala. Además, como el jalifato aún estaba por cubrirse, sobre el terreno se había erigido en la máximo líder musulmán de la Zona, al menos desde el punto de vista militar. Con este episodio, Abd el Krim alcanzaba cotas inimaginables: dos derrotas había infligido a los españoles, una en 1921 y otra en 1924, y apenas si tenía oposición interna. Como dice Javier Ramiro de la Mata, el estado de ánimo del dictador a comienzos de 1925 es desesperanzador[305].

Sin embargo, viendo "la incapacidad de las tropas regulares parece darle razón [al presidente]. Es necesario reorganizar el ejército de África"[306]. Así, al llegar la primavera quiso retomar la iniciativa con un ejército nuevo: disciplinado, bien equipado y dotado de mandos

---

303   La Vanguardia 28 de enero de 1925.

304   PANDO DESPIERTO, Juan: 'Mehdi, Muley Hassán El', p. 311.

305   RAMIRO DE LA MATA, Javier: *Origen y dinámica del colonialismo español en Marruecos*, p. 295.

306   Historia 16, Historia de España núm. 11, *La caída del rey. De la quiebra de la Restauración a la República (1917-1936)*, p. 46.

competentes. Mientras, la Línea Estella o Línea Primo de Rivera separaba las posiciones de ambos contendientes[307].

En este contexto, especial significación tuvo la reforma del Tercio de Extranjeros, que el 16 febrero de 1925 recibió el nombre de Tercio de Marruecos (D. O. n.º 37), aunque, pocos días después, recibiría el nombre de El Tercio (D. O. n.º 48), siendo su jefe el recién ascendido coronel Franco. El 3 de marzo de 1925 el Diario Oficial del Ministerio de la Guerra publicó la Real Orden: "El Tercio de Marruecos, antes llamado Tercio de Extranjeros, se denominará simplemente `El Tercio', [...] y que el personal de tropa a él perteneciente se designe con el nombre de 'legionarios', [...]"[308]. En esos momentos el Tercio estaba formado por ocho banderas: cuatro en Tahuima y cuatro en Riffien, y el recién creado Escuadrón de Lanceros, también basado en Riffien.

4. Voto a la Virgen, carnaval, temporales y primera Fiesta del Árbol

En cuanto a la vida cotidiana, el 9 de febrero, a las 10 de la mañana, tuvo lugar en el Santuario de Nuestra Señora de África la tradicional función religiosa del Voto a la Virgen. Para dicha función el Ayuntamiento acordó adquirir seis arrobas de cera y abonar los gastos "que con dicho motivo se originen", para cuyo fin se destinaron mil pesetas.

Con respecto a los carnavales, este año se celebraron en los últimos días de febrero planeando el fantasma de la guerra. Tanto fue así que, según cuenta Francisco Sánchez, aquel año salió un grupo denominado 'Los Huérfanos de la guerra' gracias a la dirección de Joaquín Rodríguez Romero, un barreño muy activo que todos los años solía dirigir algún grupo carnavalesco. Esta murga quiso homenajear con sus coplas a los fallecidos en la Guerra de Marruecos. Sus tipos eran muy atractivos y llamativos, con una capa negra, grandes sombreros oscuros y botines blancos[309]. Informaba el periódico *La Libertad* que el carnaval se celebró con tiempo magnífico y que la nota saliente del mismo fue el baile de trajes organizado por la prensa local, para el que regalaron valiosos objetos entidades comerciales y particulares, destinándose la importante recaudación a fines benéficos[310]. Tan imbricada estaba la vida militar en Ceuta con el mundo civil que en los carnavales de 1927 el grupo 'Los Legionarios' reflejarían en sus coplas la forma de luchar y vivir[311] de este cuerpo de élite.

Ya en marzo, el día 10, en el Salón Apolo, bajo la presidencia del comandante general, se celebró un solemne acto cultural organizado por la Sociedad Unión Artística. El conferenciante Ruiz Silva disertó sobre `Arte e ideal`, y el director del colegio de los Agustinos, doctor Mariano Rodrigo, desarrolló el tema 'El trabajo según los principios filosóficos cristianos'. Ambos oradores fueron muy aplaudidos[312].

Pasado el acto cultural, el Estrecho se vio azotado por un tremendo temporal. No fue hasta el miércoles 18 de marzo cuando el vapor correo procedente de Algeciras llegó después de seis días de incomunicación. Traía 800 sacas de correspondencia y 500 pasajeros[313]. En cuanto a los efectos del temporal en Ceuta, la conducción de aguas de Benzú sufrió grandes desperfectos quedando la población desabastecida. También sufrieron destrozos la vía férrea de las canteras de Benzú que llegaban hasta el puerto, quedando destruidos varios kilómetros de línea y las familias de obreros sin trabajo. Igualmente, la caseta de la empresa Ibarrola, la de los aceites Mazout, el transformador y cuanto había sobre el muelle del dique norte, desapareció batido por el oleaje. Los buques de dentro del puerto se separaron de las

---

307 WOOLMAN, David S.: *Abd el-Krim y la guerra del Rif*, p. 156.
308 ABC, 4 de marzo de 1925.
309 SÁNCHEZ MONTOYA, Francisco: Opus cit., pp. 29 y 30.
310 La Libertad, 25 de febrero de 1924.
311 SÁNCHEZ MONTOYA, Francisco: Opus cit., p. 30.
312 ABC, 12 de marzo de 1925.
313 La Época, 19 de marzo de 1925.

alineaciones para evitar les cayeran las piedras de la escollera y los bultos de mercancías que arrastraban las aguas sobre los muelles. Todas las vías férreas del referido dique norte quedaron retorcidas y trescientos metros de la escollera destruidos. El espigón socavado y en la bahía sur, los barracones de la industria pesquera sufrieron grandes perjuicios, teniendo las familias que desalojar las viviendas, quedando muchas de ellas en la miseria. El temporal había arrojado a la playa y al espigón muchas toneladas de pescado. Ascendieron a setenta los buques de vapor y vela que se refugiaron al abrigo del puerto. La prensa local llegó a señalar que se habrían evitado los perjuicios a las mercancías si existieran los almacenes depósitos que durante muchos años han hecho campaña, solicitándolos. Igualmente, en la línea del ferrocarril de Tetuán se derrumbaron algunos terraplenes[314].

También el periódico local *La Gaceta del Yebala* daba cuenta de la próxima celebración de la Fiesta del Árbol. Aunque en un principio estaba previsto que tuviese lugar el día de San José, el jueves a las 15,30 horas, en la carretera de San Amaro[315], el acto se pospuso al día siguiente, celebrándose oficialmente por primera vez la Fiesta del Árbol, acto que fue presidido por el alcalde, Rodríguez Macedo. Asistieron más de 400 niños de las escuelas oficiales y particulares. Se plantaron más de trescientos árboles bordeando la carretera de la Reina Victoria, obsequiándose seguidamente a los niños con meriendas. El profesor Magal pronunció un brillante discurso, y el alcalde le contestó con certeras palabras, terminando el acto con vivas a España y a la Fiesta del Árbol[316]. El organizador de la Fiesta, Rafael Orozco García, daba cuenta "que el empleado municipal afecto a los servicios de obras D. Diego Lladó y el maestro de la Cantina Escolar D. Pedro del Corral, le han ayudado eficazmente en la organización de la referida fiesta"[317].

5. La primera contraofensiva: la recuperación de Alcazarseguer

Ya hemos visto que en enero de 1925 cayó Alcazarseguer en manos de Abd el Krim, incluso fueron tiroteados algunos barcos que pescaban por la zona o que pasaban por la costa hacia Tánger. Es entonces, ya en plena reestructuración del Ejército de África, cuando se pone a prueba su puesta a punto. No había otra opción.

En este contexto, una vez pasados los temporales, llegó a Ceuta el general Primo de Rivera acompañado de su jefe de Estado Mayor, general Despujols, contralmirante Guerra Goyena y el general Saro. Todo estaba preparado para la primera contraofensiva: la recuperación de Alcazarseguer. Testigo directo de aquella operación anfibia fue el prestigioso corresponsal de *El Sol*, Rafael López Rienda. La crónica está firmada en Ceuta:

"Ceuta presenta esta noche del sábado [28 de marzo] una animación extraordinaria. Si no fuese por la nota triste del infame alumbrado eléctrico de la ciudad, diríase que Ceuta ofrecíase a la vista del viajero radiante por el próximo acontecimiento de la recuperación

Tarjeta postal de soldado y la Virgen de África. Cortesía de José Gallardo.

314 La Vanguardia, 18 de marzo de 1925. La Voz, 17 de marzo de 1925.
315 AGCE. Correspondencia Exploradores, 1925.
316 Heraldo de Madrid, 21 de marzo de 1925. ABC, 22 de marzo de 1925.
317 AGCE. LAC núm. 88. Comisión permanente, 21 de marzo de 1925, folio 166 vto.

de Alcázar-Seguer; puesto costero del Estrecho, en terreno de Anyera, que cayó en poder del enemigo por una traición de la brigada obrera que realizaba los trabajos de construcción de una carretera al zoco Tzelata. [...]

Esta noche del sábado hay en Ceuta gran animación. En los casinos, donde se conocen los planes del Mando con bastante detalle, se comenta vivamente la operación, se sopesan pros y contras, se habla de fantásticas confidencias... El alto comisario, con su jefe de Estado Mayor, general Despujols, y el almirante Guerra, han llegado de Tetuán, para dormir a bordo del *Reina Victoria Eugenia*. Con el general en jefe embarcarán el comandante general de Ceuta, general Navarro, y los séquitos correspondientes.

Las fuerzas las manda el general Sousa, segundo jefe de la Comandancia General, que embarcará en el *Bonifaz*. Nosotros podemos conseguir un permiso para embarcar a media noche en el *Reina Victoria Eugenia*, y allá vamos, en una barquilla, a ganar el hermoso crucero anclado en la bahía.

La noche es espléndida. En calma el mar, semeja un espejo negro donde vierte largos brochazos de luz el alumbrado de las embarcaciones [...]

Hacia la una de la mañana partieron de Ceuta, [...] Son las seis de la mañana. Ha clareado el día un poco más; la claridad va descubriendo con más precisión los perfiles de la costa anyerina. Es entonces cuando se estrecha más el corro de barcos, y los guardacostas avanzan con sus remolques, donde van el Tercio y los Regulares. [...]

Las alturas de Alcázar-Seguer se ven coronadas por los nuestros, [...] Hacia el mediodía regresamos a Ceuta, donde cien bocas españolas nos preguntan ansiosamente el resultado de la jornada de hoy, en que, al recuperar un pedazo de tierra muy necesario en la costa del Estrecho, [...]. López Rienda, Ceuta 30 de marzo"[318].

Tal y como informaba *El Sol*, al mediodía del domingo 29 de marzo llegó a Ceuta el crucero *Reina Victoria Eugenia* con el presidente del Directorio, que marchó a Tetuán. Aunque dos días después volvió a la ciudad a fin de embarcar para Melilla, y dirigirse posteriormente a Valencia y Madrid[319].

6. Reconocimiento de terrenos en el Campo Exterior

En efecto, al atardecer llegó en tren especial Primo de Rivera acompañado del gran visir Ben Azus, contralmirante Guerra Goyena, y generales Despujol y Saro. En la estación se encontraban los generales Navarro y Sousa, comandantes de los buques de guerra y comisiones de los Cuerpos de la guarnición. También estaban presentes las autoridades civiles, comisiones de la Unión Patriótica, del Somatén y numeroso público. Una compañía de Infantería con bandera y música le tributó los honores de ordenanza.

El alcalde de Ceuta se adelantó y en el nombre del pueblo dio las gracias al general Primo de Rivera por el Real Decreto que concedía la capitalización de los terrenos del Campo Exterior y los grandes beneficios al Ayuntamiento y en general a todas las clases sociales, "porque en virtud de este decreto podrá ensancharse Ceuta". El recibimiento fue entusiasta y cariñoso. De la estación marchó la comitiva a la Comandancia General, donde se celebró una comida íntima. A las doce de la noche el presidente, gran visir, generales y ayudantes embarcaron en el cañonero *Canalejas*. Escoltaban al *Canalejas* el crucero *Reina Victoria Eugenia* y el *Torpedero 16*. El dictador marchaba satisfechísimo de la política planteada en esta zona, "la cual respondía al plan trazado de antemano, pudiendo confiarse en que será provechoso para el porvenir".

---

318 El Sol, 3 de abril de 1925.
319 El Liberal, 31 de marzo de 1925.

El alcalde se refería al Real Decreto de 27 de marzo de 1925 (*Gaceta de Madrid* n.º 88, 29 de marzo de 1925, pp. 1590-1594), que regulaba la creación de Comisiones transitorias para la legitimación de la propiedad y venía a satisfacer una vieja demanda del Ayuntamiento y de los residentes ceutíes en el Campo Exterior, que no tenían reconocidos sus derechos de propiedad.

6.1. Antecedentes

El problema venía desde hacía bastante tiempo. El 25 de septiembre de 1867 se firmó la primera Real Orden cediendo determinados terrenos enclavados en el Campo Exterior. Fue tal la alegría al recibirse la noticia que el 2 de octubre, el Ayuntamiento, presidido por el comandante general José Orive, acordó que durante tres días seguidos hubiese repique general de campanas, se lidiasen dos toros de muerte para repartir la carne a la clase pobre y se repartiesen tres libras de pan a cada pobre. Por su parte, los soldados recorrieron la plaza cantando los himnos de la Guerra de África; mientras que la compañía de moros, de dotación en la plaza, también festejó tan fausta nueva recorriendo toda Ceuta corriendo la pólvora[320].

Sin embargo, como señala Manuel Gordillo, el propósito de colonizar el Campo Exterior, tan necesario para la expansión de la ciudad, constreñida por su potente foso marino y su cinturón de murallas, no pasó de la cesión de algunos terrenos a un reducido número de colonos a título enfitéutico, permitiendo la obtención de algunas cosechas de cereales de escasa cantidad, y la utilización industrial de sus montes, que al aumentar la deforestación causó más daño que beneficio. Estas disposiciones emanadas a raíz de la guerra 1859-1860, si determinaron dejaciones y apatías, fue a causa de las intransigencias y dilaciones "de las oficinas militares, que impidieron que allá fuera nutrida población española"[321]. Sobre esta cuestión Eduardo Saavedra insistía en 1884: "En Ceuta no ha sido posible, después de cerca de 20 años, entregar los títulos de propiedad a los terratenientes del Campo Exterior, a pesar de sus reclamaciones continuadas"[322].

Una posterior Ley de 15 de julio de 1912 autorizaba no sólo la venta en pública subasta de los terrenos del Llano de las Damas, sino la aplicación de su importe íntegro al mejoramiento de las condiciones de la plaza. Sin embargo, no se llegó a cumplir por no quedar clara la cuestión. Por ello, un Dictamen de Estado de junio de 1920 aconsejaba dejar sin efecto las Reales órdenes de 25 de septiembre de 1867, de 9 de enero, de 6 de febrero de 1868, todas aquellas que habían autorizado al Ramo de Guerra para ceder terrenos del Estado.

Aclarada la cuestión de que los terrenos eran propiedad del Estado y no del Ramo de Guerra, estaba previsto que se encauzara todo el embrollo a través de la ley de 4 de agosto de 1922, por la que "quedaba consolidada la propiedad rústica y urbana de los territorios enclavados dentro de las plazas de soberanía de Ceuta y Melilla"[323]. No obstante, promulgada la ley surgieron nuevas dificultades para obtener el Real Decreto del Reglamento de aprobación, en lo que influyeron los constantes cambios de Gobiernos. Una vez instaurada la Dictadura y convencida la Oficina de Marruecos, dirigida por el general Jordana, de lo legítimo de la aspiración, y reiterado el apoyo de los comandantes generales y del alto comisario, sólo faltaba aparecer ante el Gobierno con una opinión unánime[324]. En este sentido, a principios de abril de 1924 una nutrida comisión de la Cámara Agrícola de Ceuta, representando también a la de Melilla, presidida por el abogado José Encina, había ido a Tetuán para dar gracias al alto comisario por las gestiones realizadas para que se le otorgase la propiedad a los colonos de terrenos que los tenían a censo enfitéutico. La comisión regresó satisfechísima[325].

---

320 La Correspondencia de España, 6 de octubre de 1917.
321 Nota: Ceuta-Tetuán, Editorial Hispano-Africana, 1918. Folleto con motivo de la inauguración del ferrocarril de Ceuta a Tetuán. GORDILLO OSUNA, Manuel: Opus cit., p. 222.
322 Ibídem, p. 223.
323 El Telegrama del Rif, 29 de marzo de 1925.
324 Ídem.
325 La Vanguardia, 6 de abril de 1924.

6.2. El Real Decreto de 27 de marzo de 1925

El Gobierno, que conocía de primera mano los problemas de Ceuta, y en unos momentos de incertidumbres, quiso subrayar el apoyo a la ciudad, despejando así viejos fantasmas. Es por ello que el Real Decreto de 27 de marzo de 1925 quería que la nueva ley diese carácter de legalidad que rectificase las deficiencias jurídicas, asegurase la legitimación de los antiguos otorgamientos; garantizase al Ramo de Guerra la asignación de las tierras que exclusivamente necesitara para las atenciones de defensa, aliviase la situación de los concesionarios indigentes, etc. En realidad, tal y como resumía *El Telegrama del Rif* de 29 de marzo de 1925, lo que se publicaba era "el reglamento para la aplicación de la ley de 4 de agosto de 1922". En definitiva, el citado Real Decreto contemplaba *grosso modo*:

- Todos los terrenos son del Estado.

- Legitimación de terrenos al Ramo de Guerra.

- Cesión gratuita a los municipios de Ceuta y Melilla de cuantos terrenos pudieran necesitar para fines de urbanización.

- Legitimación de los terrenos concedidos a los particulares

- Inventario de los restantes, cuyo arriendo o venta quedaban a cargo de unas Comisiones Administradoras, cediéndose por espacio de 15 años a los municipios de Ceuta y Melilla el 95% del producto o beneficio del terreno sobrante.

Inmediatamente, el general Jordana envió a las autoridades telegramas comunicando la firma del Real Decreto[326]. Aquella noticia produjo general satisfacción en Ceuta, y tal fue el agradecimiento que el Ayuntamiento acordó nombrar hijos adoptivos a los generales Primo de Rivera y Gómez Jordana, dando, además, sus nombres a dos de las principales calles[327]: "y que dichas vías sean las calles José Luis de Torres y González Besada que cambiarán sus nombres por los de Primo de Rivera y Gómez-Jordana respectivamente, y que este cambio coincida para dar más realce al acto con el derribo de la primera crujía de la actual Casa Consistorial que se ha de demoler para ensanche de la calle"[328]. Con este acto, el Ayuntamiento creía interpretar el sentimiento de todas las clases sociales[329].

6.3. La aplicación del Real Decreto

Puesto el andamiaje, la Comisión transitoria quedó constituida formalmente el 1 de mayo de 1925. Sin embargo, negó el derecho a capitalizar los terrenos que usufructuaban gran número de particulares por no haber completado su expediente en los plazos concedidos para ello. Las concesiones no legitimadas pasarían a formar parte del Patrimonio del Estado y podían ser enajenadas por la Comisión mixta administradora que sucedería a la transitoria. Sus trabajos debían terminar el 19 de noviembre de 1925, haciendo igualmente entrega al Ayuntamiento de los terrenos necesarios para fines de urbanización. No obstante, la vida de estas Comisiones fue prorrogada por Real Decreto de 26 de noviembre de 1925, al no haber remitido la superioridad determinados datos necesarios para hacer entrega al Ayuntamiento de las fincas necesarias para fines de urbanización y ser imposible terminar la vasta labor a realizar. A pesar de todo, también se habían logrado algunos avances: el 27 de julio de 1925 ya se había hecho entrega de los terrenos correspondientes al Ramo de Guerra[330], y en noviembre de ese mismo año, antes de que se acabara el plazo acordado, se determinó la distribución de las parcelas que serían administradas por el Ayuntamiento[331].

---

326 El Telegrama del Rif, 29 de marzo de 1925.
327 El Liberal, 10 de abril de 1925. ABC, 10 de abril de 1925.
328 AGCE. LAC núm. 88. Comisión permanente, 4 de abril de 1925, folios 176, 176 vto. y 177.
329 El Telegrama del Rif, 9 de abril de 1925.
330 PALOMERA PARRA, Isabel y GAITE PASTOR, Jesús: Fuentes para la historia de Ceuta y Melilla en la Sección de Fondos Contemporáneos del Archivo Histórico Nacional, pp. 148-175.
331 Región, 11 de noviembre de 1925.

Esta situación se va a mantener hasta la llegada del general Gómez Morato, en abril de 1926, que sería nombrado presidente de la susodicha Comisión con el fin de darle más fluidez al tema; cuestión que abordaremos en el siguiente capítulo de esta primera parte.

7. La Semana Santa y nuevos funcionarios municipales

Por otra parte, aprovechando este impulso, la Cámara de Comercio acordó en asamblea acudir al Gobierno pidiendo que se rehabilitase el antiguo privilegio que gozaba Ceuta de estar excluida del impuesto del timbre y de otros análogos[332].

Frisando el mes de abril varias noticias se produjeron en la ciudad. En primer lugar fondeó el buque cablero *Amber*, después de haber dejado arreglados los cables entre Ceuta y el Peñón y Ceuta-Tánger. También el general Sousa estaba recibiendo felicitaciones con motivo del éxito obtenido en la preparación y realización de la toma de Alcazarseguer. Al igual que quedó constituida la Asociación de Periodistas y Artistas de Ceuta, integrada por valiosos elementos intelectuales, siendo nombrado presidente Veremundo Fernández Evangelista.

En cuanto a los nuevos funcionarios municipales, tomó posesión del cargo de contador-interventor del Ayuntamiento Luis Martínez Barrié, de 41 años de edad; de la misma forma, quedó resuelto el concurso convocado para proveer la plaza de secretario, que fue adjudicada al abogado Manuel Pérez Petinto, que lo era de Algeciras[333]. Sin embargo, la secretaría no quedaría totalmente resuelta hasta el 7 de septiembre de 1925, con la llegada de Alfredo Meca Romero. Abogado, de 39 años de edad, había ejercido el mismo cargo en el ayuntamiento de Fortuna (Murcia).

Alfredo Meca, secretario del Ayuntamiento de Ceuta desde 1925. AGCE.

También a principios de abril tuvo lugar la Semana Santa desde el Domingo de Ramos 5 hasta el Domingo de Resurrección 12, saliendo en procesión los pasos de la Venerable Cofradía de Penitencia del Santo Entierro de Ntro. Sr. Jesucristo, cuyos nazarenos portaban capirotes y túnicas moradas, y María Santísima de la Soledad, con nazarenos con túnicas y capirotes negros, de la que era prioste Manuel Miranda Moreno, y en la que participó la banda de cornetas y tambores de los Exploradores. La Procesión del Santo Entierro tenía programado salir el Viernes Santo del Santuario de la África a las diecisiete treinta horas. Esta Cofradía había nacido el año 1913 por iniciativa del citado canónigo Manuel Miranda Moreno.

Por la participación de la citada banda, el susodicho prioste le dio las gracias a Julián Francisco de las Heras, presidente del Consejo Local de Exploradores, y "Le incluye cincuenta pesetas como un modesto donativo para la Asociación; lamentando que el estado económico de esta Cofradía no le permita otra cosa"[334]. Esta situación precaria hacía que la Cofradía estuviese subvencionada en parte por el Ayuntamiento. Así, por ejemplo, en el presupuesto ordinario 1923-1924, se contempló una subvención 3.000 pesetas; mientras que en el de 1927 fue de 1.000 pesetas. Cabe subrayar que ese año se fundó la Cofradía de Nuestro Padre Jesús en su entrada en Jerusalén y Oración en el Huerto de N.S. Jesucristo.

332   El Liberal, 10 de abril de 1925.
333   El Sol, 2 de abril de 1925.
334   Ceuta, 13 de abril de 1925. Correspondencia, 1925.

Semana Santa. Colección López Arrabal.

8. La prepotencia de Abd el Krim: de la muerte del Raisuni al cruce del Uarga

Mientras el Ejército se encontraba en plena proceso de profesionalización, el año bélico había comenzado con la presión sobre el frente occidental. Sin embargo, Abd el Krim tenía que neutralizar al hasta ahora dueño del Yebala, al propio Raisuni, quien desde la llegada a los españoles a Larache en 1911, se había mostrado soberbio y altivo. Pero ya eran otros tiempos. Como se ha señalado, el 25 de enero de 1925 sitian la casa del Raisuni en Tazarut y al día siguiente lo capturan. Enormemente obeso y sin poderse mover a causa de la hidropesía, el Raisuni fue trasladado en una enorme litera hasta la costa, en donde lo metieron en una barca con rumbo a Beni Urriaguel, donde fallecería[335] el 3 de abril. Muerto el Cherif, el Jattabi sintió un profundo alivio. Se encontraba en todo su esplendor, "Abdelkrim era el sultán victorioso"[336].

Abd el Krim. Mundo Gráfico, 9 de agosto de 1922.

Liberado de la larga sombra del Raisuni, el 13 de abril de 1925 Abd el Krim lanzó un ataque cuidadosamente planeado contra las posiciones francesas a lo largo del río Uarga, afluente del Sebú. Como señala Pennell: "En la última quincena de abril, los soldados rifeños bajaron en masa hacia el Uarga y los franceses pidieron refuerzos a Argelia. El día 25, las columnas rifeñas cruzaron el río"[337].

335   PENNELL, C.R.: Opus cit., p. 240.
336   Ibídem, p. 241.
337   Ibídem, p. 249.

Paralelamente, el 16 de abril, a la una de la tarde llegaba a Ceuta Primo de Rivera procedente de Tetuán, marchando a la Comandancia General, donde permaneció breves momentos. Seguidamente se dirigió al muelle del Comercio para embarcar en el cañonero *Cánovas del Castillo*. Estaba programado que el presidente hubiese tenido una reunión con diferentes entidades locales, pero por haber llegado con retraso de Tetuán, no pudo hacerlo, diciendo: "Adiós, hasta mi vuelta, que será en los primeros días de junio"[338].

Tal era el ambiente militar que se respiraba en la ciudad, que el día 19 la compañía dramática de Fuentes interpretó, con enorme éxito, la obra de Rafael López Rienda *El héroe de la Legión*[339]. La obra estaba basada en la novela *Juan León, legionario*, que después se convertiría en la película *Los héroes de la legión*, dirigida por el propio Rafael López Rienda en 1927, y en 1928. La película se rodó en Ceuta, Tetuán, Tánger y Xauen. El reparto estaba compuesto por Ricardo Vargas, Carmen Sánchez, Pablo Rossi y Manuel Chávarri.

9. Buques de guerra franceses en Ceuta

Acabándose la primavera varias noticias recorrieron la ciudad. En primer lugar, procedente de Madrid llegó el general segundo jefe, Federico Sousa. Mientras tanto, en la zona francesa, tras una fuerte ofensiva, el día 5 de junio cayó Biban, "la antesala de Fez": los rifeños se hallaban a sólo 40 km de la ciudad imperial y aseguraban que entrarían en ella; una derrota sin paliativos que había costado miles de bajas; por lo que el cambio de la política francesa con respecto a España ya se empezó a notar (el día anterior se había firmado el Acuerdo hispano-francés que sentaba las bases de colaboración entre las dos potencias protectoras).

El crucero Strasburg. Colección particular.

En este contexto, el contralmirante Jules Emile Hallier (1868-1945), comandante de la 3ª División ligera[340] que operaba en el Mediterráneo, llegó a Ceuta el 15 de junio en el crucero ligero *Strasbourg* (ex *S.M.S. Regensburg* de la marina alemana) de 142,7 m de eslora y 4.912 toneladas. La entrada del crucero en el puerto fue espectacular, intercambiándose salvas de ordenanza con los buques de guerra españoles y baterías de la plaza. Al igual que fueron excepcionales el recibimiento y las atenciones que se tuvieron con los marinos franceses[341]. Hallier estuvo en el monte Hacho y las alturas de la posición A, haciendo grandes elogios del panorama que se observaba sobre el Estrecho. También había fondeado en el puerto de Ceuta una flotilla de torpederos franceses. Los comandantes fueron a bordo del *Strasbourg* para ponerse a las órdenes del citado contralmirante. Hallier provenía de la zona del Rif, donde se había entrevistado con su homólogo español[342], el contralmirante Guerra Goyena. Su misión era presentarse a las autoridades españolas y reconocer las costas entre Ceuta y Melilla. Y al día siguiente llegó a Ceuta, procedente de Algeciras, el comandante general de la escuadra de instrucción, vicealmirante Francisco Yolif y Morgado (1861-1943), para entrevistarse con el contralmirante francés. El vicealmirante español era el coordinador de las cuestiones navales que se estaban preparando entre ambas escuadras.

338   La Vanguardia, 17 de abril de 1925. El Sol, 17 de abril de 1925.
339   El Sol, 20 de abril de 1925.
340   ecole.nav.traditions.free.fr//oficiers_hallier_jules.htm
341   La Vanguardia, 17 de junio de 1925.
342   El Telegrama del Rif, 17 de junio de 1925.

Días después de nuevo fondeó en Ceuta el *Strasbourg* trayendo a bordo al citado contralmirante Hallier, que almorzó con Primo de Rivera en Tetuán[343]. Esta visita tenía el claro objetivo de ir preparando el terreno ante la próxima llegada del mariscal Pétain, que había sido puesto al frente del ejército francés en Marruecos. Asimismo, desde las alturas de Ceuta se veía a la columna del comandante Peña, que combatía entre el Negrón y el Rincón del Medik una incursión de rifeños desafectos a la autoridad del Majzen[344].

En otro orden de cosas, varios centenares de ceutíes y muchos jefes y oficiales, a los que se les dio permiso, viajaron a Algeciras para asistir a las corridas de feria. Sin embargo, a la vuelta vinieron descontentos del mal resultado de las corridas[345]. La afluencia de tantos forasteros en Algeciras se debía al cartel en el que figuraba Belmonte, la gran figura del toreo que arrastraba verdaderas masas de aficionados. Por otro lado, tengamos en cuenta que en Ceuta no había plaza de toros, así que los aficionados a la tauromaquia, que por aquellos años eran muchísimos, solían viajar a las localidades vecinas. También en junio, en los jardines de San Amaro, se inauguró un parque de espectáculos "a la altura de las grandes capitales"[346], por lo que el Ayuntamiento fue felicitado por tan importante mejora.

10. El mariscal Pétain en Ceuta y Tetuán

Mientras en las aguas ribereñas del Estrecho sucedían estos acontecimientos, el 18 de junio de 1925 comenzaba en Madrid la Conferencia de representantes franceses y españoles para concretar algún tipo de convenio, nombrando presidente de ella al general Gómez Jordana.

A los pocos días de inauguradas las reuniones, el pragmatismo se hizo dueño de la situación y se firmó el primer Acuerdo referente a la vigilancia marítima en las costas marroquíes para la evitación del contrabando (22 de junio). En este bloqueo, que habría de privar a los rifeños de material bélico, tomó parte Inglaterra por la especial influencia de esta nación en Tánger. Asimismo, las delegaciones española y francesa llegaron al acuerdo terminante de no aceptar ni ofrecer por separado conversaciones sobre la paz; y, por último, se concretaron los detalles de una operación militar, en el caso de que Abd el Krim rechazara las proposiciones de paz que iban a hacérsele. El 25 de julio se dio por terminada la conferencia. En mes y medio se solventaron cuestiones que prácticamente habían estado apalancadas desde hacía más de una década.

Dentro de este atractivo marco, el viaje del mariscal Pétain a Ceuta y Tetuán fue uno de los primeros actos de importancia dimanados de la citada Conferencia. Iniciadas las conversaciones de paz con Abd el Krim sin resultado alguno, empezaron a hacerse efectivas las medidas de colaboración militar acordadas en Madrid, y concretadas en la entrevista que iba a tener lugar en Tetuán.

Tanto en Ceuta como en Tetuán se percibió aquella visita como un acontecimiento de gran alcance; un acontecimiento irrepetible que iba a cambiar definitivamente el rumbo de la situación en el Protectorado. El mariscal Pétain, el mismísimo héroe de la I Guerra Mundial, el salvador de Francia en Verdún, se había puesto al frente de las operaciones francesas para solucionar el problema rifeño. Y es por ello que ambas ciudades se volcaron para recibir al laureado y prestigioso militar.

El general Primo de Rivera llegó a Ceuta el día 26 a las dos de la tarde, siendo cumplimentado a bordo del cañonero *Dato*, recién entrado en servicio, por el contralmirante Hallier, comandante general de Ceuta y delegado de la Comisaría Superior. El general Navarro ofreció en la Comandancia General un almuerzo en honor de Primo de Rivera, y éste deci-

343 El Iris, 25 de junio de 1925.
344 La Libertad, 26 de junio de 1925.
345 ABC, 17 de junio de 1925. El Siglo Futuro, 17 de junio de 1925.
346 El Imparcial, 17 de junio de 1925.

Tetuán.—El Mariscal Pétain y Primo de Rivera á su llegada á Ceuta
FOTS. BLANCO.

Tetuán.—El Mariscal Pétain de vuelta para Ceuta dirigiéndose á embarcar en el "Estrasburgo"

El mariscal Pétain y Primo de Rivera. La Esfera, 15 de agosto de 1925.

dió pernoctar en Ceuta. Por su parte, el contralmirante francés partió en el *Strasbourg* para recoger al mariscal Pétain[347].

A la jornada siguiente el dictador estuvo en Castillejos viendo los efectos de fuego contra blocaos de enfaginado, sistema de blindaje del que era autor el teniente coronel de Ingenieros García Herrán, que fue muy felicitado. A continuación, Primo de Rivera invitó a almorzar al alcalde, Rodríguez Macedo, al presidente de la Unión Patriótica, doctor Matres, al presidente de la junta del Somatén, comandante retirado José Pacheco, a los generales Navarro y Sousa, y a los coroneles de Estado Mayor. Terminado el almuerzo, el presidente y su séquito marcharon a visitar las obras del puerto[348]. Pronto se retiró Primo de Rivera a la Comandancia, donde estuvo preparando con los generales y su Estado Mayor el apretado programa del día siguiente.

10.1. Ceuta

Procedente de Casablanca, a las ocho de la mañana del día 28, llegó el mariscal Pétain a bordo del crucero *Strasbourg*. Al fondear, las baterías de la plaza y los buques de guerra *Reina Victoria Eugenia, Dato, Bonifaz* y aviso francés *Amiens*, hicieron las salvas de ordenanza. Mientras las salvas resonaban en toda Ceuta, varios aviones sobrevolaban el buque del mariscal. El ambiente era espectacular, y para elevar el tono del recibimiento, el día se había declarado festivo, convocándose a los ciudadanos a participar en tan notable hecho histórico.

Para saludar al mariscal fueron al *Strasbourg* los generales Primo de Rivera, Navarro, Despujol y contralmirante Guerra Goyena. Momentos después desembarcó en el puerto entre aplausos y vítores. El muelle estaba alfombrado con profusión de plantas, destacándose en el centro la bandera francesa entre dos españolas, mientras las músicas tocaban la Marsellesa y la Marcha Real. El recibimiento que se le tributó al mariscal fue entusiasta y cariñosísimo, tomando parte todo el vecindario, las tropas, los elementos diplomáticos y las fuerzas indígenas; conscientes todos de la importancia de aquel encuentro. A continuación, Pétain revistó la compañía que le rindió honores. Seguidamente, acompañado de una numerosa comitiva de automóviles, el mariscal se dirigió hacia la Comandancia General, donde descansó. Desde el desembarcadero hasta la Comandancia General, tropas de la

347 ABC, 28 de julio de 1925.
348 La Vanguardia, 29 de julio de 1925.

guarnición, en número de 4.500 hombres, cubrieron la carrera, mandando la línea el coronel del regimiento de Ceuta, Agustín Gómez Morato[349].

En el momento de desembarcar el mariscal Pétain amerizaban en la bahía dos hidroplanos que habían salido de Melilla al amanecer, conduciendo, entre otros, al general Sanjurjo y al director de *El Telegrama del Rif*, Cándido Lobera.

A las diez de la mañana, con los mismos honores que a la llegada, el mariscal marchó en automóvil a la estación, donde el general Primo de Rivera hizo las presentaciones, empezando por el alcalde, el cual le dio la bienvenida en nombre del pueblo. La máquina había sido adornada con las banderas francesa y española. Seguidamente el mariscal Pétain, sus ayudantes, el contralmirante Hallier, Primo de Rivera, Sanjurjo y generales Navarro, Despujols, contralmirante Guerra Goyena y otros funcionarios marcharon en tren a Tetuán. Tanto al recibimiento como a la despedida asistieron todas las autoridades, organismos oficiales, entidades particulares[350] y numeroso público, palpándose una gran solemnidad y un respeto extraordinario.

10.2. Tetuán

A las once de la mañana llegó el tren especial a Tetuán. En la estación se agolpaba un enorme gentío, y por toda la ciudad reinaba gran alegría y entusiasmo. La Plaza de España fue adornada, levantándose en ella tribunas para ver el paso de la comitiva. El cónsul español publicó una alocución exhortando al vecindario a que acudiese a recibir al mariscal. Cubrían la carrera las tropas de la guarnición al mando del coronel Portege y también las mehalas. Una escuadrilla de aviones evolucionó por encima de la estación y de la ciudad. En la estación estaban también el gran visir, todos los diplomáticos y las diferentes delegaciones de los cuerpos militares de la guarnición. El mariscal Pétain descendió del tren a los acordes de la Marsellesa, marchando seguidamente a la Alta Comisaría, donde tuvo lugar una recepción que duró más de una hora. Terminado el desfile de personalidades, el mariscal Pétain se entrevistó en el despacho oficial con el general Primo de Rivera, y a las dos de la tarde se celebró un gran banquete. El recibimiento tributado en Tetuán al mariscal fue "brillantísimo, cariñoso y entusiasta"[351].

10.3. Vuelta a Ceuta y homenaje a Primo de Rivera

A las cuatro de la tarde del mismo día regresó de Tetuán en el citado tren el mariscal en unión de Primo de Rivera, marchando seguidamente en automóvil al muelle de la Puntilla, donde embarcó en la falúa que le condujo al crucero *Strasbourg*. A bordo del crucero le acompañaron los generales Primo de Rivera y Navarro y otros altos jefes. El crucero *Reina Victoria Eugenia* escoltó al *Strasbourg* hasta frente a Trafalgar, regresando al puerto, donde al desembarcar Primo de Rivera manifestó que Pétain marchaba muy satisfecho del recibimiento que se le había tributado en Ceuta y Tetuán por los elementos militar y civil, e iba altamente impresionado de la brillantez y marcialidad de nuestras tropas, especialmente las del Tercio, felicitando el presidente del Directorio por ello al joven coronel Franco, allí presente. Añadió que la situación en la zona francesa había mejorado mucho, debido al espíritu de confianza y patriotismo que a las tropas había infundido la presencia de Pétain. "Ahora—dijo el presidente—me dedicaré con intensidad al estudio de la ordenación en su desarrollo de los asuntos que hemos tratado en la Conferencia". Seguidamente, Primo de Rivera marchó a la Comandancia General, donde pernoctó[352].

---

349 "Ha tomado posesión del mando del regimiento de Ceuta, núm. 60, el coronel de Infantería D. Agustín Gómez Morato". ABC, 18 de julio de 1924.

350 La Vanguardia, 29 de julio de 1925. El Adelanto, Salamanca, 29 de julio de 1925.

351 El Adelanto, 29 de julio de 1925.

352 Heraldo de Madrid, 29 de julio de 1925.

Al día siguiente, la Unión Patriótica rindió un homenaje al jefe del Directorio. El homenaje consistió en un almuerzo que tuvo lugar en el Hotel Majestic. Al acto asistió el organizador y presidente de la Unión Patriótica, doctor Matres, y los generales Navarro, Despujols y Sousa, el coronel de Estado Mayor, el alcalde, Rodríguez Macedo, y otras personalidades. Terminado el almuerzo, el presidente se trasladó al Campo Exterior, donde visitó la finca del colono Juan Acevedo (Viña Acevedo)[353]. El ceutí Juan Acevedo Ponce era uno de los empresarios y propietarios más importantes de la ciudad, además de ser uno de los personajes más influyentes. Terminada la visita, a las cuatro de la tarde, el general Primo de Rivera, con el general Despujols y sus ayudantes, marchó en tren a Tetuán[354]. Mientras tanto, el general Jordana presidía interinamente el Directorio en Madrid.

Santuario de la Virgen de Átrica. Mariano Bertuchi.

11. Las fiestas patronales de 1925

El encuentro entre Pétain y Primo de Rivera de finales de julio, y el homenaje que recibió Primo de Rivera por parte de la Unión Patriótica, habían acaparado la mayoría de las conversaciones de los ceutíes durante muchos días. No se hablaba de otra cosa en todos los círculos de la ciudad, y se palpaba en el ambiente que algo de gran calibre se estaba fraguando. El acuerdo franco-español se había convertido en un secreto a voces. Mientras tanto, la vida cotidiana continuaba y en el Ayuntamiento, a finales de mayo, se había dado cuenta que los pergaminos artísticos, obra de Benigno Murcia, de los títulos de hijos adoptivos de los generales Primo de Rivera y Gómez Jordana estaban ultimados[355]. Asimismo, ya recién entrado el verano, a propuesta de numerosas damas de la ciudad, encabezadas por Mª Cristina Morenés, esposa del comandante general, se decidió nombrar hija adoptiva a Juana Díez de Lorenzo, benefactora del Hospital de la Cruz Roja, "en premio a su labor intensa y desinteresada"[356]. Igualmente, se aprobó, "que cuando las circunstancias lo demanden", trasladar las oficinas del Ayuntamiento al nuevo palacio municipal, al igual que la demolición de la parte de línea fuera de ubicación en que estaba situada la antigua Casa Consistorial, así como adquirir muebles y objetos para el citado palacio[357].

Con respecto al programa de las fiestas en honor de la Virgen de África se acordó que en vista a las circunstancias especiales "porque ha de atravesar esta ciudad con motivo de las operaciones militares que se han de llevar a cabo en la zona del Protectorado estima que los festejos deben limitarse a los siguientes actos: Función religiosa en honor de la Patrona.

353   El Telegrama del Rif, 30 de julio de 1925.
354   El Imparcial, 31 de julio de 1925.
355   AGCE. LAC núm. 89. Comisión permanente, 25 de mayo de 1925, folio 12.
356   AGCE. LAC núm. 89. Comisión permanente, 20 de junio de 1925, folios 24 vto. y 25.
357   AGCE. LAC núm. 89. Comisión permanente, 18 de julio de 1925, folio 38.

Tarjeta postal de la Virgen de África con manto rojo. Cortesía de José Gallardo.

Veladas con iluminación eléctrica y música en la Plaza de la Constitución. Limosna entre los pobres de solemnidad y centros benéficos. Una velada de fuegos artificiales"[358].

El periódico *El Cantábrico* aclaraba cuál fue el acto principal de aquellos festejos: "A la función religiosa, costeada por el Ayuntamiento, asistieron el propio Ayuntamiento en Corporación, los generales Navarro y Sousa, y todas las autoridades y Comisiones de militares y marinos. El templo estaba lleno de fieles. Llamó la atención el sugestivo y patriótico sermón pronunciado por el canónigo Pablo Luque, que fue felicitado por las autoridades. La noche anterior se había inaugurado la feria anual con grandes iluminaciones y un brillante baile en el salón nuevo del Ayuntamiento". Añadía la crónica que "asistieron a la feria muchos forasteros de Tetuán, Larache, Tánger y la Península"[359]. Por otro lado, al anochecer y procedente de Tetuán, también Primo de Rivera asistió a una "cena americana" que se organizó en la Real Sociedad Hípica[360]; entidad militar que solía participar activamente en las fiestas patronales.

12. El Real Decreto de 4 de agosto de 1925

Mientras estos trascendentales encuentros se estaban produciendo y comenzaban las fiestas patronales, en el Consistorio ceutí reinaba una gran preocupación por la campaña que había aparecido en el diario *Informaciones* de sustituir el Ayuntamiento por una Junta de Arbitrios, lo que provocó la lógica inquietud y el rotundo rechazo de las autoridades municipales[361].

A pesar de todo, los cambios ya estaban decididos. Así, estando en plenas fiestas se conoció el Real Decreto de 4 de agosto que le afectaba de lleno, pues en él se contemplaba dos hechos muy importantes para su futuro:

El primero era la supresión del Ayuntamiento y la creación de una Junta local – en realidad se denominaría Junta municipal-, y el segundo era la segregación de la provincia de Cádiz. Mientras tanto, una comisión sería la encargada de darle contenido a la nueva estructura municipal mediante la elaboración de un Estatuto específico. No obstante, el Art. 3° precisaba que la supresión del Ayuntamiento de Ceuta no tendría efecto "hasta que el por el Gobierno se apruebe el dictamen emitido por la comisión"; hecho que no ocurriría hasta el otoño del siguiente año[362].

La nueva situación que se avecinaba vinculaba a Ceuta con la Oficina de Marruecos y la Alta Comisaría instalada en Tetuán; cuestión que no fue bien digerida entre las fuerzas vivas de la ciudad, pues planteaba numerosas dudas en cuanto a su futuro. Unos días después, en la sesión del 16 de agosto se leyó un expuesto dirigido "Al Pleno del Ilustre Ayuntamiento de esta Ciudad", que resumía las inquietudes de los ceutíes y acababa con este contundente párrafo: "Creemos como representantes del pueblo de Ceuta, cumpliendo con nuestro deberes de ciudadanía y con nuestras conciencias, que debemos solicitar que conste en acta nuestra más respetuosa pero firme protesta por la decretada suspensión y a la cual pedimos se asocie todo el Cuerpo Capitular. Casas Consistoriales 11 de agosto de 1925". El Pleno, como no podía ser de otra manera, "le prestó su conformidad por unanimidad"[363].

Por otro lado, otro tema de conversación durante los primeros días de agosto fue la próxima proclamación del joven jalifa, que estaba prevista para el día 9[364]. Muley Hassán el Mehdi (Fez, 1915?-Tánger, 1984) había sido designado jalifa por el sultán el 25 de julio de 1925; sin embargo, la proclamación se tuvo que posponer debido a las circunstancias reinantes[365].

---

358 AGCE. LAC núm. 89. Comisión permanente, 6 de junio de 1925, folios 19 y 19 vto. En el Archivo General de Ceuta no hay información en la carpeta de festejos correspondiente.
359 El Cantábrico, 7 de agosto de 1925.
360 La Atalaya, 8 de agosto de 1925.
361 AGC. LAC núm. 89. Comisión permanente, 20 de junio de 1925, folios 38 vto. y 39.
362 GORDILLO OSUNA, Manuel: *Geografía urbana de Ceuta*, p. 245.
363 AGCE. LAP núm. 1. Pleno de 16 de agosto de 1925, folios 78 vto.-80.
364 El Sol, 3 de agosto de 1925.
365 La Voz, 11 de agosto de 1925.

13. La primera operación hispano-francesa y nueva entrevista con Pétain

Todavía se escuchaban los últimos ecos de los fuegos artificiales de las austeras fiestas patronales, aún se estaba digiriendo el Real Decreto de 4 de agosto y se seguía comentando la suspensión de la proclamación del jalifa, cuando en Madrid el marqués de Magaz dijo a los periodistas que tenía que darles una noticia satisfactoria al haberse realizado la primera operación de la colaboración franco-española, a cuyo efecto se facilitó una nota comunicando la acción conjunta sobre Amezan, donde confluyeron las columnas de Freiremberg y Riquelme[366].

Y unas jornadas después, a las siete de la tarde del día 16, llegó a Ceuta el jefe del Directorio, acompañado del comandante general, Felipe Navarro. Ambos militares recorrieron los comercios de la plaza, dando así una imagen de completa normalidad. Posteriormente, Primo de Rivera marchó a Algeciras, hospedándose en el Hotel Reina Cristina, "para –según la prensa- descansar varios días"; sin embargo, el objetivo último era preparar una nueva entrevista con el mariscal Pétain. Por otro lado, en el Hotel Gironés se celebró un banquete con el que jefes y oficiales obsequiaron al recién ascendido general Gómez Morato, quien cesaba del mando del regimiento de Ceuta[367].

Paralelamente, en la cara norte del Estrecho, a las diez de la mañana del 21 llegaba el mariscal Pétain al puerto de Algeciras en el acorazado *Lyautey*. Primo de Rivera subió a bordo a recibirle. Tras los saludos protocolarios, desembarcaron a las 10 y media dirigiéndose seguidamente al Hotel Reina Cristina, donde conferenciaron y almorzaron, paseando posteriormente por los alrededores acompañados por diversas autoridades civiles y militares. A las cuatro de la tarde zarpó el acorazado francés a Marruecos. Por su parte, Primo de Rivera departió con los periodistas antes de marchar a Madrid[368]. Con esta reunión, Pétain conoció de primera mano los últimos detalles de la preparación de la operación sobre Alhucemas, de la que quedó satisfecho, por lo que parecía que todo estaba prácticamente consensuado.

14. Días febriles

Mientras tanto, en Ceuta se estaban viviendo unos días realmente meteóricos. La noticia de la preparación de una gran operación militar corrió como la pólvora por todos los casinos y cafés de la ciudad, y empezaron a llegar corresponsales de periódicos nacionales y extranjeros, por lo que fue nombrando para su organización al comandante de Ingenieros José Samaniego[369]. También, la afluencia de barcos y buques de todo tipo era cada día más notoria, al igual que el tráfico era frenético. Y, toda vez estibado el material, el 26 de agosto comenzaron las operaciones de carga en los buques de transporte. Al igual que se empezaba a observar un movimiento inusual de tropas. Veamos lo que dejó escrito el corresponsal de *El Telegrama del Rif* el día 3 de septiembre, cuando viajó en tren desde Ceuta a Tetuán:

> "Al abandonar la estación [de Ceuta], situada a orillas del puerto, cubierto por densa niebla, ofrecía el pintoresco aspecto de las vísperas de expediciones guerreras; camiones de Artillería e Ingenieros cargaban material e impedimenta para trasladarlos al muelle de la Puntilla, donde los barcos de Trasmediterránea, atracados, los engullían en su bodegas. Cazadores, Regulares, Artilleros, Ingenieros e Infantes, pululaban por los muelles y andenes de la estación ayudando a estas faenas.

> Se masca el avance… y desgraciadamente no se habla de otra cosa. […]

> Al bordear el tren, la costa, desde Miramar hasta Rincón, sigue la espesa niebla ocultándonos el mar. ¡Vaya enemigo!

---

366 La Vanguardia, 12 de agosto de 1925.
367 La Correspondencia Militar, 17 de agosto de 1925.
368 ABC, 22 de agosto de 1925.
369 La Libertad, 4 de agosto de 1925.

En santa Jona, nos cruzamos con dos baterías de montaña que marchaban camino de Ceuta, para concentrarse con el resto de la columna. Desde aquí hasta Tetuán la carretera es un reguero de caballerías, acémilas y tropas que siguen el mismo camino.

El Rincón desparece tras un ramalazo de niebla que se interna hacia el desfiladero. Allí cruzamos otro tren, en el que sobre bateas y presentando pintoresco aspecto, con la propia alegría y algazara de esta gente, transporta a Ceuta parte de la jarca de Solimán el Jatabi. Pita la locomotora, parte el tren, y los chillidos y berridos de estos simpáticos rifeños que van a ayudarnos a pacificar su tierra, se oyen indudablemente en Axdir [el corresponsal se refería a la mismísima capital de Abd el Krim]. ¡Hasta en los topes del coche de cola se agarran tres jametes [sic] agitando un banderín verde!

En la estación de Tetuán, otro tren cargado de más tropas, espera nuestra llegada para avanzar. Ahora son españoles, Cazadores de Segorbe. También vemos marchar este convoy, y la alegría y el entusiasmo de la gente joven, honra de España, que saben que van al peligro y a luchar en su nombre nos llena el alma de emoción y orgullo.

Subimos la empinada cuesta que conduce a la capital del Protectorado. A lo lejos, hacia la parte de Benkarrich, suena el cañón. GOT, Tetuán, 3 de septiembre de 1925"[370].

A todo este movimiento de tropas, que tan nítidamente ha descrito el corresponsal del periódico melillense, Antonio Got, del que trazaremos unas líneas biográficas en el Capítulo III de la segunda parte, se sumaba la aparición de un artículo del propio Primo de Rivera en el número de agosto de la *Revista de Tropas Coloniales,* en el que reconocía su anterior política abandonista y justificaba su cambio de opinión: "en asuntos de interés patrios, no hay que dejarse guiar por el amor propio y negarse a las rectificaciones"[371]. El citado artículo comenzaba con esta aclaración: "úrgeme aprovechar esta ocasión para hacer algunas consideraciones sobre un punto de vista más general y político". Del susodicho artículo se hizo bastante eco la prensa, por lo que todo el mundo tuvo noticia de que se estaba preparando algo importante.

Por otro lado, como dejó escrito Antonio Got, durante los primeros días de septiembre reinó una densa niebla en el Estrecho que hacía imposible la navegación -el famoso *taró* de Ceuta -; tanto fue así que en dos días embarrancaron sendos buques. El día 2 por la noche embarrancó en la playa de Benítez, junto al puerto, el vapor inglés *Bristol-Mashal* -otros periódicos señalaban que era el vapor petrolífero *British Marshal*-, de 4.158 toneladas, cargado de petróleo. Fue puesto a flote por el remolcador *Cíclope.* Para poder librarse de los arrecifes esperó la subida de la marea, lanzando al mar en este momento gran cantidad de combustible, logrando desencallarse y continuar el viaje. Sin embargo, a las dos de la tarde se produjo un formidable incendio en el petróleo desembarcado en la playa. Fuerzas del cañonero *Laya* trabajaron heroicamente para extinguirlo, evitando la propagación. A las cinco de la tarde quedó sofocado. Horas después, no se sabe por qué causa, se inflamó la gasolina que flotaba sobre el mar, convirtiéndose en inmensa hoguera. Las llamas, empujadas por el viento, llegaron hasta la playa, quemándose varias casetas de baño, viéndose los pescadores y sus familias que habitan allí cerca obligados a huir de sus viviendas. El siniestro, que ofrecía un aspecto fantástico, produjo la consternación de las autoridades, pues las llamas adquirían gran incremento, y como el viento soplaba desde el mar, se corría el peligro de que el fuego se propagase al puerto, que se encontraba abarrotado de buques. Afortunadamente, el viento cambió de dirección y el peligro quedó conjurado[372].

Y al día siguiente por la tarde, en punta Almina, en el sitio denominado Las Cuevas, encalló un vapor italiano de 1.800 toneladas, con carga general. De nuevo el remolcador *Ciclope* y el

---

370   El Telegrama del Rif, 8 de septiembre de 1925.
371   RONTOMÉ ROMERO, Carlos: Opus cit., pp. 337 y 338.
372   Heraldo de Madrid, 4 de septiembre de 1925. La Libertad, 4 de septiembre de 1925.

cañonero *Alcázar* le prestaron auxilio, aunque más tarde llegaron dos potentes remolcadores de Gibraltar[373]. El *Cíclope*, un habitual en las aguas de Ceuta, con algo más de cuarenta metros de eslora, era el mayor remolcador de la Armada; registraba 570 toneladas y tenía una potencia de 1250 CV.

15. Alhucemas

Convoy a punto de zarpar del puerto de Ceuta. Fotograma del documental España en Alhucemas: septiembre 1925. Rtve.es Filmoteca Española.

Para certificar que una gran operación militar se estaba fraguando, Primo de Rivera llegó a Ceuta a las cinco de la tarde del 31 de agosto a bordo del crucero *Extremadura*. Tras la recepción de las autoridades civiles y militares, y el disparo de las preceptivas salvas de ordenanza, el presidente marchó a Tetuán[374]. Y en la capital del Protectorado tuvo lugar un consejo de generales, para ultimar detalles. Entre los asistentes se encontraba también el contralmirante Hallier.

Así pues, todo estaba preparado. La orden para el desembarco de Alhucemas fue distribuida el día 1 de septiembre; pero antes de enviarla a Ceuta y Melilla –bases de donde partirían las brigadas-, varias circulares secretas fueron distribuidas con el fin de asegurar que los preparativos estuviesen iniciados cuando llegara la hora decisiva. El frente de la operación se encontraba Primo de Rivera, mientras que el mando ejecutivo lo ostentaba el general Sanjurjo. En total unos trece mil hombres.

Al mando de la agrupación oriental, concentrada en Melilla, se encontraba el general de brigada Emilio Fernández Pérez, apoyado por las fuerzas navales francesas dirigidas desde el acorazado *París* por el susodicho contralmirante Hallier.

Con respecto a la brigada de Ceuta, mandada por el general Leopoldo Saro, miembro del *Cuadrilátero* y uno de los generales integrantes del Directorio militar provisional, que había ensayado con éxito un supuesto táctico de desembarco en la playa del Rincón del Medik, iba a tener, según Carlos Martínez, una unidad de carros de asalto, tres batallones de cazadores, dos banderas de la Legión, tres tabores de Regulares, una harca, una mehala, tres baterías de montaña, un grupo de zapadores y los servicios necesarios para el conjunto mencionado; tropas, en general, profesionalizadas y preparadas. El viaje se pensaba realizar con el auxilio de sendas flotas compuestas por varios barcos de transportes, un buque aljibe y otro hospital[375]. En concreto, las fuerzas de Ceuta embarcaron en quince buques mercantes, escoltadas por las Fuerzas Navales del Norte de África, al mando del contralmirante Guerra Goyena, En total, formaban parte de las dos expediciones, treinta y dos buques de guerra españoles, diez y ocho franceses, veintiséis mercantes, veintiocho barcazas blindadas; más de cien unidades coordinadas por el vicealmirante Yolif Morgado, que arbolaba su insignia en el *Alfonso XIII* –buque almirante-. En cuanto al desembarco propiamente dicho se había de realizar con las barcazas tipo K, ya utilizadas por los ingleses en los Dardanelos[376] durante la I Guerra Mundial, y por los españoles en Alcazarseguer unos meses antes.

373   Heraldo de Madrid, 4 de septiembre de 1925.
374   El Sol, 1 de septiembre de 1925.El Cantábrico, 2 de septiembre de 1925. Región, 2 de septiembre de 1925.
375   MARTÍNEZ DE CAMPOS, Carlos: *España bélica: el siglo XX, Marruecos*, p. 304.
376   Ídem.

Aunque el material fue embarcado durante los últimos días de agosto y los primeros de septiembre, las tropas hicieron lo propio con "muchísimo entusiasmo" el sábado 5 de septiembre a lo largo de la mañana. Se quiso que no hubiera despedidas populares; pero a pesar de la hora intempestiva –de propósito fijada-, un gentío enorme bajó a los muelles[377]. Desde luego, el puerto presentaba un aspecto espectacular; sus atracaderos estaban repletos de buques y embarcaciones de todo tipo, al igual que sus fondeaderos. El conjunto simulaba una humeante sinfonía metálica enmarcada por los diques que abrazaban la hermosa bahía norte. Veamos que nos ha dejado escrito Gregorio Corrochano, corresponsal de *ABC*, al respecto:

> "Ceuta 6. (Crónica de nuestro enviado especial, recibida con gran retraso.) Ceuta es el punto de concurrencia. Aquí se dieron cita el Ejército y la Marina.
>
> Toda la ciudad va y viene en un movimiento desusado y desconocido.
>
> En el Majestic, alojamiento principal, celebran conversaciones capitales los más conocidos jefes. En un aparte la duquesa de la Victoria y el doctor Gómez Ulla van más allá, y se ocupan de las consecuencias del combate. Son la realidad en pos de los sueños de gloria.
>
> Llega el general Saro. En el puerto se apiñan las embarcaciones como si buscaran unas el apoyo y el calor de las otras. Con un lenguaje de banderas dan calor al mar, y cuando cesan, como han hablado mucho, tienen sed, y con una banderita a cuadros piden agua.
>
> Por la noche se iluminan en fantástica iluminación. ¿En honor de quién se dará esta fiesta? ¿Lució así Versalles alguna noche?
>
> Nos vamos, no sabemos adónde, aunque todos lo presentimos. Van saliendo los barcos, los transportes de combate. Van lentos, esperándose, reuniéndose a la salida. Ceuta va quedando atrás. En el muelle, en las terrazas, los que quedan, nos dicen adiós, sin tristeza, silenciosamente, con un saludo digno. Ceuta, esta noche, después del tumultuoso día, más que dormida parecerá muerta. Nos encontramos en Río Martín, y a la madrugada partimos. Es un domingo. El mar descansa en este día festivo, no trabaja, no se mueve, parece un paseo por un lago…"[378].

En efecto, el mismo sábado a las cinco y cuarto de la tarde, con viento flojo de levante y cielo brumoso, zarpó pausadamente el convoy hacia su destino; destino situado a unas noventa millas náuticas al sudeste de Ceuta; se dirigía a la zona de Alhucemas ante la atenta mirada de los ceutíes, que contemplaron absortos las precisas y cadentes maniobras navales hasta que el último de los buques salió por la bocana del puerto.

También Primo de Rivera embarcó en el *Alfonso XIII*. Desde este acorazado iba a dirigir una nueva y decisiva intervención militar; decisiva no sólo por el futuro de la guerra, sino también por el prestigio del Directorio. Por otro lado, la demostración de la importancia del puerto de Ceuta quedó reflejada tanto en su extensión como en sus infraestructuras, al poder albergar y suministrar a tantos barcos[379].

Tras la partida del convoy, los siguientes tres días fueron de verdadera expectación e incertidumbre. Mientras tanto, el desembarco, tras sufrir un retraso, no sin antes haber realizado las dos brigadas sendos amagos de distracción, tuvo lugar el día 8 por la mañana…

Y el mismo día 8 por la tarde empezaron a llegar las primeras noticias del éxito de la operación, lo que dio lugar a que un general alivio recorriese el alma de los ceutíes, dando paso seguidamente a que la euforia se desatase en la ciudad. Este cúmulo de sensaciones quedó

---

377   Ibídem, p. 305.
378   ABC, 10 de septiembre de 1925.
379   ABC, 24 de abril de 1926.

reflejado en diferentes crónicas periodísticas: "Ceuta 8, 9 noche. A primera hora de la tarde comenzó aquí la noticia del feliz desembarco en Alhucemas por la columna formada en esta zona. Al confirmarse el rumor se ha producido gran entusiasmo, que se refleja en todas partes. Hay gran ansiedad por conocer detalles"[380]. "Ceuta.- Al conocerse en esta plaza el desembarco de nuestras tropas en Morro Nuevo, se produjo gran entusiasmo, comentándose con elogio la conducta de las tropas y del Alto Mando. A medida que se conocían detalles de las operaciones, el entusiasmo crecía y se desbordaba en vítores al Ejército y a España"[381]. Estas escuetas notas de prensa intentaban condensar un sentimiento general realmente difícil de calibrar. Asimismo, el alcalde Ricardo Rodríguez Macedo, en nombre del Ayuntamiento y del propio pueblo de Ceuta, envió al alto comisario un telegrama "felicitándole por la brillante victoria alcanzada por el heroico Ejército Español en las playas de Alhucemas"[382]. Por otro lado, una vez efectuado el desembarco, de nuevo volvía a Ceuta la duquesa de la Victoria "para cumplir los altos deberes que su cargo de Presidenta de la Cruz Roja"[383], pues muchos de los heridos llenarían de nuevo los hospitales ceutíes. Pero no todos procedían de Alhucemas, otros lo hacían desde un lugar más cercano: Kudia Tahar...

16. Kudia Tahar

Desde luego aquellas horas fueron vitales para el desarrollo de los acontecimientos en el Protectorado. Y fueron vitales porque mientras tenía lugar el desembarco de Alhucemas, en la parte occidental también se estaban viviendo momentos muy duros y complicados en la zona de Kudia Tahar.

Tetuán se encontraba protegida por un cinturón de posiciones que le servían de defensa, semejando una imponente barbacana. De todas ellas, la más importante era Kudia Tahar, situada a unos doce kilómetros. Abd el Krim era consciente de que la toma de Kudia Tahar suponía la caída casi inmediata de las demás posiciones, y así, estando el Ejército español ocupado en Alhucemas, el paso hacia Tetuán quedaría prácticamente libre. De esta manera, el 3 de septiembre, los rifeños de la cabila de Beni Hosmar pusieron sitio a Kudia Tahar. Tras durísimos enfrentamientos, que duraron hasta el día 13, casi todos a la bayoneta, se consiguió liberar la codiciada posición.

Pocos días después de aquel episodio bélico, el 24 de septiembre a primera hora de la mañana, llegó a Ceuta Primo de Rivera en el *Alfonso XIII*, que también venía a carbonear. Seguidamente se trasladó a Tetuán, donde departió con los héroes de Kudia Tahar. Como dice Woolman: "por aquella resistencia tan prolongada que sostuvieron en lucha tan desigual, la heroica guarnición de Kudia Tahar reivindicó a Primo de Rivera la consideración de que el soldado español, debidamente posicionado y suministrado, era tan bueno como cualquier otro, en cualquier tipo de lucha. El dictador personalmente, regaló a cada un cigarro [puro] y veinticinco duros, cuando los supervivientes llegaron a Tetuán"[384]. Tras su visita a Tetuán, volvió a Alhucemas y de allí marchó a Madrid para informar personalmente de todos los acontecimientos. Pero poco tiempo estuvo en la capital del reino, pues rápidamente acudió a la zona de operaciones, donde asistió a la toma de Axdir, a principios de octubre.

Tras la toma de Axdir nuevamente llegaba a Ceuta. En el muelle del Comercio se encontraban las autoridades, jefes de la guarnición y otras personalidades. Después de recibir numerosas felicitaciones por sus recientes éxitos, Primo de Rivera marchó a Tetuán[385].

---

380   ABC, 9 de septiembre de 1925.
381   Diario de Burgos, 9 de septiembre de 1925.
382   AGCE, LAC núm. 89. Comisión permanente, 12 de septiembre de 1925, folio 68.
383   El Día de Palencia, 9 de septiembre de 1925.
384   WOOLMAN, David S.: Opus cit., p. 213.
385   El Siglo Futuro, 5 de octubre de 1925.

En cuanto a Abd el Krim, a pesar de haber perdido su capital, seguía controlando una parte importante del Rif central, así como las regiones de Gomara y Yebala. Como señala Rosa de Madariaga: "En el periodo de octubre de 1925 a marzo de 1926, Abd-el-Krim alcanzó la cumbre de su poderío: de las 66 cabilas del Protectorado español, contaba con la sumisión absoluta de 40 y parte de otras 10. En Yebala, territorio tradicionalmente bajo el control del jerife Ahmed el Raisuli, todas las cabilas se habían unido al movimiento de Abd-el-Krim, gracias a la labor de captación realizada por M'Hamed, hermano del jefe rifeño, y por los caídes Ahmed Budra y Ahmed el Jeriro, este último antiguo partidario del Raisuni"[386]. No obstante, el exitoso desembarco de Alhucemas, en pleno cuarto aniversario de la proclamación de la República del Rif (18 de septiembre de 1921), y la frustración ante Kudia Tahar, lo habían dejado prácticamente tocado, enterrando definitivamente entre sus partidarios y ante la opinión pública internacional su aureola de invencible.

17. Homenaje al batallón del Infante n.º 5 y otros actos festivos

En Ceuta, mientras tanto, además de recibir las numerosas bajas que se producían en Alhucemas y en el frente occidental, cierto aire de esperanza recorría la ciudad, que empezaba a percibir que la situación empezaba a cambiar; y el pueblo de Ceuta lo manifestó nuevamente acudiendo a recibir a las tropas. Así, el 7 de octubre, procedente de Tetuán, llegó en un tren especial el batallón del Infante, integrado por más de cuatrocientos hombres. Ya el Ayuntamiento había anunciado previamente su llegada mediante una proclama[387], cerrando los comercios al considerarse el día festivo. El recibimiento en la estación fue alegre, entusiasta y a la vez emotivo, acudiendo gran cantidad de ceutíes, representados por el Ayuntamiento bajo mazas. Seguidamente, el batallón desfiló desde la estación al cuartel donde tenía preparado su alojamiento, recibiendo las tropas constantes manifestaciones de afecto durante todo el recorrido. El desfile resultó brillantísimo. El batallón formó luego en el patio del cuartel ante las autoridades. A continuación intervino el alcalde pronunciando una vibrante alocución, en la que manifestó que, "el pueblo de Ceuta tenía la satisfacción de ser el primero en rendir homenaje a las heroicas tropas que tan elevado dejaron el honor patrio". Se les obsequió con cigarros, pastas y donativos en metálico.

Al día siguiente por la mañana, el jefe del batallón del Infante, comandante Emilio González, acompañado de los oficiales, visitó el Ayuntamiento para dar las gracias por el cariñoso recibimiento que el día anterior le había dispensado el pueblo de Ceuta. Asistieron el comandante general, Felipe Navarro, el general Nouvillas, el coronel de Caballería Obregón, y el Pleno del Ayuntamiento. Se sirvió un *lunch,* y al descorcharse el *champagne,* el alcalde, Rodríguez Macedo, articuló un sentido discurso y terminó brindando por todo el Ejército de África, y especialmente "por los que dieron la vida en holocausto de la patria". El comandante Emilio González contestó muy conmovido. Dio vivas a España y al Ejército, que fueron unánimemente contestados.

Ya por la tarde, a las seis, Primo de Rivera llegó a Ceuta procedente de Tetuán. Inmediatamente se dirigió al campo de la Real Sociedad Hípica, donde se encontraba el batallón del Infante con representaciones de las fuerzas combatientes y auxiliares que formaban el Ejército de Marruecos. En el campo se hallaban todas las autoridades de Ceuta y comisiones de las diversas entidades. El general en jefe revistó a las fuerzas, y a continuación las tropas desfilaron por las principales calles de la población entre aplausos, vítores y repetidas muestras de afecto.

Al día siguiente, el batallón embarcó en las primeras horas de la mañana para tomar en Algeciras el tren especial que debía de conducirle a Madrid y a Zaragoza, donde se había

---

386 DE MADARIAGA, María Rosa: 'Administración colonial y notables indígenas del Protectorado Español', p. 205.
387 "30 pesetas proclama a los héroes de Kudia-Tahar". AGCE, LAC núm. 89. Comisión permanente, 2 de enero de 1926, folio 124.

preparado un homenaje al Ejército de África. Ese día, el Ayuntamiento había dispuesto que fuese festivo para que el comercio y el vecindario pudiesen acudir al muelle a despedir a las tropas[388]. El triunfal recorrido, desde Algeciras hasta Zaragoza, estuvo plagado de emotivos recibimientos y sentidos homenajes[389]; siendo el desfile de Madrid especialmente brillante y a la vez conmovedor.

Igualmente, estaba previsto que el alto comisario embarcara a las diez de la mañana con dirección a Alhucemas; después se dirigiría a Ronda y Madrid, donde pensaba estar para el lunes 12, día de la Fiesta de la Raza[390].

Al ser fiesta nacional, también en Ceuta se celebró tan señalado día, y tres jornadas después, el 15 de octubre, se celebró la festividad de Santa Teresa, patrona de Intendencia, que lo era desde 1915. La ceremonia religiosa, que tuvo como marco el Santuario de la Virgen de África, estuvo impregnada de una especial significación por todos los acontecimientos que se estaban viviendo, encontrándose el recinto sagrado abarrotado de fieles.

18. Cambios en la Alta Comisaría y en la Comandancia General de Ceuta

Primo de Rivera no sólo había ido a Madrid a celebrar la Fiesta de la Raza; en realidad tenía en mente otras cuestiones más importantes. Una vez efectuado con éxito el desembarco de Alhucemas, consolidada la base de operaciones y asegurada en firme la Línea Estella, a principios de noviembre vamos a asistir a una serie de cambios que le va a dar un giro a la situación en cuanto a los mandos militares. Estos cambios, tanto la disposición como los nombramientos, están firmados el 2 de noviembre:

> Disposición por la que cesa en el cargo de alto comisario del Protectorado de España en Marruecos y general en jefe del Ejército de Operaciones en África el teniente general Miguel Primo de Rivera.
>
> Nombramiento del teniente general José Sanjurjo Sacanell como alto comisario del Protectorado de España en Marruecos y general en jefe del Ejército de Operaciones en África.
>
> Nombramiento del general de división Felipe Navarro y Ceballos-Escalera como ayudante de Campo del rey.
>
> Nombramiento del general de división Alberto Castro Girona como comandante general de Melilla.
>
> Nombramiento del general de división Federico Berenguer y Fusté como comandante general de Ceuta[391].

Por lo tanto, fue nombrado alto comisario el teniente general José Sanjurjo Sacanell, que tan brillante actuación había tenido en Alhucemas, y comandante general de Ceuta el general de división Federico Berenguer y Fusté; dos personajes de contrastada trayectoria militar y de gran peso específico dentro del régimen.

---

388   La Prensa, 8 de octubre de 1925.
389   El Siglo Futuro, 9 de octubre de 1925.
390   El Siglo Futuro, 8 de octubre de 1925. La Voz, 8 de octubre de 1925. El Cantábrico, 9 de octubre de 1925. La Época, 9 de octubre de 1925. El Siglo Futuro, 9 de octubre de 1925.
391   Gaceta de Madrid, 3 de noviembre de 1925, p. 635.

Proclamación de S.A.I. el Jalifa, Mariano Bertuchi. Ministerio de Asuntos Exteriores. Dirección General de África. Madrid.

19. La proclamación del jalifa y nueva visita de Primo de Rivera

Coincidiendo con la nueva situación, ahora se vio la oportunidad favorable para la proclamación del jalifa[392]. Y para darle prestancia al acto llegó a Ceuta el presidente del Directorio, trasladándose a la Comandancia General, donde comió. Después, el tren presidencial llegó a Tetuán, sobre las cinco. Allí le esperaba el recién nombrado alto comisario, general Sanjurjo[393].

Todo estaba a punto para dar solución a un problema político de primer orden. Tras un interregno de unos dos años, no carentes de especulaciones de todo tipo, fue definitivamente proclamado jalifa Sid Muley Hassan Ben el Mehdi Ben Ismael, hijo del anterior jalifa; un jovencísimo adolescente, siendo sus mentores y consejeros el intérprete Emilio Álvarez Sanz Tubau y el doctor Juan José de Aracama Gorosabel. El citado Rafael López Rienda, que estuvo presente en los actos de proclamación, lo describió así: "Delgado, moreno, casi un niño, su figura simpática es más pequeña entre sus ricos vestidos y junto al gran visir Ben Azus"[394].

Las fiestas de proclamación se fijaron para los días 8, 9 y 10 de noviembre. Según el corresponsal de *El Sol*, el tiempo había deslucido los dos primeros días de la proclamación -el temporal de viento y lluvia también había interrumpido las comunicaciones marítimas entre Ceuta y Algeciras-; pero en el día final "Triunfa el sol en esta hermosa mañana, y la ciudad es más blanca y más bella, pudiendo considerarse este día como el mejor de los tres dedicados a la proclamación de Muley Hassan Ben el Mehedi Ben Ismael". Ese día, el jalifa visitó los santuarios más venerados de la ciudad, sacrificándose en cada uno de ellos una res vacuna. Finalizaron los actos con el desfile de las tropas[395].

392 El Telegrama del Rif, 7 de noviembre de 1925.
393 Ídem.
394 La Esfera, 21 de noviembre de 1925.
395 El Sol, 12 de noviembre e 1925.

Terminadas las fiestas de proclamación, al día siguiente por la tarde llegó a Ceuta el presidente del Directorio. Desde la estación se dirigió a la Comandancia General. El dictador tenía la intención de dirigirse al sector de Axdir, y desde allí a Melilla, aunque tuvo que hacer noche en Ceuta debido al temporal de poniente que reinaba en el Estrecho. Su objetivo era pasar revista a aquella zona y despedirse[396].

Con respecto al pulso de la ciudad, la comisión paritaria encargada de resolver el problema de la propiedad exterior visitó los terrenos, determinando la distribución de las parcelas[397]. Con respecto al apartado de sucesos, saltaba la noticia del robo en la casa de Banca de Trujillo y Murto. Al igual que se comentaba la desaparición del funcionario municipal Diego Lladó, aunque su cadáver se encontró unos días después en las playas de Estepona, hecho que conmovió a los ceutíes. Pero la noticia que más circulaba por la ciudad era la inminente llegada del nuevo comandante general, Federico Berenguer y Fusté, hermano del mítico Dámaso.

20. La llegada del general Federico Berenguer

El 13 de noviembre por la tarde, a bordo del cañonero *Dato,* llegó a Ceuta el nuevo comandante general. Pasaron a cumplimentarlo el general Navarro y varios jefes y oficiales. Por su parte, el alcalde le dio la bienvenida en nombre de la población[398].

Y al día siguiente, a las ocho de la mañana, procedente de Melilla llegó el crucero *Reina Victoria Eugenia* conduciendo al general Primo de Rivera y al también recién nombrado alto comisario, general Sanjurjo. Al desembarcar se trasladaron a la Comandancia General, donde se desayunó, conferenciando con los generales Federico Berenguer y Sousa. Poco después, Primo de Rivera marchó a Tetuán con el objeto de iniciar una gira de despedida por la zona occidental del Protectorado[399].

El general Federico Berenguer, comandante general de Ceuta. África, Revista de Tropas Coloniales, mayo de 1927.

Tras la toma de posesión, Federico Berenguer fue cumplimentado por todos los Cuerpos de la guarnición y jefes de dependencias, así como por el estamento civil[400]; al igual que visitó la población y los acuartelamientos[401].

21. La despedida de Primo de Rivera y homenaje al general Saro

Pocos días después, el 20 de noviembre, procedentes de Tetuán llegaron en tren los restos del capitán del batallón del Infante José Gómez Zaracíbar, heroico defensor de Kudia Tahar[402]. Tres jornadas más tarde, tras visitar las ciudades del Protectorado occidental –estando en Larache llegó el residente francés para saludarlo-, de nuevo se encontraba Primo de Rivera en Ceuta. Venía a despedirse. Ese día visitó el cuartel de Caballería, en el que se alojaba el regimiento de Cazadores de Vitoria, con objeto de asistir al descubrimiento del

396 La Nación 12 de noviembre de 1925.
397 Región, 11 de noviembre de 1925.
398 La Atalaya, 14 de noviembre de 1925. Diario de Valencia, 15 de noviembre de 1925.
399 La Voz, 18 de noviembre de 1925.
400 El Imparcial, 17 de noviembre de 1925.
401 La Vanguardia, 17 de noviembre de 1925.
402 La Vanguardia, 22 de noviembre de 1925.

retrato de su hermano Fernando, teniente coronel de Caballería muerto en Monte Arruit. Fernando Primo de Rivera había alcanzado la gloria al frente del Regimiento de Cazadores de Alcántara dirigiendo diversas y heroicas cargas entre los días 21 y 24 de julio de aquel nefasto verano de 1921. En el cuarto de estandartes, el coronel Javier Obregón, rodeado de todos los jefes y oficiales del regimiento, explicó el acto que se celebraba, pronunciándose discursos de enaltecimiento de aquel héroe; homenaje que agradeció el presidente del Directorio realmente conmovido.

El general José Sanjurjo, alto comisario del Protectorado de España en Marruecos. África, Revista de Tropas Coloniales, mayo de 1927.

Por la tarde, el presidente, Sanjurjo y los séquitos asistieron al Salón Apolo, donde actuaba la compañía dramática de Fuentes. Tras la representación teatral, a las diez de la noche, en la Comandancia General, los generales Primo de Rivera, Sanjurjo, Berenguer, Saro, Navarro, quien quedó destacado a las órdenes del alto comisario, Soriano, Sousa y el contralmirante Guerra, celebraron una cena íntima. En realidad, la cena era un claro homenaje al general Saro, el jefe de la brigada de Ceuta que el 8 de septiembre desembarcó en Alhucemas. Al terminar el banquete habló Primo de Rivera. Por su parte, el general Saro agradeció el homenaje muy emocionado. Terminada la cena, bajaron todos al muelle del Comercio, donde esperaban para despedir al dictador las autoridades civiles y militares, representantes de diversas entidades y enorme cantidad de público, que invadía el embarcadero. Después de afectuosas despedidas, Primo de Rivera embarcó en el cañonero *Cánovas del Castillo*, marchando satisfecho de las atenciones recibidas[403]. Con esta despedida, Primo de Rivera cerraba un ciclo muy intenso y arriesgado de su carrera, no sólo militar, sino también política.

Por otro lado, como hemos visto a lo largo de esta exposición, el general Federico Berenguer era muy conocido en Ceuta, aunque no gozaba de la popularidad de su hermano mayor. Recordemos que había sido uno de los integrantes del *cuadrilátero* y miembro del primer Directorio militar provisional. Asimismo, había sido nombrado comandante general interino hasta la llegada del general Navarro –cargo que ostentó apenas unas horas-. Igualmente, había participado en la trágica retirada de Xauen, en la que resultó herido en un muslo. Por lo tanto, su afinidad y compromiso con el proyecto de Primo de Rivera era más que evidente, al igual que su nombramiento había sido muy bien recibido. Tanto fue así, que los jefes y compañeros de su promoción de 1895 le obsequiaron con un banquete en el Hotel Majestic. El mes acabó con la llegada de Fernando Ávila González, quien tomó posesión de la Policía Gubernativa de Ceuta[404].

22. El Directorio civil

Primo de Rivera se había ido a Madrid lleno de ideas. La victoria en Alhucemas le había dado suficiente prestigio como para dar un paso realmente temerario. Ahora, a la "interinidad" proclamada de la dictadura militar se sustituye, en palabras de Primo de Rivera, el concepto de "periodo constituyente", que va a crear notables esperanzas, más expectativas y no pocas dudas legales.

403   ABC, 25 de noviembre de 1925.
404   ABC, 2 de diciembre de 1925.

Con este presupuesto, al terminar el año Primo de Rivera presentó al monarca una lista de ministros, que fue acogida con agrado por gran parte de la nación. Y en diciembre de 1925 el régimen de excepción "se transforma en dictadura civil y económica con la restauración de un Consejo de Ministros"[405]. Régimen que va a sostener al dictador mediante la promulgación de reales decretos.

Gobiernos de Primo de Rivera (1923-1930)

Directorio militar provisional, 13 de septiembre de 1923
Presidencia: Miguel Primo de Rivera.
Diego Muñoz Cobos. Antonio Dabán Vallejo. José Cavalcanti. Federico Berenguer. Leopoldo Saro.
Segundo Directorio militar, 17 de septiembre de 1923
Presidencia: Miguel Primo de Rivera.
Luis Navarro. Dalmiro Rodríguez Pedré. Mario Muslera. Luis Hermosa. Francisco Ruiz del Portal. Antonio Mayandía. Francisco Gómez Jordana. Adolfo Vallespinosa. Marqués de Magaz.
Directorio civil, 3 de diciembre de 1925
Presidencia: Miguel Primo de Rivera.
Gobernación: Severiano Martínez Anido. Hacienda: José Calvo Sotelo, luego conde de los Andes. Estado: José de Yanguas Mejía, luego Miguel Primo de Rivera. Gracia y Justicia: Galo Ponte. Instrucción Pública: Eduardo Callejo. Fomento: Conde de Guadalhorce. Guerra: Duque de Tetuán, luego Julio Ardanaz. Marina: Honorio Cornejo, luego Mateo García de los Reyes. Trabajo: Eduardo Aunós. Economía: Conde los Andes, luego Sebastián Castedo.

Fuente: TUSELL, Javier: *Historia de España, 6. Siglo XX*, p. 878.

También fue en diciembre cuando falleció en Madrid el dirigente socialista Pablo Iglesias, padre fundador del PSOE. Este partido abordó la cuestión de la dictadura con pragmatismo, pues atravesaba una delicada situación interna –en noviembre de 1921 el Partido Comunista de España (PCE) se había escindido del PSOE, al negarse el PSOE a sumarse a la III Internacional convocada por Lenin-, logrando cierta entente con Primo de Rivera al prometerle el dictador que no se tocarían los avances sociales ni al sindicato UGT. Le sucedería Julián Besteiro, que continuaría la línea de Pablo Iglesias; no obstante, dentro del PSOE hubo algunas voces discordantes con esta línea de actuación, como la de Indalecio Prieto; voces que fueron aumentando a medida que el régimen se fue deteriorando.

23. Los últimos meses del año

Con respecto a Ceuta, tras las fiestas patronales de agosto hemos visto que los últimos días del verano de 1925 habían sido muy intensos por el inusitado movimiento de material, tropas y buques de guerra; por la partida de la escuadra y por las noticias que fueron llegando tanto de Alhucemas como de Kudia Tahar; episodios bélicos que se vivieron en la ciudad con gran ansiedad y expectación. Mientras tanto, la vida municipal siguió su curso durante el otoño un tanto eclipsada por los citados acontecimientos, por la reiterada presencia del presidente del Directorio y por los cambios en la Alta Comisaría y en la Comandancia General.

Durante estos meses reinaba en la ciudad la inquietud que había despertado el nuevo Estatuto municipal que se estaba elaborando, por ello visitó al presidente interino del Directorio una comisión del Ayuntamiento, entregándole un documento en el que se solicitaba que no se suprimiera el Ayuntamiento de Ceuta, o, de no ser posible, se respetasen los

---

405 MALERBE, Pierre C.: 'La dictadura de primo de Rivera', p. 48.

derechos de los empleados[406]. También la Cámara de Comercio había acordado dirigir una instancia al Directorio pidiendo que se le diese a conocer el susodicho Estatuto[407].

En cuanto al mes de diciembre, comenzó con un motivo de alegría; en la capilla Castrense tuvo lugar el bautizo del primer hijo del teniente Luis Casado Escudero, único oficial superviviente de la posición de Igueriben tras los hechos de 1921 y ex prisionero de Axdir. Apadrinaron al neófito la reina María Cristina y el general Navarro, ayudante del rey, quien, recordemos, también estado prisionero en Axdir. Fueron representados por el general Federico Sousa y señora[408].

Unos días después, el jueves 10, chocó contra un escollo el vapor *Araya Mendi*, de matrícula de Bilbao, propiedad de la casa armadora Sota-Aznar, de 7.000 toneladas, que, procedente de Melilla, llevaba cargamento de mineral para Dunquerque. Resultó con una vía de agua en estribor. El vapor pretendió enfilar la playa con objeto de embarrancar y fue a encallar en la escollera del puerto, hundiéndose completamente. A pesar de la aparatosidad del accidente, los tripulantes lograron salvarse[409]. También por esos días entró en el puerto el crucero *Strasbourg*, que conducía al contralmirante Hallier, escoltado por un cañonero.

Tras la salida del crucero francés se desencadenó un fortísimo temporal de levante, que dejó incomunicada a Ceuta durante varios días. Por fin, el día 20 pudo llegar el vapor correo repleto de pasajeros, correspondencia y prensa. Al igual que se pudo reparar el tendido ferroviario entre Ceuta y Tetuán, que también había sufrido diferentes daños. Por otro lado, el puerto de Ceuta continuaba con una actividad inusitada con la entrada y salida de tropas; así como la llegada de bajas procedentes del frente de guerra. En este servicio destacaron vapores como el *A. Cola*, el *Navarra*, el *Hespérides*, o el famoso *España número 5*[410]. Sin salirnos de la órbita militar, falleció en la ciudad el general de brigada Luis Fernández Bernard. Por otro lado, como era tradicional, el 25 de diciembre hubo una representación teatral en el Salón Apolo[411].

Abundando en el apartado cultural, no podríamos acabar el año sin dejar de mencionar dos publicaciones relacionadas con Ceuta, que vieron la luz en 1925: *Abyla Herculana, introducción al estudio de la etnología berberisca y al de la historia de Ceuta*, del sacerdote Francisco Sureda Blanes, capellán del regimiento de Cazadores de Vitoria n.º 28 de Caballería, con destino en Ceuta[412], del que el Ayuntamiento acordó adquirir varios ejemplares, y *Apuntes para la historia de Ceuta*, de Manuel Criado y Manuel L. Ortega.

Manuel Criado Hoyo era licenciado en Filosofía y Letras; por su parte, Manuel Luis Ortega Pichardo (1888-1943) era escritor, periodista y editor. Nacido en Jerez de la Frontera, fue miembro correspondiente de la Real Academia de la Historia y vocal de la Liga Africanista. Muy pronto se inició en el periodismo. Trasladado a Madrid, fundó, junto a Ignacio Bauer, la editorial Compañía Iberoamericana de Publicaciones (CIAP), dando origen a la biblioteca Ibero-africana-americana y a la biblioteca Hispano-marroquí. Igualmente dirigió la colección España Colonizadora y la *Revista de la Raza* (1915). Durante su estancia en el norte de África desarrolló una activa labor en prensa como periodista y editor. Pero Manuel L. Ortega es más conocido por sus anuarios. Un primer referente fue la *Guía del Norte de África y Sur de España*. Madrid, 1917; a la que le siguieron desde 1923 las famosos *Anuario-Guía Oficial de Marruecos-Zona Española (comercio y turismo)* Ortega Manuel L. (Director), que se editaron durante varios años.

406   El Cantábrico, 1 de octubre de 1925. El Pueblo, diario republicano de Valencia, 25 de septiembre de 1925.
407   ABC, 28 de noviembre de 1925.
408   Ídem.
409   La Voz, 11 de diciembre de 1925. Región 7 de enero de 1926.
410   ABC, 21 de diciembre de 1925. La Opinión, 26 de diciembre de 1925.
411   ABC, 25 de diciembre de 1925.
412   VILLATORO IGLESIAS, Francisco: 'En recuerdo de Affonso de Dornellas', p. 81.

CAPÍTULO V

1926, UN AÑO DE ESPERANZAS Y CAMBIOS

El año 1926 entró en Ceuta con una situación completamente diferente a la de los años anteriores. El ambiente oscuro y ennegrecido que había reinado durante los últimos años se había tornado en los últimos meses mucho más claro y diáfano. Ahora se empezaba a percibir que el rumbo de la guerra había cambiado de forma brutal. Al frente de la Comandancia General se encontraba Federico Berenguer, de jefe de la zona de Ceuta seguía el general Federico Sousa, y de alcalde Ricardo Rodríguez Macedo. No obstante, quedaban pendientes varios asuntos sobre la mesa, sobre todo el del nuevo Estatuto municipal, el fin de la alcaldía, que se iba a encontrar con bastantes reticencias por parte de la sociedad civil, así como la creación de una nueva Junta municipal; además de los diversos y profundos problemas intrínsecos de una ciudad en completa expansión demográfica y urbanística. Ante estos desafíos que, en gran parte, se iban a dirimir en la capital de España, se acordó "proponer al Pleno de este Ayuntamiento representante de Ceuta en Madrid a José Matres Toril"[413]. También se percibía que la política recaudatoria municipal estaba dando sus frutos; por lo que se empezó a afrontar con más solvencia muchos de los retos pendientes. Sin embargo, nuevos impuestos van a poner en guardia a la poderosa Cámara de Comercio, que no va a cejar en sus reivindicaciones.

1. Cabalgata de Reyes y despedida del contralmirante Guerra Goyena

Este año la fiesta de Reyes contó con una agradable novedad: el martes 5 por la noche desfiló por las principales calles de Ceuta una artística cabalgata representando la entrada de los Reyes Magos. El tiempo primaveral contribuyó al esplendor de la fiesta. El acto fue organizado y costeado por los jefes y oficiales del regimiento de Ceuta, cuyo coronel fue muy felicitado. Terminada la cabalgata, se celebró una verbena en la explanada del cuartel, siendo obsequiados los nuevos reclutas del regimiento con dulces y tabacos[414]. También la Asociación de la Prensa, como ya era tradicional, organizó en el Salón Apolo un festival infantil, repartiéndose juguetes a los niños pobres. Al igual que se hizo lo propio en las escuelas y cantinas escolares, patrocinadas por el Ayuntamiento[415]. Asimismo, se visitó el asilo de niños y ancianos, haciéndose donativos de juguetes y otros regalos[416]. Cabe añadir que las cabalgatas se estaban imponiendo en todo el país; así en Sevilla ya desfilaban desde 1918 organizadas por el Ateneo. Su fin era sencillo, pero a la vez hondo: hacer felices por unas horas a los niños pobres.

Igualmente, como era tradicional por la Pascua militar, el día 6 se celebró la recepción oficial en la Comandancia General. En el salón del trono recibieron los generales Berenguer y Sousa, asistiendo prácticamente todas las fuerzas vivas y estamentos de la ciudad. El acto, ya lejanas las incertidumbres y tensiones de los últimos años, resultó agradable y relajado.

---

413   AGC. LAC, núm. 89. Comisión permanente, 2 de enero de 1926, folio 124 vto.
414   La Vanguardia, 7 de enero de 1926. El Día de Palencia, 8 de enero de 1926.
415   El Día de Palencia, 8 de enero de 1926.
416   ABC, 9 de enero de 1926.

Y al mediodía, en el Hotel Majestic se celebró un banquete en honor del contralmirante Eduardo Guerra Goyena. El homenaje le fue tributado "como testimonio de respeto" y "como recuerdo de su brillante actuación, durante toda la campaña, especialmente sobre las costas de Alhucemas"[417]. También tenía otro sentido, pues el día 13 de enero estaba previsto que cesase en el mando de las Fuerzas Navales del Norte de África, pasando el día 29 del mismo mes a la reserva por cumplir "la edad reglamentaria"[418]. En su lugar, fue nombrando el contralmirante Manuel García Velázquez. Nacido en la Isla de León en enero de 1867, estaba casado con Mª Teresa Freyre. Con una impresionante hoja de servicios, recompensada con innumerables medallas y distinciones, su anterior destino había sido de general segundo jefe del Arsenal de Cartagena.

Por otro lado, un fuerte temporal de viento, lluvia y frío azotó a toda la zona del Estrecho. Entre los días 13 y 14 llovió copiosamente durante más de veinticuatro horas, originándose daños en las comunicaciones y en la vega del Martín. Por dicha causa se paralizó el servicio de las fuerzas aéreas, al igual que hubo un descarrilamiento a cuatro kilómetros de la estación de Malalien, aunque no hubo desgracias personales. También hubo que socorrer a varios barcos.

El Excmo. Sr. D. Manuel García Velázquez, Contralmirante de la Armada, Jefe de las Fuerzas Navales del Norte de Africa.

El contralmirante García Velázquez, jefe de las Fuerzas Navales del Norte de África. Guía General de Marruecos y Guinea 1927-1928.

2. La visita de la infanta María Luisa de Orleans

Sin salirnos del mes de enero, ya pasado el temporal, procedente de Algeciras fondeó a las diez y media de la mañana del día 20 el crucero *Reina Victoria Eugenia*, que enarbolaba el pendón morado de Castilla, conduciendo a la infanta Mª Luisa de Orleans. La infanta venía al norte de África a repartir el Aguinaldo del Soldado en nombre de la reina Victoria. Pero el viaje tenía un sentido mucho más profundo: se lanzaba el mensaje de que la normalidad se estaba imponiendo en el Protectorado y que la Casa Real no se olvidaba de estas tierras. El periplo se extendió durante varios días, visitando, además de Ceuta, Melilla, varias ciudades del Protectorado y la ciudad internacional de Tánger.

Tras los saludos protocolarios, desembarcó en el muelle de la Puntilla, mientras resonaban en toda la ciudad las preceptivas salvas de ordenanza. El embarcadero estaba profusamente adornado con plantas, escudos y banderas, siendo recibida por el Ayuntamiento bajo mazas. El alcalde, Rodríguez Macedo, le dio la bienvenida en nombre del pueblo, obsequiándola con un ramo de rosas. La infanta contestó agradeciendo el saludo, y dijo que le complacía volver a ver a Ceuta, a la que recordaba gratamente desde abril de 1915, en que la visitó con su esposo, el infante don Carlos. Seguidamente revistó la compañía del regimiento de Ceuta que le hacía los honores. En el muelle se habían congregado todas las fuerzas vivas de la ciudad.

A continuación marchó en automóvil al poblado del Rincón del Medik, que también había visitado en 1915, y a la vuelta se dirigió al acuartelamiento de Dar Riffien. Posteriormente, la comitiva se dirigió de nuevo a Ceuta, visitando los hospitales O'Donnell y de la Cruz

417   La Vanguardia, 7 de enero de 1926.
418   Diario Oficial del Ministerio de Marina, 26 de enero de 1926.

Roja, donde fue recibida por la Junta de Damas. Terminados los actos se dirigió a la Comandancia General, sirviéndose a las seis de la tarde un té amenizado por la música del Tercio. Seguidamente tuvo lugar una recepción a las damas de la Cruz Roja y "señoras distinguidas de la localidad"[419].

Al día siguiente partió en tren especial a Tetuán, donde tuvo un apretado programa de actos, volviendo a Ceuta por la tarde, dirigiéndose al puerto para despedir a las tropas que iban a embarcar en el vapor *Capitán Segarra*. Desde el puerto regresó al Hotel Majestic, donde la Infanta obsequió con un té al comandante y oficialidad del crucero almirante *Reina Victoria Eugenia*. A dicho acto asistieron los generales Sanjurjo, Berenguer y contralmirante Guerra Goyena. Terminado el té, la infanta marchó a bordo del crucero, donde se celebró una cena íntima, asistiendo el general Berenguer, su hermana y la señora del general Sousa. A media noche zarpó para amanecer en Melilla[420].

3. 23 de enero: la ceremonia del bastón, la Despedida del Soldado y la Medalla Militar al teniente Miguel García Almenta

Dos días después de la despedida de la infanta Mª Luisa de Orleans, a las diez de la mañana del sábado 23 de enero, aprovechando que era festivo por la onomástica del rey, el general Berenguer celebró la tradicional ceremonia de entregar el bastón de mando del general gobernador de Ceuta a la Virgen de África. Las tropas de la guarnición rindieron los honores correspondientes, mientras que un público numeroso y volcado presenció la ceremonia[421].

Por otro lado, también se estaban ultimando los preparativos para la repatriación de los soldados licenciados de la quinta del 22. La repatriación estaba prevista que se efectuara en los días del 24 al 29, habiéndose concentrado en Ceuta, Larache y Melilla cantidad suficiente de vapores para transportar las tropas[422].

En este contexto, el comandante general comunicó a la Corporación municipal que el día 23 se iba a celebrar la fiesta de "Despedida del Soldado", invitándola "a que se levante una tribuna y engalane la Plaza de la Constitución". Por otra parte, el alcalde expuso que en ese acto "se le impondrá con toda solemnidad al Teniente de Intendencia Don Miguel García Almenta [y Gutiérrez], la insignia de la Medalla Militar […]; y como quiera que dicho oficial es el primer hijo de Ceuta a quien se le concede tan alta recompensa, estimaba este Ayuntamiento debía contribuir al acto regalándole la insignia". La permanente aprobó por unanimidad la propuesta de la presidencia[423]. La R.O. de 20 de octubre de 1925 dictaba que se le concedía la citada condecoración por su brillante acción al mando de un convoy de municiones para la posición de Kudia Tahar, bajo intenso fuego enemigo, y por su valerosa actuación en la defensa de dicha posición desde el 3 al 13 de septiembre de 1925, en la que resultó gravemente herido".

Y llegó el día señalado. En la plaza de la Constitución, teñida de verde y caqui, todo estaba preparado. En un altar adornado con emblemas militares, que se levantó en el centro de la plaza, se ofició una misa de campaña. Enfrente había una tribuna, donde se situaron el comandante general, las autoridades civiles y representaciones de todos los cuerpos. En otra tribuna asistieron a la fiesta numerosas damas. Todas las fuerzas de la guarnición formaron con bandera y música. Terminada la misa, el coronel Prats Souza dirigió una alocución a los soldados licenciados. Seguidamente, los jefes citaron a los cinco soldados de cada Cuerpo que más se distinguieron durante su permanencia en filas. A los primeros se le entregaron premios de cien pesetas, a los segundos de cincuenta y, a los restantes,

419   ABC, 21 de enero de 1926.
420   ABC, 1 de enero, 20 de enero, 21 de enero y 22 de enero de 1926. La Libertad, 22 de enero de 1926.
421   ABC, 24 de enero de 1926.
422   La Nación, 23 de enero de 1926.
423   AGCE, LAC núm. 89. Comisión permanente, 16 de enero de 1926, folio 133.

menciones honoríficas. A continuación, el comandante general impuso la Medalla Militar al teniente coronel jefe del grupo de Regulares de Tetuán, Benigno Fiscer, al teniente de Caballería, Felipe Rodríguez, al citado teniente de Intendencia, Miguel García Almenta, al sargento de Telégrafos, José Quetglas Banón, y al soldado del regimiento del Serrallo, Juan Ollas Ávila[424]. Ese mismo día tuvo lugar un festival hípico organizado por el regimiento de Caballería Cazadores de Vitoria[425].

Paralelamente, tras la visita a Melilla, volvió a Ceuta la infanta Mª Luisa. Después de distribuir el aguinaldo a la tripulación del crucero *Reina Victoria Eugenia*, se trasladó a Tetuán. Allí visitó la medina y las casas de algunos notables, donde fue obsequiada. Por la noche se celebró una comida que le ofreció el gran visir, y al día siguiente, a las diez, salió para Tánger, donde almorzó, continuando el viaje a la zona de Larache[426]. Tras la visita a la zona de Larache volvió de nuevo a Ceuta. Se dirigió a la Comandancia General, y a las siete embarcó en el crucero *Reina Victoria Eugenia*[427].

4. Medalla Naval y Voto a la Virgen

El día 8 de febrero se encontraba en Ceuta el alto comisario, general Sanjurjo. Esa misma mañana se proponía marchar a bordo del crucero *Reina Victoria Eugenia* con dirección a Málaga, acompañado del contralmirante García Velázquez, con objeto de asistir a la entrega de la bandera que el vecindario de dicha capital regalaba al cañonero *Cánovas del Castillo*. También a bordo del citado crucero, se celebró el solemne acto de imponer la Medalla Naval a los alféreces de navío Remigio Verdia y Antonio Blanco, y al maestrante de marinería José Bustelo, como recompensa por los méritos que habían contraído en las operaciones sobre Alhucemas[428].

En cuanto a la ceremonia del Voto a la Virgen del día 9, se celebró con la solemnidad de costumbre. Asistió el comandante general, el Ayuntamiento bajo mazas, el Cabildo catedral, los jefes de los cuerpos, los comandantes de todos los buques de guerra, autoridades, los asociados de Nuestra Señora de África y numeroso público. Primeramente se dijo una misa cantada, oficiando el canónigo Pablo de Pablos. A continuación, el sacerdote Cayetano Mejías ocupó el púlpito para explicar, como también era tradicional, el origen de la fiesta[429].

5. Ceuta, el Plus Ultra y los hermanos Franco

En diciembre de 1925, cuando el éxito de la operación de desembarco en Alhucemas hizo ver el porvenir de la guerra de Marruecos con perspectivas halagüeñas, el Gobierno autorizó la realización de tres de los vuelos de prestigio que los aviadores españoles habían propuesto: Buenos Aires, Filipinas y la Guinea española.

Con respecto al vuelo a Buenos Aires, el aviador Ramón Franco decidió que un raid a la Argentina tenía muchos atractivos y, además, debería servir para fomentar las relaciones entre España y las naciones americanas, pues ya se estaba proyectando la Exposición Iberoamericana de Sevilla, que se iba a celebrar en 1929.

El viernes 22 de enero de 1926 por la mañana, Franco y sus compañeros, Ruiz de Alda, Durán y Rada, partieron desde el Puerto de Palos hacia América. Y el miércoles 10 de febrero, a las 12 y 14 de Buenos Aires, el *Plus Ultra* volaba sobre la capital argentina, virando sobre el monumento a Colón, tal y como estaba previsto. Cuando Franco reducía los motores,

---

424   La Voz, 25 de enero de 1926.
425   AGCE, LAC núm. 89. Comisión permanente, 10 de enero de 1926, folio 128.
426   La Voz, 25 de enero de 1926.
427   La Opinión, 3 de febrero de 1926.
428   Heraldo de Madrid, 9 de febrero de 1926.
429   El Telegrama del Rif, 12 de febrero de 1926.

Pergamino dedicado a los héroes del Plus Ultra, Benigno Murcia. AGCE.

la formidable ovación del público era audible desde el hidroavión. Atrás quedaban 10.270 kilómetros realizados en 59 horas y 30 minutos[430]. Canciones, sellos, tarjetas postales, incontables horas de radio, libros, periódicos... inmortalizaron la hazaña; todo el país había vivido la gesta en primera persona y había seguido como una piña la proeza de los aviadores.

Como era natural, Ceuta no fue ajena a este acontecimiento, pues aún se recordaba las estancias de Ramón Franco en la ciudad en enero y febrero de 1924, cuando realizó el raid a Canarias y Cabo Juby. Para celebrar la feliz terminación del victorioso viaje del *Plus Ultra*, se consideró fiesta el día 11 de febrero, al igual que se cerró el comercio, se engalanó la población y se empavesaron los buques surtos en el puerto. A las doce de la mañana se celebró una gran manifestación en honor de los aviadores. A la manifestación, que partió desde la plaza de la Constitución hasta la Comandancia General, asistieron miles de ceutíes encabezados por las autoridades. El alcalde, Rodríguez Macedo, y el comandante general, Federico Berenguer, pronunciaron patrióticos discursos[431].

Un telegrama del delegado general de España en Marruecos al director general de Marruecos y Colonias señalaba el acto que tuvo lugar en la Comandancia General: "Comandante general de Ceuta, en telegrama de ayer, me dice lo siguiente: 'Acompañado generales Sousa y Franco, jefes y oficiales mar y tierra, acabo recibir en esta Comandancia homenaje de amor a la Patria, Reyes, Ejército y Armada, rendido por Ayuntamiento, autoridades y pueblo Ceuta, que, legítimamente entusiasmados por feliz término 'raid' Palos-Buenos Aires, que hoy conmemoran 130 millones almas de nuestra raza, entregáronme pergamino, que puse en manos general Franco, en que vibra la exaltación más pura de españolismo que todos sentimos hoy justamente acrecentados por descomunal hazaña. Lo que me apresuro a comunicar a V. E. para su conocimiento y efectos oportunos"[432].

---

430   WARLETA CARRILLO. José: *Comienzan los grandes "raids": El vuelo del "Plus Ultra"*, pp. 3-31.
431   La Vanguardia, 13 de febrero de 1926.
432   La Voz, 13 de febrero de 1926.

El texto del citado pergamino que mandó confeccionar el Ayuntamiento reza así:

"El Ayuntamiento acordó en sesión extraordinaria del día 11 de los corrientes enviar un mensaje de sentida gratitud y admiración a los heroicos tripulantes de la aeronave, invicta representación del Ejército y de la Marina, Comandante de Infantería Sr. Franco Bahamonde, Capitán de Artillería Sr. Ruiz de Alda, Teniente de Navío Sr. Durán y Mecánico Sr. Rada, que supieron colocar en tan preeminente lugar el nombre de España.

Casas Consistoriales de Ceuta a 11 de Febrero de 1926

El Alcalde Ricardo Rodríguez Macedo   El Secretario Alfredo Meca"

Hemos visto que el pergamino fue recogido en la Comandancia General por el hermano de Ramón Franco, el recién ascendido a general Francisco Franco -antigüedad, 31 de enero de 1926-. El jovencísimo general estuvo en Ceuta unos días hasta que marchó a Madrid. Durante este tiempo recibió al coronel Millán Astray para hacer el traspaso del mando de la Legión; recibió un homenaje por parte de la oficialidad del Tercio en el Hotel Majestic, en el que estuvieron presentes los generales Berenguer y Sousa y el propio Millán Astray; al igual que estuvo presente en el citado homenaje que el Ayuntamiento le había ofrecido a su hermano Ramón y demás integrantes del Plus Ultra[433].

Los gastos por limosnas urgentes concedidas por la Alcaldía, gastos de convites y otros menores con motivo del Voto a la Virgen y homenaje a los aviadores ascendieron a 277,90 peseta[434]. Además, se abonaron 16 pesetas a la Editorial Mauritania por un manifiesto para el homenaje a los aviadores, y 75 pesetas a *La Gaceta de Yebala* por la inserción de un manifiesto del Plus Ultra[435]. Igualmente, el Ayuntamiento colaboró en la suscripción realizada por el Ayuntamiento de Murcia para realizar un homenaje nacional a los aviadores. Por otro lado, los actos realizados en Ceuta no fueron desapercibidos por el Gobierno, que envió un telegrama dando las gracias al pueblo de Ceuta por el homenaje "que se les dispensó a los tripulantes del hidroavión 'Plus Ultra', con motivo de su raid a Buenos Aires"[436].

6. Benigno Murcia Mata

Merece la pena precisar que el citado pergamino fue artísticamente confeccionado por el ceutí Benigno Murcia Mata (1879-1950), delineante municipal desde abril de 1914 y artista local, quien copaba, junto a Mariano Bertuchi, del que se sentía un profundo admirador y en parte discípulo en temas orientalistas, el modesto mundillo artístico ceutí. Autor de sugerentes marinas, de evocadores rincones monumentales e históricos de Ceuta, de retratos y algunos temas costumbristas marroquíes, trabajó principalmente la acuarela, el guache y el óleo sobre diversos soportes. Asimismo, realizó, como se ha referido, pergaminos, carteles e ilustraciones para algunas publicaciones, como *África, Revista de Tropas Coloniales*, e instituciones, como el Ayuntamiento y la Junta municipal de Ceuta, que a finales de noviembre de 1927 le encargó "varios cuadros que representarán algunos de los monumentos históricos desaparecidos"; cuadros que se acordaron adquirir en la permanente de 24 de diciembre. En un principio estaba previsto que los citados trabajos fueran colocados en el salón de actos del palacio municipal[437]; aunque en la actualidad se encuentran en la rotonda de la planta noble del citado palacio[438]. Además, fue creador de una hermosa arquitectura efímera reflejada en arcos de triunfos y carrozas.

---

433 La Prensa, 13 de febrero de 1926. El Luchador, 13 de febrero de 1926. El Adelanto, 14 de febrero de 1926. El Telegrama del Rif, 19 de febrero de 1926.

434 AGCE. LAC núm. 89. Comisión permanente, 22 de febrero de 1926, folio 145 vto.

435 AGCE. LAC núm. 89. Comisión permanente, 27 de febrero de 1926, folio 150 vto.

436 AGCE. LAC núm. 89. Comisión permanente, 13 de marzo de 1926, folio 155 vto. AGCE. LAC núm. 89. Comisión permanente, 22 de febrero de 1926, folio 145 vto.

437 El Telegrama del Rif, 1 de diciembre de 1927

438 GÓMEZ BARCELÓ, José Luis: 'Benigno Murcia', p. 39.

Igualmente, otro artista que residiría de forma esporádica en Ceuta fue el algecireño Rafael Argelés, que en el verano de 1923 fue comisionado en Tetuán por la Liga Africanista para montar una exposición en Madrid de temas costumbristas, y que llegó a colaborar en algunos números de *África, Revista de Tropas Coloniales* en los primeros meses de 1928.

En cuanto a la vida municipal, durante los primeros meses de 1926 las preocupaciones se centraron en cuestiones como el abastecimiento de agua, electricidad, alcantarillado, adoquinado de calles, nuevas barriadas, el vertedero de San Amaro y, sobre todo, en la nueva Contribución industrial. En este sentido podemos adelantar que la permanente del 24 de abril de 1926 la presidió el segundo teniente de alcalde José Noguerol Quevedo, "por encontrarse el alcalde presidente y el primer teniente de alcalde en Madrid cumpliendo la comisión que le fue conferida en la sesión anterior", relativa al tema de la Contribución industrial.

7. La Contribución industrial, de comercio y profesiones y el impuesto del Timbre

La Contribución industrial, de comercio y profesiones es un impuesto directo que grava el ejercicio de cualquier industria o actividad comercial, profesión, arte u oficio que no esté exceptuado en el régimen general. En realidad, no es un gravamen sobre el capital invertido o sobre los beneficios, sino una cuota fija que se abonaba al Estado. En Ceuta, cuando se conoció la imposición de la susodicha Contribución sentó muy mal al Ayuntamiento, a la Cámara de Comercio y otras fuerzas económicas. La orden salió publicada en la *Gaceta de Madrid* de 9 de abril de 1926 y esta cuestión haría movilizar a los principales agentes económicos: "se acuerda por unanimidad invitar a las fuerzas vivas de esta población a una reunión que tendrá lugar a las doce horas del día 15 de los corrientes en estas Casas Consistoriales"[439]. Tras la reunión, se acordó "nombrar una ponencia que redacte un escrito exponiendo el perjuicio que a Ceuta le irrogaría la referida medida"[440].

A partir de entonces, tras continuas reclamaciones, viajes a Madrid y numerosos contactos con personas influyentes de la Dirección General de Marruecos y Colonias, Comandancia General o Alta Comisaría, se consiguió que se redujese al 50% de forma temporal (cada año había que insistir sobre la reducción impositiva), a la par que un trece por ciento de los ingresos revertiera en el Ayuntamiento. En este sentido anotemos como ejemplo este acuerdo de la permanente del 27 de agosto de 1927: "Interesar de la superioridad se ordene el ingreso en la Caja municipal de las cantidades que a este municipio corresponde percibir por el trece por ciento sobre la contribución industrial y diez por ciento sobre el timbre del estado"[441].

Por otro lado, la Junta municipal solicitó de la Dirección General de Marruecos y Colonias "interese de la Dirección general del Timbre ordene el ingreso en la Caja municipal de las cantidades que corresponde percibir a este municipio por el concepto del 10 por 100 sobre Timbre del Estado"[442]. La Junta municipal se limitaba a demandar lo que prevenía el Estatuto para el régimen administrativo de la Ciudad de Ceuta en su Título II. De las exacciones municipales. "Art. 188. Ingresará también en la Caja de la junta y formará parte de sus recursos ordinarios el impuesto de cédulas personales y el recargo del 10 por 100 sobre el del Timbre que corresponde al Estado".

---

439 AGCE. LAC núm. 89. Comisión permanente, 11 de abril de 1926, folio 165.
440 ABC, 17 de abril de 1926.
441 BOCCE núm. 62, 1 de diciembre de 1927. Comisión permanente, 27 de agosto de 1927.
442 BOCCE núm. 63, 8 de diciembre de 1927. Comisión permanente, 1 de octubre de 1927.

8. El régimen económico

Como se ha visto con anterioridad, la imposición de la Contribución industrial había levantado verdaderas ampollas en el mundo empresarial ceutí. Este impuesto directo, en cierta medida, rompía con el régimen económico que imperaba hasta entonces. Como resulta sabido, el reconocimiento de una fiscalidad especial para las ciudades de Ceuta y Melilla viene desde antiguo, ya desde su incorporación en la Corona de Castilla –tras el Tratado de Lisboa de febrero de 1668 en el que se reconocía la independencia de Portugal, Ceuta se mantuvo en la corona de Castilla-, los residentes han venido gozando de la exención más completa de toda clase de "pechos y subsidios", de manera que este específico tratamiento venía ratificado por una Real Cédula de julio de 1668. La indicada situación vino manteniéndose con posterioridad y fue objeto de confirmación expresa en nuevas Reales Cédulas[443].

Como señala María José Fernández Pavés: "desde el punto de vista tributario, la exención fue conservada íntegramente hasta finales del siglo XIX, en la que a través de la Ley Villaverde comenzó a percibirse el Impuesto de Derechos Reales; más tarde se exigiría la Ley del Timbre del Estado; y a partir de 1926 se exigió citada la Contribución Industrial de Comercio y Profesiones; iniciándose de esta forma un proceso que se prolongará hasta 1944[444]. José Muñoz Domínguez insiste en los mismos términos: "Posteriormente se exige el Impuesto del Timbre y en 1926, […] la Contribución Industrial, de Comercio y Profesiones"[445].

Otro impuesto que se intentó imponer en 1929 fue el de Utilidades. El 28 de mayo la Cámara de Comercio, en sesión extraordinaria, acordó protestar contra la implantación del sustitutivo del impuesto de Utilidades, "que viene a empeorar la penosa y difícil situación del comercio e industria local". Según informaba *ABC*, se telegrafió al ministro de Hacienda y se acordó que una representación de las fuerzas vivas marchase a Tetuán a recabar el apoyo del comisario superior[446]. Tras la entrevista con el alto comisario se consiguió la retirada de los apremios y la suspensión del susodicho cobro de Utilidades[447].

9. Cambios en la Comandancia General y el contencioso de los arbitrios municipales con el Ejército

A finales de marzo se produjeron varias noticias. Por un lado, causó penosa impresión en todas las clases sociales ceutíes el fallecimiento del padre Cervera, vicario apostólico en Marruecos ocurrida en Tánger. Por otro, en el Teatro del Rey se estrenó con gran éxito la comedia titulada *Cristina vuelve* de los periodistas López Rienda y Potous[448]. Pero la noticia más relevante fue el nombramiento del general de brigada Agustín Gómez Morato como jefe del sector de Ceuta.

Unas jornadas más tarde, el 7 de abril, llegó el citado general, tomando posesión de su mando[449]. Sobre Gómez Morato ya hemos trazado algunos rasgos de su biografía, pues había sido jefe del regimiento de Ceuta hasta su ascenso a general de brigada en agosto de 1925, siendo destinado a la Comandancia General de Melilla. Durante su nueva estancia en Ceuta, tendrá un relevante protagonismo hasta su ascenso a general de división, en 1928. Con respecto a su antecesor en el cargo, el general Sousa, pasó a la Comandancia de Larache.

Pasados unos días de los cambios producidos en la Comandancia General, llegó a la ciudad la duquesa de la Victoria procedente de Axdir, donde había visitado los hospitales

443 MUÑOZ DOMÍNGUEZ, José: 'La fiscalidad de los territorios de Ceuta y Melilla', p.7.
444 FERNÁNDEZ PAVÉS: María José: 'Financiación ciudad autónoma de Melilla', s.p.
445 MUÑOZ DOMÍNGUEZ, José: Opus cit., p.8.
446 ABC, 29 de mayo de 1929.
447 ALARCÓN CABALLERO, José Antonio: *La Cámara de Comercio, Industria y Navegación de Ceuta: un siglo en la historia económica y social de Ceuta (1906-2006)*, p. 392.
448 La Vanguardia, 28 de marzo de 1926.
449 ABC, 8 de abril de 1926.

instalados en la Cala del Quemado. La acompañaba su esposo, y ambos inspeccionaron los hospitales[450]. Mientras tanto, García Morato tomó posesión del cargo de la presidencia de la Comisión transitoria para gestionar la legitimación de las propiedades del Campo Exterior de Ceuta[451]; un tema que, como ya se ha visto, no había quedado cerrado.

Todavía en abril también se trató una cuestión que estaba originando ciertos roces entre el Ayuntamiento y el mundo militar: "oficio del Señor Interventor de fondos que se interesa se adopten medidas enérgicas que eviten el por qué los centros militares de esta población se introduzcan artículos de comer, beber y arder, sin el previo pago de los arbitrios correspondientes"[452]. Este impuesto indirecto era, desde luego, el más importante, pues representaba aproximadamente dos tercios de la recaudación municipal. Y en este sentido, el Ayuntamiento, en su firme política de financiación para poder afrontar todos los retos que se le iban presentando, estaba buscando nuevas fuentes de ingresos. Aunque el contencioso ya tenía un largo historial, la indignación del interventor municipal, Luis Martínez Barrié, venía dada porque el 25 de febrero de 1926 el comandante general ordenó que no se pagasen los arbitrios municipales "a resultas de lo que resuelva la autoridad superior"; al igual que ya se habían producido algunos desencuentros desagradables entre militares y recaudadores consumistas. Esta cuestión se dilataría en el tiempo, y en 1928 la Junta municipal acordó que el representante que tenía en Madrid, José Matres, hiciese las gestiones necesarias[453].

10. ABC en Ceuta

Pero veamos cómo había conseguido el Ayuntamiento incrementar los presupuestos en apenas dos años. Enrique Garro, periodista de *ABC*, estuvo en la ciudad para realizar una serie de reportajes que fueron publicados el 30 de abril de 1926. El alcalde, Ricardo Rodríguez Macedo, le comentaba al periodista "la ardua tarea del Ayuntamiento para encauzar la administración":

"Desde 1924, en que la situación del municipio era agobiada y los ingresos escasos, hasta hoy, en que resplandece la buena dirección iniciada a raíz de la toma de posesión del Sr. Rodríguez Macedo, ha pasado horas de estudios y trabajos enormes, secundado por el personal de Secretaría, Intervención y otras secciones, que nunca lo agradecerán bastante los vecinos de Ceuta. […]

Con todos estos trabajos, que sirven de modelo para una buena administración, el presupuesto del Ayuntamiento de Ceuta, que alcanzaba la cifra de 1.400.000 pesetas, en el año económico de 1926-1927 aumentará a la cantidad de 3.400.000 pesetas.

La gama del progreso que hoy impera en Ceuta nos habla de capítulos destinados para expropiaciones, ensanches, construcción de una Bolsa para contratar pescado, adoquinado, instalación de WW.CC. en la vía pública, pago de material de incendio y limpieza y terminación de la Casa Consistorial.

Entre toda esta labor destaca el proyecto del nuevo puente de la Almina, de 20 metros de ancho, obras que serán pagadas con el producto de la venta del solar del Ayuntamiento antiguo […]"[454].

---

450 La Nación, 14 de abril de 1926.
451 La Nación, 14 de abril de 1926. ABC, 13 de abril de 1926.
452 AGCE. LAC núm. 89. Comisión permanente, 24 de abril de 1926, folio 176.
453 Órdenes sin pago de arbitrios C-907-16, C-1081. AGCE LAC núm. 89. Comisión permanente, 28 de abril de 1928.
454 ABC, 30 de abril de 1926.

11. XIV Congreso Geológico Internacional

El mes de mayo estuvo tocado por la suerte. En el sorteo de la Lotería Nacional del día 11, el número 13.285, que correspondía al tercer premio, se repartió entre Andújar y Ceuta[455]. También en el mismo mes visitaron la ciudad los integrantes del XIV Congreso Geológico Internacional, en su mayoría extranjeros. Procedentes de Jerez y Algeciras el día 13 llegaron los congresistas que formaban parte de la comisión geológica del Estrecho de Gibraltar; los cuales iban a asistir al citado Congreso, que se iba a celebrar en Madrid. Al desembarcar en el puerto fueron recibidos por una comisión del Ayuntamiento, los ingenieros Rosende, Vegazo y Arango, representaciones de diversas entidades e importantes personalidades. Posteriormente hubo una recepción en el Ayuntamiento, y no faltó la foto de rigor en la plaza de la Constitución. Por la tarde tuvo lugar un té de honor en el Hotel Majestic. En dicho acto el alcalde y el general Gómez Morato pronunciaron discursos de bienvenida. En nombre de los congresistas dio las gracias el ingeniero de minas francés M. Charles Duny. Seguidamente marcharon para visitar los lugares pintorescos que rodean la ciudad, como la fortaleza del Hacho. Al día siguiente continuaron las visitas, y se desplazaron a Tetuán[456].

Miembros del XIV Congreso Geológico con diversas personalidades de Ceuta en la plaza de la Constitución. AGCE.

Merece la pena resaltar que este Congreso ha sido el único internacional que se ha organizado en España. Las sesiones del CGI tuvieron lugar en Madrid del 23 al 31 de mayo de 1926. El Congreso organizó dieciséis excursiones de campo, que comenzaron el 10 de mayo (Estrecho de Gibraltar) y concluyeron el 12 de junio (Cataluña, Pirineos y Mallorca)[457].

En cuanto al pulso de la vida municipal, durante el mes de mayo se planteó la necesidad de construir más nichos en el cementerio de Santa Catalina debido a las operaciones militares que tenían lugar en Alhucemas, "aparte del contingente que da este vecindario".

455 El Noticiero Gaditano, 11 de mayo de 1926.
456 La Voz de Asturias, 15 de mayo de 1926. El Sol, 15 de mayo de 1926.
457 AYALA-CARCEDO, F.J. et al.: 'El XIV Congreso Geológico Internacional de 1926 en España', pp. 173-184.

También el Ayuntamiento recepcionó las obras de adoquinado[458] y desagüe de la plaza de la Constitución, así como el pabellón escolar de la calle Independencia. Además, se estaban realizando obras de replanteo del Llano de las Damas, se estaban llevando a cabo obras de restauración de la fachada del Santuario de Nuestra Señora de África, al igual que se seguían otorgando permisos para la construcción de viviendas en las barriadas del Campo Exterior. Asimismo, la permanente acordó darle el nombre de Alférez Baytón "a la calle R de esta ciudad en atención de ser hijo de ella y haber dado su vida por la patria en los Campos de Marruecos"[459]. Esta coqueta calle se encuentra justo detrás de la Casa Trujillo, edificio que estaba en plena construcción por esas fechas. Adolfo Baytón Rodríguez era un alférez legionario, de 17 años de edad, que había caído en los combates de la toma de Alhucemas[460].

12. La rendición de Abd el Krim

También en el mes de mayo tuvo lugar un acontecimiento largamente esperado. La firma del convenio hispano-francés de marzo de 1926 había facilitado la coordinación de las campañas militares[461]. Tras entablar frustradas conversaciones con Abd el Krim, el 1 de mayo comenzaba una rápida, metódica y decisiva ofensiva general, que culminó a los pocos días con el derrumbe de la línea defensiva denominada de las cuatro lomas. A partir de entonces todo quedó decidido. Y el 26 de mayo de 1926 Abd el Krim, atrapado en un sinfín de problemas, se rindió a los franceses (se entregó a las cinco de la mañana del 27). La noticia hizo que los diarios nacionales se hicieran eco de forma profusa de aquel notable acontecimiento. Igualmente, por esos días también estaba en plena ebullición la campaña del coronel Prat en la zona de Río Martín, que estaba logrando un éxito espectacular. Todo este cúmulo de noticias positivas, que llegaba de los distintos frentes, causó alegría general.

13. Visita pastoral, entierro del coronel Fiscer y nuevo impulso a las Comisiones transitorias

Paralelamente a estos acontecimientos, dos cuestiones se van a centrar principalmente en Ceuta a finales de mayo. Por un lado, la visita pastoral del obispo de Cádiz, que va a tener lugar entre los días 20 y 28; por otro, la puesta en marcha de las Comisión transitoria para la legitimación de las propiedades del Campo Exterior. Entre medio, el impresionante entierro del coronel Fiscer.

Según consta en las ordenanzas municipales de 1923, "A los efectos eclesiásticos, comprende Ceuta dos parroquias, la del Sagrario de la catedral y la de Santa María de los Remedios, siendo además Obispado, Sede Vacante, administrada apostólicamente por el Ilmo. Sr. Obispo de Cádiz". En 1926 era el obispo de Cádiz Marcial López Criado. Nacido en Córdoba en 1868, en el seno de una familia humilde, fue nombrado obispo de Cádiz en 1918. Preocupado por la delicada situación social de Cádiz, promovió la difusión de publicaciones católicas y el sindicalismo cristiano. Además, abordó con determinación

El coronel Fiscer falleció en Ceuta el 24 de mayo de 1926.

---

458   Los gastos del adoquinado de la plaza de la Constitución ascendieron a 53.290,02 pesetas. AGCE. LAC núm. 89. Comisión permanente, 15 de mayo de 1926, folio 184.
459   AGCE. LAC núm. 89. Comisión permanente, 22 de mayo de 1926, folio 188.
460   La Vanguardia, 14 de septiembre de 1926.
461   VILANOVA, José Luis: 'La pugna entre militares y civiles por el control de la actividad interventora en el Protectorado español en Marruecos (1912-1956)', p. 696.

la restauración de la catedral de Cádiz, al igual que la catedral de la Asunción y el Santuario de la Virgen de África de Ceuta. De su prestigio da idea su presencia en un escaño del Senado en el bienio 1921-1922 por el Arzobispado de Sevilla. Cuando realizó la visita pastoral a Ceuta tenía 58 años. No era su primera visita, ya había realizado dos anteriormente; la última en el verano de 1923, coincidiendo con las fiestas patronales.

Como se ha indicado, el día 20, procedente de Cádiz, llegó el administrador apostólico de Ceuta, acompañado del secretario de Cámara, canónigo José Salinas. A recibirlo en Algeciras marchó el gobernador eclesiástico, José Casañas Caraballo. En el desembarcadero fue recibido por las autoridades civiles y militares, los cabildos catedral y castrense, el colegio de agustinos, representaciones, congregaciones religiosas, benéficas, diferentes personalidades y numeroso público, que invadía el muelle, prodigando al prelado un cariñoso recibimiento. Atardecido, se organizó una comitiva dirigiéndose al Santuario de la Virgen de África, donde se cantó un Te-Deum y hubo solemne función religiosa, predicando el prelado un magistral sermón.

Al día siguiente se dedicó a recibir a los diferentes estamentos de la ciudad[462]. Y en las siguientes jornadas estuvo realizando diversas visitas a las dependencias eclesiásticas, al igual que inauguró el Seminario Menor Diocesano con solemne función religiosa, oficiando de pontifical el propio doctor López Criado[463]. El seminario "servirá de preceptoría de Latinidad y Humanidades", siendo nombrado director el canónigo Cayetano Mejías Abadín[464].

El 25 por la mañana asistió al entierro del coronel Benigno Fiscer Tornero, que había fallecido el día anterior en el Hospital Central[465], donde se hallaba hospitalizado desde hacía unos días a consecuencia del balazo recibido en el pecho en los combates librados en la famosa batalla de la loma de los Morabos, una de las cuatro lomas que formaban la citada línea defensiva dispuesta por Abd el Krim como última esperanza. Contaba cuarenta y dos años de edad (Vitoria, diciembre 1883-Ceuta, mayo 1926). El entierro fue una imponente manifestación de duelo. El féretro iba materialmente cubierto de coronas, dándole guardia de honor las escuadras de Regulares de Tetuán, con bandera enlutada, y del Tercio. La presidencia estaba constituida por el citado obispo de Cádiz, el comandante general, el alcalde y el capitán Mauricio Fiscer, hermano del finado. Concurrieron todos los jefes y oficiales libres de servicio de la guarnición, representaciones de diversas entidades y numerosos ceutíes. En medio de un silencio abrumador, el comercio cerró al paso del féretro, evolucionando varios aeroplanos procedentes de Tetuán, que arrojaron ramos de flores con cintas de los colores nacionales[466]. Por Real Decreto de 18 de junio de 1927 sería ascendido al empleo de general de brigada, con antigüedad de 24 de mayo de 1926, día de su último suspiro.

Y a las tres de la tarde del mismo día llegaron en el *Reina Victoria* procedente de Melilla el alto comisario, general Sanjurjo, el jefe de enlace francés, teniente coronel Prioux, el jefe del Estado Mayor, general Goded, el contralmirante García Velázquez y ayudantes. Al entrar el crucero en la plaza se hicieron las salvas de ordenanza. Fueron recibidos en el muelle del Comercio por los generales Berenguer y Gómez Morato, jefes de la guarnición y numerosos amigos, que felicitaron a Sanjurjo por los éxitos obtenidos en la zona de Axdir. Seguidamente, se desplazaron a la Comandancia General. Atardecido estuvo Sanjurjo en el Hotel Majestic, marchando luego a casa del coronel Pignatelli, jefe del regimiento de Caballería de Vitoria[467]. Sanjurjo tenía la intención de ir a Rabat, pero enterado en Ceuta de la rendición de Abd el Krim, se instaló en Tetuán, donde se puso al día de los últimos acontecimientos. De allí viajó a Axdir para comprobar los avances y dar nuevas órdenes; y a principios de junio se desplazó a Casablanca y Rabat, para entrevistarse con el residente francés.

462   La Vanguardia, 21 de mayo de 1926. La Voz, 21 de mayo de 1926.
463   La Nación 26 de mayo de 1926.
464   La Vanguardia, 28 de mayo de 1926.
465   SOLDEVILLA, Fernando: *El año político, 1926*, p. 177.
466   La Vanguardia, 28 de mayo de 1926.
467   ABC, 26 de mayo de 1926. La Libertad, 27 de mayo de 1926.

Con respecto a la visita pastoral, monseñor Marcial López cerró el ciclo almorzando con el general Berenguer en la Comandancia General, teniendo la comida carácter particular. Por la tarde estuvo en el palacio municipal, siendo recibido por el alcalde, concejales y altos funcionarios, visitando las diferentes dependencias[468]. El día 27 estuvo en la catedral, donde apreció satisfactoriamente el nuevo coro y la vía sacra. Y al día siguiente dio por acabada su estancia en Ceuta.

En cuanto a la Comisiones transitorias creadas para legitimar la propiedad de los terrenos en el Campo Exterior, recordemos que el general de brigada Gómez Morato, recién destinado a Ceuta, había sido nombrado en abril presidente de dicha Comisión con el claro objetivo de aligerar la situación.

Una de las primeras actuaciones que hizo el citado general fue publicar, a principios de mayo, un "edicto en que se cita a los propietarios que tenían parcelas en usufructo para que comparezcan en la Pagaduría de Hacienda y satisfagan el canon correspondiente, firmen las escrituras de propiedad y las inscriban en el Registro de la Propiedad con objeto de que puedan disfrutar de aquellos terrenos en pleno dominio"[469]. Y el día 26 por la tarde se reunió la Comisión, acordándose el otorgamiento de las escrituras a los usufructuarios que cumplían los requisitos de concesión, a los que se les entregó el cargo en propiedad. También fue en el mismo mes cuando una comisión del Ayuntamiento visitó el Morro para la construcción de casas.

El proceso se fue prorrogando mediante Reales Decretos (junio, diciembre…) hasta que, por otro Real Decreto de 31 de octubre de 1927, se crean las Comisiones mixtas administradoras del patrimonio del Estado en Ceuta y Melilla, sustituyendo a las anteriores. Sin embargo, no sería hasta el 9 de abril de 1929 cuando se decreta la suspensión de estas Comisiones[470]- en la permanente de 19 de abril de 1929 se acuerda pagar el alquiler de una casa para la Comisión del patrimonio del Estado que "se ha de instalar"-. Entre ambas fechas por R.D. de 3 de mayo de 1928 se efectúa una reorganización.

Como la cuestión no se solucionó del todo, pues habían quedado muchos casos en el aire (pérdida de documentación, cesiones de terrenos entre particulares, cuestión de herederos, etc.) por R.O. 11 de marzo de 1930 se ordena la revisión de las parcelas en enfiteusis del Campo Exterior; cuestión que se saldaría con la Ley 29 de julio de 1933, tras la intervención del entonces diputado a Cortes, Antonio López Sánchez - Prado.

14. Niños excautivos, los retratos de Alfonso XIII y del teniente Ruiz y la Sanjuanada

Una de las consecuencias de la rendición de Abd el Krim fue la liberación de los prisioneros cautivos. Notorio fue en Ceuta y Tetuán la llegada de tres niños que habían sido capturados en abril de 1924 en los alrededores de Tetuán, junto a dos franciscanos, que morirían en el cautiverio. De Tetuán fueron a Ceuta a recibirlos el presidente de la Misión Católica R.P. Fray Luis, que saludó en nombre de la ciudad tetuaní a los niños Ambrosio Sánchez, Saturnino Colinas y Luis Rovira. Por su parte, Ceuta les tributó una entrañable y sincera acogida, siendo vitoreados, prodigándoles obsequios y caricias; mientras, los niños, con la satisfacción reflejada en el rostro al verse cerca del hogar querido, saludaban agradecidos agitando al aire sus boinas. Por todas las estaciones que pasaron recibieron numerosas muestras de cariño. La llegada a Tetuán fue apoteósica, más de dos mil personas esperaban su llegada, aplaudiendo frenéticamente cuando el tren entró en la estación. Todos los niños de las escuelas aguardaban a sus amigos en la puerta de la Alta Comisaría[471].

---

468 La Vanguardia, 28 de mayo de 1926.
469 La Voz, 8 de mayo de 1926. El Sol, 10 de mayo de 1926.
470 PALOMERA PARRA, Isabel y GAITE PASTOR, Jesús: 'Fuentes para la historia de Ceuta y Melilla en la Sección de Fondos Contemporáneos del Archivo Histórico Nacional', p. 151.
471 El Bien Público, 19 de junio de 1926.

Por otro lado, fue el 20 de junio cuando en la permanente se leyó un escrito de Mariano Bertuchi por el que aceptaba el encargo de la realización de dos retratos al óleo con sus marcos de Alfonso XIII y del teniente Ruiz con un presupuesto de seis mil pesetas. La permanente estimó "justos los honorarios dichos" y acordó aceptarlos por unanimidad[472].

Pocos días después se produjo lo que la historiografía ha denominado como "la Sanjuanada", o intento del primer golpe de estado que tuvo lugar en Valencia contra la dictadura. La noche del 24 de junio quedó la ciudad del Turia totalmente incomunicada, y los periódicos dejaron de publicar noticias telegráficas y telefónicas. La incomunicación duró 48 horas. Fue a su término cuando se supo que el Gobierno había sorprendido un complot revolucionario. Los directores del movimiento fueron el capitán general Valeriano Weyler, el teniente general Aguilera y el conde de Romanones, que fueron detenidos. Melquíades Álvarez había redactado un manifiesto reclamando "el Restablecimiento de la legalidad constitucional". La intención era poner en el poder al general Aguilera.

15. Despedida de la escuadra francesa y la llegada del coronel Millán Astray

También en Ceuta el día 23 fue un día especial. Por la mañana llegaba el contralmirante Hallier a bordo del crucero *Metz*, de 151,4 m de eslora y 5.440 toneladas, que igualmente había participado en las operaciones de Alhucemas. Nada más desembarcar marchó a Tetuán a saludar al alto comisario, con el que almorzó y, ya atardecido, volvieron juntos a Ceuta, donde se le ofreció un banquete en el *Princesa de Asturias*. Al día siguiente por la tarde tuvo lugar una fiesta de honor en la Comandancia General, que terminó con un baile en los jardines, asistiendo el alto comisario, las más altas autoridades de la localidad, y representantes de la Unión Patriótica y Asociación de la Prensa[473]. Este acto se celebró como despedida de la escuadra francesa, que había colaborado con la española. A la hora del *champagne* se pronunciaron brindis entusiastas de confraternidad. No sería su última visita, de nuevo lo vamos a encontrar en las aguas de Ceuta con motivo de las fiestas patronales, a las que, sin lugar a dudas, habría sido invitado.

La retirada de los buques franceses estaba justificada debido al ambiente de normalidad que se empezaba a percibir. Así, por ejemplo, quedó establecido un servicio diario de correo marítimo entre Ceuta y las posiciones del sector de Axdir. Los vapores de Trasmediterránea encargados de cubrir la línea fueron *Vicente Ferrer* y *Cullera*, que partían de Ceuta a las diez de la noche. Otro síntoma de que la situación mejoraba fue que los trenes circulaban sin las características bateas con emplazamientos de ametralladoras, que durante tantos años y hasta hacía poco las adornaban; al igual que hubo un aumento del servicio de trenes entre Ceuta y Tetuán y viceversa. También, la famosa posición de M'Ter, que tantos quebraderos de cabeza había dado a principios de 1924, fue ocupada de nuevo a finales de junio, al igual que se celebró la Copa Berenguer, un campeonato de equipos militares de la zona occidental, resultando ganador el equipo Santa Bárbara de Larache[474]. De igual forma, Mariano Bertuchi publicó una magnífica aguada a doble página, *La paz vuelve*, en la *Revista de Tropas Coloniales* en su número de mayo de 1926, dando a entender que la normalidad se estaba extendiendo por los campos y zocos marroquíes.

A principios de julio, el día 3, llegó en el vapor correo el coronel Millán Astray acompañado de su esposa, Elvira Gutiérrez de la Torre, para tomar de nuevo el mando de la Legión, tras una visita a un especialista del oído en Madrid. Fue recibido por los generales Goded y Morato[475]. Sobre la manga de la guerrera del brazo mutilado portaba cuatro ángulos dorados; el último ganado por un tiro en la cara en marzo de ese mismo año en Loma Redonda, que le hizo perder el ojo derecho y le había destrozado parte del oído.

---

472   AGCE. LAC núm. 90. Comisión permanente, 20 de junio de 1926, folios 1 vto. y 2.
473   La Atalaya, 25 de junio de 1926.
474   La Libertad, 1 de julio de 1926.
475   El Cantábrico, 4 de julio de 1926.

Pocos días después, en el Salón Apolo tuvo lugar una función en honor del referido coronel y de la propia Legión. El teatro, que estaba concurridísimo, presentaba un aspecto radiante. Asistieron los generales Federico Berenguer y Agustín Gómez Morato. La compañía dramática de Francisco Fuentes representó *La tonta del bote*, obra original de Pilar Millán Astray, hermana del coruñés. La representación obtuvo el éxito[476] esperado. *La tonta del bote* había sido estrenada en el Teatro Lara de Madrid en abril de 1925 y catapultó a Pilar a la fama como una de las comediógrafas más populares del país. Autora de numerosas obras, donde el papel de la mujer no era secundario, mujer conservadora y poseedora de una formación cultural poco común para la época, con una vida intensa, puso su inteligencia y sus dotes creativas al servicio de la causa femenina, que, por aquellos años, empezaba a despuntar: en *Las castigadoras* (1927), "historia picaresca" que catapultó a la fama a Celia Gámez, la vedette cantaba el chotis de 'Las taquimecas', una especie de himno reivindicativo de la mujer trabajadora (se cantaba con deje muy castizo), que era aplaudido a rabiar:

> Con la falda muy cortita, muy cortita,
> ajustadita, luciendo el talle
> y el pelito muy cortito, muy cortito,
> yo, muy airosa, voy por la calle.
> Los zapatos muy chiquitos, muy chiquitos,
> las medias finas a lo Rebeca,
> las muchachas taquimecas, mecas, mecas,
> son la admiración
> de los chicos cañón...[477]

Por otro lado, hemos visto que era frecuente ver por Ceuta a la compañía dramática de Francisco Fuentes. Francisco Fuentes (1872-1934), también conocido como Paco Fuentes, era un prestigioso actor andaluz que había fundado su propia compañía. A lo largo de su carrera había interpretado y revitalizado a autores clásicos, como Lope de Vega o Calderón de la Barca, y otros más modernos, como Echegaray, Benito Pérez Galdós, Valle Inclán o Benavente. Interpretó con gran éxito, entre otras obras, *La Malquerida* en 1914, de Benavente, que representaba la reacción al teatro de Echegaray. Asimismo, trabajó como primer actor en la compañía dramática de Margarita Xirgu, con quien hizo *Marianela* de Galdós. El estreno de *Marianela* tuvo lugar el 18 de octubre de 1916 en el Teatro de la Princesa de Madrid -era el momento cumbre de su carrera-. También fue un buen director de escena e introdujo algunos novedosos recursos técnicos, como la iluminación con candilejas situadas en los extremos del proscenio en vez de únicamente al frente, como era lo tradicional[478].

Mientras tanto, continuaban llegando buques llenos de tropas procedentes de Alhucemas, siendo recibidos con especial cariño por la población, al igual que arribaban otros transportando numerosas bajas. Además, causó hondo sentimiento la muerte del dominico catalán Juan Canals, fundador de una congregación que contaba con numerosos socios entre los militares[479].

16. La patrona de los marinos

El viernes 16 de julio tuvo lugar fiesta de la Virgen del Carmen, patrona de la Marina. Por un lado, se celebró con solemne misa en el buque-almirante *Reina Victoria Eugenia*, concurriendo elementos oficiales y muchos invitados. También hubo rancho extraordinario para la dotación de los buques. Por otro, en el Santuario de la Virgen de África hubo función religiosa, asistiendo la Compañía de Mar, numerosos fieles y las dotaciones de los buques de guerra. El puerto mostraba un magnífico y colorido aspecto con todos los buques empavesados. Como era tradicional, según señala Mª Dolores Díaz, los pescadores, vestidos con

---

476   El Adelanto, 10 de julio de 1926.
477   MONTIJANO RUIZ, Juan: *"Yola" Historia del primer "boom" teatral de la posguerra*, pp. 51 y 52.
478   ROVIRA JIMÉNEZ, María Luisa: 'Francisco Fuentes', s.p.
479   La Cruz, 14 de julio de 1926.

jerséis azules y pantalones remangados, llevaban a la Virgen a hombros desde el Santuario de la Virgen de África hasta el muelle de pescadores, allí se embarcaba en una barquita para que bendijera las aguas; aunque lo más característico de este pequeño paseo era que, sobre el hombro que quedaba libre, llevaban uno de los remos de la barca, lo que daba un vistoso aspecto[480].

Ya por la noche se celebró una fiesta a bordo del crucero *Reina Victoria Eugenia*, promovida por el contralmirante García Velázquez. El comisario superior, con el jefe del Estado Mayor y ayudantes, vinieron de Tetuán para asistir a la fiesta, concurriendo también los generales Berenguer y Gómez Morato, alcalde y otras autoridades[481]. Igualmente tuvo lugar una velada en el Casino Español[482]. Coincidiendo con esta celebración llegó a mediodía el paquebote italiano *Saboya* con 350 aristócratas italianos, recibiéndolos las autoridades; posteriormente los turistas recorrieron la población admirando sus bellezas. Anochecido partió rumbo a Cádiz[483].

17. Fiesta en el cuartel de Regulares

Al día siguiente, sábado 17, en el cuartel de Regulares tuvo lugar una gran fiesta militar con motivo de celebrar el brillante comportamiento del Grupo durante la campaña de Alhucemas, culminada en el final de dicha campaña, y el encontrarse reunidos todos los tabores de infantes y jinetes. En la explanada del cuartel formaron la tropas mandadas por su jefe, el laureado teniente coronel Varela, las cuales fueron revistadas por el alto comisario, general Sanjurjo. Formando parte del séquito del general en jefe iban el jefe de Estado Mayor, general Goded, el comandante general Berenguer, el contralmirante García Velázquez, el general Gómez Morato, los jefes de Cuerpo de la guarnición, los comandantes de los buques de guerra, así como numerosos invitados.

Terminada la revista, las tropas desfilaron ante los generales, en medio de nutridos aplausos. Durante estos actos, en honor del general Sanjurjo tocaron la nuba de los Regulares y la banda del Tercio. Terminado el desfile, los invitados invadieron los jardines y salones artísticamente adornados. Se sirvió un espléndido *lunch* seguido de un baile. Por su parte, los soldados organizaron una fiesta, corriendo la pólvora, al igual que disfrutaron de un espléndido banquete. Tanto el teniente coronel Varela como la oficialidad fueron felicitados por el alto comisario y los otros generales[484].

El Grupo de Fuerzas Regulares Indígenas de Ceuta n.º 3 tiene sus orígenes en la R.O. de 31 de julio de 1914, que en su artículo 4º señala: "Las fuerzas regulares indígenas estarán constituidas, por ahora y en tanto las circunstancias no permitan ampliarlas, por cuatro grupos de fuerzas regulares indígenas, formado cada uno de ellos de dos tabores de Infantería, de tres compañías, y un tabor de Caballería, con tres escuadrones, al mando de un Teniente coronel". Los dos primeros grupos se basan en Melilla y el cuarto en Larache, mientras que sobre el tercer grupo aclara: "se organizará en la zona de Tetuán reuniendo los elementos que constituyen el Tabor de Tetuán, la sección de policía indígena de esta plaza y la milicia voluntaria de Ceuta", y se denominará "Grupo de Cuerpos de fuerzas regulares indígenas de Tetuán núm. 3"[485].

---

480   DÍAZ FERNÁNDEZ, Mª Dolores: Opus cit., p. 36.
481   ABC, 18 de julio de 1926.
482   La Prensa, 18 de julio de 1926.
483   La Libertad, 18 de julio de 1926.
484   La Nación, 19 de julio de 1926. De la citada celebración dejaría constancia el corto documental mudo *Regulares de Ceuta*, realizado por "Actualidades Gallardo, exclusivos del Teatro del Rey", que lleva el núm. 7. También realizaría otros documentales, como *Guerra en África*, del mismo año, con el núm. 9. Estos documentales se pueden consultar en rtve.es Filmoteca Nacional.
485   Diario Oficial del Ministerio de la Guerra. Año XXVII. D.O. núm. 169, 2 de agosto de 1914, pp. 400-406.

Llegada del alto comisario, general Sanjurjo, y del comandante general de Ceuta, Federico Berenguer, al cuartel González Tablas. Cortesía de Rosa Ros Amador.

Dos años después, por Real Orden de 7 de diciembre de 1916, se modifica esta organización, quedando estructurados los grupos de la siguiente manera: Tetuán n.º 1, Melilla n.º 2, Ceuta n.º 3 y Larache n.º 4. Por lo tanto, no sería hasta 1916 cuando se construya el cuartel llamado Hadú, aunque en 1922 cambiaría el nombre a González Tablas –jefe del Grupo caído en Tazarut el 13 de mayo de 1922-. Por esas fechas comenzó su construcción en mampostería. Por otro lado, alrededor del cuartel nació un poblado y una escuela hispano-árabe. En cuanto al cuartel, es de estilo neo mudéjar con azulejos de Ramos Rejano, de Triana (Sevilla), y emblemas en los bancos, también de Ramos Rejano, diseñados por Mariano Bertuchi. Por su singularidad y exotismo, se convirtió en uno de los atractivos de las visitas a Ceuta. Con respecto a Varela, se había hecho cargo del Grupo de Ceuta el 7 de marzo de 1926, tras el ascenso a coronel de Eliseo Álvarez Arenas, el 1º de marzo.

Los descendientes de los mogataces, la milicia voluntaria, la policía indígena y los nuevos soldados musulmanes de Regulares, que provenían principalmente de las cabilas cercanas y de las zonas de Tetuán y Larache, formaron el núcleo principal de una comunidad estable en la ciudad, que en 1930 llegó a los 2.500 habitantes; es decir, aproximadamente el 5% de la población. Esta comunidad, que se va a dedicar principalmente al mundo de la milicia, al pequeño comercio, servicio doméstico, la venta ambulante y algunos oficios, se va a asentar principalmente en el Ángulo y las barriadas de Hadú o Jadú y Príncipe Alfonso.

18. El mercado provisional de la plaza de Azcárate

También fue en el verano de 1926 cuando la plaza de Azcárate se erigió definitivamente en un lugar con entidad propia, que le dio carácter y sentido a aquel distrito, cuyo referente espiritual era iglesia parroquial de Nuestra Señora de los Remedios, convirtiéndose en el centro neurálgico, en el cruce estratégico, entre las calles Canalejas-Alfau (Berría Alta y Berría Baja) y Primo de Rivera (calle Real).

Dispuesto en dos niveles por la inclinación del terreno hacia la bahía norte, a finales de diciembre de 1925 la Junta municipal decidió sacar a concurso la construcción de un mercado provisional en el segundo nivel para contrarrestar la proliferación de los antihigiénicos puestos ambulantes, que ya abundaban por aquella zona. Bajo un proyecto firmado por Santiago Sanguinetti, el contratista Antonio Méndez Turner, en el que argumentaba el aumento de la población y la lejanía del mercado de abastos, ganó el concurso de la construcción de un mercado provisional compuesto por algo más de dos docenas de casetas y kioscos de madera. En él se contemplaban ciertas medidas higiénicas recogidas en las ordenanzas municipales, como eran amplitud de espacio y varios puntos de toma de agua; además, los puestos de pescado y carne tenían que tener mostradores de mármol blanco u otro material impermeable del mismo color, estar alicatados de azulejo blanco hasta los dos metros de altura y tener suelo de cemento u otro material impermeable y con pendiente, con sus correspondientes sumideros con rejillas, al igual que se insistía en el tema de la buena ventilación y la obligación de cubrir las casetas (4x3 m) con teja plana para evitar el sobrecalentamiento, prohibiéndose la utilización de otros materiales baratos que estaban de moda, como la chapa de palastro u ondulada.

Vista general de la plaza de Azcárate, al fondo el monte Hacho.
África, Revista de Tropas Coloniales, julio de 1935.

También la plaza de Azcárate iba a disfrutar de una hermosa escuela (Lope de Vega), que se construirá durante la Segunda República; de la misma forma gozaba de una parada de taxis y era parada obligada de los autobuses urbanos. Por otro lado, en noviembre de 1929 Santiago Sanguinetti firmó los planos de una casa de alquiler para Baeza Hermanos & Compañía S.L.; que se construyó en un solar de 393,75 metros cuadros, entre las calles Primo de Rivera y Canalejas. Disponía de sótano, planta baja, entresuelo, cinco plantas y azotea. En la Casa Baeza predominan las líneas rectas, aunque no es refractaria a los balcones abalaustrados, y refleja perfectamente la evolución de Sanguinetti. En este edificio, que le daría una prestancia y una acusada personalidad a aquel espacio de encuentro, se instalaría el Hogar Moderno, comercio referente de aquella zona.

Cabe precisar que fue en la permanente del 18 de mayo de 1929 cuando la Junta municipal decidió no prorrogar el contrato con Antonio Méndez y revertir el mercado al Municipio. En ese mismo año era alcalde de barrio Pedro del Corral Ruiz, maestro de la Cantina Escolar, que tenía su domicilio en la calle Alfau núm. 8.

19. La beatificación de Beatriz de Silva y la visita del general Boichut

Aunque en la actualidad existe una controversia en cuanto al lugar de nacimiento de Beatriz de Silva entre Ceuta y Campo Maior (Portugal), en 1926 no existía tal debate. Así pues, cuando el 18 de julio de 1926 Pío XI beatificó a Beatriz de Silva, la noticia causó un gran impacto en la ciudad norteafricana, pues la beata, nieta de Pedro Meneses, primer gobernador portugués de la ciudad, había sido la fundadora de la Orden Concepción Franciscana. En 1489 el papa Inocencio VIII emitió la bula "Inter Universa" por la que se autorizaba a la fundación de un monasterio en Santa Fe de Toledo según la regla del Císter para vivir en la clausura más estricta. Murió en la ciudad del Tajo el 17 de agosto de 1491. El 3 octubre de 1976 sería canonizada por el papa Pablo VI[486], convirtiéndose desde entonces en santa.

Unas jornadas después de la beatificación de Beatriz de Silva, el 28 a mediodía, a bordo del crucero *Reina Victoria Eugenia*, procedente de Tánger, llegó el comandante superior de las fuerzas francesas en Marruecos, el general Boichut, acompañado por el contralmirante García Velázquez. El general francés venía con el objetivo de entrevistarse con el alto comi-

---

486   SEGURA GRAÍÑO, Cristina: 'Santa Beatriz de Silva y Meneses', s.p.

sario para tratar sobre el último acuerdo franco-español, que se había firmado en París el 13 de julio. A saludarle llegaron a bordo el comandante general de Ceuta y el comandante de Marina. Al desembarcar en el muelle de la Puntilla fue recibido por el alto comisario, general Sanjurjo, y el jefe del Estado Mayor, general Goded, el comandante general de Melilla, Castro Girona, el general Sousa y otras muchas personalidades civiles y militares.

Al abandonar el crucero, las baterías de la plaza hicieron las salvas de ordenanza, y al pisar el muelle, el alcalde le dio la bienvenida en nombre de la población. En unión del alto comisario revistó la compañía del Tercio con bandera que le rendía los honores a los acordes de la Marcha Real y la Marsellesa. Desde el muelle hasta al Campo de la Hípica cubrían la carrera todas las fuerzas de la guarnición, mandadas por el general Gómez Morato. En el paseo de la Hípica se levantó una amplia tribuna flanqueada con grandes banderas francesas y españolas dando guardia de honor una sección de caballería de Regulares de gran gala. Desde la tribuna el general Boichut presenció el desfile, que resultó brillantísimo, mereciendo calurosos elogios del general francés por la corrección y la marcialidad de las tropas. Después de saludar a diversas personalidades, visitó el Campo Exterior, trasladándose a continuación a la Comandancia General, donde almorzó. Tras el almuerzo, marchó seguidamente a Dar Riffien, donde Boichut impuso al coronel Millán Astray la Gran Cruz del Mérito de Guerra, concedida por el Gobierno francés. Tras las respectivas alocuciones -Millán Astray habló en francés-, los legionarios desfilaron cantando *La Madelón*; la famosísima marcha de Robert Camille, popularizada en Francia durante la I Guerra Mundial, adoptada por la Legión. Este gesto emocionó enormemente al general francés. Después se dirigió a Tetuán, donde llegó por la tarde[487].

El mes de julio acabó con un par de noticias de distinto calado. Por un lado, fueron descubiertos los autores del robo cometido en el Hotel Alhambra -hotel donde se solían alojar los representantes y viajantes de comercio-, del que fue víctima, precisamente, el viajante de joyería Víctor Martín. El robo lo fue de joyas por valor de 50.000 pesetas. Por otro, la Junta Central de la Cruz Roja nombró presidenta de la Junta de Damas a María Josefa Alegre Bariandarán, esposa del general Gómez Morato. La designación fue muy bien acogida por la sociedad ceutí, "dadas las relevantes dotes que se reconocen en la mencionada señora"[488]. Tras su nombramiento y toma de posesión, que tuvo lugar en el salón de actos del Hospital de la Cruz Roja, se inscribió en los cursos de enfermería que impartía el propio hospital. María Josefa Alegre había dejado un gratísimo recuerdo en el tiempo que había residido en Melilla. También en Ceuta dejaría una imborrable huella, pues en marzo de 1928, cuando ya acababa su ciclo como presidenta de la Junta de Damas, la Junta municipal en unión de diversas entidades y fuerzas vivas de la ciudad elevaron al Gobierno una instancia pidiendo se concediera la Gran Cruz de la Orden Civil de Beneficencia, por los "méritos contraídos con sus perseverantes obras de caridad, abnegación y protección al desvalido"[489].

20. Las fiestas patronales de 1926

Con respecto a las fiestas patronales, este año tuvieron lugar entre el miércoles 4 y el lunes 9 de agosto, editándose para la ocasión un extenso programa, mandado confeccionar por el Ayuntamiento al periodista Nicolás Fernández García, con cubierta ilustrada por Benigno Murcia. Las actividades previstas contemplaban:

Día 4. A las 6, diana por las bandas de la guarnición. A las 10,30 reparto de limosnas en la plaza de África. A las 11, inauguración de la Exposición de caricaturas y fotografías en la Casa consistorial. Concurso hípico en la Real Sociedad Hípica. A las 19, cucañas y fanto-

487 La Correspondencia de Valencia, 29 de julio de 1926. El Orzán, 29 de julio de 1926. El Cantábrico, 29 de julio de 1926. En el Telegrama del Rif, 30 de julio de 1926. El Pueblo, 30 de julio de 1926. La Opinión, 31 de julio de 1926. La Vanguardia, 29 de julio de 1926.
488 El Sol, 29 de julio de 1926.
489 La Vanguardia, 27 de marzo de 1928.

Portada del programa de las fiestas patronales de 1926. AGCE.

ches en el muelle del Comercio. A las 20, solemne Salve en el Santuario Nuestra Señora de África. A las 22, velada y baile popular en el paseo de San Sebastián, hasta las dos de la mañana. A las 23, fuegos artificiales en el muelle del Comercio.

Día 5. A las 10, función religiosa en el Santuario de Nuestra Señora de África. A las 18, gran partido de Foot-ball en la Real Sociedad Hípica. A las 19,30, concurso de carruajes adornados, batalla de flores, serpentinas y confetis, en todo el trayecto de la Velada. A las 21, concurso de balcones y escaparates adornados artísticamente en toda la población. A las 22, velada y baile popular en S. Sebastián.

Día 6. A las 11, fiesta de homenaje a la Vejez. A las 16,30, carrera de cintas en bicicleta en la plaza de África. A las 18,30, gran partido de Foot-ball en la Real Sociedad Hípica. A las 19, regatas de gasolineras en la bahía norte. A las 22, velada y verbena en San Sebastián, con concurso de trajes regionales.

Día 7. A las 16, concurso Hípico en la Real Sociedad Hípica. A las 19, corrida de pólvora en el Llano de las Damas. A las 22, velada y bale popular en San Sebastián. A las 22,30, concurso de carrozas marítimas, botes engalanados y gran cabalgata marítima con verbena y fuegos artificiales.

Día 8. A las 10,30, Misa de Campaña en sufragio de los héroes de la Campaña de Marruecos. A las 11,30, reparto de limosnas en la plaza de África. A las 17,30, regatas de vela y remos. A las 18,30, gran partido de Foot-ball en la Real Sociedad Hípica. A las 22, velada y baile popular en San Sebastián.

Día 9. A las 16, concurso Hípico. A las 16,30, corrida de la pólvora en el Llano de las Damas. A las 20 y 30, clausura de la Exposición de fotografías y caricaturas y adjudicación de premios. A las 22, velada y baile popular en San Sebastián. Concurso de carrozas y desfile de la Retreta Militar, que recorrerá las calles de López Pinto, puente de la Almina, Villanueva, Martínez Campos, plaza de África, Gómez Pulido y Primo de Rivera. A las 24, gran traca luminosa[490].

Según la prensa, los festejos estuvieron muy animados, aunque también trató profusamente el atentado que sufrió Primo de Rivera en Barcelona. El Ayuntamiento, la Unión Patriótica y Somatén local telegrafiaron al presidente, felicitándole por haber salido ileso[491].

Volviendo a las fiestas patronales, como acto central tuvo lugar a las 10 de la mañana del día 5 la tradicional función religiosa en el Santuario de Nuestra Señora de África, que se encon-

490   AGCE. Programa de Actos de las Fiestas Patronales.
491   La Región, 6 de agosto de 1926.

Primer premio de la cabalgata marítima celebrada en Ceuta en agosto de 1926. AGCE.

traba profusamente adornado y abarrotado de fieles. Sin embargo, la novedad de ese año estuvo en la cabalgata marítima nocturna, organizada por las Fuerzas Navales del Norte de África. En el concurso tomaron parte "artísticas embarcaciones". Ganó el primer premio de mil pesetas una reproducción en pequeño del cañonero *Cánovas del Castillo*, presentada por el mismo buque de guerra. El segundo, de quinientas pesetas, fue concedido a un faro presentado por las citadas Fuerzas Navales. El tercero, de trescientas pesetas, lo ganó la galera *Virgen de África*, presentada por el crucero *Reina Victoria Eugenia*. La cabalgata recorrió dos veces la bahía norte alumbrada por los potentes focos de los buques de guerra, en medio de atronadores aplausos del público, que ocupaba el muelle y las murallas, como también más de trescientas embarcaciones, que formaban calle al pasar las del concurso, ofreciendo un espectáculo maravilloso, nunca visto en Ceuta. El contralmirante García Velázquez recibió numerosas felicitaciones, así como la comisión organizadora, presidida por el capitán de fragata Francisco Bernal Macías, alma del festival.

También fue muy emotiva la misa en sufragio de los héroes de la Campaña de Marruecos, que tuvo lugar el domingo 8 a las 10,30 en la plaza de la Constitución, asistiendo fuerzas de todas las armas de la guarnición. Tampoco faltó la afluencia de forasteros procedentes del Protectorado, Tánger y Gibraltar[492].

Como colofón de los festejos, el día 12, y en honor del Ayuntamiento, se celebró por la tarde en el *Cánovas del Castillo* una importante fiesta, que contó con la presencia del alto comisario, general Sanjurjo. Del crucero francés *Metz*, anclado en el puerto, fueron el contralmirante Hallier y varios oficiales[493]. Y el sábado 14, ya atardecido, también se celebró en el crucero francés una espléndida fiesta. El contralmirante Hallier correspondía así a sus homólogos españoles[494]. En realidad, era la despedida del contralmirante francés, cuya presencia había sido habitual en la ciudad desde hacía más de un año.

---

492   La Vanguardia, 10 de agosto de 1926. Diario de Burgos, 10 de agosto de 1926.
493   La Época, 14 de agosto de 1926.
494   ABC, 15 de agosto de 1926.

21. Vuelta a Xauen

También por esas fechas comenzó a publicarse el diario *La Opinión*, "órgano regional informativo del Norte de África"[495]. Su administrador y propietario era Fernando Fernández Franco, y su director Nicolás Fernández García. Comenzó imprimiéndose en Artes Gráficas (Canalejas, 2) para serlo más tarde en Parres y Alcalá (Méndez Núñez, 2), y finalizar siendo editado por su propia imprenta, sita en Romero Robledo, número 2. Contaría con las primeras linotipias que tuvo la ciudad, que más tarde serían heredadas por *El Faro de Ceuta*. Desaparecería en 1933.

Nicolás Fernández García, uno de los periodistas más destacados de Ceuta.
Guía General de Marruecos y Guinea 1927-1928.

Esta agradable noticia quedó eclipsada con otra que anunciaba que el 10 de agosto de 1926 se había vuelto a ocupar Xauen de forma incruenta por la audaz iniciativa del comandante Osvaldo Capaz Montes, jefe que gozaba de un gran prestigio en Ceuta. Poco después entraría en la citada ciudad el comandante general Federico Berenguer, al igual que lo había hecho su hermano mayor Dámaso, en octubre de 1920. Tras la vuelta de Xauen, el general Berenguer exteriorizó su satisfacción por la ocupación y la labor política que comenzaba a desarrollarse[496].

Como es natural, tras la ocupación se publicó una orden general dividiendo la Comandancia General de Ceuta en cuatro sectores o zonas: Ceuta, Tetuán, R'Gaia y zoco el Arbaá de Beni Hassán. Encargándose de la zona de Ceuta el general Gómez Morato, ejerciendo asimismo la inspección de este sector y de la línea de Ceuta a R'Gaia[497]. No obstante, aún se seguían produciendo entierros militares, como el que tuvo lugar el 19 de agosto del teniente de la Legión Francisco Abad López, cuyo cadáver había sido encontrado en las inmediaciones de Xauen[498].

22. Los arquitectos municipales: Santiago Sanguinetti y los hermanos Blein Zarazaga

Por otro lado, viendo el Ayuntamiento el gran aumento de las obras en la ciudad decidió habilitar una plaza de segundo arquitecto municipal –el primer arquitecto municipal era el rondeño Santiago Sanguinetti-; que consiguió Gaspar Blein Zarazaga por ser el único concursante[499]. Gaspar Blein firmaría obras en Ceuta solo y conjuntamente con Santiago Sanguinetti o con su hermano José. Estuvo ejerciendo de segundo arquitecto municipal hasta que fue "nombrado arquitecto del Ayuntamiento de Murcia"[500], por lo que, en mayo de 1929, se le concedería la excedencia voluntaria. Gaspar sería sustituido como segundo arquitecto municipal por su hermano José, quien, a su vez, se convertiría en primer arquitecto municipal tras el fallecimiento de Santiago Sanguinetti, en 1930. Ambos hermanos fueron verdaderos renovadores de la arquitectura local, con un claro sello vanguardista -más José que Gaspar-; con construcciones alejadas de la arquitectura reinante en la ciudad;

495   ABC, 15 de agosto de 1926.
496   La Época, 14 de agosto de 1926.
497   El Defensor de Córdoba, 19 de agosto de 1926.
498   La Correspondencia Militar, 19 de agosto de 1926
499   AGCE. LAC núm. 90. Comisión permanente, 21 de agosto de 1926, folio 39 vto.
500   BOCCE núm. 141, 16 de mayo de 1929. Pleno, 30 de abril de 1929.

firmando planos con fachadas claras y diáfanas, más próximos a un art decó depurado y al racionalismo; movimientos que empezaron a imponerse a partir de la segunda mitad de la década de los años 20.

Con respecto a Santiago Sanguinetti (Ronda, 1876- Málaga, 1930), al que ya le hemos dedicado algunas líneas, era arquitecto municipal desde 1911. Según ha dejado escrito Emilia Garrido, Sanguinetti empezó sus estudios de arquitectura en Madrid en 1891 y los acabaría en Barcelona en 1906. En Madrid se impregna del eclecticismo finisecular de aquella escuela. Como es natural, en Barcelona, donde residió durante dos años, vivió de primera mano la explosión del modernismo. Ambas escuelas, a la postre, dejarían un irrefutable sello en su obra. Una vez acabada la carrera, se instaló en Ronda en 1907, donde ejercería de arquitecto municipal hasta 1910. En esta ciudad dejó su huella en numerosos edificios, destacando el Teatro Espinel, obra novedosa para la época, alejada de los repetidos esquemas decimonónicos[501].

A Ceuta llegó a finales de 1910. Primer arquitecto civil del Ayuntamiento de Ceuta, trabajador incansable, realizó una enorme labor, no sólo como arquitecto municipal, sino también firmando innumerables proyectos particulares, desde teatros hasta casas modestas, pasando por hornos de pan, garajes, bombas de gasolina o dos circos de gallo de madera (reñideros), el último para José Soler, en 1925, por poner unos ejemplos. Sanguinetti también firmó proyectos conjuntamente con otros arquitectos como Gaspar Blein, aligerando entonces sus fachadas. Asimismo, fue presidente del Casino Africano durante sus últimos años de vida, al igual que de la empresa de material de construcción Cerámica Castillejos S.A. En la permanente de 24 de enero de 1930 se le concedería "una licencia por enfermo", aquejado de una bronquitis crónica, falleciendo el 27 de julio de ese mismo año en Málaga. Pero Ceuta no lo olvidó, y en agosto, el día 9, se celebró en el Santuario de la Virgen de África un solemne funeral por el descanso de su alma[502]. Al igual que se "hizo constar en acta el sentimiento de la Corporación"[503].

Por otro lado, a propuesta del nuevo diario La Opinión, se creó la Medalla de Ceuta, "con objeto de premiar méritos de hijos o residentes en esta localidad por servicios prestados a la misma". La permanente aprobó la propuesta por unanimidad y "dirigir para su realización solicitud a la superioridad"[504]. También en el mes de agosto se recepcionó el jardín del Ángulo, construido por el Ayuntamiento, que ejercía de antesala del Campo Exterior.

23. Años dorados del periodismo

Ya hemos visto que en el mes de agosto vio la luz el periódico La Opinión. Esta publicación no era más que una muestra de que los años veinte fueron un periodo de prosperidad para el periodismo ceutí, o al menos eso indica el número de publicaciones que vieron la luz durante estos años. Al decano El Defensor de Ceuta (1902) podemos añadir, entre otros, los siguientes periódicos nacidos en esta década: El Noticiero (1923), La Gaceta de Yebala (1923), La Voz de África (1924), Revista de Tropas Coloniales (1924), El Mediterráneo (1925), El Clamor de Ceuta (1925)[505], La Correspondencia de África (septiembre de 1926), o el Boletín Oficial de Ceuta (BOCCE) (noviembre de 1926); a pesar de la censura que había impuesto el Directorio. No obstante, muchos de estos periódicos tendrían una corta vida y solían tener pocas páginas dados los altos costes de producción.

---

501 GARRIDO OLIVER, Emilia: *Santiago Sanguinetti, arquitecto en las ciudades de Ronda y Ceuta: el Modernismo y la modernidad*, p. 21.

502 Ibídem, p, 24.

503 BOCCE núm. 207, 11 de agosto de 1930. Comisión permanente, 31 de julio de 1930.

504 AGCE. LAC núm. 90. Comisión permanente, 21 de agosto de 1926, folio 43.

505 El Ayuntamiento decidió suscribirse durante un mes al periódico *El Clamor de Ceuta* por una peseta cincuenta céntimos. AGCE LAC núm. 88. Comisión permanente, 17 de enero de 1925, folio 139.

Ejemplar: 10 cts.
PRECIOS DE SUSCRIPCION:
Ceuta y Zona del Protectorado, 2'50 pts.

LA OPINION

Redacción, Administración y Talleres:
Romero Robledo, 2
TELÉFONO, 146

Diario regional informativo del Norte de Africa

Año IV | CEUTA, Viernes 28 de Junio de 1929 | Núm. 820

LO QUE DEBE SER

Confieso mi error. Tan arraigado y sincero, que cuando ya en el interior del Protectorado me lo hicieron notar, necesité v e r para creer. Y es que eran muchas las causas que fueron infiltrando en mi sentir esta equivocación. Las campañas de ciertos sectores políticos del antiguo régimen. Campañas de sistemático obstruccionismo gubernamental, mal consentidas por los gobiernos, en que se combatía toda actuación, certera o equivocada, económica o política, y que en cuanto a Marruecos se refería, pintaban este problema de distintas sombrías, negras, haciendo de Africa el terrible Maloch, donde eran sacrificados inútilmente hombres y más hombres, riquezas y más riquezas. Inútilmente sí, porque aparecían estas tierras como estériles para todo producto, desprovista de todo interés político y comercial. Hasta se llegó a abogar por un desentendimiento de compromisos internacionales. Y no sólo era objeto de estas campañas el Protectorado, sinó que también a los terrenos de soberanía se extendían, por lo menos en considerarlos inútiles. Si acaso tenían algún objeto era el bien triste de acoger dentro de sus muros a la escoria que la sociedad quiere apartar lejos de sí.

Y a los continuos ataques de aquellas campañas y de aquel triste prestigio, se formó en mí, y en una gran masa de españoles, el concepto equivocado de terrenos baldíos, de ciudades muertas, de problema insoluble. No siendo bastante para contrarrestar estas ideas, los fríos preceptos de la geografía que hablaba de posiciones estratégicas de gran valor, ni la historia que nos decía de peligros invasores, lejanos, sí, pero probables. Con todo aquel bagaje de prejuicios, muy poca era la importancia y la simpatía que se concedía en España a las cosas del otro lado del Estrecho.

Mas un reciente viaje que nos pone ante el «problema sin solución», ya afortunadamente resuelto o casi resuelto, va echando abajo poco a poco los velos del engaño.

Son primero todas las posibilidades de la zona occidental. Su posible desarrollo agrícola. Sus ciudades del litoral atlántico, Larache, Arcila, puertos del porvenir, de gran importancia comercial, y las del interior, de feraces vegas, Alcazarquivir, Tetuán, los que interesan y preocupan. Y como final, Ceuta, la que sorprende y admira. Doblemente, después de ver las otras. Se deshace el error ante la sorpresa de una ciudad española, a la vista de España sí, pero también a cuarenta kilómetros de una población de ambiente marroquí. Y la sorpresa es porque al lado de imperfecciones y defectos de un pueblo español, como se apuntaba el otro día en estas mismas columnas refiriéndose a las apreciaciones de cierto escritor francés, se encuentran los adelantos y perfeccionamientos de que bastantes otros pueblos, no ya españoles, sino europeos, carecen. A nuestra vista gratamente impresionada, se ofrece una ciudad que avanza y sueña, que junto a las presentes realidades estimables, piensa en magnífico futuro. Aquí se aprecia que no es tan frío y huero el concepto político que la geografía y la historia nos enseñaron. Que conforme fué, es y seguirá siendo uno de los vértices del triángulo que se completa con el Peñón y Tánger.

Y como prueba de la realidad presente, su magnífico puerto, sus edificios modernos, su rápido crecimiento. Pero aún sueña con más. Tiene razón.

Sanéese todo el Protectorado y caiga sobre los terrenos fértiles la semilla que produzca abundancia. Intensifíquense las industrias indígenas y búsquese a la vez que el fruto de la tierra, las reservas de sus entrañas. Trácese de Norte a Sur y de este a oeste una red tupida de caminos y ferrocarriles, que unan esta zona con el interior del continente, reserva inmensa que Europa explora. Hágase un turismo en gran escala, cuya puerta será forzosamente esta ciudad.

También puede pensarse en una Universidad que haga de ella la capital cultural y artística del norte africano. ¡Bella ofrenda al sabio Averróes y a todos los que hicieron de Córdoba y Sevilla ciudades lumbreras, la de un gran centro docente hispano-árabe! ¡Side Hamete Benengeli del brazo de Miguel de Cervantes Saavedra! Todo un símbolo perpetuado a través de centurias.

De la realización de todo esto saldrá la futura Ceuta. Y no cabe dudar de que todo se realizará, cuando se ha visto que han bastado los esfuerzos de unos hombres patriotas y de buena voluntad para poner fin a el pavoroso problema de una guerra que parecía eterna, y viniendo en cuenta la magnífica labor colonial del actual Excelentísimo señor Alto Comisario, no sólo ahora aquí, sinó antes en Fernando Póo, el Muni, la Guinea y Río de Oro, al impulso del cual se crearon factorías de industria y comercio, en las que nadie antes pensó.

Y Ceuta que en breve tiempo supo duplicarse, sabrá también si se encuentra asistida en el esfuerzo por los poderes públicos, seguir superándose, hasta llegar a ser una ciudad mediterránea digna de las que al otro lado del «Mare Nostrum» son la prueba de la mayor vitalidad nacional.

Su puerto, que entonces ya deben ser dos, el actual y el de la bahía Sur, unidos ambos por donde más fácilmente pueden serlo, se verá continuamente ocupado, a más de los que a su paso por el Estrecho entren en él, por los barcos que traigan los productos importables para el interior de este inmenso continente, y se lleven los que desde el Cabo de Buena Esperanza hasta Sierra Bullones han de venir a este apéndice de Africa para pasar al continente europeo.

Se irán poblando de modernos edificios amplias calles y avenidas que determinen una ciudad populosa, desde Miramar y Jadú hasta las estribaciones del Hacho. Incesantemente se verán ir y venir por sus calles y del muelle a la estación, artistas o mercaderes, industriales o turistas que tengan sus negocios o sus aficiones en el Protectorado, en el Africa central y occidental, y que empleando la línea internacional lleguen desde cualquier rincón europeo a Madrid y desde este aquí, cómodamente y en el menor espacio de tiempo posible.

Ya me imagino una gran ciudad, varia y cosmopolita dentro de su marcado carácter español. Ciudad moderna de grandes vías, de actívisima vida comercial, que sirva también de almacén de las reservas militares que nuestra acción en Marruecos exija en todo tiempo.

Buena estación para invernar. Y en todo tiempo, en verano y en invierno, alegre y dinámica, comercial y acogedora con sus lugares de excursión y recreo en Benítez, Benzú y Medik, y un gran parque de esparcimiento ciudadano en el Hacho, severo y majestuoso en su desnudez y sombrío y amable en sus pinares y jardines. Gran balcón, mejor aún atalaya, sobre el Mediterráneo, en cuyo horizonte la silueta de España parece recordarnos que trabajemos por la prosperidad de esto, que también es ella.

Como cuando tenemos un sueño delicioso y factible, debemos desear que sea pronto realidad. Que sin duda lo será. Y si en último término no lo es, lo debe ser. Y éste es el principal título en todo bello ideal y en toda grande concepción; que deseamos con toda el alma que sea, y que quizá no lo será, pero que DEBE SERLO.

Pablo F. MÁRQUEZ

Viajeros ilustres

Después de su estancia en varias poblaciones del Norte de Africa, marchó en el vapor correo, el exministro don Natalio Rivas, acompañado de su distinguida señora.

Se encontraban en el muelle de la Puntilla al objeto de despedir a los ilustres viajeros, el heroico general jefe de la Circunscripción don José Millán Astray; presidente de la Junta Municipal señor Rosende; el comandante de Intendencia y notable periodista don Fernando Gillis y otras ilustres personalidades.

La esposa del citado ex-ministro era portadora de un artístico ramo de flores naturales, como ofrenda de las distinguidas personas que dejamos consignadas, entre las que figuraba la señora del fundador de la Legión.

Deseamos un feliz viaje a los distinguidos viajeros.

Marcha de soldados cumplidos

En el vapor correo de ayer mañana marchó con dirección a la Península, la segunda expedición de soldados cumplidos, pertenecientes a los regimientos número 60, 69 y Caballería de Alcántara, núm. 14.

En el muelle de la Puntilla se hallaba el general jefe de la Circunscripción. don José Millán Astray, y otros muchos jefes y oficiales.

Antes de partir el vapor «Primo de Rivera», uno de los soldados cumplidos, con sincero entusiasmo, dió un viva al general Millán Astray, el cual fué contestado unánime y calurosamente por sus demás compañeros.

El distinguido general, con su peculiar modestia, hizo indicaciones a los mencionados soldados, a fin de que éstos no prosiguiesen en sus aclamaciones de efusivo entusiasmo. Mas resultó ineficaz la expresada indicación del general Millán Astray, ya que al avanzar la blanquísima nao, se desbordó el entusiasmo prodigándosele innumerables vivas al general mutilado así como también a nuestra amada España.

Ramón M.ª Pérez Accino
ABOGADO
ALFEREZ BAYTON, 1, 2.º
Horas de Consulta:
De 10 a 12 y de 4 a 6

Las ventajas del turismo

La conveniencia del viajar

La idea de viajar asusta a la inmensa mayoría de los españoles.

—Vamos a un país extraño—dicen—y allí, donde nadie nos conoce, y en que todo, desde las costumbres y el idioma hasta el clima, nos es en cierto modo hostil, ¿que será de nosotros?

Esta preocupación que mata en la juventud muchas iniciativas preciosas, es absurda. Será muy cómodo, como escribió el poeta en un rato de ridículo sentimentalismo, «no haber conocido más río, ni más puerto, que los de su pueblo». Ciertamente es agradable y evocadora la silueta de la torre que sombrea la plaza donde jugamos cuando niños, y fácil la vida que se desliza al lado de nuestros padres y de cuantos nos conocieron pequeños. Nadie desconfía allí de nosotros, saben cuál es nuestra hacienda, lo que valemos y somos y lo que podemos llegar a ser; para entrar en una casa nos bastará con empujar su puerta...

Esto, evidentemente es blando y cómodo. Pero también nos atrevemos a opinar que hospitalidad tan larga, roe y usa malamentente las capacidades más viriles y excelentes del ánimo; porque la convicción de que nuestras necesidades materiales están aseguradas, la uniformidad sedante del horizonte que nos es familiar, horizontes sin inquietudes, del cual no pensamos salir, y las ausencias de esas ambiciones quemantes que dragan en la conciencia y sacan de ella sobrehumanos vigores, son otros tantos motivos de vulgaridad y de cobardía. Como el cuerpo, el espíritu sólo se robustece con el ejercicio; la inteligencia, con el tormento de un razonar intenso y sostenido; la voluntad en los azares de la pelea y en los peligros de la conquista.

Otras causas encarnan también, en los que no viajan, el desarrollo de su personalidad. El vigor individual es tan pequeño, que necesariamente ha de ser «unilateral»; el médico solo entenderá de medicina, de leyes el abogado, de literatura el publicista. Dentro de estas diversas profesiones, cada hombre se constituye una posición, un nombre más o menos respetable; «una opinión», en suma, que a ratos le sirve para medrar y subir, y a veces le sofocará, siendo para él como tela de araña que paraliza sus movimientos y le entumece y le mata.

Ejercitarse fuera de la carrera u oficio que cada cual eligió, se considera lógicamente como una claudicación que lleva consigo un descrédito. ¿Qué pensaremos del ingeniero que, para vivir, se hizo taquillero de Cine, o del arquitecto que aceptó una plaza de albañil, o del pintor que, no pudiendo alimentarse con sus pinceles, entra de escribiente en una oficina? Diremos que son «fracasados», y en la natural compasión que nos inspire su desgracia siempre habrá una sonrisa.

«Ellos», los vencidos, lo saben, sienten la humillación de su derrota, y por esto prefieren arrastrarse en los negros horrores del no tener, a renunciar públicamente a cuanto forma su personalidad y su historia. Y así vemos tantos abogados en la miseria y tantos escritores sin hogar y sin ropa.

Este miedo suicida al «que dirán», esta obsesión de mostrarnos ante la sociedad que nos rodea con «el gesto» de una carrera, de un oficio o de un arte, no existen viajando y saliendo del solar patrio. No bien trasponemos las fronteras y nos hallamos rodeados de personas que no pueden prejuzgarnos porque no nos conocen, sentimos invadido el ánimo por una emoción confortante de rebeldía y de libertad. Nadie nos atisba, nadie puede burlarse de nosotros, y como por ensalmo, sobre nuestra antigua personalidad vencida o maltrecha, resurge otra llena de iniciativas atrevidas y de independencia. Allí el perito mercantil no se avergüenza de dar clases de guitarra, y quien en su pueblo fué carpintero o zapatero remendón, puede aspirar a ser tenedor de libros. En París, residen muchísimos individuos de nacionalidades distintas que viven una existencia pintoresca y fecunda, empleándose en quehaceres que ninguna conexión guardan con su modo de ser anterior.

—Aquí nadie nos conoce—dicen.

Y este aislamiento, que al principio, seguramente, les intimidó un poco, les causa luego un bienestar inexplicable.

La juventud debe viajar, porque todo cambio de ambiente exige del individuo un esfuerzo nuevo, y este es el medio más seguro de desenvolver armónicamente los innúmeros recursos de que un hombre inteligente dispone para ganar su pan. Que lo desconocido no nos asuste; un hombre valeroso y discreto, vive en todas partes, porque en todos los hemisferios la humanidad es la misma. Además estas grandes renovaciones del paisaje, ensanchan ese vago espejismo interior que llamamos conciencia y así nos parece que vivimos más. *Viajar, equivale a nacer otra vez.*

BIBLIOGRAFIA

Rafael Alberti.—«Sobre los Angeles».—Nueva Literatura.—Compañía Ibero Americana de Publicaciones. Madrid.

Alberti, que era ya uno de los valores absolutos e indiscutibles de la nueva poesía española, acaba de publicar un libro en el que iniciando una nueva etapa de su producción poética, la eleva al más alto nivel de universalidad. Poesía joven, fresca y limpia, hasta en los temas más poéticos y gastados, pone un soplo de humorismo de la mejor calidad.

A propósito de este libro de ahora (iniciación de una nueva y briosa serie de obras nuevas y juveniles por autores juveniles y nuevos) se han evocado ya los nombres de Blakes, Novalis, Poe. Baudelaire, alineándolos con el de nuestro brioso poeta meridional.

Pero esta evocación resulta imperfecta. Por su fluidez de materia y realización, por la gracia aerea de los temas y la esencialidad esquemática en la manera de exponerlos, la poesía de Alberti, poesía nueva de agua y cristal, nieve, hielo y acero; poesía fluida como el más inmaterial pensamiento; inmensa como el mar (cuyas imágenes son las predilectas de la moderna poesía andaluza), es acaso la poesía más poética del momento actual.

No necesita Alberti el fácil recurso de las metáforas, ni el torrente impresionista de la oratoria. Ausente del intelectualismo y de la pompa de las imágenes, su lenguaje dice lo que debe decir y lo dice en el lugar exacto. Temas de ángeles estilo aéreo, todo en consonancia.

Y la casa editora que se asoma a la nueva literatura con un libro de este empuje merece también un elogio amplio por su empeño en divulgar los valores puros fuera de toda escuela que reinan ya en la poesía española del siglo XX.

La Opinión, periódico que se empezó a publicar en 1926. AGCE.

Como ya se ha referido, la prensa tenía que bregar a diario con la censura. Y en este sentido no era raro las columnas tachadas o en blanco, la imposición de multas o el cierre de periódicos. Así, por ejemplo, *La Gaceta del Yebala* sería prohibido a perpetuidad, o *El Mediterráneo* suspendido por tres días y una multa de 500 pesetas en noviembre de 1925[506]. Al igual que los periodistas también sufrirían sus consecuencias, como fue el encarcelamiento de Elías Sancho, de la *Gaceta del Yebala*, que tuvo especial repercusión en la ciudad.

La Gaceta del Yebala había sido fundado en Ceuta por el abogado y escritor Diego Trujillo González, hijo del alcalde liberal, José Trujillo Zafra. En el periódico colaborarán Antonio Suárez, Nicolás Fernández García, que también serán sus administradores, Luis Felipe Ortiz de Estringana, Fernando Liñán y Sixto Fernández Cejudo. Estuvo dirigido por Miguel Bernal, entre 1924-1925, y por Diego Trujillo, en 1926. Este periódico se caracterizó por un enfrentamiento abierto con la dictadura de Primo de Rivera y con algunas instituciones locales como la Cámara de Comercio y las empresas navieras. Su beligerancia le acarreará que fuera censurado en 1926, prohibiéndose, como se ha referido, su publicación a perpetuidad[507].

Por su parte, el diario *El Mediterráneo* apareció con ocho páginas para Ceuta y Tetuán. Estaba impreso en los talleres de la Editorial Hércules de Ceuta; editorial fundada por Manuel L. Ortega que impulsó diversas obras, revistas y diarios (*Heraldo de Marruecos, En Nasar, Gráfico*)[508]. La línea editorial se caracterizó por una defensa cerrada de los directivos de la Cámara de Comercio, frente a los ataques de *El Noticiero* y *La Gaceta del Yebala*[509].

En cuanto a la Asociación de la Prensa, fue instituida en agosto de 1906, celebrando sus primeras sesiones en el Ayuntamiento, constituyendo su programa las siguientes aspiraciones: Traslación del penal. Colonización del campo. Un juzgado civil. Derribar las murallas. Organizar concursos, exposiciones, certámenes que aviven lo intelectual[510]. Por lo tanto, desde su fundación se mostró como elemento activísimo para el desarrollo y fomento de la ciudad. En 1923, la Junta directiva de la Asociación de la Prensa estaba constituida de la siguiente forma: presidente, Cayetano González Novelles; vicepresidente, Diego Trujillo González; vocal primero, Hernán de Navascués; vocal segundo, Francisco García de Ezpeleta; vocal tercero, Veremundo Fernández; tesorero, Manuel Criado Hoyos; y secretario, Nicolás Fernández García[511].

Cayetano González Novelles, que gozaba de un gran prestigio en la ciudad, sería reelegido presidente a finales de 1923[512], era corresponsal de periódicos tan prestigiosos como *La Vanguardia* de Barcelona o *El Telegrama del Rif* de Melilla. Durante estos primeros años de la dictadura primorriverista, la Asociación se mostró muy activa, participando en todo tipo de actos: festival de Reyes, carnaval, festivales benéficos, homenajes, fomento del "iberismo", etc.

No obstante, en septiembre de 1926 escribía Vitaliano Gómez: "La Casa de la Prensa de Ceuta ha desaparecido. Es raro este acontecimiento en estos instantes en que se inunda la población de nuevos periódicos locales: *La Opinión, La Correspondencia de África, El África, La Voz de la Berría*... Todo hace suponer que el número de periodistas ha aumentado en Ceuta y por lo tanto se hará más necesaria la existencia de esa Casa de la Prensa, muerta a manos de los que jamás conocieron las luchas y sinsabores del periodismo, y solo vieron en él un pedestal donde encumbrarse. Esta consideración debiera bastar para que los periodistas

506   El Correo Gallego, 6 de noviembre de 1925.
507   GÓMEZ BARCELÓ, José Luis: Opus cit., p. 39.
508   ALARCÓN CABALLERO, José Antonio: 'La dictadura de primo de Rivera y la transición a la República', p. 316.
509   ALARCÓN CABALLERO, José Antonio: *La Cámara de Comercio, Industria y Navegación de Ceuta: un siglo en la historia económica y social de Ceuta (1906-2006)*, p. 405.
510   CABALLERO LÓPEZ, Leopoldo: *Ceuta en el recuerdo*, p. 34.
511   ABC, 28 de febrero de 1923.
512   El Ideal Gallego, 2 de enero de 1924.

profesionales nos uniésemos con miras al mejoramiento, ya que nuestra prosperidad no ha de venir de los demás. Y ahora con tanto periódico el momento no puede ser más oportuno. A menos que los periodistas locales estén nadando en agua de rosas..."[513].

Esta desunión quedó subsanada a principios de 1929, cuando ambas entidades se fusionaron, siendo elegido presidente Antonio Micó. A partir de aquí, la Asociación de la Prensa renacerá con más vigor. Por otro lado, en enero de 1930 sería nombrada presidenta de honor de la citada Asociación Mª del Carmen Prats, condesa de Jordana, por sus obras a favor de la Casa de Nazaret. En el bellísimo pergamino que se le entregó por el citado nombramiento consta como promotores de la iniciativa *El Defensor de Ceuta*, *La Opinión* y *Arco Iris*, revista semanal artístico-deportiva ilustrada dirigida por Joaquín Baíllo, que contaba en su redacción con Manuel Merchante[514], quien en febrero de 1930 se ofreció para ser cronista de la ciudad[515]. Estas publicaciones eran las grandes supervivientes, junto con el *BOCCE* y *África, Revista de Tropas Coloniales,* y otras de menor entidad y fuste, como la revista *Vida Escolar*, editada por el Patronato Militar de Enseñanza, o *Marruecos Sanitario,* "Revista quincenal de Ciencias Médicas", de la vorágine periodística que se había vivido durante aquellos intensos y meteóricos años. Aunque esta "crisis" periodística ya había empezado a notar a principios de 1929: "Realizar un contrato con los dos únicos periódicos de la localidad para la publicación de anuncios oficiales (*El Defensor de Ceuta* y *La Opinión*)"[516].

Rafael López Rienda, periodista y escritor granadino considerado como uno de los grandes corresponsales de la Guerra del Rif. Guía General de Marruecos y Guinea 1927-1928.

24. Rafael López Rienda

Como se ha referido, en septiembre de 1926 comenzó a publicarse el diario *La Correspondencia de África* dirigido por Rafael López Rienda, que tuvo una excelente aceptación por la amplitud de los servicios informativos.

La intensa, prolífica y corta vida de Rafael López Rienda (Granada, 1897-Madrid, 1928), merecería por sí misma una biografía. Muy joven se alistó como voluntario en el Ejército, aunque no se olvidó de su afición por la pluma. El periodista Manuel Aznar, desplazado a la zona por el diario madrileño *El Sol* para cubrir el conflicto bélico, descubrió a López Rienda, por lo que le encomendó la corresponsalía del citado periódico. Al estallar en el Protectorado español los graves acontecimientos de 1921, asumió la delegación en Melilla del citado *El Sol* y del también madrileño *La Voz,* así como las corresponsalías de varios diarios. Sus crónicas se distinguían retratando el conflicto en toda su crudeza, planteando las causas del problema marroquí, por lo que en 1923 se le concedió la Gran Cruz de la Orden de Isabel la Católica por corresponsal de guerra.

Muchas de ellas fueron luego recogidas por su autor en forma de libro, como *Las inmoralidades de Marruecos, Frente al fracaso* o *Abd-el Krim contra Francia (Impresiones de un cronista de guerra).* Asimismo realizó una ingente y variada obra literaria. Entre sus títulos más destacados figuran las novelas *Tánger, pequeño Montecarlo* (1924), *Juan León, legionario, Bajo el sol africano* y *Águilas de acero* (1926), todas ellas ambientadas en la guerra de Marruecos y con claros tintes autobiográficos; los relatos

513 Marruecos Gráfico, 5 de septiembre de 1926.
514 ALARCÓN CABALLERO, José Antonio: 'La dictadura de primo de Rivera y la transición a la República', p. 315.
515 BOCCE núm. 183, 27 de febrero de 1930. Comisión permanente, 13 de febrero de 1930.
516 BOCCE núm. 126, 31 de enero de 1929. Comisión permanente, 19 de enero de 1929.

El carmen de los claveles, La Manola y *La noche de los recuerdos* (1924), este último de carácter casi biográfico; los dramas *El héroe de la Legión* (1925) y *Milagrosa* (1925), y las comedias *El retrato de Friné* y *El tesoro de utankamen* (1926), además de los libros *Del Uarga a Alhucemas* y *El escándalo del millón en Larache*. Al final de la contienda se trasladó con su familia a Madrid para seguir escribiendo sobre la actualidad norteafricana en las páginas del diario *El Sol* y las revistas ilustradas *Nuevo Mundo, La Esfera* y *La Unión Ilustrada*, en la que también publicó numerosas fotos.

En sus últimos años de vida, como se ha referido, se interesó por el cine. Se encargó de la adaptación de su novela *Águilas de acero*, que sería llevada al cine por Florián Rey con la participación del mismo López Rienda en el reparto de actores, y dirigió *Los héroes de la Legión*. Tras sufrir un accidente automovilístico, fallecería en su domicilio de Madrid el 15 de septiembre de 1928, con 31 años de edad[517].

25. La dimisión del alcalde

De vuelta a la crónica ceutí, a finales de agosto, en el salón de actos del Ayuntamiento hubo una reunión de "significativas personas" con objeto de proceder a la creación de una sociedad recreativa, que iba a llamarse Centro de Hijos de Ceuta. Hizo presente el objeto de la reunión el médico de beneficencia Félix Palacios, "manifestando que se trataba de constituir un organismo exclusivamente recreativo"[518]. Félix Palacios Cárdenas, ceutí de profundas convicciones religiosas y gran defensor de los valores locales, era una persona muy activa. Su padre, Restituto Palacios Garrido, llegó a ser alcalde de la ciudad. Se licenció en Medicina en 1910 y fue miembro fundador de la Asociación de Empleados y Obreros Municipales. Su esposa, María Dolores Cerni Mas, era hija del banquero Ricardo Cerni González, propietario de la Casa de los Dragones, quien también había sido alcalde de la ciudad a finales del siglo XIX[519].

Pero el final de agosto va a traer una noticia relacionada con el Ayuntamiento que estaba anunciada: "Queda enterada la Permanente de oficio en el que D. Ricardo Rodríguez Macedo, presenta su dimisión, con carácter irrevocable, del cargo de Alcalde Presidente de este Ilustre Ayuntamiento, fundando su decisión en lo delicado de su salud y avanzada edad"[520]. Aunque Rodríguez Macedo tenía 72 años, en realidad, esa era la nota oficial, no obstante el trasfondo era otro: "La dimisión obedece a la manifiesta oposición de todos los señores que integran la comisión permanente del Ayuntamiento"[521].

Ante los rumores que corrían por la ciudad, rápidamente reaccionó el alto comisario difundiendo una nota oficiosa en la que se complacía en consignar que la modificación "del régimen municipal no obedecía a deficiencias de la Corporación, que, por el contrario, venía haciendo una gestión digna del mayor encomio, y era acaso el primer Ayuntamiento que con más ahínco había emprendido importantes obras de urbanización e higiene"[522].

Y el día 1 de septiembre, en Pleno extraordinario presidido por el primer teniente de alcalde, Francisco Romero Mendoza, fue admitida la dimisión de Rodríguez Macedo. En el mismo acto la presidencia expuso que "por estimar de perentoria urgencia el caso, propone a los señores del Pleno el que, declarándose así se proceda a la designación del que ha de ocupar la Presidencia". Estimada la urgencia, se procedió a la votación para el cargo, obteniendo Manuel Matres Toril 18 votos y el citado Francisco Romero uno[523]. En realidad, todo había sido preparado, pues el doctor Matres, como presidente de la Unión Patriótica, bien sabía que su cargo iba a ser efímero.

517 https://www.academiadebuenasletrasdegranada.org/lopezriendarafael.pdf
518 El Telegrama del Rif, 31 de agosto de 1926.
519 GALLARDO GÓMEZ, José Francisco (coordinador): *El manto rojo de Nuestra Señora de África*, pp. 9 y 10.
520 AGCE. LAC núm.90. Comisión permanente, 30 de agosto de 1926, folio 47 vto.
521 El Telegrama del Rif, 1 de septiembre de 1926.
522 La Voz, 11 de agosto de 1925.
523 AGCE. LAP. Pleno, 1 de septiembre de 1926, folios 122 vto. y 123.

26. El legado de Rodríguez Macedo

Tres días después de la dimisión de Rodríguez Macedo, en la permanente del 4 de septiembre Manuel Matres Toril solicitaba que le fuese concedida la excedencia voluntaria sin sueldo alguno y se le considerase en el concepto de comisión de servicio. Al igual que quedó "enterada" del escrito de la Unión de Municipios españoles dirigida al Consejo de Ministros, apoyando el que dirigió el Ayuntamiento para que no se suprimiese. La permanente dio las gracias al presidente de la referida Unión de Municipios por medio del representante en Madrid, José Matres.

No obstante, antes de la dimisión de Rodríguez Macedo apareció en *La Nación* un artículo recordando las actuaciones llevadas por el Ayuntamiento en los dos últimos años, señalando, igualmente, los proyectos de futuro, que indicaban que el Ayuntamiento que iba a desaparecer tenía una gran vocación de continuidad; o lo que es lo mismo, denunciaba una desaparición que no tenía fundamento:

> "Apurada era su situación al constituirse en 28 de junio de 1924. A pesar de la escasez de recursos, dadas las reducidas cifras del presupuesto ordinario, tenía todas las obligaciones fijas y preferentes pagadas en su totalidad. Eso es cierto; pero también hay que confesar cómo la administración, en líneas generales, no estaba encauzada adecuadamente a la situación económica del Municipio, ni respondía a la realización de aquellas mejoras urbanas de que está Ceuta más necesitada. [...]
>
> Su primer acto reformatorio fue mejorar el régimen de arbitrios, dotándolos de ordenanzas nuevas para hacer más equitativa la tributación y evitar las ocultaciones, aumentando así los ingresos del presupuesto.
>
> Otro de los puntos que se atendió preferentemente fue el arriendo de la cobranza de los arbitrios por introducción en el término municipal de artículos de comer, beber y arder. Esta cobranza estaba adjudicada en la cantidad de 84.583,33 pesetas mensuales. Substituido tal procedimiento por el de gestor, la misma recaudación se adjudicó en 152.000 pesetas al mes. Por este solo concepto los ingresos han aumentado, desde el 1 de enero al 31 de mayo del actual, con más de 500.000 pesetas.
>
> Asimismo, substituyóse en la administración del Matadero público el procedimiento de subasta por el de recaudación directa, habiéndose obtenido una mejora en los ingresos, desde enero a mayo, de unas 50.000 pesetas. En los restantes arbitrios se ha mejorado también su recaudación, aun dentro del régimen arcaico de las tarifas vigentes. Han sido en tal modo remozadas éstas, con sólo la fiscalización administrativa conveniente, que muchos de los arbitrios arrojan un rendimiento doble del que antes producían. En la liquidación del presupuesto ordinario del 1924-25 se suprimieron más de 300.000 pesetas, que figuraban indebidamente como pendientes de cobro procedentes de ejercicios anteriores. Correspondía dicha cantidad a los expedientes de fallidos, que habían dejado de instruirse desde hacía mucho tiempo con objeto de poder liquidar los presupuestos con un superávit ficticio. En la misma liquidación de cuentas en que suprimióse la supradicha fantástica partida de créditos, se obtuvo de economía 28.232,17 pesetas, las cuales figuraban como pendientes de pago. Finalmente, el Ayuntamiento tiene satisfechas todas las obligaciones del presupuesto ordinario vigente, y cuyo importe se eleva en el momento actual a 1.500.000 pesetas aproximadamente. Asimismo tiene pagadas las resultas y los créditos reconocidos del ejercicio que acaba de expirar, llevando ahorrado ya más de 500.000 pesetas para responder al pago de las pesetas 425.444,37, que importan las obligaciones contraídas del presupuesto extraordinario de liquidación que está gestionándose.
>
> En lo que respecta a mejoras de obras y servicios se ha hecho la labor siguiente: Se han terminado las obras del Matadero público, dejándolo en condiciones higiénicas inmejorables y demás que requiere tan importante servicio. En adoquinado, acerado y

alcantarillado se han empleado pesetas 124.735,45 en las siguientes obras: adoquinado de la calle de Edrissis; de parte de la del General Primo de Rivera; de casi todo el anillo de la plaza de África; alcantarillado de la misma; acerado completo de la calle Gómez Pulido, y finalmente la conservación de las demás calles de la población. Se ha montado un Laboratorio de análisis para los químicos a cargo de farmacéuticos, y los bacteriológicos, epidemiológicos y vacunas, por un médico; este Laboratorio Municipal funciona desde 1 de enero último, y presta bonísimos servicios. En la Clínica de Urgencia se ha construido un departamento aislado para los tratamientos antirrábicos; reposición de instrumental completo; sala de operaciones independiente de la de curas ordinarias, y por último se han creado tres plazas de médicos de guardia de dicha Clínica.

Se ha reconstruido el Hospital de infecciosos, dotándolo de doce camas, instalación de baños y demás servicios necesarios. En el cementerio, a más de las obras de ampliación ya empezadas, se ha instalado una sala de autopsias con dos mesas de porcelana inglesa, y se han construido seis galerías de nichos para adultos y cuatro de párvulos. Como iniciación del ensanche interior se han verificado las siguientes expropiaciones de fincas urbanas: totales de las casas números 2, 4 y 79 de la calle General Primo de Rivera; parciales de las casas número 5 de la calle de Riego; número 23 de la calle de la Independencia; número 4 de la de García; números 10 y 12 de la calle de Martínez Campos; número 1 de la calle General Serrano Orive, y número 11 de la calle General Primo de Rivera.

Se han intensificado, en una porción casi del doble, los auxilios por limosnas y hospitalizaciones de enfermos pobres en el Hospital de la Cruz Roja de esta ciudad; leprosos en el de San Lázaro, de Sevilla, y dementes en el Manicomio Provincial de Cádiz, cuyas hospitalizaciones abona el Ayuntamiento.

Se han provisto de material fijo, mobiliario y locales a las siguientes escuelas nacionales de nueva creación: dos de párvulos, cuatro de niñas y una de niños, así como de casa-habitación a los respectivos maestros y maestras. También se ha mejorado el material de las antiguas escuelas nacionales; construcción de un local para la de niñas, número 2; recomposición y pintado del pabellón que ocupa la de niños número 4, y subvención al Patronato de la cantina escolar Reina Victoria Eugenia, para completar el material de las escuelas que sostiene.

En cuanto a política de Abastos se ha realizado y se realiza una labor verdaderamente admirable, tanto en lo que respecta a análisis de substancias alimenticias, como en la vigilancia de pesos y tasas. Buena prueba de ello es que se han puesto multas en el año pasado de 1925, según estadística oficial, por una cuantía igual al resto de la provincia.

Labor en proyecto.

El presupuesto ordinario para 1926-27 ascenderá a la cifra de pesetas 3.598.682,63, contra 1.400.000 que importa el actual. Con este aumento se satisfarán con holgura las obligaciones que impone la ley no tan sólo las ordinarias, sino también las siguientes: Comienzo de la nueva Plaza de Abastos, en solar propiedad del Ayuntamiento. Urbanización de la calle Independencia. Expropiaciones de fincas para el ensanche de dos trozos de la calle General Primo de Rivera por más de 300.000 pesetas. Cantidad para las expropiaciones necesarias a fin de construir el primer trozo de la Gran Vía. Construcción de una Bolsa para la contratación del pescado en el muelle del Comercio. Para obras de adoquinado y acerado pesetas 150.000. Ensanche del cementerio y construcción de varias galerías en el mismo. Para construcción de urinarios y retretes en la vía pública, 30.000 pesetas. Construcción de un local de aislamiento y despiojamiento con servicios anexos, pesetas 40.000. Para pago del primer plazo de adquisición de material de incendios, nuevo y completo, así como de carros y útiles modernos del servicio de limpieza pública, 30.000 pesetas. Para terminación definitiva de la nueva Casa Consistorial, 300.000 pesetas; y finalmente se confeccionará un presupuesto extraordinario para el ensanche del puente de la Almina, cuyos ingresos lo constituirán el producto de la venta de la casa número 11 de la calle General Primo de Rivera, propiedad de este Municipio"[524].

En definitiva, una contundente memoria propagandística que certificaba la actuación de Rodríguez Macedo al frente de la alcaldía durante más de dos años; y un claro programa de intenciones que se dejaba caer para quien quisiera recogerlo.

27. Manuel Matres Toril, el último alcalde primorriverista

El doctor Manuel Matres Toril, presidente de la Unión Patriótica y alcalde de Ceuta entre septiembre y noviembre de 1926. AGCE.

El día 6 de septiembre tomó posesión de la alcaldía el doctor Manuel Matres. Al acto asistió el Ayuntamiento en Pleno, la junta de la Unión Patriótica, la directiva del Somatén local, las autoridades civiles, prensa, diferentes personalidades y numeroso público. Entre el alcalde accidental y el propietario se intercambiaron discursos de altos tonos patrióticos alusivos al programa de engrandecimiento de Ceuta. Seguidamente se dirigió al presidente del Consejo de ministros un telegrama de saludo y adhesión, rogándole encarecidamente propusiera al rey la derogación del Real Decreto de 4 de agosto de 1925; que sustituía al Ayuntamiento por una Junta integrada por miembros militares y civiles, desvinculando a Ceuta de la provincia de Cádiz. Se deseaba la derogación para hacer posible la actuación del alcalde elegido. Firmaron el Ayuntamiento y todas las fuerzas vivas de la ciudad[525].

Sobre el doctor Manuel Matres Toril ya hemos esbozado algunos trazos de su biografía cuando fue nombrado presidente de la Unión Patriótica, en 1924. Hombre procedente del partido conservador, estaba lleno de inquietudes sociales. Según Julio Pastor, redactor de *La Esfera*, era una "persona cultísima, doctor en Medicina, espíritu moderno y amante de su ciudad"[526]. Además de ser presidente de la Unión Patriótica, también lo era del Casino Africano y de la Asociación de Empleados y Obreros municipales[527]. Tenía su domicilio en la calle Riego núm. 2[528]. El doctor Matres se jubilaría por enfermedad en octubre de 1927, como así se recoge en el Pleno del 31 de octubre: "3º. Ratificar acuerdo de la Comisión permanente concediendo jubilación al médico de beneficencia D. Manuel Matres Toril". Moriría unos meses después, a finales de enero de 1928[529]. A principios de 1930 la Comisión permanente decidió dar su nombre a una calle principal de la barriada núm. 2, situada frente al Hospital O'Donnell[530]. Un hermano suyo, José Matres Toril, era el representante de la ciudad en Madrid. El nuevo alcalde presidió la primera Comisión permanente el 11 de septiembre de 1926[531].

524 La Nación, 25 de agosto de 1926.
525 La Vanguardia, 7 de septiembre de 1926.
526 La Esfera, 6 de noviembre de 1926.
527 La Correspondencia de Valencia, 8 de septiembre de 1926.
528 Comercio (Algeciras), 21 de agosto de 1920.
529 RONTOMÉ ROMERO, Carlos: Opus cit., p. 335.
530 BOCCE núm. 179, 30 de enero de 1930. Comisión permanente, 16 de enero de 1930.
531 AGCE. LAC núm. 90. Comisión permanente, 11 de septiembre de 1926, folio 56 vto.

ALCALDES DE CEUTA (FEBRERO DE 1923 - NOVIEMBRE DE 1926)

GOLPE DE ESTADO, 13 DE SEPTIEMBRE DE 1923

Demetrio Casares Vázquez (febrero - octubre de 1923)

AYUNTAMIENTO PRIMORRIVERISTA (OCT. DE 1923 - NOV. DE 1926)

Eduardo Álvarez Ardanuy .... octubre - noviembre de 1923. No ejerció el cargo

Remigio González Lozana .... noviembre de1923 - febrero de1924

Rafael Vegazo Mancilla .... febrero - marzo de 1924. No ejerció el cargo

José Álvarez Sanz .... marzo - junio de 1924

Ricardo Rodríguez Macedo .... junio de 1924 - septiembre de 1926

Manuel Matres Toril .... septiembre - noviembre de 1926

Fuente: Elaboración propia.

28. El conflicto con el arma de Artillería y el plebiscito de septiembre

Durante el verano había comenzado el pleito de los artilleros, aceptando sólo ascensos por antigüedad, decisión que no compartía Primo de Rivera, y el 4 de septiembre dictó un decreto suspendiendo de empleo y sueldo, y de uso de uniforme a los jefes y oficiales de Artillería, excepto a los que estaban prestando servicio en Marruecos y Aviación. Las oficialidades no acataron la orden del Gobierno, sino que se encerraron en sus cuarteles, hasta que se entregaron a la autoridad militar. El Gobierno declaró el estado de guerra el día 7 en toda España, que levantó al día siguiente. Al final, los condenados salieron el 31 de diciembre..., pero ya había quedado plantada la semilla del disenso.

En pleno conflicto con los artilleros, el Comité ejecutivo central de la Unión Patriótica dirigió al país el siguiente comunicado:

"Españoles: Nuestro presidente, el excelentísimo señor marqués de Estella, acaba de dar un manifiesto a la nación, en el que, a los tres años de haber solicitado, por espontáneo arranque de su patriotismo, la gobernación de España, pide a ésta, para dar nuevas amplitudes a su gestión, el sincero y ferviente voto de confianza a que su trabajo incansable y feliz de estos tres años le da indiscutible derecho. Este voto de confianza ha de otorgarse en forma de plebiscito, mediante las firmas que todos los españoles y españolas mayores de dieciocho años, conformes con las orientaciones del actual régimen, deberán estampar en los pliegos destinados al efecto durante los días 11, 12 y 13 (sábado, domingo y lunes) del presente mes. [...] Madrid, 6 de septiembre de 1926. El Comité ejecutivo central de la Unión Patriótica"[532].

A la vista del comunicado, el plebiscito venía a recoger las firmas de las adhesiones al régimen. Tomando como fuente el Boletín núm. 1 de la *Unión Patriótica*, el resultado fue el siguiente:

Total de habitantes: 21.342.436

Capacitados para firmar: 13.117.897

Número de firmas: 7.506.468

En cuanto a Ceuta, el plebiscito, que fue organizado por el Ayuntamiento y la Unión Patriótica, se celebró con orden completo, reinando gran entusiasmo. Se constituyeron cuatro mesas electorales en la ciudad y tres en el Campo Exterior, presididas por los siete tenientes de alcalde. Hubo también dos rondas volantes que visitaron los comicios, invitando a firmar. El presidente de la Unión Patriótica, doctor Matres, y el secretario, Jacob Benasayag, re-

---

532   ABC, 5 de septiembre de 1926.

corrieron todos los distritos. Diversas notas de prensa señalaban que algunos civiles de Tetuán se habían trasladado a esta ciudad para votar, pues en la capital del Protectorado no se había llegado a organizar la recogida de firmas; al igual que se subrayaba que habían firmado muchas señoras y políticos del antiguo régimen[533]. Asimismo, se insistía que con el mismo orden y entusiasmo de los días anteriores se siguió celebrando el plebiscito, con resultado satisfactorio[534]. Con respecto al resultado, el número de firmas recogidas ascendió, según *El Telegrama del Rif*, a 7.257[535].

También, la Cámara de Comercio participó de lleno colaborando con la Junta municipal, solicitando el apoyo de la clase comercial e industrial; al igual que se movilizó para su

Imágenes del plebiscito celebrado en septiembre de 1926. Boletín Unión Patriótica, núm. 1.

éxito aportando "un buen número de interventores para componer las mesas del escrutinio"[536]. Recordemos que una buena parte de los afiliados tanto a la Unión Patriótica como al Somatén, eran miembros de la citada Cámara. Por último, tuvo lugar un banquete organizado por la Unión Patriótica, "con objeto de obsequiar a las entidades que habían contribuido al éxito del plebiscito y conmemorar el tercer aniversario del advenimiento al poder del Directorio". Como es natural en este tipo de actos, se pronunciaron patrióticos discursos, al igual que se cursaron telegramas al presidente del Consejo y a Mayordomía de Palacio[537].

Aunque aparentemente el plebiscito se convirtió en una clara victoria, que daba una supuesta legitimidad y cierto respiro a los postulados primorriveristas, en el trasfondo subyacía un error estratégico que le pesaría al dictador como una tremenda losa durante el resto de su mandato, pues andamiar un nuevo régimen con evidentes carencias políticas no era cuestión baladí. Ya en 1923, al pie de una viñeta de Bagaría, famoso humorista de *El Sol*, advertía Juan Español al militar que lavaba un trapo con el letrero de "libertades públicas": "Oye. Cuando lo tengas bien limpio y purificado, ya debes saber que tu obligación es devolvérmelo"[538].

29. La Fiesta de la Despedida del Soldado y el Casinillo de la Legión

Justo a la semana siguiente de la finalización del plebiscito, el lunes 20 de septiembre, se celebró en la plaza de la Constitución la Despedida del Soldado. A la fiesta concurrieron una compañía, un escuadrón y una batería a pie, con banderas y estandartes y una banda de música por cada Cuerpo de la guarnición, incluso del Tercio, más los soldados licenciados, en número de cuatro mil, los cuales se despidieron ante el artístico altar en que dijo la misa de campaña el teniente vicario. Dicha misa fue oída desde las tribunas, que estaban repletas, por el comandante general, representantes de todos los estamentos de la sociedad y numerosos invitados. También la plaza estaba llena de público.

---

533 El Debate, 9 de septiembre de 1926. El Sol, 14 de septiembre de 1926. La Vanguardia, 14 de septiembre de 1926.
534 ABC, 15 de septiembre de 1926.
535 El Telegrama del Rif, 15 de septiembre de 1926.
536 ALARCÓN CABALLERO, José Antonio: Opus cit., p. 281.
537 La Nación, 15 de septiembre de 1926.
538 DÍAZ-PLAJA, Fernando: Otra Historia de España, p. 382.

Terminada la misa, el general Gómez Morato, que mandaba las fuerzas, dirigió a los soldados una patriótica alocución. Acto seguido se procedió al reparto de premios de cien y cincuenta pesetas, y menciones honoríficas a los cinco soldados de cada Cuerpo que más se distinguieron durante su permanencia en filas. A continuación, los licenciados desfilaron frente a las autoridades. Considerando el día como festivo, se sirvió a las tropas un rancho extraordinario[539].

Ese mismo día, coincidiendo con el sexto aniversario de la fundación de la Legión, con extraordinaria animación "se celebró la inauguración de un centro del Tercio en la ciudad". Acudieron de Tetuán los generales Sanjurjo y Goded, y de Larache el general Sousa. También asistieron los generales Berenguer y Gómez Morato, y el contralmirante García Velázquez, además de numerosos jefes y oficiales del citado Cuerpo[540]. En el referido centro, conocido popularmente como Casinillo de la Legión, se podía apreciar la mano de

EL CASINO DE OFICIALES DE LA LEGIÓN EN CEUTA

Mundo Gráfico, 6 de octubre de 1926

Inauguración del Casino de Oficiales de la Legión, presidida por el general en jefe del Ejército de África, marqués de Monte Malmusí, con asistencia de los generales Berenguer, Gómez Maroto, Souza y Godet, coronel Millán Astray y oficiales del citado Cuerpo   Fot. Jiménez

Inauguración del Casinillo de la Legión. Mundo Gráfico, 6 de octubre de 1926. 1 general Sousa, 2 coronel Millán Astray, 3 general Sanjurjo, 4 general Federico Berenguer, 5 general Goded, 6 contralmirante García Velazquez, 7 general Gómez Morato.

Bertuchi en su diseño y en sus jardines, y la del teniente Miró como gran alarife y arquitecto mayor de la Legión. Señalaba *El Telegrama del Rif* que "en apartado rincón de las murallas de Ceuta, los artífices legionarios, dirigidos por Mariano Bertuchi, levantaron un edificio para oficina de la Legión, de traza netamente castellana". Y este prodigioso artista, "ha construido a pocos pasos la sede Revista de Tropas Coloniales, rodeada de jardín bellísimo, poético mirador sobre la bahía sur, que transforma la fisonomía de aquellos lugares"[541].

Tras la fiesta de la Despedida del Soldado, el general Berenguer se desplazó a Madrid con un mes de permiso. En esos días en el Estrecho reinaba una densa niebla, por lo que los miles de soldados que marchaban a la Península tuvieron que esperar en el muelle de la Puntilla en los buques *Aragón*, *Cullera*, *Vicente Puchol* y *Lázaro*. También, como consecuencia de la niebla, el miércoles 22 tuvo lugar el choque entre los vapores *Antonio Cola* y el *Lloveras*. El *Antonio Cola*, que había zarpado de Ceuta para Larache, penetró hasta la mitad del casco por el departamento de máquinas del *Lloveras*, un "yatch" construido en 1880 en los astilleros de Glasgow de 754 toneladas y 54,4 m de eslora, que hacía el servicio de

539   El Sol, 21 de septiembre de 1926.
540   El Noticiero Gaditano, 21 de septiembre de 1926.
541   El Telegrama del Rif, 21 de noviembre de 1926.

Vista de la bahía sur desde el Casinillo de la Legión. África, Revista de Tropas Coloniales, abril de 1929.

correos entre Tánger y Algeciras. Y aquí destacó la diligente actuación y el buen hacer del capitán del *Antonio Cola*, José Palacios, que primero desalojó a los pasajeros, después a la tripulación y, por último, salvó algunas sacas. Tras ordenar "atrás", una gran vía de agua entró en el *Lloveras* hundiéndolo en pocos minutos[542]. No obstante, no ocurrieron desgracias personales. Igualmente llegó a Ceuta el coronel García Benítez para hacerse cargo de la Comandancia de Ingenieros; unos meses después, en enero de 1927, el citado coronel llegaría a ser presidente de la Junta municipal, tras la dimisión del general Gómez Morato. Además, empezó a funcionar la temida comisión de tributación de la Contribución industrial, que empezaba a regir por primera vez[543].

En cuanto a la vida municipal, en la sesión extraordinaria de 18 de septiembre se aprobó un presupuesto extraordinario para la construcción del viaducto en el foso seco de la Almina, cuyo anteproyecto de gasto ascendía a 662.579,05 pesetas[544]. En realidad, el proyecto, firmado también en el mismo mes por los arquitectos municipales Santiago Sanguinetti y Gaspar Blein, contemplaba la ampliación del puente ya existente. Una cuestión de vital importancia que no se podía dilatar más en el tiempo, pues el viejo puente se había convertido en un estrecho embudo que estrangulaba el tráfico cada vez más intenso de la ciudad. Poco después se estipuló que el proyecto de gastos e ingresos para el ejercicio próximo de 1927 se establecía en 3.335.682,63 pesetas[545]. Abundando sobre la cuestión, el año 1927 sería el primero en que el presupuesto se adaptaba al año natural. Por aquellas fechas las primeras oficinas municipales ya estaban instaladas en la planta baja de la nueva casa consistorial.

Por otro lado, también se constituyó una Junta para arbitrar fondos con destino a regalos para la institución el Soldado de África. La Junta estaba presidida por María Josefa Alegre, la activa y comprometida esposa del general Gómez Morato[546]. Igualmente, saltó la noticia del robo de 1.000 pesetas en el Hospital de la Cruz Roja, producto de la recaudación de un acto benéfico[547]. Asimismo, la casa Singer, que tenía una sucursal en Ceuta, regaló seis

542 Diario de Alicante, 24 de septiembre de 1926.
543 La Vanguardia, 23 de septiembre de 1926.
544 AGCE. LAC núm. 90. Comisión permanente, 29 de septiembre de 1926, folio 63 vto.
545 AGCE. LAC núm. 90. Comisión permanente, 7 de octubre de 1926, folio 77.
546 El Eco de Santiago, 6 de octubre de 1926.
547 El Noticiero Gaditano, 6 de octubre de 1926.

máquinas de coser al grupo escolar de niñas de la calle del General Serrano. Además, envió una profesora para enseñar el manejo y perfeccionar los trabajos.

Tener una máquina de coser suponía no sólo un lujo para las sufridas amas de casa, que por aquellas fechas hacían prácticamente todas las tareas domésticas a mano, sino también una valiosa herramienta para lograr algunos ingresos extras en el depauperado presupuesto familiar, pues no era raro que las costureras hiciesen trabajos para las sastrerías, tiendas de moda y particulares. Aunque hubo otras marcas, el estadounidense Isaac Merritt Singer consiguió popularizar sus máquinas de coser por adaptarlas a su uso doméstico y su pago a plazos. Igualmente, se solían impartir cursos y se expedía un título que le daba cierto prestigio laboral a su poseedora. Por otro lado, se iniciaron las gestiones para pedir la construcción de un edificio para Correos y Telégrafos. La iniciativa era plausible, puesto que en septiembre se había elevado la categoría de la estación telegráfica[548]. Como es lógico, estas gestiones fueron secundadas por todas las entidades de la ciudad[549].

30. La primera Fiesta del Libro, San Daniel y compañeros mártires

Octubre se convirtió en un mes festivo por excelencia. El jueves 7 de octubre de 1926 se instituyó por primera vez en España la Fiesta del Libro Español, "rindiéndose con ello homenaje a los gloriosos cultivadores de nuestro idioma y singularmente al egregio autor de *El Quijote*". Alfonso XIII firmaba este Real Decreto 8 de febrero de 1926, imponiendo la celebración de la primera Fiesta del Libro Español el 7 de octubre de ese mismo año en conmemoración del natalicio de Cervantes. El decreto, según Javier Sánchez, lo redactó Vicente Clavel Andrés, el principal impulsor de esa iniciativa. Clavel, sin embargo, no tuvo en cuenta un pequeño detalle: el 7 de octubre como fecha del nacimiento era una fecha errónea (hoy, de hecho, tenemos más o menos comprobado que el autor de *Don Quijote de la Mancha* nació un 29 de septiembre). En 1930, tras varios años de buenas ventas e innovaciones -incluyendo esa práctica actual de sacar novedades para la festividad-, se tomó la decisión de fijar su fecha actual. Así se convirtió la Fiesta del Libro Español en el Día Mundial del Libro[550].

Con respecto a Ceuta, la primera Fiesta del Libro se celebró en las escuelas, siendo los maestros los encargados de impartir conferencias sobre las buenas lecturas, dedicándole un especial recuerdo a la obra cumbre de Cervantes. También se celebró en algunos cuarteles. En el cuartel de Caballería de Vitoria, por ejemplo, el capellán impartió una conferencia acerca de España y el libro, comentando asimismo los pasajes más sobresalientes de la citada obra.

Por otra parte, siguiendo la línea de revitalización de las costumbres y tradiciones locales, en el Ayuntamiento se recibió una invitación del Centro de Hijos de Ceuta para participar en los festejos que se iban a celebrar para honrar la memoria de los patronos de Ceuta, San Daniel y compañeros mártires: "Entre los hijos de esta ciudad, se ha acordado celebrar el próximo 10 del actual, la fiesta de su patrono San Daniel. Una banda de música recorrerá las calles de la población. Por la mañana se celebrará solemne función religiosa. Por la tarde se reunirán en Hotel Majestic, procediéndose a la inauguración del edificio social. También se ha organizado una velada, que se celebrará en la plaza de África, la cual será iluminada. Existe gran animación para asistir a estas fiestas"[551]. El Ayuntamiento, por su parte, que trabajaba al unísono con el Centro de Hijos de Ceuta, invitó a las autoridades a la función religiosa que iba a tener lugar en la catedral. Según informaba *El Siglo Futuro*, se celebró "con gran solemnidad", asistiendo el Ayuntamiento bajo mazas. Cerraba la crónica el susodicho periódico con estas notas: "La procesión, con las sagradas reliquias, se trasladó desde la Catedral al Santuario de la Virgen de África, cantándose una Salve en la plaza de la Constitución"[552].

---

548 La Vanguardia, 14 de septiembre de 1926.
549 El Telegrama del Rif, 7 de octubre de 1926.
550 SÁNCHEZ, Javier: 'Por qué se celebra el día del libro', s. p.
551 El Telegrama del Rif, 6 de octubre de 1926.
552 El Siglo Futuro, 13 de octubre de 1926.

31. El Día de la Raza, la patrona de Intendencia y *Las pupilas de Charo*

Dos jornadas más tarde la Fiesta de la Raza se celebró con gran alegría. Por tal motivo la banda del Tercio recorrió las principales calles de la ciudad tocando alegres piezas musicales. Después ofreció un concierto público en la plaza de la Constitución[553]. También la banda del regimiento de Ceuta marchó a Tánger para festejar tan señalado día[554]. Y el día 15 de octubre se celebró el día de la patrona de Intendencia. Esa jornada tuvo una significación especial, pues el susodicho Cuerpo regaló una imagen de Santa Teresa al Santuario de Nuestra Señora de África, que fue bendecida por el vicario general[555].

Cuatro días después, tras disfrutar de su permiso, el comandante general volvió de Madrid. En el muelle del Comercio fue recibido por las autoridades civiles y militares, miembros de la Unión Patriótica y Somatén[556]. Y dos jornadas más tarde cayó en Sevilla y Ceuta el segundo premio de la Lotería Nacional con 75.000 pesetas al número 17.065[557].

Aún se estaba celebrando el segundo premio de la lotería cuando la compañía lírica, que dirigía el veterano actor Manolo Codeso, y en la que figuraban las primeras tiples Pilar Pasamar, Juana Campoamor, Virtudes Bejarano y los Sres. Bejarano, Fantlno, Lora y Bonet, estrenó la humorada lírica en tres actos *Las pupilas de la Charo*, letra de López Rienda y Potous, y música del maestro Millán (V.). La obrita, que pertenece al género frívolo, estaba llenando el Teatro del Rey todas las noches[558]. Y finalizando el mes se desencadenó un fuerte temporal, por lo que no pudieron salir de Ceuta los diestros Belmonte, Sánchez Mejías y Zurito, que estaban de paso para ir a Melilla, donde iban a participar en un festival taurino. Por otro lado, se acentuaba la epidemia de gripe que estaba azotando la ciudad y se estaba cobrando infinidad de enfermos[559], aunque alarmó a las autoridades, nada tenía que ver con la de 1918.

32. La sanidad en Ceuta

Según establecía el Estatuto de Ceuta, la ciudad contaba con una Junta Local de Sanidad compuesta por un presidente, "el Comandante general o autoridad en que delegue"; un vicepresidente, "el vocal que designe la Junta", y varios vocales y un secretario, que era el de la Junta municipal, y un inspector de Sanidad municipal; sin embargo, para su mejor funcionamiento había una Comisión permanente, compuesta por un presidente, que era el vicepresidente de la Junta local, y cuatro vocales, además del secretario, que era el de la propia Junta[560].

Luis Ortega Nieto, director de Sanidad del puerto de Ceuta, en el artículo 'Salubridad en Ceuta' apuntaba lo siguiente: "La mortalidad general de Ceuta durante el año 1927 ha sido de 18 por 1000, que comparada con la media de España es menor, y la morbilidad y mortalidad por enfermedades infecciosas es insignificante, siendo verdaderamente milagroso (y esto es un dato elocuente de las condiciones naturales de salubridad que tiene Ceuta) que no se desarrollen verdaderas epidemias, pues teniendo un movimiento de población enorme, debido a la concentración anual de reclutas que vienen de todos los puntos de la Península, y que, como es sabido, muchos de ellos son portadores de gérmenes, no ha habido verdaderas epidemias. Y esto añadimos la vecindad de Marruecos, donde el indígena vive en estado primitivo por su pobreza y falta de higiene, hace resaltar más las condiciones de inmunidad de este pueblo frente a las enfermedades contagiosas"[561].

---

553 El Telegrama del Rif, 12 de octubre de 1926.
554 El Telegrama del Rif, 10 de octubre de 1926.
555 El Telegrama del Rif, 16 de octubre de 1926.
556 Diario de Burgos, 20 de octubre de 1926.
557 El Eco de Santiago, 21 de octubre de 1926.
558 La Libertad 24 de octubre de 1926.
559 Diario de Almería, 31 de octubre de 1926.
560 *Estatuto para el régimen administrativo de la ciudad de Ceuta*, pp. 36 y 37.
561 VVAA: *Libro de Ceuta*, p. 93.

32.1. Los hospitales militares

En Ceuta, al haber tantos cuarteles y servir de base a las operaciones en el Protectorado, la sanidad militar tenía una gran importancia. Contaba con el antiguo Hospital Real, también denominado Hospital Central, que databa del siglo XVIII, ubicado en la plaza de Alfonso XII, que siguió funcionando trabajosamente, casi por inercia, hasta que acabó la Guerra del Rif en el verano de 1927. Indudablemente, este gran hospital se había levantado para dar servicio a la guarnición de la época. Sin embargo, con el inicio del Protectorado su función fue decayendo a favor de los hospitales Docker y O'Donnell; ambos situados en el Campo Exterior.

Desde finales de 1927, ya prácticamente en desuso, una comisión de representantes de la Pesca, Industria y Comercio pidió al alto comisario su cesión "para ensanchar la plaza de Alfonso XII"[562]. No obstante, fue durante el mandato del alto comisario, general Jordana, cuando se cedieron los terrenos a la ciudad; cuestión que trataremos en el Capítulo V de la segunda parte.

Hospital Central. AGCE.

Igualmente, contaba Ceuta con el Hospital Docker, un inmenso hospital situado en la zona del Morro formado por varios pabellones Docker –pabellones de construcción rápida y barata de origen alemán- para atender las bajas de guerra, que, según *El Imparcial*, fue inaugurado en julio de 1912[563]. Dada su altura y aislamiento, era el lugar idóneo para la hospitalización de infectados y contagiosos.

También existía otro gran hospital militar, fruto de la reconversión del cuartel de Mil hombres, más próximo a la fron-

Hospital Docker. Cortesía de Agustín Marañés.

tera, en la punta del Morro, que después se denominaría O'Donnell, en el que la labor de enfermería la realizaban las Hermanas de la Caridad de San Vicente de Paúl[564]. El hospital estaba formado por cuatro grandes pabellones aislados, habiendo a su alrededor varios pabellones menores, donde se encontraban los diferentes servicios[565]. Por noticias de la prensa

---

562   El Correo Gallego, 11 de diciembre de 1927.
563   "Ceuta 20 (1,25 tarde). En el campo exterior ha sido inaugurado un hospital Docker". El Imparcial, 21 de julio de 1912.
564   Muy comentada fue la muerte de sor Filomena Cuadra Luz. La finada llevaba 20 años en la comunidad de San Vicente de Paúl. El Telegrama del Rif, 27 de marzo de 1927.
565   Blogdeceuta.com: 'Hospital militar O'Donnell', s.p.

sabemos que tras el desastre de Annual de 1921 empezó a acoger heridos. En septiembre de 1922 las damas de la Cruz Roja distribuyeron 1.000 pesetas y donativos de tabaco entre los soldados hospitalizados en las salas de cirugía[566]. Pero fue a partir del comienzo de la gran ofensiva sobre la zona occidental cuando empezaron a llegar numerosos heridos de M'Ter y Uad Lau (febrero de 1924); teniendo su punto culminante con el repliegue de Xauen (noviembre de 1924), y el desembarco de Alhucemas (septiembre de 1925).

Por otro lado, en la llamada Posición A se encontraba el Sanatorio García Aldave, que, aunque ya existía con anterioridad, fue habilitado entre 1923 y 1924 como sanatorio antipalúdico, a raíz de la citada ofensiva. Asimismo, había buques-hospital, como el *Castilla* o el *Barceló*, que evacuaban a los enfermos principalmente a Algeciras, Cádiz y Málaga; al igual que también hubo algunas esporádicas evacuaciones en hidroavión. Como cuestión anecdótica, merece la pena subrayar que tras el desastre de Annual se acondicionó provisionalmente la Residencia de San Antonio del comandante general, en el monte Hacho, para acoger a oficiales convalecientes.

32.2. El Hospital de la Cruz Roja

Por otro lado, con el nacimiento del Protectorado se produjo en Ceuta un aumento considerable de la población civil, que era atendida en el Hospital de la Cruz Roja, en la calle Real 90, y que había sido adquirido por la ciudad tras la clausura del Hospitalito Jesús, María y José, que había caído en desuso por el cierre del Penal. Ya en diciembre de 1912 una comisión del Ayuntamiento, que fue a visitar al ministro de Fomento, Miguel Villanueva, llevaba, entre otras peticiones, la cesión del referido hospital, aunque no se llevaría a cabo hasta 1914. Ese mismo año, el 6 de agosto por la mañana, en plenas fiestas patronales, tuvo lugar en el Santuario de la Virgen de África una función religiosa donde se bendijo la bandera de la Cruz Roja local, apadrinada por el infante Fernando de Baviera, comisario regio de la benéfica Asamblea. No cabe duda que la presencia de la Cruz Roja en Ceuta desde 1897 y su experiencia sanitaria, con la apertura de dos dispensarios en la década de 1910[567], fueron sólidos factores para que esta institución se hiciese cargo del hospital.

No fue, sin embargo, hasta el mes de febrero de 1918 cuando la prensa anunciaba su inauguración, a la vez que se comentaba la presencia de los reyes y el nombre: Hospital Reina Victoria. No obstante, en el mes de marzo la prensa informaba que "el secretario de la Reina. Sr. Gordón, en nombre de SS. MM. asistirá a la inauguración del Hospital de Ceuta"[568]. A pesar de todos estos anuncios, su inauguración se fue dilatando en el tiempo. No obstante, tuvo que ser abierto en octubre de 1918, aunque de forma algo acelerada debido a la pandemia de "grippe" que azotaba al mundo. Lo que no está claro es la repercusión que tuvo la susodicha pandemia en Ceuta. De lo que sí tenemos noticias es que en España alrededor de doscientas cincuenta mil personas perdieron la vida. Cabe añadir que el definitivo impulso del Hospital se logró a raíz de la visita de Carmen Angoloti a Ceuta, de la que daremos cuenta en el siguiente epígrafe.

Por otra parte, la Cruz Roja mantenía diversos acuerdos con algunas empresas, reservando camas para sus empleados. Pero, sin lugar a dudas, era el Ayuntamiento su principal fuente de ingresos, pues se había establecido un convenio para la atención hospitalaria de los enfermos de beneficencia. Según José Antonio Alarcón, entre 115 y 140 enfermos eran atendidos allí a diario, lo que venía a significar entre el 75 y el 80% de la actividad total del hospital[569]. En 1926 era su director el comandante Martínez Roncales y superiora del Hospital sor Mª Teresa.

566 El Debate, 5 de septiembre de 1922.
567 MARTÍNEZ, Francisco Javier. 'Estado de necesidad: La Cruz Roja Española en Marruecos, 1886-1927', p. 883.
568 El Día, 19 de enero de 1928.
569 ALARCÓN CABALLERO, José Antonio: 'La dictadura de primo de Rivera y la transición a la República', p. 310.

Carmen Angoloti, firme impulsora del Hospital de la Cruz Roja y la escuela de enfermeras. La Esfera, 18 de marzo de 1922.

32.3. Carmen Angoloti y la escuela de enfermeras

A principios de 1916 se aprobaron las bases para la reorganización de la Cruz Roja Española, que establecía dos secciones: la de Caballeros y la de Señoras, presidida por la reina Victoria Eugenia, que además ejercería la Autoridad Suprema por delegación de Alfonso XIII. El reglamento de la Asamblea Central de Señoras fue aprobado por Real Decreto de 29 de junio de 1916. Otro Real Decreto del 13 de julio del mismo año señalaba que la Sección de Señoras tendría la tarea de crear el Cuerpo de Enfermeras de la Cruz Roja Española bajo la autoridad suprema y presidencia de la reina. Y el 28 febrero de 1917 se dictó otro Real Decreto por el cual se aprobaban las instrucciones generales para la organización y constitución del Cuerpo de Damas Enfermeras de la Cruz Roja Española y el programa anexo para la enseñanza de estas enfermeras[570].

En este contexto, fue a finales de febrero de 1920, concretamente el día 26, cuando hizo su aparición por la ciudad Carmen Angoloti Mesa (Madrid, 1875-1959). La duquesa de la Victoria traía una misión especial de la reina, y en cumplimiento de ella visitó el Hospital de la Cruz Roja, donde se proponía agilizar los protocolos y crear una escuela de enfermeras[571]. La *Correspondencia de España* insistía sobre el tema: "Se ha inaugurado la escuela de enfermeras de la Cruz Roja, patrocinada por la Reina Victoria, asistiendo todas las damas y presidiendo la duquesa de la Victoria, por delegación de la Soberana. Se encuentra en Ceuta con objeto de dirigir la instalación de un hospital de la Cruz Roja, la duquesa de la Victoria"[572]. El lunes 1 de marzo se efectuó en el Salón Apolo la fiesta benéfica en honor de Carmen Angoloti, cuyos productos estaban destinados a ayudar la vida económica del Hospital[573]. Viendo el Ayuntamiento la implicación de la reina en su puesta en funcionamiento, decidió nombrarla hija adoptiva y predilecta, al igual que mandó confeccionar un artístico pergamino donde constasen los susodichos acuerdos[574]. El pergamino le fue entregado en Madrid en el mes de mayo por una comisión formada por el diputado a Cortes, José Luis Torres, el alcalde, Isidoro Martínez, el presidente de la Asociación de la Prensa, José Guerra, y la presidenta de la Cruz Roja en Ceuta, Vicenta Arizmendi de Correa[575]. Y de nuevo en diciembre vamos a encontrar a la duquesa en Ceuta imponiendo los primeros brazaletes de damas enfermeras. Se aprovechó la visita para realizar un acto benéfico en el Teatro del Rey[576].

Al año siguiente, en el mes de julio, tuvo lugar el desastre de Annual. Angoloti viajó a Melilla, apenas días después del desastre, con un pequeño grupo de enfermeras, consiguiendo instalar dos hospitales permanentes[577]. El trabajo de María del Carmen Angoloti

570 EXPÓSITO GONZÁLEZ, Raúl: 'Textos para la formación de las enfermeras Cruz Roja', s.p.
571 El Sol, 27 de febrero de 1920. La Época, 27 de febrero de 1920.
572 La Correspondencia de España, 28 de febrero de 1920.
573 El Sol, 29 de febrero de 1920.
574 El Telegrama del Rif, 27 de marzo de 1920.
575 La Vanguardia, 21 de mayo de 1920.
576 El Debate, 23 de diciembre de 1920.
577 MARTÍNEZ, Francisco Javier: Opus cit., p. 875.

fue reconocido por la sociedad española. Y Ceuta no quedó ajena a este reconocimiento, pues en la sesión municipal del 30 de diciembre de 1921 se acordó por unanimidad "nombrar hijas adoptivas de estas a las Exmas. Sras. Duquesa de la Victoria y Doña Matilde Baragaña de Álvarez del Manzano por sus constantes desvelos en pro de las clases modestas y desvalidas, rindiendo así un tributo de admiración a tan respetables Señoras"[578].

También, en su lucha incansable por el fomento de la Cruz Roja, otra medida impulsada por Angoloti fue la ampliación del hospital[579] ceutí. Precisamente, antes de ser inaugurado el segundo hospital de Melilla, a finales de mayo de 1922, las damas de la Cruz Roja de Ceuta celebraron en el Hotel Majestic un banquete en su honor, "para premiar el altruismo y la caridad de la aristócrata dama"[580].

Como se ha señalado, no era raro verla por la ciudad tanto en visita de inspección –había sido nombrada inspectora de los hospitales de la Cruz Roja en el Norte de África entre 1924 y 1927-, como de paso para la inspección de los otros hospitales de Tetuán y Larache. Por último, cabe subrayar que la Cruz Roja puso en servicio aviones medicalizados durante la Guerra del Rif, destinados, sobre todo, a la evacuación de heridos.

32.4. La Clínica de Urgencia y otros servicios municipales

También existía en la ciudad la Clínica de Urgencia atendida por el Ayuntamiento. Según el proyecto redactado por el arquitecto municipal Santiago Sanguinetti en diciembre de 1912, la clínica se construyó en el solar núm. 34 de propiedad municipal, situado en la céntrica calle Martínez Campos, a espaldas del Asilo de la Misericordia, en una extensión superficial de 72,69 metros cuadrados. El edificio constaba de planta baja y principal, que se comunicaba, a través de una escalera, con el jardín del Asilo[581].

El Asilo, por su parte, había sido fundado en 1892, aunque fue ampliado en 1911. Desde 1905 estaba regido por un patronato, siendo el principal patrono el Ayuntamiento, recibiendo para su gestión el apoyo de la Iglesia. El presidente era el alcalde y el administrador era nombrado por el vicario general de Ceuta. Estaba atendido por monjas paulistas, siendo la madre superiora Inmaculada Concepción María del Socorro Martínez, y acogía a niños y ancianos. El Ayuntamiento aportaba entre el 65 y el 70% del presupuesto, aunque también recibía aportaciones de los propios asilados, de particulares y del alquiler de tres casas, que habían sido donadas por Margarita Peñalva[582].

Pero el compromiso del Ayuntamiento no quedaba ahí, también sostenía una Casa Cuna para la protección de niños expósitos menores de cuatro años. Según el "Proyecto de Escuela de niños y casa-cuna y habitaciones para el maestro y celadora en el solar de la calle Solís nº 7, esquina a la nueva calle D" de Santiago Sanguinetti firmado en 1916. Edificio de tres plantas. En la planta del sótano se encontraba la casa-cuna y las habitaciones de la celadora; en la planta baja, la escuela de niños y dependencias anexas; y en la planta principal la habitación (casa) del maestro.

Otros centros dependientes del Ayuntamiento eran el local de aislamiento, que dadas las características de paso y portuarias de la ciudad era de lógica necesidad, el dispensario antivenéreo (sifilicomio), o el dispensario anticromatoso. El local de aislamiento ya existía en la ciudad desde hacía años, como así lo recoge las Ordenanzas Municipales de 1923: "Art. 45. Contribuye también el Ayuntamiento al sostenimiento del Hospital de la Cruz Roja, establecido en el antiguo edificio de Jesús, María y José y del pabellón Docker de Aislamiento, situado en Santa Catalina"; sin embargo, aquel pabellón no tenía las condiciones necesarias,

---

578   AGCE. LAC núm. 85. Sesión, 30 de diciembre de 1921, folio 278.
579   MARTÍNEZ, Francisco Javier: Opus cit., p. 8.
580   El Debate, 30 de mayo de 1922.
581   GARRIDO OLIVER, Emilia: Opus cit, pp. 117 y 118.
582   ALARCÓN CABALLERO, José Antonio: 'La dictadura de Primo de Rivera y la transición a la República', pp.286 y 287.

por lo que en la permanente de 17 de septiembre de 1927 se aprobó la construcción de un pabellón de infecciosos, y el 12 de mayo del año siguiente se dieron por acabadas las obras.

Con respecto al dispensario antivenéreo, en junio de 1928 fue convocado un concurso para la construcción de un edificio destinado a tal fin[583]. En cuanto al dispensario anticromatoso, su instalación sería planteada al final del periodo primorriverista. Por otro lado, los leprosos eran enviados al hospital sevillano de San Lázaro, y los enajenados mentales al Manicomio provincial de Cádiz.

Según el artículo 5º del Real Decreto de 14 de junio de 1891, a los efectos de asistencia médico-farmacéutica gratuita, el Ayuntamiento disponía de médicos y practicantes de beneficencia. Para una mejor atención de los enfermos, la ciudad estaba dividida en distritos, correspondiéndole a cada distrito un médico, un practicante y una matrona. En 1926 existían cinco distritos.

Sin embargo, con el crecimiento de la población hacía el Campo Exterior a partir de 1926, el número de distritos fue aumentando y por lo tanto el número de médicos, practicantes y matronas. Asimismo, tal y como se contemplaba en las ordenanzas municipales, había un médico titular encargado de los establecimientos benéficos, "a cuyo cargo estará la Clínica para atender accidentes imprevistos y de urgencia". En 1926 era director de la Clínica de Urgencia y establecimientos benéficos el doctor Rafael Zurita Torres[584], aunque posteriormente lo sería el doctor Manuel Rovayo Martí.

También la Junta municipal abrió una farmacia municipal, que empezaría a funcionar a principios de diciembre de 1926[585]. En 1929 era el farmacéutico municipal Manuel del Águila Collantes. Al igual que se había puesto en funcionamiento un laboratorio municipal, a cuyo frente se encontraba el médico bacteriólogo Luis Ortega Nieto. Tanto la farmacia como el laboratorio se encontraban en dependencias del palacio municipal. De igual forma, se ofrecían otros servicios, como el de odontología, al que se sumaría el de tocología en el Hospital de la Cruz Roja.

En enero de 1929, la plantilla del área sanitaria de la Junta municipal era la siguiente:

- **Tres médicos de término:** Miguel Sala y Gual, Miguel Sala Gavarrón, Manuel Rovayo Martí.
- **Tres médicos de ascenso:** Tomás Rallo Colandrea, Manuel Muñoz Márquez, Antonio Ballesteros Ledo.
- **Tres médicos de entrada:** Enrique Velasco Morales, Manuel Zurita Susino, Ramón Jiménez Escanero.
- **Un practicante mayor:** Isidro Florentín Jarque.
- **Cinco practicantes de ascenso:** Manuel Lis Delgado, Ramón Flores Gallardo, Baldomero D. de Mendoza Pastor, Tomás Fernández Hernández, José Gallardo de Sala.
- **Dos practicantes de entrada:** Nicasio Sanz Mínguez, Pascual Aragón Barral.
- **Seis matronas:** María de los Ángeles Garrido, Elvira Asencio Aycuens María de la Luz Piñero, Faustina Domínguez Ramos, Dominga Padrón Lutzardo, Trinidad Toledo García.
- **Un médico bacteriólogo:** Luis Ortega Nieto.
- **Un farmacéutico jefe de laboratorio:** Manuel del Águila Collantes.
- **Un odontólogo:** Juan Flores Muñoz.
- **Dos practicantes farmacia contable:** Atilano Martín Pizarro, Joaquín Marruecos Camúñez.

FUENTE: BOCCE núm. 125, jueves 24 de enero de 1929.

---

583 BOCCE núm. 93, 28 de junio de 1928.
584 AGC. LAC núm. 89. Comisión permanente, 25 de enero de 1926, folio 133 vto.
585 BOCCE núm. 4, 30 de noviembre de 1926.

A esta plantilla hay que añadir, a partir de 1930, dos médicos tocólogos[586]. Con respecto al número de beneficiarios, fue aumentando con los años, a medida que crecía la población y se fue instalando la crisis económica. En 1922 se habían registrado 890. En 1925, 1270. En 1932, alrededor de dos mil[587]; por lo que el número de beneficiarios (titular y familia) pasó de 5.350 de 1920 a 8.520 en 1930[588].

Como la población no paraba de crecer en las barriadas del Campo Exterior, se intentó paliar estos problemas. Además de la comentada ampliación en cuanto al número de distritos, en la permanente de 12 de enero de 1929 se aceptó "los ofrecimientos hechos por el médico don Rafael Álvarez de prestar asistencia en la clínica que tiene establecida en Jadú, y visitar en sus domicilios a los enfermos pobres del Campo Exterior que requieran tratamiento urgente"[589]. Igualmente, en la permanente de 17 de diciembre de 1927 se acordó construir un dispensario en la barrida del Príncipe.

Instalaciones de la Gota de Leche en el palacio municipal. AGCE.

32.5. La Gota de Leche

Mención aparte merece la institución de la Gota de Leche, que también estaba a cargo de la Junta municipal. Como indica Francisco Muñoz, "las Gotas de Leche eran instituciones sanitarias que intervinieron en la reducción de la mortalidad infantil promoviendo la mejora en la higiene alimentaria de los recién nacidos. El análisis de la misma y de otros estudios permite estimar que el despliegue de esta institución entre 1902 y 1935 involucró, al menos, a 79 localidades. Se establecieron mayoritariamente en capitales de provincia, en todas las regiones, incluido el Protectorado español en Marruecos". Como era lógico, su propósito principal era incrementar "la sobrevivencia de los recién nacidos mediante la mejora de los hábitos alimentarios, particularmente entre las clases sociales urbanas más empobrecidas"[590].

Con respecto a Ceuta, la iniciativa de la implantación de la Gota de Leche ya partió del Ayuntamiento en el verano de 1923 con la idea de establecerla en un principio en el Hospital de la Cruz Roja[591]. Y en el presupuesto ordinario 1924-1925 se recogía que "Se le propondrá a la Junta de Damas del Hospital de la Cruz Roja, la creación de la Gota de Leche, para lo que han consignado 12.000 pesetas"[592].

No obstante, fue a raíz de la puesta en servicio del nuevo palacio municipal, siendo alcalde Rodríguez Macedo, cuando en agosto de 1926 se habilitó un local y se empezó la "adquisición de efectos y máquina para la instalación de la Gota de Leche"[593]. Asimismo, en diciembre de ese mismo año, ya formada la nueva Junta municipal, se anunciaba que se estaba realizando el montaje de los "aparatos necesarios" para su funcionamiento[594]. Entre los efectos

586 BOCCE núm. 178, 23 de enero de 1930. Comisión permanente, 16 de enero de 1930.
587 AGCE. Padrón de Beneficencia. Legajo 46-10. Expedientes 7570-7575.
588 ALARCÓN CABALLERO, José Antonio: Historia de Ceuta. El Siglo XX, p. 238.
589 BOCCE núm. 177, 17 de enero de 1929. Comisión permanente, 12 de enero de 1929.
590 MUÑOZ PRADAS, Francisco: 'La implantación de las Gotas de Leche en España (1902-1935): un estudio a partir de la prensa histórica', pp. 1 y 2.
591 La Correspondencia, 10 de julio de 1923.
592 AGC. Caja 84/7. Expediente 1630/3. Presupuesto ordinario 1924-1925, folio 2.
593 AGC. LAC núm. 90. Comisión permanente, 14 de agosto de 1926, folio 35, folio 50.
594 AGC. LAC núm. 90. Comisión permanente, 11 de diciembre de 1926, folio 139 vto.

adquiridos merece la pena mencionar un aparato de rayos ultravioleta, único existente en la ciudad. Y en el mes de marzo de 1928 se inauguró "el importante servicio benéfico", que podía atender a más de 200 niños. La Junta municipal había gastado en este servicio 50.000 pesetas, siendo nombrado director el doctor Ballesteros. Al acto de la inauguración asistieron las autoridades civiles y militares, representaciones de diversos colectivos y muchos médicos[595]. Ya en junio, apenas tres meses después de su inauguración, se infirmaba que se suministraban 335 biberones diarios para 60 lactantes.

32.6. La sanidad privada, el Colegio de Médicos y las farmacias

En el ámbito privado, según los *Anuarios* de la época, se anunciaban como médicos Manuel Matres, Manuel Muñoz, Félix Palacios, Tomás Rallo, Manuel Rovayo, Miguel Sala o Antonio López Sánchez-Prado, quien en la primavera de 1930 sería nombrado tocólogo municipal interino. Los dentistas que ofrecían sus servicios eran Francisco Flores, Juan Martínez, Manuel Gómez Sánchez o Martín de la Mata. En cuanto a las comadronas, corresponde citar a Ángela Garrido, María Piñeiro, Faustina Domínguez, Amalia Boto o Elvira Asensio. Casi todas las consultas estaban situadas en las vías o plazas de más vitalidad de la ciudad, como plaza de la Constitución, calle Gómez Pulido, calle Camoens, calle Primo de Rivera, etc.

Por otro lado, la mayoría de estos sanitarios profesionales eran militares o funcionarios municipales. En este sentido tomemos como ejemplos el de Enrique Ostalé, que se anunciaba como cirujano de los hospitales Militar y Cruz Roja, y ofrecía sus servicios en su consulta privada de la calle Primo de Rivera núm. 5, todos los días laborables de tres a cuatro, en las especialidades de cirugía general, traumatismos, rayos X y radioterapia; o el del citado médico de la beneficencia municipal, doctor Matres.

Ligado a la sanidad de Ceuta y a sus médicos, estaba el Colegio Profesional de Médicos que, según *El Telegrama del Rif*, se fundó en enero de 1927: "Ceuta, 28. Los médicos civiles y militares de esta ciudad se han reunido hoy, autorizados por el Gobierno, para proceder a la Constitución del Colegio Oficial de Médicos. Fue elegido presidente, el coronel médico don Enrique Pedraza[596]. Aunque posteriormente estaría presidido por el citado cirujano militar Enrique Ostalé González[597]. El Colegio de Médicos tenía su sede en la calle Bocarro, 2, y estaba constituido en el año 1929 por 26 colegiados.

En cuanto a las farmacias cabe citar la de Enrique García Matres, en Gómez Pulido, 26; Ramón Juliá Necochea, en Camoens, 10; Viuda de Diego Utor, en Camoens 21; Juan Zurita Torres, en Primo de Rivera 1; Antonio Sancho, en Mártires 1; y las de Manuel Águilas Collantes y Francisco Romero, ambas en Gómez Pulido. Igualmente, ofrecía sus servicios el laboratorio de análisis de Julio Grafulla y Carlos Sáez, en Gómez Pulido 1, además de la herboristería de Rafael Zurita[598].

Anuncio publicitario de la farmacia Zurita.

595   LA Voz, 20 de marzo de 1928. La Opinión, 21 de marzo de 1928. La Vanguardia, 21 de marzo de 1928. ABC, 21 de marzo de 1928.

596   El Telegrama del Rif, 29 de enero de 1927.

597   ALARCÓN CABALLERO, José Antonio: 'La Dictadura de Primo de Rivera y la transición a la República', p. 290.

598   VALERA Y LÓPEZ CORDÓN, Diego (director): *Anuario General de Marruecos y Guinea, 1927-1928*, p. 679. ORTEGA, Manuel L (coordinador): *Anuario-Guía Oficial de Marruecos-Zona Española (comercio y turismo)* 1930, p. 925.

PARTE II
1926 - 1931

Ampliación del puente de la Almina - Cortesía de Diego Sastre Ruiz

PARTE II (1926-1931)

CAPÍTULO I, EL ESTATUTO DE 1926 Y LA JUNTA MUNICIPAL

A partir del otoño de 1926 se va a producir en Ceuta un cambio en la administración local al crearse la Junta municipal, que va a estar dirigida por un presidente de carácter militar, sustentada por el "Estatuto Local por el que ha de regirse la Junta Municipal de Ceuta que ha sustituir al Ayuntamiento suprimido por Real Decreto de 4 de agosto de 1925".

Con la publicación del Estatuto, Ceuta quedaba segregada de la provincia de Cádiz, aunque siguió manteniendo algunos lazos como eran las cuestiones judiciales con la Audiencia provincial, o algunos pasajes de Sanidad (enajenados mentales).

Asimismo, el poder militar se consolidaba con este cambio, dejando muy poco margen al elemento civil. Por un lado, el comandante general de Ceuta se erige, en principio, en el verdadero dirigente de la plaza. Así, por ejemplo, en el Art. 3 se recoge: "Salvo lo expresamente dispuesto en este Estatuto, el Comandante General del territorio tendrá, con respecto a la Junta municipal, las mismas funciones, derechos y prerrogativas que tienen los Gobernadores civiles, Diputaciones y Delegados de Hacienda en las provincias de la península respecto a los Ayuntamientos, sin perjuicio de la alta inspección conferida al Alto Comisario de España en Marruecos y de las facultades que expresamente se otorgan a la Presidencia del consejo de Ministros, con las que se comunicará por conducto del citado Comandante General". De la misma forma, en el Art. 97 se especifica: "La Junta enviará al Comandante General una copia certificada de las Ordenanzas municipales, Reglamentos y bandos generales de policía y buen gobierno que acuerden. El Comandante general podrá advertir a la Junta las infracciones legales o extralimitaciones que contengan. […]". Por otro lado, en referencia al presidente de la Junta municipal el Art. 16 indica que "El nombramiento del presidente recaerá necesariamente en un General o coronel del Ejército en servicio activo en la localidad". Pero veamos un poco más detenidamente algunos aspectos del citado Estatuto.

1. El Estatuto Municipal de octubre de 1926

La *Gaceta de Madrid* del día 24 de octubre inserta un Real Decreto de la Presidencia del Consejo de Ministros aprobando el proyecto de Estatuto por el que ha de regirse la Junta municipal de Ceuta [pp. 466-482]:

> "Vengo en aprobar el siguiente proyecto del Estatuto, por el que ha de regirse la Junta Municipal de Ceuta, en aplicación de Mi decreto ley de 4 de Agosto de 1925, relativo a la supresión del Ayuntamiento de Ceuta y a la creación de una Junta encargada de la administración local de aquella ciudad.
>
> Dado en palacio a doce de Octubre de mil novecientos veintiséis.
>
> Alfonso"

Como consecuencia del golpe de Estado de septiembre, el 23 de diciembre de 1923 Calvo Sotelo fue nombrado director general de Administración, siendo el encargado de darle forma al Estatuto Municipal de 1924; es decir, la norma reguladora de los ayuntamientos en

España promulgada por la Dictadura el 8 de marzo de 1924. Este cambio, pretendía regenerar la vida municipal, pero el Estatuto no se aplicó porque las prometidas elecciones nunca se celebraron y los concejales y los alcaldes fueron nombrados por los gobernadores civiles, a su vez designados por el Directorio militar, convirtiéndolos así en un apéndice de la Unión Patriótica, el partido único de la Dictadura.

En cuanto a Ceuta, el nuevo Reglamento fue redactado entre los años 25 y 26 por una comisión presidida por el propio Calvo Sotelo, representando al Ayuntamiento de Ceuta José Matres. Como es lógico, en el Reglamento elaborado tuvo gran influencia el Estatuto Municipal de 1924, ya que su creador era ahora presidente de la citada Comisión. Publicado, como se ha referido, en *La Gaceta de Madrid* el 24 de octubre de 1926, consta de 222 artículos y cuatro transitorios.

No obstante, la norma sería modificada por R.D. de 14 de febrero de 1927 al extenderse a Melilla, sin que sufriera alteraciones esenciales[599]. Asimismo, también sería modificado en febrero de 1928, "en el sentido de que puedan ser designadas para la presidencia personas civiles o militares"[600]. Tanto las modificaciones de febrero de 1927, como las de febrero de 1928 las abordaremos con más amplitud en sendos epígrafes.

2. La Junta municipal

Veamos qué dice el Estatuto con respecto a la composición y cómo había de regirse la Junta municipal:

Artículo 2° La Junta municipal de Ceuta se acomodará al Estatuto municipal vigente.

Artículo 4° El término de Ceuta [...] será regido y administrado por una Junta llamada Junta municipal de Ceuta, que tendrá la representación legal del Municipio.

Artículo 16. La Junta Municipal se compondrá de un Presidente, cuyo nombramiento recaerá necesariamente en un General o Coronel del Ejército en servicio activo en Ceuta, y de veintidós Vocales, que serán la mitad natos y la otra mitad electivos. Habrá también once Vocales electivos suplentes para sustituir a los efectivos.

Artículo 55. El nombramiento de Presidente será hecho por la Presidencia del Consejo de Ministros, a propuesta del Comandante General.

Artículo 56. Para sustituir al Presidente en vacantes, ausencias o cualquier otro impedimento habrá un Vicepresidente primero, que se nombrará por la Presidencia del Consejo de Ministros, a propuesta del Comandante General. Dicho nombramiento habrá de recaer necesariamente en uno de los tres Vocales natos civiles que integran la Junta.

Artículo 57. En la Junta habrá una Comisión municipal permanente, constituida por el Presidente y los Vicepresidentes. Esta Comisión representa a la Junta Municipal en todo lo que no se reserva a la Corporación plena.

El presidente y los Vicepresidentes, con los demás Vocales, constituirán la Junta Municipal.

Artículo 58. Habrá, además del Vicepresidente primero, cinco Vicepresidentes [...]

Artículo 64. Las sesiones de la Junta en Pleno y de la Comisión permanente se celebrarán precisamente en el local de la Corporación [...]

Artículo 65. La Junta en Pleno celebrará anualmente tres reuniones ordinarias, una en cada cuatrimestre del año económico.

Artículo 77. La Comisión permanente de la Junta celebrará el número de sesiones que estime necesaria, debiendo reunirse, cuando menos, una vez cada semana.

---

599   ALARCÓN CABALLERO, José Antonio: Opus cit., p. 247.
600   ABC, 25 de febrero de 1928.

El diario *ABC* del 13 de octubre resumía la noticia con estas esclarecedoras palabras: "Se creará en Ceuta una Junta compuesta por 22 vocales, mitad natos y mitad electivos. El presidente será un general, y el vicepresidente un hombre civil, designado entre los vocales electivos. La elección de estos se hará por sufragio restringido entre las Agrupaciones gremiales. El presidente de la Junta será designado por la Dirección General de Marruecos, a propuesta del comandante general de Ceuta"[601].

Una vez vigente el Estatuto, la Dirección General de Marruecos emitió una nota que decía: "Por Real Orden de esta fecha (5 de noviembre) se nombra al Excelentísimo general de brigada D. Agustín Gómez Morato presidente de la Junta municipal de Ceuta, que ha de substituir al Ayuntamiento de dicha ciudad, habiéndose designado vicepresidente primero de la citada Junta a D. José Álvarez Sanz […]". La Dirección General de Marruecos había sido creada por Real Decreto de 15 de diciembre de 1925[602] y su director era el general Jordana, que dependía directamente del presidente del Consejo de Ministros.

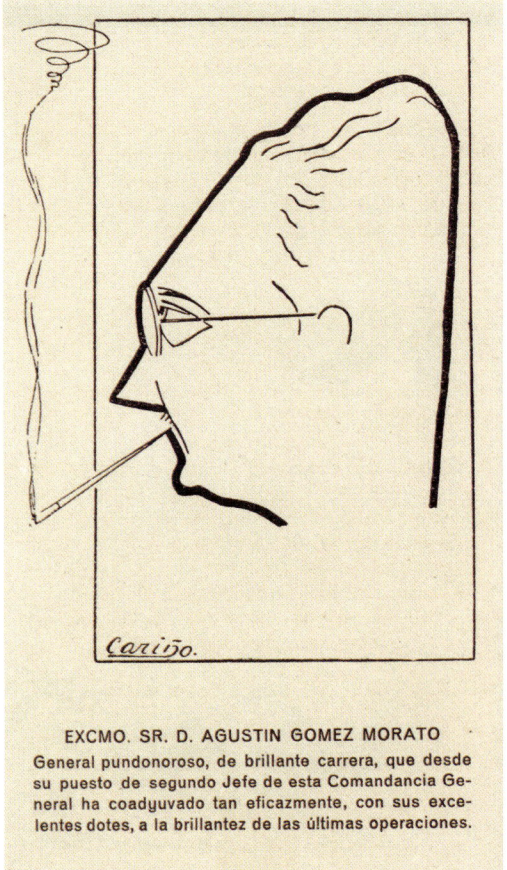

EXCMO. SR. D. AGUSTIN GOMEZ MORATO
General pundonoroso, de brillante carrera, que desde su puesto de segundo Jefe de esta Comandancia General ha coadyuvado tan eficazmente, con sus excelentes dotes, a la brillantez de las últimas operaciones.

El general Gómez Morato visto por Pepe Cariño. AGCE.

Aquella nota, aunque esperada, no sentó nada bien a la Corporación municipal. Y al día siguiente, en la permanente del 6 de noviembre, a propuesta del teniente de alcalde Remigio González, se acordó por unanimidad "consignar en acta el sentimiento de la Corporación por la desaparición de este Ayuntamiento, institución de tan antiguo abolengo". Expresándose explícitamente con este acuerdo el rechazo hacia la nueva Junta municipal.

A pesar de las protestas, el camino estaba trazado. A las seis de la tarde del 8 de noviembre se celebró el acto de la toma posesión de la Junta municipal cívico-militar de Ceuta, que sustituía al Ayuntamiento. El alcalde saliente y presidente de la Unión Patriótica, doctor Matres, y el general Gómez Morato "se intercambiaron discursos protocolarios de salutación, en los cuales predominó la nota de patriotismo". Al acto acudieron representaciones de las fuerzas vivas de la ciudad[603].

Recordemos que el recién nombrado presidente de la Junta municipal, el general Agustín Gómez Morato, era bastante conocido en Ceuta. En julio de 1924 recibió el mando del regimiento de Infantería de Ceuta núm. 60, en el que cesó tras su ascenso a general de una estrella en agosto del siguiente año.

En cuanto al vicepresidente primero, el comerciante José Álvarez Sanz, ya tenía a sus espaldas una larga carrera municipal. Persona muy activa dentro de la Cámara de Comercio, recordemos, asimismo, que había sido elegido alcalde en 1924, al igual que dimitió por la impopularidad de las nuevas medidas impositivas.

Tras la toma de posesión, el nuevo presidente de la Junta municipal envió un telegrama al conde de Jordana "deseando que la gestión responda a la confianza en nosotros depositada,

---

601 ABC, 13 de octubre de 1926.
602 Venía a sustituir a la Oficina de Marruecos, creada el 18 de enero de 1924.
603 AGCE. LAC núm. 1. Acta de la sesión que se celebra para la constitución de la Junta Municipal de Ceuta, folios 130 vto.-134 vto. ABC, 10 de noviembre de 1926.

Primera Junta municipal, noviembre de 1926. En el centro el general Agustín Gómez Morato y a su derecha el primer vicepresidente, José Álvarez Sanz. AGCE.

que, para bien de Ceuta, será a la vez para bien de la Patria". Contestando el director de Marruecos: "de cuya gestión esperamos todos el engrandecimiento de esta ciudad, que, por su situación e historia, merece ser una de las más bellas de España"[604].

No obstante, Gómez Morato se tuvo que enfrentar a una dificultad que no estaba prevista: el general Berenguer se encontraba enfermo por aquellas fechas, por lo que tuvo que asumir también la responsabilidad de la Comandancia General[605].

Casi paralelamente al nombramiento de Agustín Gómez Morato, se produjo el nombramiento de vicario apostólico en Marruecos, en sustitución del finado padre Cervera, hecho a favor del superior y cuasi-párroco de la Casa-Misión franciscana en Tánger, José María Betanzos Hormaecheverría. El nombre del nuevo prelado iba asociado a todas las empresas de cultura, beneficencia y progreso que desde hacía treinta años se habían llevado a cabo en la ciudad tingitana y en la misión franciscana en Marruecos[606].

Coincidiendo con estos nombramientos llegó la noticia de la muerte del Jeriro, jefe de la rebelión en la región del Yebala, caído en combate a principios de noviembre. En realidad, era el único cabecilla de verdadera enjundia que aún hostigaba la zona del Yebala y la vega de Tetuán. Su desaparición contribuirá a la resolución del problema bélico en la zona occidental. Como señala María Rosa de Madariaga: "La muerte del Jeriro [...] significó un rudo golpe para los combatientes, muchos de los cuales, desmoralizados, huían a refugiarse en las pocas cabilas que seguían oponiendo resistencia a las tropas españolas"[607].

Volviendo a Ceuta, pocos días después de la toma de posesión del presidente de la Junta municipal, el doctor Matres hizo entrega de la caja al general Gómez Morato, "acusando una existencia de 600.000 pesetas, después de pagados todos las existencias hasta el día"[608].

604   ABC, 11 de noviembre de 1926.
605   La Libertad, 9 de noviembre de 1926.
606   ABC, 10 de noviembre de 1926.
607   DE MADARIAGA, María Rosa: 'Administración colonial y notables indígenas del Protectorado Español', p. 207.
608   ABC, 12 de noviembre de 1926

Por otro lado, ese mismo día 11 de noviembre llegó de nuevo a la ciudad la duquesa de la Victoria para visitar el Hospital de la Cruz Roja; al igual que lo hizo la actriz británica Pauline Jonhson, "con objeto de estudiar las costumbres marroquíes, para filmar una producción". Posteriormente se dirigió a Tánger[609]. Esta actriz, muy activa en la etapa del cine mudo, cuando estuvo en Ceuta, recién cumplidos los 27 años, estaba en su época de esplendor. También fue muy comentado a principios del mes de noviembre el suicidio del cabo Fernando López Merino, que coincidió con la presencia de su padre, actor de la compañía dramática de Nieves Barbero, que se encontraba representando en la ciudad[610].

Tras los nuevos cambios en el ámbito municipal, la primera sesión de la nueva Comisión permanente tuvo lugar el 13 de noviembre. Uno de los primeros acuerdos que tomó la permanente fue la construcción de un nuevo viaducto sobre el foso de la Almina –recordemos que era un proyecto de la anterior Corporación-. Para ello, se emitió un edicto sirviendo de tipo para la subasta la cantidad de 236.499,20 pesetas[611]. Igualmente, se emitió otro sobre la obligación de fijar en sitio visible los precios de los artículos de primera necesidad, los cuales debían ser visados y sellados por la Secretaría de la Junta municipal[612]. El edicto tenía la clara intención de controlar la especulación, tan propia en tiempos de conflictos, que llevaba escandalizando a la ciudad desde hacía años.

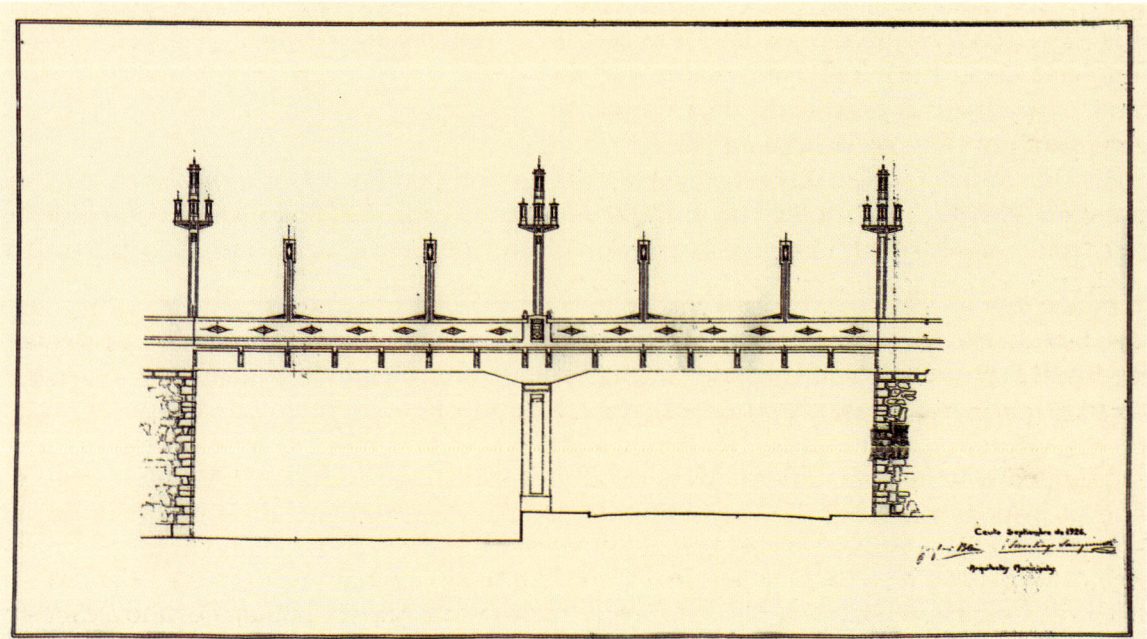

Alzado del nuevo puente de la Almina (Alfonso XIII), Santiago Sanguinetti y Gaspar Blein, septiembre de 1926. AGCE.

Por otra parte, la solidaridad del pueblo de Ceuta de nuevo se puso de manifiesto con motivo de la catástrofe que ocasionó un ciclón en Cuba, que causó efectos devastadores. Por tal motivo, el diario *El Sol* dio la siguiente noticia fechada el 17 de noviembre: "La Junta municipal ha suscrito 2.000 pesetas, y el presidente de la misma, general Gómez Morato, ha cedido 1.000 pesetas de sus gastos de representación. Todos los funcionarios municipales han dejado para la suscripción el uno por ciento de sus haberes del presente mes"[613].

609   Ídem.
610   La Opinión, 3 de noviembre de 1926.
611   BOCCE núm. 1, 19 de noviembre de 1926.
612   Ídem.
613   El Sol, 18 de noviembre de 1926.

3. El Boletín Oficial de Ceuta (BOCCE) y la enfermedad de Berenguer

Tras celebrarse la primera sesión de la Comisión permanente, el viernes 19 de noviembre de 1926 se publicó el primer *Boletín Oficial de Ceuta*, que sustituía al *Boletín Oficial* de la provincia.

En la primera página del primer número del citado Boletín aparece reflejado el Real Decreto de la aprobación del proyecto del Estatuto, así como el Artículo 5º del Estatuto, con la obligación de publicar el *Boletín Oficial de Ceuta*, al igual que aparecen los miembros componentes tanto de la Comisión permanente como del Pleno. Como cuestión anecdótica cabe apuntar que el primer número lo encabeza el antiguo escudo constitucional que, según José García Cosío, fue adoptado por el Ayuntamiento en 1813[614]. No obstante, a partir del segundo número aparecerá el que recogía las Ordenanzas municipales de 1923. Esta publicación, que no tenía un número determinado de páginas, se empezó a imprimir en la Imprenta de la Viuda

Primer número del Boletín Oficial de Ceuta, 19 de noviembre de 1926.

e Hijos de Rafael Gámez, que estaba en la calle de Correa núm. 3. Por último, no podemos pasar por alto que el citado Boletín se sigue publicando en la actualidad sin haber tenido interrupción, por lo que se ha convertido en la publicación decana de la ciudad norteafricana.

También hemos visto que el comandante general Berenguer se encontraba enfermo, siendo visitado por el general Sanjurjo a principios de noviembre[615]. En realidad, el general Berenguer no se encontraba bien desde finales de octubre. Según informaba la prensa, tras un viaje que hizo a Tetuán vino fuertemente acatarrado. Pero la enfermedad se fue agravando durante los siguientes días, por lo que el día 10 de noviembre se tuvo que hacer cargo formalmente de la Comandancia General el general Gómez Morato[616]. Así pues, ante las nuevas responsabilidades de Gómez Morato, sería el vicepresidente de la Junta municipal, José Álvarez Sanz, quien presida la mayoría de las reuniones de la citada Junta.

La Comisión permanente siguió sus reuniones durante el resto del mes de noviembre, tomándose algunos acuerdos muy interesantes relacionados, sobre todo, con el Campo Exterior; así, por ejemplo, se concedió autorización a varios vecinos para construir viviendas económicas en la barriada Príncipe Alfonso, también se acordó solicitar al comandante general la cesión en propiedad al municipio de "una parcela denominada del Morro y de las siguientes hasta Miramar para en ellas establecer una barriada obrera"[617]. Al igual que se acordó que el arquitecto municipal formulase los planos, presupuesto y proyecto para construir dos locales para escuela y casa habitación para maestro en la barriada Príncipe Alfonso[618]. Por otra parte, el 13 de noviembre fallecía Eduardo Artiel Castillo, el director de *El Defensor de Ceuta*, personalidad muy apreciada en la ciudad[619] y miembro de la Asociación de la Prensa. Por último, la Junta municipal aprobó el presupuesto de 3.255.182,63 pesetas para el año 1927[620].

---

614   GARCÍA COSÍO, José: *Ceuta, Historia Gráfica*, p. 19.

615   ABC, 3 de noviembre de 1926.

616   El Telegrama del Rif, 29 de octubre de 1926. La Prensa, 4 de noviembre de 1926. La Independencia, 11 de noviembre de 1926.

617   BOCCE núm. 3, 26 de noviembre de 1926. Comisión permanente, 20 de noviembre de 1926.

618   BOCCE núm. 7, 7 de diciembre de 1926. Comisión permanente, 27 de noviembre de 1926.

619   La Gaceta de las Artes Gráficas, diciembre de 1926.

620   El Adelanto, 24 de noviembre de 1926.

4. La visita del residente general Théodore Steeg

Completado con éxito el desembarco de Alhucemas, ya vimos que hubo diversos cambios tanto en la Comandancia General de Ceuta, como en la Alta Comisaría. Algo similar ocurrió en el lado francés. El 11 de octubre de 1925, Théodore Steeg reemplazó al mariscal Lyautey, quien, unos días antes, desairado, había renunciado a su cargo después de que el Gobierno de París hubiera puesto al mariscal Pétain al frente de la campaña militar -aunque esperó a ver cómo se desarrollaba el desembarco de Alhucemas- para acabar con la resistencia rifeña. En cuanto al nuevo residente era un político que tenía cierto prestigio y experiencia como gobernador de Argelia. Desde luego iba a manifestar un talante muy diferente con respecto a España.

Sin embargo, aún quedaban cuestiones pendientes que obligaban a debatir los temas planteados en el Tratado de Madrid. En este contexto, en medio de un violento temporal de lluvias, Théodore Steeg entró el 27 de noviembre por Alcazarquivir con destino a Tánger. Al día siguiente estuvo todo el día en Tetuán, donde se hospedó en el Hotel Alfonso XIII, el hotel de más prestancia de la capital de Protectorado. Almorzó con el general Sanjurjo, abordando a continuación los asuntos que quedaban pendientes del susodicho Tratado; sobre todo en lo referente a la zona fronteriza, donde algunas cabilas campaban a sus anchas. Ya por la noche, después de asistir a una función típicamente española en el Teatro Español, hubo un baile de gala en el citado hotel.

En la mañana del 29, en tren especial y con tiempo adverso, marchó a Ceuta acompañado por los generales Sanjurjo y Goded y el director general de intervenciones, Teodomiro Aguilar, llegando a las once de la mañana. En la estación fue recibido por el comandante general interino, Agustín Gómez Morato, acompañado de autoridades civiles y militares, y la oficialidad del navío francés *Duco Uedic*, que había arribado a Ceuta para prestarle escolta en la travesía del Estrecho. El vicepresidente de la Junta municipal, Álvarez Sanz, le dio la bienvenida en nombre de la ciudad. Steeg le correspondió con frases de agradecimiento. A pesar del tiempo adverso, invadió la estación numeroso público.

Tras los saludos protocolarios, a las doce se celebró un almuerzo en el Hotel Majestic. Una vez acabada la comida, a las tres de la tarde embarcó en el *Princesa de Asturias*, dándole escolta el cañonero *Canalejas* y el referido navío francés. Fue despedido en el muelle por el alto comisario y demás autoridades civiles y militares. Antes de embarcar, Steeg expresó nuevamente al general Sanjurjo su satisfacción y gratitud por al cariñosa acogida que se le había dispensado en todas partes durante su breve visita al Protectorado español[621]. El tiempo borrascoso en el Estrecho hizo penosa la travesía del residente general. Tras coger el tren en Algeciras se dirigió a Madrid, donde tuvo diversas reuniones, y de allí marchó a París.

No obstante, a pesar de estos acuerdos, los problemas continuaron. Así, por ejemplo, a finales de 1927 se produciría el secuestro de dos matrimonios en la conflictiva zona fronteriza, parientes del residente general, por los que se pidieron elevados rescates[622].

5. Continúa la enfermedad de Berenguer y los últimos días de 1926

Tras la visita del residente general francés, los primeros días de diciembre estuvieron centrados, además del mal tiempo reinante, en diversas cuestiones, entre ellas la enfermedad del general Berenguer.

En un principio, en el palacio municipal se inauguró un laboratorio químico-bacteriológico y farmacia, "con todos los adelantos modernos y gran lujo". Como director de ambas dependencias fue nombrado el farmacéutico Manuel Águilas Collantes. El horario se es-

---

621   El Telegrama del Rif, 30 de noviembre de 1926. La Opinión, 30 de noviembre de 1926. La Voz de Asturias, 30 de noviembre de 1926. El Sol, 30 de noviembre de 1926.

622   El Telegrama del Rif, 1 de diciembre de 1927.

tableció entre las 8 y 22 horas, y a partir de las 22 horas se trasladaba a la farmacia de guardia permanente de la Viuda de Utor, en la calle Camoens, núm. 21. Con este servicio la Junta municipal hacía un verdadero esfuerzo para mejorar el control de gastos. Al igual que acordó realizar, como era habitual por estas fechas, un donativo a la Asociación de San Vicente de Paúl para reparto de ropa de abrigo a los presos preventivos[623].

Por otro lado, falleció "el virtuoso sacerdote párroco de la iglesia de la Virgen de África, don Antonio Rivero, que se dedicó a la enseñanza de los niños pobres". Por su gran cultura y prestigio gozaba de varias encomiendas nacionales y extranjeras, al igual que fue autor de notables obras premiadas como *Labor cultural de Cisneros* o *Publicación bíblica Políglota*. En el entierro, que estuvo concurridísimo, figuraban todas las clases sociales. Asimismo reinaba un furioso temporal de viento y agua, siendo peligrosa la travesía del Estrecho, llegando los buques de arribada a refugio del puerto, causando grandes daños en las posiciones y campamentos y entorpeciendo los medios de comunicación[624].

Farmacia municipal. AGCE.

Sin embargo, lo que más se comentaba era la enfermedad del comandante general, que volvió a empeorar. El 2 de diciembre tuvo una fuerte hemorragia y fiebre alta debida a una infección intestinal[625]. Aquella delicada situación hizo temer por su vida, por lo que sus hermanos Dámaso -ex-alto Comisario y jefe del Cuarto Militar del rey- y Alejandro se desplazaron a Ceuta[626]. No obstante, horas después cesó la hemorragia y le bajó la fiebre. Habiendo comprobado que su hermano se había estabilizado, Dámaso Berenguer volvió a Madrid[627], aunque Alejandro se quedaría unos días más. Paralelamente, el crucero *Reina Victoria Eugenia*, que durante dos años y medio había sido un referente en el puerto de Ceuta como buque insignia de las Fuerzas Navales del Norte de África, fue destinado a la división de cruceros.

Con respecto al aparatado de sucesos, en la segunda semana de diciembre reinó un nuevo e imponente temporal. El vapor *Hespérides* se vio obligado a volver a puerto; por su parte, el remolcador *Cíclope* salió para socorrer a una goleta. También la barca motor de Uad Lau a Ceuta fue sorprendida por el temporal y un golpe de mar arrebató al timonel Felipe García; no obstante, pudo llegar a puerto[628]. Pero el mal tiempo apenas si daría una tregua, pues el final del año se caracterizó por la llegada de un frío intensísimo, que provocó nevadas en Andalucía y en el norte de Marruecos. Este frío desapacible azotó a los numerosos asistentes al entierro del comandante de Regulares Federico Medialdea Muñoz, que presidió Gómez Morato y el teniente coronel Varela[629], jefe del Grupo de Regulares de Ceuta.

623 BOCCE núm. 9, 17 de diciembre de 1926. Comisión permanente, 11 de diciembre de 1926.
624 La Vanguardia, 3 de diciembre de 1926.
625 La Atalaya, 4 de diciembre de 1926.
626 El Noticiero Gaditano, 4 de diciembre de 1926.
627 Las Provincias, 7 de diciembre de 1926.
628 Heraldo de Zamora, 10 de diciembre de 1926. El Bien Público, 15 de diciembre de 1926.
629 El Telegrama del Rif, 28 de diciembre de 1926.

CAPÍTULO II

1927, EL AÑO DE LA PAZ

El año de 1927 comenzó en Ceuta con numerosas expectativas; los ecos de la guerra se oían cada vez más lejanos: la rendición de Abd el Krim en la primavera de 1926, la ocupación de Xauen en el verano y la muerte del Jeriro, en el otoño del mismo año, había prácticamente descabezado la rebelión en el Rif y en el Yebala. El año, pues, se encaraba con renovadas ilusiones, aunque con el gran disgusto de la disolución de la alcaldía y la imposición de una Junta municipal, donde la preponderancia del poder militar sobre el civil era cada vez más evidente. No obstante, la ciudad no paraba de crecer en población, que causaba evidentes problemas sociales ante la falta de las infraestructuras adecuadas, en obras, tanto públicas como privadas -la ciudad era un verdadero hervidero-, así como en presupuestos municipales.

Por otra parte, ya hemos visto que el vicepresidente de la Junta municipal, José Álvarez Sanz, estuvo presidiendo las reuniones de la Comisión permanente durante los meses de noviembre y diciembre debido a las obligaciones del general Gómez Morato a causa de la enfermedad del comandante general. Sin embargo, a primeros de año Federico Berenguer ya estaba restablecido, por lo que decidió desplazarse a la Península[630].

1. Cambio en la presidencia de la Junta municipal y en la Dirección General de Marruecos y Colonias

No obstante, el general Agustín Gómez Morato ya hacía tiempo que había presentado su dimisión como presidente de la Junta municipal; dimisión que fue aceptada a principios de año:

"Real Orden núm. 12.

Exmo. Sr.: En atención a las fundadas razones expuestas por el General de Brigada, Presidente de la Junta Municipal de Ceuta, acerca de las frecuentes incompatibilidades que para desempeñar dicha Presidencia le origina su cargo de General segundo Jefe de la Comandancia General de Ceuta.

S. M. el Rey (q. D. g.) se ha dignado aceptar la dimisión del General de Brigada D. Agustín Gómez Morato como Presidente de la citada Junta Municipal.

De R.O. lo digo a V.E. para su conocimiento y satisfacción.

Dios guarde a V.E. muchos años. Madrid 5 de Enero de 1927.

P.D.

El Director General, *Conde de Jordana*".

La dimisión del citado general dio lugar a que fuese nombrado presidente de la Junta municipal el coronel de Ingenieros de la Comandancia General de Ceuta, José García Benítez. La Real Orden núm. 13 también tenía fecha del 5 de enero[631].

Fue el martes 11 cuando se produjo el traspaso de la presidencia de la Junta. El general Gómez Morato, que presidía la sesión, llegó a manifestar que había presentado la dimisión

---

630   ABC, 2 de enero de 1927.
631   BOCCE núm. 17, 20 de enero de 1927.

por "incompatibilidad entre el cargo de Gobernador Civil de la Plaza, por sus repetidas interinidades de Comandante General, con el de Presidente de esta Junta Municipal". Por su parte, el coronel García Benítez dijo que "por imperativo del poder se encuentra ocupando un puesto con el que había soñado en más de una ocasión desde que llegó a Ceuta como modesto capitán de Ingenieros" -en 1911 fue uno de los ingenieros responsables de la traída del agua a Ceuta-. Que había estudiado las necesidades de esta población, a la que calificaba como "Perla del Mediterráneo", y que "pondrá toda su voluntad en beneficio de ella"[632].

Por otra parte, también empezó a funcionar la nueva reorganización de la Dirección General de Marruecos y Colonias (31 de diciembre de 1926)[633], a cuyo frente se encontraba el citado general Jordana. Este cambio se vio reflejado al crearse, por Dahir jalifiano de primero de enero de 1927 (Boletín Oficial del Protectorado n.º 2, correspondiente al 25 de enero), la Dirección de Colonización (Agricultura, Montes, Comercio), que se trazaba como principal objetivo dar un mayor impulso a la creación de intereses económicos; ahora, prácticamente encauzado el conflicto bélico, comenzaba un periodo de materialización de proyectos aparcados, implementándose realmente el régimen de Protectorado[634].

El coronel García Benítez, presidente de la Junta municipal entre enero de 1927 y marzo de 1928. AGCE.

2. Temporales y fiestas

Además de los cambios en la presidencia de la Junta municipal, la vida seguía su ciclo imparable. Como todos los años, la fiesta de Reyes tuvo como eje principal el reparto de juguetes entre los niños pobres; aunque como cuestión anecdótica cabe apuntar que el Grupo de Regulares de Ceuta desfiló en la cabalgata de Reyes de Sevilla, causando la evidente y natural expectación ante la vista de tan exóticas y lucidas tropas.

Unas jornadas más tarde, entre el 18 y 19, un huracán, acompañado de lluvia torrencial, azotó durante catorce horas a la ciudad, causando grandes destrozos; sobre todo en el parque de San Amaro, en los paseos, en la Hípica y en el puerto. Muchos árboles fueron arrancados de cuajo. También destruyó numerosas construcciones particulares y militares del Campo Exterior; aunque donde más daño hizo fue en la barriada del Príncipe Alfonso, donde el temporal derrumbó más de veinte viviendas, quedando desamparadas muchas familias. Mientras tanto, en las posiciones avanzadas, el temporal hizo penosísima la vida de campaña. Por su parte, el vapor correo no pudo atravesar el Estrecho[635].

Pasado los efectos del huracán la ciudad se empezó a recomponer, y pocos días después se celebró la tradicional fiesta de la onomástica del rey, al igual que se estaban haciendo obras de restauración del Santuario de Nuestra Señora de África[636].

El mes de febrero se inició con la vuelta a Ceuta del comandante general, Federico Berenguer, por lo que se acabó la interinidad de Gómez Morato[637]. Además de reponerse en la capital

632　AGCE. LAP núm. 1, folios 161-162.
633　ABC, 6 de enero de 1927.
634　VILLANOVA, José Luis: 'La pugna entre militares y civiles por el control de la actividad interventora en el Protectorado español en Marruecos (1912-1956)', p. 687.
635　La Voz, 20 de enero de 1927.
636　BOCCE núm. 20, 10 de febrero de 1927. Comisión permanente, 29 de enero de 1927.
637　La Nación, 2 de febrero de 1927.

del reino, Berenguer había entablado diversas entrevistas para preparar la campaña militar de primavera, que le iba a dar el último y definitivo impulso a la cuestión bélica. Mientras tanto, la Junta municipal aprobaba el adoquinado de la calle General Primo de Rivera desde el núm. 105 hasta la plaza de Torrijos (Maestranza)[638].

Días después, el 9 de febrero, tuvo lugar el tradicional Voto a la Virgen, que, como siempre, revistió gran solemnidad ante un Santuario artísticamente adornado y abarrotado de público. La venerada imagen lucía manto de terciopelo y preciosas joyas. La Junta municipal en pleno entró en el templo acompañado de los maceros. Por su parte, el estamento militar se hallaba representado por el general Gómez Morato, comandante del crucero *Princesa de Asturias*, y primeros jefes de los distintos Cuerpos y dependencias[639].

Como también era tradicional, igualmente se estaban preparando los carnavales, que, como todos los años, se celebraban con la habitual animación, aunque con la atenta censura del régimen. No obstante, el ambiente general ayudaba a la fiesta, pues los ecos de la guerra se escuchaban cada vez más lejanos.

3. La reforma del Estatuto

Fue asimismo en febrero cuando el periódico *La Libertad* informaba: "la Gaceta de hoy domingo 20 de febrero publica el decreto suprimiendo la Junta de Arbitrios de Melilla, sustituyéndola por una Junta municipal y poniendo en vigor el Estatuto para las Juntas municipales de Ceuta y Melilla". En realidad, el nuevo Estatuto, aprobado por Real Decreto de 14 de febrero de 1927, estaba inspirado en el municipal vigente en la Península, sin otras modificaciones que aquellas que hacían indispensables las peculiaridades de ambos municipios y sus relaciones con la zona de Protectorado.

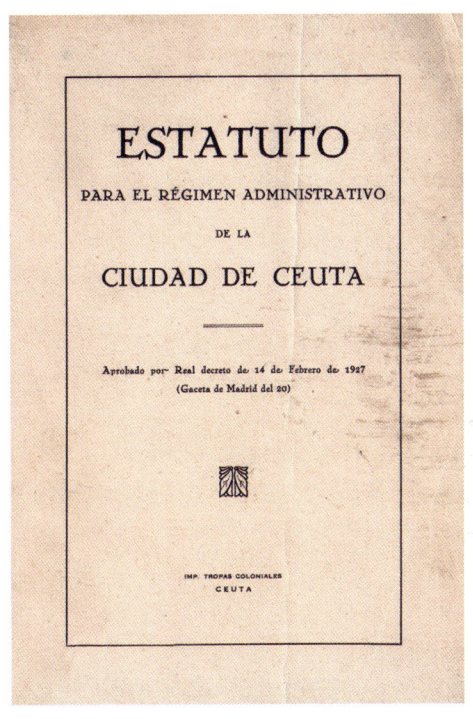

En el preámbulo se apuntaba que al haber dotado a Ceuta de un Estatuto Municipal desde el otoño de 1926, resultaba que las dos ciudades "tienen un régimen similar en sus principios básicos pero distinto en la estructura y organización". Por esto, "a partir de ahora en Melilla regirá el mismo Estatuto que en Ceuta, aunque con algunas modificaciones, debidas al mayor número de habitantes de Melilla"[640]. En definitiva, el nuevo "Estatuto Local de la ciudad de Ceuta", que fue publicado en un librito blanco de ochenta páginas, impreso en los talleres de Imprenta Tropas Coloniales, era una actualización del citado Estatuto, forzada por la inclusión de Melilla en el régimen estatutario.

Estatuto de Ceuta, 1927. Biblioteca pública del Estado en Ceuta "Adolfo Suárez".

4. La Compañía Trasmediterránea y nuevas motonaves en el Estrecho

No sólo la guerra se estaba alejando, sino que también la modernidad estaba cada día más presente en la ciudad. Y uno de estos síntomas fue la puesta en servicio de una motonave en la línea del Estrecho Ceuta-Algeciras. Esta nueva motonave era el *Miguel Primo de Rivera*, de la Compañía Trasmediterránea.

---

638   BOCCE núm. 21, 17 de febrero de 1927. Comisión permanente, 5 de febrero de 1927.
639   El Telegrama del Rif, 11 de febrero de 1927.
640   Gaceta, 20 de febrero de 1927, núm. 51, pp. 1059-1071.

La motonave Miguel Primo de Rivera entró en servicio en febrero de 1927, Mariano Bertuchi. África, Revista de Tropas Coloniales, septiembre de 1927. Cortesía sucesores Bertuchi.

La Compañía Trasmediterránea se constituyó en Barcelona en noviembre de 1916, comenzado su actividad el primero de enero de 1917. Parte del aporte financiero y de buques a la recién creada compañía procedía de la Compañía Valenciana de Vapores Correos de África, que ofrecía sus servicios en el Estrecho. Tras diversas fusiones, en 1918, la Compañía contaba con cincuenta y tres unidades, número que se iría incrementando con nuevas aportaciones en los años siguientes[641].

Con respecto a la motonave *Miguel Primo de Rivera*, tenía 1.067 toneladas de registro bruto, 62,01 metros de eslora, 9,66 metros de manga y 3,50 metros de calado, con una capacidad de 124 pasajeros. Su botadura tuvo lugar el 28 de julio de 1926 en ceremonia apadrinada por el propio presidente del Directorio y la marquesa de Malferit. El buque fue entregado a la Compañía Trasmediterránea el 21 de enero de 1927, después de haber superado con éxito las pruebas oficiales, donde alcanzó la velocidad de 16,2 nudos, pasando a cubrir la línea Ceuta-Algeciras. El 19 de febrero arribó al puerto de Ceuta procedente de los astilleros valencianos Unión Naval de Levante, y, tras unos días de acondicionamiento, comenzó a navegar. El nuevo buque atracaba en el muelle de la Puntilla, donde llegaba el ferrocarril y había una pequeña estación que ofrecía unos servicios básicos.

Posteriormente se incorporaría la motonave *General Sanjurjo*, de similares características al *Primo de Rivera*. Con la instauración de la II República, recibirían los nombres de *Ciudad de Algeciras* y *Ciudad de Ceuta*.

Coincidiendo con la llegada de la nueva motonave, tomó posesión como presidente delegado de la Asamblea local de la Cruz Roja José E. Rosende Martínez, ingeniero jefe de la Junta de Obras del Puerto de Ceuta, que gozaba de un gran prestigio en la ciudad[642].

---

641   TORREMOCHA SILVA, Antonio: 'La compañía Trasmediterránea en el puerto de Algeciras (II)', s.p.
642   La Vanguardia, 20 de febrero de 1927.

En cuanto a los últimos días de invierno y principios de la primavera de 1927, como cuestión más interesante hubo una entrevista donde conferenciaron extensamente el director de Marruecos y Colonias y el nuevo presidente de la Junta municipal, donde se estudiaron proyectos para el futuro desarrollo y embellecimiento de la ciudad[643]. Por otro lado, viendo la Corporación municipal que cada vez era más importante el impuesto del consumo, acordó "denunciar el actual contrato de cobro", anunciando "nueva subasta por el término de un año, prorrogable por seis meses y tipo de ciento cincuenta y dos mil pesetas" mensuales. Al igual que se acordó "interesar del Excmo. Sr. Comandante General para que disponga lo conveniente al objeto de que las entidades militares no efectúen introducción de artículos sin el pago de los impuestos municipales".

5. La Semana Santa de 1927

La Semana Santa de 1927 se celebró entre los días 10 y 17 de abril, aunque estuvo marcada por un fuerte temporal en los primeros días de la semana. No obstante, el Jueves Santo sí hubo salidas procesionales. Según informaba *La Libertad*: "Aprovechando el haber amainado el temporal de lluvia y viento, salieron las nuevas procesiones de las parroquias de las Vírgenes del Remedio y de África. Ambas lucían nuevos y artísticos 'pasos' de un lujo extraordinario. Asistieron las autoridades civiles y militares, piquetes de Infantería y bandas de música militares. También concurrió a ambas procesiones la tropa de los Exploradores, con su banda de música. Durante el recorrido reinó el mayor orden y compostura"[644]. Aunque las procesiones resultaron muy lucidas, "más aún lo hubieran estado si el temporal no hubiera ahuyentado a gran cantidad de fieles"[645].

Sobre la Semana Santa las ordenanzas municipales decían: "Art. 66. Las procesiones que se celebren, deberán seguir el curso previamente acordado por las autoridades eclesiástica y municipal guardándose en su carrera, por todos los concurrentes, el respeto debido, y prohibiéndose durante las mismas el tránsito de vehículos que interrumpan su curso. Art. 67. En los días Miércoles, Jueves y Viernes de la Semana Santa, queda prohibida la celebración de ninguna clase de espectáculo público"[646]. Mª Dolores Díaz Fernández insiste sobre el tema: "el comercio permanecía cerrado, quedando solamente abiertas las farmacias o algún comercio de alimentación. Asimismo, los bares y cafeterías, por lo que el ambiente de la ciudad cambiaba totalmente. Los balcones de las casas se adornaban con banderas y lazos negros, y las mujeres ceutíes se vestían con la clásica mantilla española, para acompañar a los escasos pasos que salían en procesiones[647].

Como complemento de la renovada Semana Santa ceutí, se editó un programa de actos, que, según José Luis Gómez, es uno de los más antiguos de los que se disponen. Impreso y editado por la Imprenta La Española, ligada en origen a la Papelería La Española que fundara Miguel Vila a comienzos de los años 20 en la calle Real. El programa de 1927 no contiene aún fotografías de la Semana Santa ceutí.

Siguiendo al citado programa, los cultos comenzaban el Sábado de Pasión, con el inicio del triduo en honor de los titulares de la Cofradía del Santo Entierro, y finalizaban en la mañana del Domingo de Resurrección con el rezo de Maitines y Laudes a las ocho de la mañana, saliendo posteriormente el Cabildo por la puerta de San Cristóbal, recorriendo la plaza de África, con el Santísimo Sacramento bajo palio, en la procesión del Resucitado, que terminaba con su entrada en la catedral por su puerta principal[648].

643   La Época, 4 de marzo de 1927.
644   La Libertad, 15 de abril de 1927.
645   La Nación, 14 de abril de 1927.
646   Ordenanzas municipales de Ceuta, 1923, p. 17.
647   DÍAZ FERNÁNDEZ, Mª Dolores: Opus cit., pp. 104-106.
648   GÓMEZ BARCELÓ, José Luis: 'La Semana Santa de 1927, a la vista del programa oficial', s.p.

6. Gran temporal y nueva visita de Primo de Rivera

Como se ha visto, a principios de la Semana Santa, ente los días 12 y 14, un furioso temporal de levante obligó a cerrar el puerto de Ceuta, haciendo que la nueva motonave *Primo de Rivera* permaneciese atracada en Algeciras. Asimismo, varios buques se tuvieron que refugiar en el puerto. También la barcaza *San Francisco*, con matrícula de Ceuta, quedó a la deriva durante los días 12 y 13 -los días más virulentos del temporal-, aunque sus tripulantes se pudieron salvar llegando trabajosamente a la bahía sur. En la playa de Fuente Caballos el poderoso oleaje destruyó dos barracones que estaban defendidos por fuertes murallones; igualmente, muchas familias de pescadores y jornaleros se quedaron sin ropas, muebles y enseres, teniendo que ser socorridas en las dependencias municipales; y en la playa del Sarchal arrebató la vida a un joven de quince años[649]. Fuente Caballos era uno de los núcleos chabolistas que existían en la ciudad. Otros de especial riesgo levantados cerca del mar eran los de San Amaro, la Ribera, Benítez, Benzú o Almadraba, este último núcleo era la barriada de pescadores por excelencia. El temporal tam-

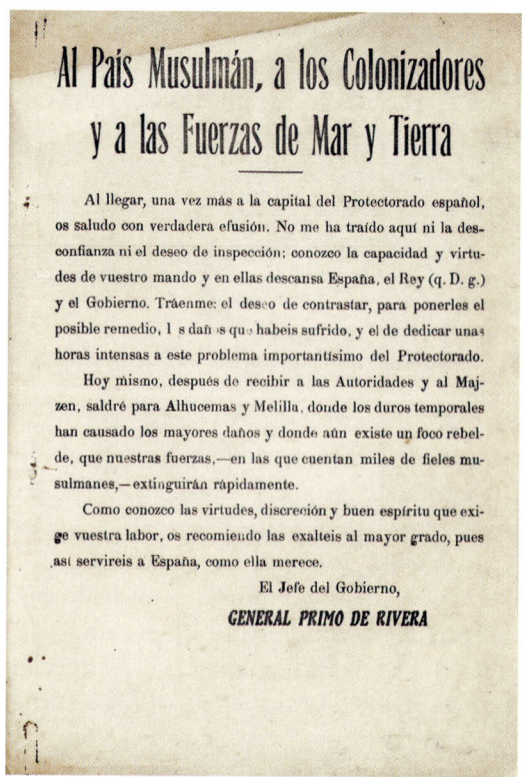

Proclama de Primo de Rivera con motivo del gran temporal de 1927. AGCE.

bién se dejó sentir con virulencia en Tetuán, provocando fuertes lluvias que hicieron muy dificultosas las comunicaciones; así, la carretera de Ceuta a Tetuán quedó cortada por la restinga del Negrón. Este temporal recordaba en cierta medida al que se vivió a mediados de febrero de 1921, que según la prensa de la época no se había visto uno igual.

Pero, fundamentalmente, el temporal azotó a Melilla, donde se vieron afectados muchos barrios, sobre todo el de la Alcazaba, al igual que el dique del puerto quedó destrozado y se hundieron varios buques, viviéndose momentos realmente angustiosos al cortarse el fluido eléctrico en plena madrugada. Asimismo, la costa de Alhucemas, donde se encontraba Cala del Quemado (Villa Sanjurjo), quedó devastada. Decía el corresponsal de *La Nación* en Ceuta que "Por no publicarse los periódicos locales ni ayer ni hoy (Jueves Santo y Viernes Santo) se desconocían detalles; pero las noticias de la prensa de Madrid, llegada hoy, explicando la magnitud de la catástrofe han producido penosísima impresión"[650].

Tras quince días de temperatura primaveral, el día 10 una imponente lengua de aire frío se deslizó desde las zonas polares hacia el sur, originando un furioso temporal de noreste de nieve e intenso frío; desencadenándose en la madrugada del día 12 un violento huracán, con vientos superiores a los 150 km/h. En definitiva, se había formado una bomba climatológica.

Los grandes temporales, que habían sufrido Ceuta y Melilla y toda la zona norte del Protectorado, hizo que el presidente del Directorio girara una visita por esas tierras.

A las dos de la tarde del sábado 16, a bordo del crucero *Princesa de Asturias*, llegó Primo de Rivera a Ceuta, acompañado de sus ayudantes y los redactores de *ABC* y *El Sol*, Corrochano y López Rienda, dos de los más reconocidos y contrastados corresponsales de la Guerra del

---

649   ABC, 15 de abril de 1927.
650   La Nación, 16 de abril de 1927.

Rif. Tras conversar detenidamente con el comandante general, que había subido a bordo para cumplimentarlo, en una canoa se dirigió al muelle del Comercio, donde desembarcó, saludando al presidente de la Junta municipal, demás autoridades civiles y militares y representantes de numerosas entidades. El muelle se hallaba abarrotado de público, al igual que las murallas que circundaban el embarcadero.

Seguidamente, Primo de Rivera marchó en automóvil a Tetuán, donde saludó al jalifa, regresando, con el general Berenguer, a las siete y cuarto de la tarde. El presidente del Directorio llegó a decir mediante una proclama que no iba en visita de inspección: "Tráeme: el deseo de contrastar, para ponerles el posible remedio, los daños que habéis sufrido, y el dedicar unas horas intensas a este problema importantísimo del Protectorado". Aunque también tenía el objetivo de animar al Ejército en estas últimas operaciones militares, que se encontraban atascadas por el intenso frío y la abundante nieve que había caído en la zona de Ketama, donde en algunos lugares había sobrepasado el metro de altura.

Pocos momentos antes de la vuelta de Primo de Rivera a Ceuta, había llegado en hidroavión el general Sanjurjo desde Cala del Quemado. En la Comandancia General celebraron una reunión Primo de Rivera, Sanjurjo y Berenguer, examinando la situación. Poco después, a las ocho de la noche, se celebró en la propia Comandancia una recepción de las autoridades y comisiones, análoga a la que había tenido lugar en Tetuán. Primo de Rivera entregó al periódico *La Opinión* de Ceuta unas cuartillas escritas por él –costumbre muy habitual del dictador- en que explicaba los motivos de su viaje, determinado por los estragos causados por el temporal y en que anunciaba que al día siguiente visitaría la zona oriental. A continuación, cenó en la

Barracas y tinglados en la playa de la Ribera. AGCE.

Comandancia[651] y seguidamente embarcó en el *Princesa de Asturias*, que zarpó a media noche para Cala del Quemado[652]. Tras comprobar *in situ* los destrozos causados por el temporal, se dirigió a Melilla.

También en Ceuta el temporal había dejado otras secuelas. El oleaje invadió la línea férrea de Ceuta a Benzú destruyendo 300 metros de vía y arrancando 180 metros de doble tubería de la conducción de aguas potables; al igual que también afectó al servicio de alumbrado[653]. Pero no por ello se obvió el lado solidario, acordando la Junta municipal contribuir con quinientas pesetas a la suscripción nacional iniciada para socorrer a los damnificados por los últimos temporales[654], pues el singular huracán había castigado igualmente de forma severa las costas del sureste peninsular. Unos días después, la Junta acordó, aprovechando el flujo de las obras, "proceder a la instalación inmediata de aguas en las barriadas de la Almadraba y Morro"[655].

651   La Libertad, 17 de abril de 1927. La Vanguardia, 17 de abril de 1927.
652   El Progreso, 18 de abril de 1927.
653   BOCCE núm. 36, 2 de junio de 1927. Comisión permanente, 16 de abril de 1927.
654   BOCCE núm. 36, 2 de junio de 1927. Comisión permanente, 23 de abril de 1927.
655   BOCCE núm. 36, 2 de junio de 1927. Comisión permanente, 7 de mayo de 1927.

Por otro lado, el lunes 18, en el Santuario de la Virgen de África tuvo lugar una solemne función religiosa en acción de gracias por el salvamento de los tripulantes de la citada barcaza *San Francisco*, patroneada por Agustín Segura y tripulada por seis hombres, que pasaron los días 12 y 13 de abril luchando desesperadamente para zafarse del furioso oleaje. En aquellos angustiosos momentos hicieron la promesa de encargar una función religiosa, que fue costeada por limosnas recogidas entre sus compañeros. Asistió a la función un enorme gentío, resultando el acto muy emotivo[656] y piadoso. Por último, en la playa del Sarchal apareció el cadáver del joven desaparecido, José Berrocal Reina, víctima del temporal[657].

7. Congresistas en Ceuta

Tras la visita del presidente del Directorio, Ceuta se fue reponiendo del estrago. Mientras tanto, en Cádiz, entre los días 1 y 7 de mayo, se celebró el XI Congreso de la Asociación Española para el Progreso de las Ciencias. El Congreso fue inaugurado en el Gran Teatro Falla por los reyes el 1 de mayo de 1927. Al finalizar el Congreso, celebrado por las Asociaciones española y portuguesa de progreso científico, tuvo lugar una excursión por tierras del Estrecho en el *Vicente Puchol*, que fue puesto a servicio de los congresistas por la compañía Trasmediterránea. El crucero visitó primero Tánger, después Ceuta -con excursión a Tetuán-, Algeciras -con excursión a Gibraltar- y Málaga.

Con respecto a Ceuta, entró el *Vicente Puchol* el domingo 8 por la noche. Al día siguiente los congresistas recorrieron la ciudad y muchos de ellos continuaron a Tetuán en tren especial, regresando ya atardecido. Seguidamente en el Casino Africano fueron obsequiados con un vino de honor, cambiándose discursos de afecto. Después asistieron al Teatro del Rey, donde se celebró una función de gala organizada por la Junta municipal, amenizando el acto la banda del Tercio. Terminada la función, se dirigieron al palacio municipal, donde se les obsequió con una cena. En nombre de los invitados, entre los que se encontraban los ilustres letrados Clara Campoamor y Gerardo Doval, dieron las gracias el doctor Laranjo, decano de la Universidad de Oporto, y el ingeniero geógrafo Torroja. El presidente de la Junta municipal comenzó saludando a las damas congresistas. A continuación dijo que se sentía cohibido al hablar ante la presencia del ingeniero Torroja, cuyo nombre "para él es venerado y admirado" –el coronel García Benítez también era ingeniero-. Habló de la epopeya portuguesa y acabó exaltando el destino común. Cerró el acto el general Gómez Morato, quien en nombre del comandante general, en el del Ejército y en el suyo propio, saludó a los expedicionarios, "hombres de ciencia, verdadero ejército de conquista, ya que sin ellos las empresas del Ejército nada valdrían en estas tierras incultas". Finalizó el acto a altas horas de la noche, saliendo los congresistas muy satisfechos de las atenciones recibidas[658].

Aquella noche durmieron en el *Vicente Puchol*, para partir al día siguiente bien temprano hacia Algeciras[659]. Cabe añadir que la Junta municipal concedió una gratificación de 200 pesetas a la Empresa de Autobuses Arrabal y Compañía para ayuda de los gastos ocasionados con los coches que puso a disposición de los congresistas, además de darle las gracias por no haber querido presentar cuentas. Asimismo, se le concedió una gratificación a la banda del Tercio por su citada actuación[660]. La empresa de autobuses I. Arrabal y Compañía, que se publicitaba como "servicio de circunvalación", tenía sus oficinas en el bajo de la calle General Jordana núm. 2.

---

656   Diario de Burgos, 19 de abril de 1927.
657   La Vanguardia, 19 de abril de 1927.
658   La Época, 10 de mayo de 1927. La Vanguardia, 10 de mayo de 1927.
659   GONZALEZ-ROTHVOSS, Mariano: 'Málaga' s.p. La Nación, 10 de mayo de 1927.
660   BOCCE núm. 36, 2 de junio de 1927. Comisión permanente, 14 de mayo de 1927.

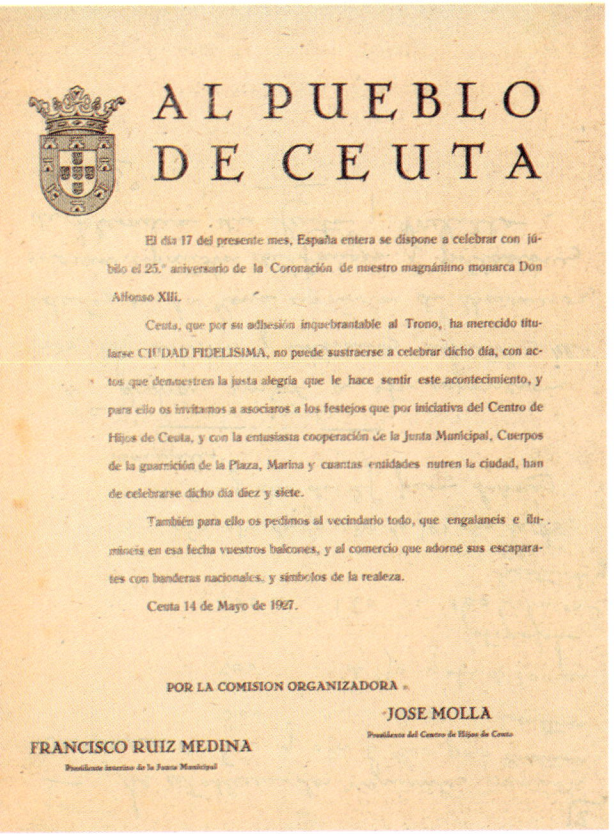

Bando con motivo del 25 aniversario de la entronización de Alfonso XIII. AGCE.

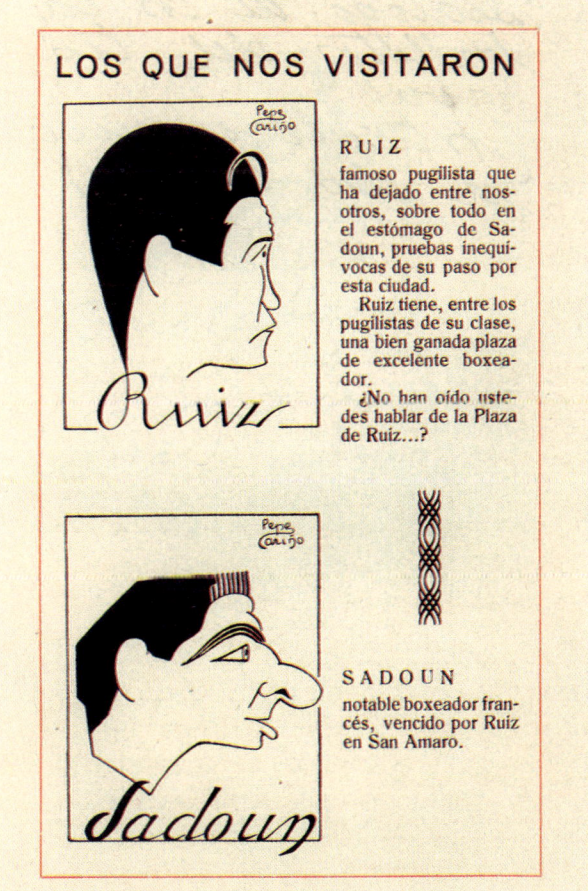

Caricaturas de los boxeadores Ruiz y Sadoun, Pepe Cariño. AGCE.

8. Las bodas de plata del reinado de Alfonso XIII

El esplendor de la primavera coincidía con el cumpleaños del rey, pues había nacido el 17 de mayo de 1886. Además, ese año también coincidía su cuadragésimo primer cumpleaños con el XXV aniversario de su ascensión al trono (1902). Ambos acontecimientos no pasaron desapercibidos para el Centro de Hijos de Ceuta ni para la Junta municipal que acordó: "para conmemorar las bodas de plata de S.M. el Rey (q.D.g.) conceder un donativo de 250 pesetas para ayuda de una comida extraordinaria a los asilados en la Santa y Real Casa de Misericordia; de 250 pesetas por igual efectos a los niños de la cantina escolar; de 300 pesetas e igual concepto a los enfermos del Hospital de la Cruz Roja; de 200 pesetas para los reclusos de la prisión preventiva; repartir cartillas de la Caja Postal de Ahorros -que estaba en plena implantación en la ciudad- con veinticinco pesetas de imposición a un niño alumno de cada una de las escuelas de niños y niñas nacionales o municipales que más se haya distinguido a juicio de su maestro y subvencionar con mil pesetas al Centro de Hijos de Ceuta, para ayuda de los gastos del festejo que ha organizado"[661].

Puestas las bases, la Comisión organizadora emitió un bando dirigido "Al pueblo de Ceuta", en el que se recordaba el título de "CIUDAD FIDELÍSIMA", por lo que no podía sustraerse de celebrar ese día: "También os pedimos al vecindario todo, que engalanéis e iluminéis en estas fechas vuestros balcones, y al comercio que adorne sus escaparates con banderas nacionales, y símbolos de la realeza". Además, la Junta municipal acordó dirigir "una atenta salutación y adhesión a S.M. el Rey (q.D.g.) con motivo de sus bodas de plata con el Trono"[662]. Por su parte, *África, Revista de Tropas Coloniales* editó el número de mayo dedicado al rey, al igual que la prensa local le ofreció amplios espacios.

En realidad, los actos festivos habían comenzado dos días antes. Así, el campeón de peso pluma de Europa, Antonio Ruiz, se enfrentó en el parque de San Amaro con el campeón militar francés, Sadoun; combate que despertó gran expectación. Igualmente, patrocinada por la Junta de Damas de la Cruz Roja, que presidía

661 Ídem.
662 Ídem.

Mª Josefa Alegre Bariandarán, se celebró en el Teatro del Rey una función de gala a beneficio de la citada institución. Asistió numeroso público, por lo que la recaudación fue espléndida[663].

Y el pueblo de Ceuta no defraudó. Para asistir a la fiesta del 25 aniversario de la coronación del rey, llegaron el comandante general y el presidente de la Junta municipal, que se encontraban operando en la zona de Beni Arós. Aquella noche se celebró un baile de gala en los salones del Casino Militar. Al terminar el baile, a los acordes de la Marcha Real, el general Gómez Morato dio vivas al rey, que fueron entusiastamente contestados.

El martes 17 por la mañana bandas de música recorrieron la ciudad, que estaba profusamente engalanada. En la catedral se celebró una misa de pontifical y un Te Deum, asistiendo las autoridades, entidades y numerosos fieles. En la plaza de la Constitución la Junta municipal repartió las citadas cartillas de la Caja de Ahorros de 20 pesetas a los niños de las escuelas públicas y de la escuela árabe. A continuación tuvo lugar una recepción oficial en el palacio de la Comandancia General ante el comandante general, Federico Berenguer, asistiendo todos los elementos oficiales y particulares. Rindió honores una compañía del regimiento de Ceuta con bandera y música. Y también, tal como se había acordado, la Junta municipal obsequió con "espléndidas comidas a los presos de la cárcel pública, enfermos del hospital de la Cruz Roja, niños de las escuelas y asilados". Hubo, además, partidos de fútbol y baile en la Real Sociedad Hípica.

Por otro lado, el comercio cerró y en las calles se fijaron pasquines con los colores nacionales y la inscripción "¡Viva el Rey!". Igualmente, hubo concurso de escaparates adornados con profusión de retratos del monarca. Por su parte, las compañías de autobuses engalanaron los coches con banderas y atributos de la realeza. Asimismo, el puerto presentaba un impresionante aspecto con todas las embarcaciones empavesadas. El punto álgido de la celebración se produjo cuando las baterías de la plaza y los buques de guerra hicieron las 21 salvas de ordenanza, que resonaron en toda la ciudad, subrayando así el júbilo de tan singular jornada. Paralelamente, la Unión Patriótica, Somatén, casinos, y otras entidades recogieron numerosos pliegos de firmas. También acudieron al palacio municipal a firmar y dejar tarjeta numerosas personalidades y representaciones de las fuerzas vivas[664].

Cabe añadir que desde Ceuta partió hacia Tánger el crucero *Extremadura* con una banda de música para animar las fiestas que había proyectado la colonia española de aquella ciudad[665]. Sin lugar a dudas, aquel día fue uno de los más brillantes de la etapa primorriverista ceutí.

9. Ceuta y la Ciudad Universitaria de Madrid

Ante la necesidad de modernizar y concentrar las diferentes facultades y escuelas y en gran medida a instancias de Alfonso XIII, el 17 de mayo se constituyó la Junta de la Ciudad Universitaria.

Como emplazamiento de la Ciudad Universitaria, la Junta eligió la finca de La Moncloa. Además, fue necesario acceder a otra serie de propiedades particulares en la zona, mediante compras, cesiones y permutas.

Para conseguir recursos se hicieron diversas suscripciones públicas; y Ceuta, tal como había demostrado en distintas ocasiones, no quedó ajena a esta iniciativa popular, recaudándose 17.804 pesetas. Durante el mes de junio se organizaron diversas actuaciones de diversa índole, como fue una cuestación entre los funcionarios públicos y otra entre los militares, o la instalación de una mesa recaudatoria, organizada por los Exploradores; al igual que merece la pena resaltar "el partido de balompié que a beneficio de la Ciudad Universitaria celebra-

---

663   La Vanguardia, 15 de mayo de 1927.
664   La Vanguardia, 19 de mayo de 1927.
665   ABC, 14 de mayo de 1927.

rán las sociedades Cultura y Sport y María Cristina", y una función benéfica realizada por el Sindicato de periodistas. Para ambos eventos nuevamente colaboró la Junta municipal; en el primero con una copa y en el segundo con su organización[666]. También la Junta municipal acordó "completar hasta cinco mil pesetas la suscripción abierta a favor de la Ciudad Universitaria y Hospital Clínico[667]. A finales de julio la cantidad recaudada fue enviada por el comandante general al ministro de Instrucción Pública[668]. Igualmente, se estableció por Real Decreto una Lotería Universitaria, que aportaría unos 8 millones de pesetas cada año. Como resultado de tan magno esfuerzo colectivo, la colocación de la primera piedra de la Ciudad Universitaria tuvo lugar el 15 de mayo de 1929, contando, como no podía ser de otra manera, con la presencia de Alfonso XIII.

10. Las últimas semanas de la primavera

Unos días después de la celebración del XXV aniversario de la entronización del rey, se instaló una fuerte niebla encallando en punta Ceres, cerca de las aguas de Ceuta, el vapor italiano *Aranelli*, de 5.000 toneladas, y el vapor alemán *Bremen Brades*. El primero sufrió una vía de agua en la proa, y el segundo algunas abolladuras en el casco[669]. Ambas tripulaciones fueron auxiliadas por las autoridades de Marina. Ya en junio arribó el famoso crucero *Cataluña*, antes muy habitual por las aguas de Ceuta, que ahora ejercía de escuela de guardiamarinas. Durante su estación los alumnos visitaron la ciudad y fueron obsequiados con un baile en el Casino Militar. Tras la visita, el día 3 por la noche puso rumbo a Cartagena[670].

En cuanto a la vida municipal, a finales de mayo se aprobó "en definitiva al proyecto plano y presupuesto para las obras de saneamiento de la barriada del Morro"; al igual que diversas expropiaciones en la zona de la ciudad. Por otro lado, se comisionó al arquitecto municipal Gaspar Blein "para que en representación de esta Corporación concurra al concurso y exposición que se celebrará en la ciudad de Colonia (Alemania)"[671]. De la misma forma, se estaba acondicionando la carretera del cementerio y construyendo un urinario en la calle Martínez Campos[672]. También se abordaron los proyectos de estación de desinfección y bolsa de contratación de pescado, y el estudio de un hospital civil.

Con respecto a las cuestiones religiosas y festivas, se concedió un donativo de ciento cincuenta pesetas para la procesión del Sagrado Corazón de Jesús; asimismo, se autorizó al Consejo Local de Exploradores celebrar verbenas en el jardín de Prim a beneficio de la tropa de dicha institución, al igual que se acordó iniciar una suscripción a beneficio de los damnificados por los últimos temporales[673]. Por otro lado, se solicitó la instalación de una sucursal del Banco de España[674]; autorización que sería concedida en septiembre de 1927[675]. Sin embargo, la instalación se iría dilatando en el tiempo.

11. Paludismo y viruela

Merece la pena subrayar que la entrada del verano se caracterizó por el recrudecimiento de la epidemia de paludismo que estaba azotando a la zona de Tetuán a causa de los fuertes calores reinantes. Muchos oficiales y soldados se hallaban atacados de esa enfermedad[676]. El paludismo era una enfermedad endémica en el Protectorado, por lo que las autoridades

---

666   BOCCE núm. 37, 9 de junio de 1927. Comisión permanente, 4 de junio de 1927.
667   BOCCE núm. 40, 30 de junio de 1927. Comisión permanente, 18 de junio de 1927.
668   ABC, 27 de julio de 1927. La Libertad, 27 de julio de 1927.
669   El Telegrama del Rif, 24 de mayo de 1927.
670   La Opinión, 4 de junio de 1927.
671   BOCCE núm. 36, 2 de junio de 1927. Comisión permanente, 21 de mayo de 1927.
672   BOCCE núm. 37, 9 de junio de 1927. Comisión permanente, 4 de junio de 1927.
673   BOCCE núm. 39, 23 de junio de 1927. Comisión permanente, 11 de junio de 1927.
674   BOCCE núm. 40, 30 de junio de 1927. Comisión permanente, 18 de junio de 1927.
675   BOCCE núm. 63, 8 de diciembre de 1927. Comisión permanente, 3 de septiembre de 1927.
676   La Prensa, 24 de julio de 1927.

tuvieron que hacer, una vez acabada la guerra, recurrentes campañas antipalúdicas. Sirva de muestra esta noticia: a principios de septiembre de 1925, antes de las grandes operaciones en Alhucemas, cien soldados ingresaron en los hospitales de Ceuta[677]. Aunque Ceuta no era zona especialmente palúdica, los hospitales ceutíes acogían a enfermos procedentes de la zona del Protectorado; sobre todo de Tetuán y sus alrededores.

Pero el verano de 1927 fue especialmente virulento. En este sentido recordemos los grandes temporales de abril que habían inundado numerosas zonas lacustres, las zonas bajas de las llanuras aluviales y las restingas que existían entre Ceuta y Tetuán y en los mismos alrededores de la capital del Protectorado -el agua estancada es el elemento natural por excelencia para la reproducción del mosquito infectivo-. Ya al final de la primavera empezaron a evacuarse por ferrocarril soldados enfermos a Ceuta[678]. También en el mismo mes de junio se produjeron algunas lluvias, por lo que se agravó la situación. Tal magnitud alcanzó el problema, que en el mes de agosto el general Sousa estuvo en Tetuán, donde aumentaba de forma sustancial la epidemia. Resultado de ello fue que se enviaron médicos especializados[679], al igual que se tomaron medidas para evitar el estancamiento de las aguas en la desembocadura del Uad Helu. No obstante, a lo largo del verano siguieron llegando enfermos. Como la situación empeoraba por momentos, se tuvieron que agilizar las licencias por enfermedad, "a cuantos se lo permita su estado". Y acabándose el verano la epidemia afectó de forma virulenta a la zona de Larache, registrándose centenares de personas atacadas[680]. Ante la magnitud del problema, las autoridades decidieron hacer campañas de quininación[681], y, a medida que se fue normalizando la situación bélica, por las cabilas afectadas, que no eran pocas.

Paralelamente, finalizando la primavera y principios del verano se recrudeció el episodio de viruela que se había instalado en la ciudad. Como es lógico, cundió la alarma entre vecinos y autoridades, llevándose a cabo varias iniciativas, como la contratación de una enfermera para el local de aislamiento[682] o la creación de dos plazas de practicantes para el servicio de guardia de la Clínica de Urgencia[683]. Lo de Ceuta no era un foco aislado. También Tetuán fue atacada por la viruela, "que todos los años aparece por aquí"[684]. Asimismo, en Melilla, a principios de agosto, la epidemia estaba preocupando sobremanera a las autoridades. Normalmente las medidas que se tomaban eran muy parecidas en todos lados. Además de la contratación de más personal, en Melilla se tomaron otras como "evacuar de esta plaza a cuantas personas lo soliciten", o que la vacuna sea obligatoria, ordenando la detención de cuantas personas se resistan a vacunarse. Subrayándolo con la exhortación: "La autoridades están dispuestas a obrar con radical vigor en este asunto, pues cada día está aumentando el número de invasiones"[685]. Especialmente en el barrio del general Arizón, donde existía el principal foco[686].

12. La Audiencia provincial de Cádiz en Ceuta

Aunque el Estatuto de Ceuta otorgaba a la ciudad una serie de competencias, desde el punto de vista judicial, dependía de la Audiencia provincial de Cádiz. Como el desplazamiento a Cádiz era realmente complicado para atender las numerosas causas, se dispuso que todos los años, en el mes de marzo y septiembre y antes del 15 de los mismos, se constituyera

677   El Cantábrico, 4 de septiembre de 1925.
678   La Opinión, 4 de junio de 1927.
679   La Provincias, 20 de agosto de 1927.
680   El Noticiero Gaditano, 16 de septiembre de 1927.
681   El Telegrama del Rif, 23 de abril de 1930.
682   BOCCE núm. 37, 9 de junio de 1927. Comisión permanente, 4 de junio de 1927.
683   BOCCE núm. 40, 30 de junio de 1927. Comisión permanente, 25 de junio de 1927.
684   La Libertad, 11 de septiembre de 1927.
685   Heraldo de Zamora, 2 de agosto de 1927
686   El Adelanto, 9 de agosto de 1927.

en Ceuta una sección de la Audiencia de Cádiz, y en Melilla una sección de la Audiencia de Málaga, para ver y fallar en juicio oral y público todas las causas procedentes de los Juzgados respectivos de dichas plazas. También se dictaron reglas para el cumplimiento de tal misión[687].

Según Manuel Gordillo: "El supremo organismo judicial es el Juzgado de primera Instancia e Instrucción con categoría de ascenso, creado en 1917, ya que hasta entonces, como Plaza de Guerra, todos los delitos eran juzgados por tribunales militares"[688]. Por su parte, la sección de la Audiencia de Cádiz, que se había instalado en 1919 en Ceuta, solía celebrar los juicios en el salón de sesiones del nuevo palacio municipal. Como el número de juicios solía ser elevado -normalmente varias decenas -, la estancia en la ciudad se prolongaba durante varios días. Así, por ejemplo, en el mes de marzo de 1928 la Sala segunda de la Audiencia de Cádiz, presidida por el magistrado José Monedero, dictó sentencia en 37 juicios, de los cuales fueron 20 condenatorios y el resto absolutorios. Como invitados de la Junta municipal, se solían organizar algunas visitas lúdicas para aliviar a los magistrados de tan gravosa responsabilidad. Veamos algunas muestras: en la visita de marzo de 1927 fueron obsequiados por la Junta municipal con una gira campestre; en septiembre de ese mismo año fueron invitados a visitar el campamento de Dar Riffien, de la Legión[689]; y en marzo de 1928 se organizó una excursión a Benzú [690]. Igualmente, si coincidía su estancia en Ceuta con un acto relevante se les solían invitar para darle más prestancia y realce, como así sucedió, por ejemplo, a la solemne misa celebrada en la catedral en honor de los Santos Patronos, en octubre de 1926. Como vemos, se procuraba que la estancia de los magistrados en Ceuta fuese agradable, al igual que los recibimientos y las despedidas. En marzo de 1928 acudieron a despedirles "el presidente y los vocales de la Junta, con los altos funcionarios municipales, las autoridades militares, los jueces de instrucción y municipal, abogados, procuradores, representaciones de diversas entidades y fuerzas vivas de la localidad, así como periodistas y otras personalidades"[691], por lo que se mostraban muy agradecidos: en septiembre de 1929 se leyó un escrito en la permanente del "Señor presidente de la Audiencia de Cádiz en el que da las gracias por las atenciones que la Sala de la misma constituida en esta ciudad ha recibido de la Corporación". Cabe sumar que a principios de 1929, tras el fallecimiento del presidente de la Audiencia de Cádiz, Fernando Rodríguez Aguilera, ocuparía su cargo Francisco de la Rosa.

Por otro lado, durante el periodo primorriverista fueron jueces de primera instancia e instrucción de partido Alfonso Armengol y Díaz del Castillo hasta 1927, siendo sustituido por Joaquín Domínguez de Molina; al igual que Mariano Arques Chavarría era juez de primera accidental. Joaquín Domínguez pediría una excedencia a principios de 1930, ocupando su vacante el magistrado José Jiménez Muro.

Asimismo, fueron jueces municipales durante este periodo Manuel Baró Suárez y posteriormente Cándido Lería Lanzac, siendo su suplente Manuel Olivencia Amor. Como es sabido, los jueces municipales se encargaban de los casos menores. El juzgado municipal se encontraba en la calle Duarte núm. 6, siendo remozado en la primavera de 1929[692]. Los juzgados municipales serían suprimidos definitivamente por el Real Decreto 2104/1977, de 29 de julio.

---

687 La Época, 6 de julio de 1927.
688 GORDILLO OSUNA, Manuel: opus cit., p. 261.
689 La Correspondencia Militar, 20 de septiembre de 1927.
690 BOCCE núm. 82, 12 de abril de 1928. Comisión permanente, 17 de marzo de 1928.
691 La Nación, 26 de marzo de 1928.
692 El 16 de marzo de 1929 se aprobó en la permanente "el presupuesto para la reparación y adquisición de muebles con destino al Juzgado de primera instancia", por un importe de 1.154 pesetas.

13. Julio de 1927, ¡acaba la guerra!, la patrona de la Marina

A primeros de julio la campaña del Rif estaba virtualmente acabada, y así lo anunció el 9 de julio de 1927 el general Sanjurjo desde la mítica Bab Taza, donde últimamente tenía el cuartel general[693]. Incluso el presidente del directorio llegó a comentar en el discurso que ofreció en el Centro del Ejército y de la Armada: "Voy a aprovechar al encontrarme con tantos buenos amigos para expresar la satisfacción que siente el Gobierno por haber recibido un telegrama del comisario superior, general Sanjurjo, en el que nos comunica que ha quedado virtualmente terminada la campaña de Marruecos y porque muy en breve se procederá al licenciamiento de la quinta del 24"[694].

Y envueltos en un halo de satisfacción, acabada la campaña, los generales Sanjurjo y Goded marcharon desde Bab Taza a Tetuán, que le tributó una gran acogida con las banderas izadas y los balcones colgados, como si fuera un día festivo. Por fin se pacificaba Marruecos tras muchísimos años de guerras civiles y coloniales. También la noticia llegó a Ceuta llenando de alegría sus calles y plazas. Asimismo, la Junta municipal mandó un telegrama de felicitación al alto comisario "con motivo de la terminación de las guerras militares". Durante esos días tan especiales el comandante general de Ceuta, Federico Berenguer, se estaba reponiendo de las heridas que había sufrido a consecuencia de la caída del caballo cuando estaba dirigiendo las últimas operaciones por la zona de Xauen[695].

Por otra parte, la festividad de la patrona de la Marina se celebró ese año con especial significación. En primer lugar tuvo una función religiosa en el Santuario de la Virgen de África, a la que asistieron la Compañía de Mar y las autoridades. También, a bordo del crucero *Princesa de Asturias* tuvo lugar una misa, con asistencia del comandante general, jefes, oficiales y marinería de los buques de guerra surtos en el puerto y numerosos invitados. Después de la ceremonia se sirvió un *lunch*, amenizado por la banda del Tercio. Al mediodía se celebró un banquete presidido por el comisario superior, llegado con este objeto de Tetuán. Y por la noche, a bordo del *Princesa de Asturias*, se celebró una verbena. Por su parte, la Real Sociedad Hípica ofreció a los marinos otra en sus jardines, que se vieron muy concurridos[696].

Pocos días después, el presidente de la Junta municipal recibió un telefonema del comandante general accidental, Agustín Gómez Morato, en el que se le comunicaba que "A partir del día de hoy será continua la circulación por la carretera Ceuta-Tetuán, no interrumpiéndose por lo tanto durante la noche"[697]. Y el día 18 de julio tuvo lugar una fiesta en la Comandancia General con motivo de la onomástica del general Berenguer[698]. Tras el evento, Berenguer marchó a Madrid para terminar de reponerse de su convalecencia, realizar algunas visitas y estudiar su próximo destino, pues, una vez finiquitada la guerra, su misión había acabado en Ceuta.

14. El ferrocarril Ceuta-Alcazarquivir, un túnel sin salida

Asimismo, coincidiendo con el final de la campaña bélica tuvo lugar la inauguración del ferrocarril Tánger-Fez: "Tánger 25.- A las nueve de la noche de ayer llegó a Tánger, procedente de Mequínez, el primer tren de la línea Tánger-Fez. En el tren vino el alto personal de la Compañía. Numeroso público esperaba la llegada del convoy a pesar de lo avanzado de la hora y de la distancia a la que se encuentra la estación. El tren hizo el viaje desde Arcila de noche y sin novedad. Hoy, a las siete y media de la mañana, salió el primer tren para Fez, quedando con él establecido el servicio de pasajeros y mercancías. A la misma

693   MARTÍNEZ CAMPOS, Carlos: Opus cit., p. 356.
694   ABC, 11 de julio de 1927.
695   El Telegrama del Rif, 2 de julio de 1927.
696   ABC, 17 de julio de 1927.
697   El telefonema lleva la fecha 25 de julio de 1927. BOCCE núm. 48, 25 de agosto de 1927.
698   La Libertad, 20 de julio de 1927.

hora habrá salido de Fez el tren para Tánger. No ha habido inauguración oficial. Como la estación Charf está emplazada a mucha distancia de la población, se establecerá, en breve un servicio, de taxis. Aún no se sabe dónde se construirá la estación definitiva"[699].

Con la llegada del ferrocarril a Tánger se completaba un trazado de 311 km (16 de la zona de Tánger, 92 de la zona española y 203 de la zona francesa), que pasaba por las estaciones de Tánger, Arcila, Alcazarquivir, Petitjean, Mequinez y Fez; y un ramal a Larache de 39, que conectaba con la línea principal en Alcazarquivir. Fue la Compañía Franco-española del Ferrocarril Tánger-Fez, fundada el 24 de junio de 1916, la encargada de su construcción y explotación.

La inauguración del ferrocarril Tánger-Fez levantó el lógico revuelo entre las instituciones y la opinión pública, pues una de las grandes ambiciones del puerto de Ceuta, como ya se ha insinuado en varias ocasiones, era la comunicación con el corazón del imperio xerifiano. Era una idea antigua que surgía como una necesidad mental para darle sentido a las grandes inversiones que se habían realizado. En este aspecto, en Tetuán se había levantado una estación más grande que la de Ceuta, con la clara intención de convertirla en el gran nodo ferroviario de la parte occidental del Protectorado.

En 1923 ya habían comenzado las obras del primer tramo que partía de Fez, y a medida que las obras avanzaban también la opinión pública empezó a exigir una pronta actuación, como así se refleja en estas líneas de *Revista de Tropas Coloniales* de mayo de 1925: "Ceuta, que ha de enlazar por el ferrocarril de Tetuán y Alcazarquivir con la línea de Fez, será el primer puerto de la ruta de América, en la gran arteria africana hasta Dakar. [...] En nuestra zona está la entrada de África. Es el único horizonte que nos queda libre..."[700].

Un ambicioso programa de intenciones. Sin embargo, en mayo de 1925 el Gobierno tenía puestas sus miradas en salvar el Protectorado...No obstante, en 1927, una vez acabada la guerra, de nuevo renació con fuerza la vieja idea de la prolongación del ferrocarril hacia el sur. Hasta tres soluciones ofrecieron al proyecto de enlace de Ceuta con el de Tánger-Fez[701]. La idea quedó cincelada, pero a medida que fueron pasando los años las circunstancias reinantes diluyeron el proyecto.

15. La Despedida del Soldado y la Sociedad de Salvamento de Náufragos

Mientras tanto, la vida continuaba su curso, así a principios de julio ya estaba instalado el alumbrado eléctrico permanente en la plaza de la Constitución[702]. En cuanto a la vida municipal, se le concedió un donativo de 200 pesetas para Homenaje al Marino; se acordó formar una comisión para realizar un homenaje al general Alfau, al igual que seguían las expropiaciones y se aprobaba dotar de alumbrado y agua a la barriada Príncipe Alfonso[703]. Pero un acto realmente emotivo que tuvo lugar el sábado 23 en Ceuta y Tetuán fue la fiesta de la Despedida del Soldado. En esta ocasión, tenía como fin conmemorar el regreso a sus hogares de los veteranos del 24, por lo que se organizaron diferentes actos y se dio un rancho extraordinario[704]. Esa noticia era la mejor posible, ya que estos curtidos soldados habían vivido los momentos más complicados y duros de la zona occidental.

Tras la fiesta de la Despedida del Soldado, en el muelle del Comercio se inauguró un nuevo edificio de la Sociedad de Salvamento de Náufragos, debido a la iniciativa y los constantes trabajos del comandante de Marina del puerto y presidente de la Junta local de la citada Sociedad, el capitán de fragata José Montero Ríos.

---

699   La Época, 26 de julio de 1927.
700   Revista de Tropas Coloniales, 1 de mayo de 1925.
701   ABC, 29 de diciembre de 1927.
702   BOCCE núm. 42, 14 de julio de 1927. Comisión permanente, 9 de julio de 1927.
703   BOCCE núm. 47, 18 de agosto de 1927. Comisión permanente, 16 de julio de 1927.
704   La Libertad, 21 de julio de 1927.

El acto lo presidieron el contralmirante García Velázquez y el comandante general interino Gómez Morato, asistiendo las autoridades y entidades civiles, jefes de los Cuerpos de guarnición, Junta municipal, clero, prensa y gran número de invitados. El edificio apareció engalanado con banderas nacionales, atributos marítimos y la imagen de la Virgen del Carmen sobre un altar artísticamente adornado. El local estaba dotado de cuantos elementos se necesitaban para atender a los humanitarios servicios que la Sociedad tenía por misión, pero también se presentó una nueva y magnífica canoa automóvil salvavidas, que había costado 24.000 pesetas. En el acto de la inauguración fueron condecorados con la medalla de bronce de la Sociedad el capitán de equitación militar, José Gómez Manzanares, y el patrón José Ballerino, por los auxilios que prestaron a tres embarcaciones a punto de naufragar en esta costa el 17 de enero de 1926. También se concedieron premios en metálico a cinco tripulantes que cooperaron a dicho salvamento. Impuso las medallas el contralmirante, que pronunció sentidas frases para enaltecer aquellos actos heroicos. Por su parte, el general Gómez Morato hizo un brillante discurso alusivo al acto, y terminó abrazando al contralmirante, como signo afirmativo de los vínculos que unían al Ejército y a la Marina[705]. Aunque la Sociedad Española de Salvamentos de Náufragos se había creado en Madrid el 19 de diciembre de 1880, bajo el patronato de la Reina Mª Cristina y la protección de la infanta Mª Isabel, en realidad se gestionaba de modo local y estaba formada por voluntarios. Y en este sentido, fue durante la presidencia del citado José Montero Ríos cuando tuvo uno de los períodos más activos, no sólo para la citada Sociedad, sino también para la institución la Vejez del Marino.

16. Juan March, el monopolio de tabacos y el escapista Navarrete

Sin embargo, una noticia que estuvo en la boca de todo el mundo durante el mes de julio fue la concesión a Juan March -el poderoso magnate sobre el que se ha vertido ríos de tinta- del monopolio del tabaco para las plazas de soberanía de Ceuta y Melilla. Con respecto a esta cuestión, Juan March tenía una dilatada experiencia en el norte de África, pues, además de tener una fábrica en Argel[706], se había hecho con el monopolio del tabaco en el Protectorado a través de un subarriendo. Al igual que se le relacionaba con el tema del contrabando en las citadas plazas. Así, por ejemplo, en *La Vanguardia* de 14 de septiembre de 1926 se puede leer: "En los barrancos de la playa de Benítez, las fuerzas de carabineros al mando del capitán Angulo, incautáronse de un importante alijo de tabaco de contrabando". Por otro lado, Juan March tenía cierta vinculación con Ceuta a través de la Compañía Trasmediterránea. En cuanto a la relación de Juan March con la dictadura primorriverista había cambiado con el tiempo. Si en un principio hubo algunos desencuentros, en 1926 se fundó la Banca March; claro síntoma de aquel cambio.

Con respecto al monopolio de tabacos en las plazas de soberanía, en Melilla, sobre todo, se hizo una fuerte campaña a favor de dicha concesión, apoyada por la poderosa Cámara de Comercio y *El Telegrama del Rif* -diario dirigido por Cándido Lobera, de gran influencia en Melilla-. Se había corrido el rumor, con la clara intención de influir en la opinión pública, de que se iba a instalar una fábrica de tabacos en aquella ciudad. Incluso, a mediados de julio, una comisión estuvo visitando al "opulento hombre de negocios" en Madrid, "para pedirle la construcción en esta plaza de una fábrica de tabacos". Juan March contestó, según *El Telegrama del Rif*, que ese era su proyecto, y que lo llevaría a cabo si encontraba el apoyo que esperaba obtener del Gobierno[707].

705 Heraldo de Madrid, 27 de julio de 1927. La Correspondencia Militar, 27 de julio de 1927.
706 La fábrica de Argel era propiedad de March y Garau, hasta que pasó definitivamente a ser propiedad de Juan March. Posteriormente compró la fábrica de tabacos de Orán de Vicente Jorro Tur.
707 El Telegrama del Rif, 16 de julio de 1927.

La presión sobre el Gobierno, que también estuvo sustentada por otros *lobbys* mediáticos, quedó plasmada en el Real Decreto de 2 de agosto de 1927, por el que otorgaba a "Juan March y Ordina, actual subarrendatario del monopolio del tabaco en la región del Rif y en la de Yebala, la explotación del monopolio del tabaco en las plazas de Ceuta y Melilla".

Como es natural, el Real Decreto contenía diversas prescripciones contractuales. Así, por ejemplo, el contrato entraría en vigor el 1 de octubre de ese año. Estaba contemplado que el "adjudicatario abonará al Estado, en concepto de canon fijo, la cantidad de 1.356.000 pesetas anuales, siempre que el importe de la venta líquida en cada año no exceda de tres millones de pesetas. Si las ventas rebasaran esas cifras, el Estado percibirá, además de un 40 por 100 del exceso cuando el importe de aquellas no sea superior a cuatro millones de pesetas, y un 50 por 100 si la cuantía de las ventas excediera de cuatro millones". Al igual que "Los precios de ventas de las labores serán idénticos a los fijados en la zona del Protectorado, sin que nunca puedan ser superiores a los de la Península, y tampoco inferiores en más de un 25 por 100". Por otro lado, el adjudicatario "deberá tener siempre a la venta una labor especial exclusivamente para las clases de tropa, distinta en su forma de las demás, y que se expenderá con una bonificación de un 50 por 100, por lo menos, con relación a las labores similares"[708].

En cuanto a los beneficios directos a las dos ciudades y a sus ciudadanos, se contemplaba que "Si estableciera fábricas de tabaco en Ceuta o Melilla, estas pasarán a poder del Estado al terminarse el contrato". Y que "las expendedurías en Ceuta y Melilla las proveerá el adjudicatario en viudas o huérfanos de militares que sean solteros o en suboficiales de segunda categoría"[709].

Aunque era de dominio público que la influencia de Juan March llegaba a casi todas partes, contar con su presencia era más difícil. Con respecto a Ceuta, una escueta nota de *El Telegrama del Rif* del 2 de octubre de 1929 dice: "Ceuta 1. Ha llegado de la península el opulento hombre de negocios don Juan March Ordinas". Pocas noticias tenemos de aquella visita. No obstante, sí sabemos que en Ceuta fue su representante, el también balear, Juan Caldentey.

Nada más implantada la II República, el presidente del Gobierno provisional, Niceto Alcalá-Zamora Torres, y el ministro de Hacienda, Indalecio Prieto Tuero, firmaron un Decreto, de fecha 6 de junio de 1931, anulando la concesión[710].

En otro orden de cosas, en agosto, una pareja de la Guardia Civil capturó al estafador Manuel García Navarrete, que se estaba afeitando en una céntrica barbería. Tras su detención fue ingresado en la prisión del Hacho, de donde se había fugado en otra ocasión, como también lo había hecho de la comisaría del puerto de Tánger y otras veces del cuartel de Tetuán[711]. Con todo este florido historial, Navarrete se había convertido en un verdadero experto en escapismo, por lo que se había hecho famoso en el norte de África. Autor de numerosas estafas, para las que solía vestir distintos uniformes militares, había sido condenado a 21 años de presidio. No obstante, a finales de 1927, volvería a escaparse, junto a otros dos detenidos, de la prisión de Tetuán; sin embargo, debido a la alta fiebre que padecía, no pudo llegar muy lejos y pudo ser nuevamente capturado[712]. Por cierto, Juan March también "saldría" de la cárcel en noviembre de 1933, aunque por un método menos aparatoso; según la prensa de la época, un oficial de prisiones le abrió las puertas.

---

708 Diario Palentino, 6 de agosto de 1927.
709 El Defensor de Córdoba, 5 de agosto de 1927.
710 Gaceta de Madrid, núm. 158, 7 de junio de 1931, p. 1232.
711 El Pueblo 10 de agosto de 1927.
712 El Liberal, 1 de enero de 1928.

17. La muerte del deán, irregularidades en Intendencia y las fiestas patronales de 1927

Recién iniciadas las fiestas patronales, y después de recibir la bendición apostólica, falleció el 4 agosto, a la edad de setenta y tres años, el deán-gobernador eclesiástico de la diócesis de Ceuta, Eugenio Mac-Crohon Seidel, víctima de una larga enfermedad. Constituyó el entierro sentida manifestación de duelo, en el que tuvieron representación, religiosos, civiles y militares[713].

Eugenio Mac-Crohon, según José Luis Gómez, había tomado posesión del deanato de Ceuta el 15 de diciembre de 1890 y del gobierno el 26 de enero de 1891. Hombre pacífico, trató de resolver todos los problemas teniendo que asumir las situaciones personalmente. Esta forma de ser y de actuar dio lugar a que fuese elegido el 1º de julio de 1898 vicario capitular. En 1899 José Rancés y Villanueva fue nombrado obispo de Cádiz, confirmando a Mac-Crohon en todos sus cargos. La preocupación principal del gobernador Mac-Crohon en esos años fue principalmente la catedral, cuya amenaza de ruina era compartida por todos los técnicos que la visitaban. Tras el fallecimiento de José Rancés, tomó posesión del obispado de Cádiz, el 18 de mayo de 1918, Marcial López Criado. López Criado será un obispo que se traslade con frecuencia a Ceuta. Mientras tanto, desde 1923 el declive físico de Mac-Crohon es visible, lo que se hace que se vaya retirando poco a poco de sus obligaciones; así, el 12 de julio de 1925 se nombra vicario sustituto al canónigo doctoral José Casañas Carballo, quien, tras la muerte del deán, el referido 4 de agosto de 1927, será nombrado vicario general[714], y deán en junio del siguiente año[715].

Dos jornadas más tarde de la muerte del deán, un asunto escabroso salió a la palestra. El *Diario Oficial del Ministerio de la Guerra* publicaba una Real Orden separando del servicio a treinta y un jefes y oficiales de Intendencia Militar de Larache y Ceuta: "Cuarto. Como medida gubernativa excepcional y por los hechos expuestos en la referida propuesta y en el informe del Consejo Supremo de Guerra y Marina en Pleno, se decreta la baja en el Ejército, cualquiera que sea la situación en que actualmente se encuentren, pasando a la de separados del servicio, de los cinco coroneles de Intendencia, tres interventores de distrito, trece tenientes coroneles de Intendencia, cinco comisarios de guerra y cinco capitanes de Intendencia que tuvieron su destino en los expresados parques en las fechas en que se cometieron las irregularidades que se sancionan y cuyos nombres y situación actual se consignan en la propuesta e informes antes citados"[716].

Sin embargo, el gesto altruista del soldado Luis Carreira Ferreira también conmovió a la opinión pública. Al licenciarse entregó a su coronel 50 pesetas con destino a la Ciudad Universitaria; cantidad procedente de la pensión de la Cruz del Mérito Militar ganada en la acción de Kudia Tahar el 3 de septiembre de 1925, en la que había sido gravemente herido[717]. Enterado Alfonso XIII de dicho acto, le envió un telegrama de agradecimiento[718].

En cuanto a las fiestas patronales, se celebraron entre el miércoles 3 y el domingo 7 de agosto, teniendo lugar los actos centrales el viernes 5, día de la Virgen de África. El programa de festejos contemplaba los siguientes actos:

Día 3. Al amanecer dianas por las bandas de la guarnición, y disparos de morteros. A las 11, inauguración de la exposición de pintura, caricatura, fotografía y artes industriales. A las 22, velada en la plaza de la Constitución y tómbola benéfica a beneficio de la Cantina

---

713   ABC, 6 de agosto de 1927. La Nación, 6 de agosto de 1927.
714   GÓMEZ BARCELÓ, José Luis: 'El obispado de Ceuta en los siglos XIX y XX', pp. 138-140.
715   "ha sido promovido a la dignidad de deán, el actual vicario general y canónigo doctoral de aquella diócesis doctor don José Casañas". El Defensor de Córdoba, 26 de junio de 1928. La Cruz, 8 de julio de 1928.
716   El Sol, 7 de agosto de 1927.
717   El Sol, 5 de agosto de 1927.
718   La Nación, 5 o 6 de agosto de 1927.

Programa oficial de los festejos en honor de la Virgen de África, 1927. AGCE.

Escolar y Junta de Reparación del Templo Nuestra Señora de África. Baile en el jardín de Prim [San Sebastián] y cine público en la avenida Villanueva.

Día 4. A las 10, reparto de limosna a los pobres en la plaza de la Constitución. A las 12, comida extraordinaria en los centros benéficos. A las 17, carrera de bicicletas, cucañas terrestres y elevación de fantoches y globos en la plaza de la Constitución. A las 19, solemne Salve en el Santuario Nuestra Señora de África. A las 22, velada en la plaza de la Constitución, bailes en el jardín de Prim y cine público en la avenida Villanueva.

Día 5 (Festividad de la Patrona). A las 10, solemne función religiosa en el Santuario Nuestra Señora de África. A las 11, reparto de premios en metálico, en el palacio municipal, a los soldados más distinguidos en las últimas operaciones. A las 11,30, *lunch* en honor a los invitados a la función religiosa en el palacio municipal. A las 15, llegada de los Exploradores de Tánger, La Línea y Málaga. A las 18, regatas y concursos de natación en el puerto. A las 22, velada en la plaza de la Constitución. A las 23, castillos de fuegos artificiales en el muelle del Comercio.

Fiestas patronales de 1927 (Real Sociedad Hípica). AGCE.

Día 6. A las 11, solemne Misa y Bendición de la nueva bandera de Exploradores en la plaza de la Constitución. A las 19, corrida de la pólvora en el Llano de las Damas. A las 22, velada en la plaza de la Constitución. A las 23, castillo de fuegos artificiales en la bahía.

Día 7. A las 11,30, inauguración de la capilla y colegio en la Cantina Escolar. A las 16, cucañas marítimas, elevación de fantoches y globos en el muelle del Comercio. A las 20, clausura de la Exposición y adjudicación de premios. A las 22, gran retreta cívico-militar con carrozas engalanadas. A las 23, velada en la plaza de la Constitución. A las 24, traca final.

Paralelamente, la Real Sociedad Hípica organizó, como era habitual, algunas actividades deportivas, como carreras de caballos y partidos de "Fut Bool"[719] y "tennis".

Pero veamos cuáles fueron los actos más destacados según la prensa. Del día 3 se decía: "Ha empezado con mucha animación la feria anual en honor de la patrona de África. Las músicas militares recorrieron la población tocando dianas; se dispararon morteretes, y la Junta municipal repartió abundantes limosnas en metálico. El real de la feria lució brillante iluminación"[720]. Igualmente se daba cuenta de la inauguración de la exposición de pintura, escultura, caricatura, fotografía y labores de industrias locales, que obtuvo un extraordinario éxito[721]. Con motivo de esta exposición, estuvo en Ceuta el humorista gráfico y caricaturista Pepe Cariño, que también realizó unos cuantos trabajos para el programa de festejos. Pepe Cariño era colaborador de la revista cordobesa *La Unión*, donde tenía una viñeta con el personaje Pamplinas[722].

El día 4 tuvo lugar un partido de fútbol entre el Málaga F.C. y la Real Sociedad Hípica, venciendo el Málaga por dos a cero, con goles de Rodríguez y Luna[723].

En cuanto al día 5, tal y como estaba previsto, se celebró la tradicional función religiosa, asistiendo la Junta municipal en pleno bajo mazas, el Cabildo catedral, el comandante general interino, el contralmirante García Velázquez, las autoridades civiles, jefes y oficiales de la guarnición y de la armada y fieles. Terminada la función se procedió a la adjudicación de premios en metálico, concedidos por la Junta municipal a los soldados que se distinguieron en las últimas operaciones. Las autoridades y demás concurrentes al acto fueron obsequiados con un *lunch*. Por su parte, los marinos sacaron en procesión la imagen de la Virgen del Carmen, recorriendo las principales calles, embarcándola en una barcaza de guerra, colocándose la Virgen sobre un artístico trono lleno de flores y banderas con atributos marítimos, surcando la bahía escoltada por centenares de barcas empavesadas, celebrándose la ceremonia de la bendición de las aguas y embarcaciones. A las diez de la noche regresó la procesión alumbrada por reflectores de los buques de guerra. Todo Ceuta presenció el hermoso espectáculo. Cabe añadir que para asistir a las fiestas llegaron las patrullas de tropas exploradoras de Tánger, La Línea de la Concepción y Málaga. También llegaron numerosos forasteros de la zona del Protectorado y de la Península[724].

Igualmente, el día 7, tal y como estaba previsto, el nuevo gobernador eclesiástico, doctor Casañas, bendijo la nueva capilla y escuela de niñas de las cantinas escolares. Ese mismo día por la noche, como culminación de las fiestas, se celebró una brillante y espectacular retreta cívico militar. Concurrieron todos los Cuerpos de la guarnición y desfilaron hermosas carrozas, entre ellas una alegórica de la "Paz en Marruecos", que se había alcanzado definitivamente apenas hacía un mes. El público, francamente motivado y emocionado, aplaudió muchísimo el desfile de tan lucida comitiva[725].

---

719   AGCE. Programa de los Festejos, agosto de 1927.
720   ABC, 5 de agosto de 1927.
721   ABC, 6 de agosto de 1927.
722   Pamplinas: ¡Pobre chica!, La Voz, 17 de noviembre de 1926, y Pamplinas: ¡Estupendo! La Voz, 30 de noviembre de 1926.
723   La Voz, 5 de agosto de 1927.
724   El Imparcial, 5 de agosto de 1927. La Vanguardia, 7 de agosto de 1927, ABC, 8 de agosto de 1927.
725   La Opinión, 10 de agosto de 1927.

Por otro lado, el auditor de brigada Cándido Lería publicó un oportuno artículo en la *Revista de Tropas Coloniales*, que tuvo cierta repercusión en la prensa nacional, rememorando la fructífera y patriótica labor que había desarrollado "el comandante de Ceuta, el teniente general Felipe Alfau, quien asentó los jalones de la actual prosperidad y progreso de la población". El articulista abogaba por un acto que patentizara el agradecimiento público de dichos beneficios. La Junta municipal acogió la iniciativa como propia y aprobó colocar un busto de bronce en el sitio denominado el Baluarte[726].

18. La nueva bandera de los Exploradores de Ceuta

Aunque los Exploradores estaban presentes en España desde 1912, los Exploradores de Ceuta habían nacido tres años después, y desde su fundación, como se ha visto sobradamente, se habían configurado como una de las instituciones más activas de la ciudad; al igual que eran frecuentes las visitas de otros grupos de Exploradores de localidades próximas.

En 1927 era presidente de los Exploradores de Ceuta Julián Francisco de las Heras; vocales, Enrique López, José Magal, Juan Morejón, Clemente Botet, Rogelio Díez y Rafael Orozco García; y secretario Adolfo Mollá Orozco. En la sesión del 7 de julio de 1927 se acordó que "con motivo de los festejos de la Patrona, se celebre Campamento, según costumbre, en los días del 5 al 8 de Agosto, celebrando el día 6 a las once el acto de bendecir la nueva Bandera adquirida".

Exploradores de Tánger, Málaga y Ceuta. Ceuta, agosto de 1927. AGCE.

---

726   ABC, 5 de agosto de 1927.

Tal como se había acordado, el sábado 6 de agosto, en la plaza de la Constitución, ante un artístico altar instalado en el atrio de la catedral, se celebró la bendición de la nueva bandera regalada por suscripción popular a los Exploradores locales. Dieron guardia de honor los citados Exploradores de Tánger, Málaga y La Línea de la Concepción. Amadrinó la bandera Elisa Agustín, esposa del presidente de la Junta municipal, y ofició en la ceremonia el gobernador eclesiástico, doctor José Casañas. Después de la misa, el coronel García Benítez, en nombre de su esposa, "pronunció vibrante alocución"; y a continuación, el abogado Julián Francisco de las Heras exaltó la labor del Ejército y la obra de los Exploradores. Asistieron al acto el comandante general interino, el contralmirante García Velázquez, diversas comisiones y numeroso público. Terminada la ceremonia, los exploradores marcharon a sus campamentos, "situados en los límites de nuestra zona"[727].

19. Ceuta, ciudad moderna

Por otro lado, durante la celebración de las fiestas ya corría por todo el país la noticia de la visita de los reyes a la ciudad; y, como es natural, los periódicos empezaron a informar a sus lectores sobre lo que acontecía por esas tierras. La permanente de 17 de septiembre, aprovechando que el foco estaba puesto en la cara sur del Estrecho, concedió una subvención "por una sola vez de quinientas pesetas al periódico *La Nación* por sus informaciones en beneficio de la ciudad". El artículo propagandístico, que tenía la clara intención de desdibujar la imagen negativa debida a la guerra y a su pasado como penal, se tituló "Ceuta, ciudad moderna":

"Ha sido con grande y sincero júbilo que Ceuta ha recibido la noticia del próximo viaje de los Reyes a África.

Aparte los sentimientos nobles del patriotismo tienen hoy los ceutíes otros motivos poderosos para desear con orgullo esta visita regia, que evidenciará ante España el valor extraordinario de Ceuta por su situación geográfica envidiable y por su importancia capital como ciudad moderna, emplazada magníficamente en el bello centro de esta verdadera "calle Real del mundo", y que forma con Algeciras y Gibraltar, en la acera de enfrente, el paso obligado para los que, viniendo de Europa, quieran adentrarse en el continente africano.

No conoce S. M. la Reina esta hermosa ciudad de Ceuta. Don Alfonso estuvo en ella hace diez y ocho años, en 1909. De entonces ahora Ceuta no es apenas sombra de lo que era. Baste decir que la población, sólo en los últimos seis años, ha aumentado de 30.000 a 60.000 HABITANTES, y que el presupuesto municipal, que en el año 1909 bordeaba las 700.000 PESETAS, hoy sobrepasa los TRES MILLONES.

La actual Junta municipal, que hace un año substituyó al antiguo Municipio, impulsa vigorosamente el progreso de Ceuta, y así, la ciudad, con un inteligente plan de ensanche, agranda su perímetro con amplias y bien orientadas urbanizaciones, en las que rivalizan las edificaciones modernas y de buen gusto.

Medio millar de automóviles, aparte los del Ejército, imprimen a la ciudad un tráfico y movimiento insospechados para el viajero. No son ciertamente la mezquindad y el apocamiento las características de los hombres que rigen hoy los destinos de Ceuta. […]

Teniendo en cuenta las precedentes notas sobre el progreso de la ciudad, no es expuesto predecir gratísimas impresiones a los Reyes en su próxima visita a Ceuta"[728].

---

727   El Sol 7 de agosto de 1927. ABC, 8 de agosto de 1927. La Correspondencia Militar, 9 de agosto de 1927.
728   La Nación, de octubre de 1927.

20. Entre la ilusión y la esperanza

Asimismo, la noticia de la próxima visita de los soberanos empezó a circular por todos los cafés y círculos recreativos, despertando entre los ceutíes una razonable ilusión y un mar de esperanzas; al igual que se percibía una gran animación por las calles y plazas. Mientras tanto, la vida municipal seguía su curso. El rocoso tema de los arbitrios de consumo con el Ejército aún quedaba por resolver[729]. Paralelamente, se seguían aprobando mejoras en el Campo Exterior; así se acordó dotar de agua a la barriada de Príncipe Alfonso, al igual que se aprobó el dictamen "del jurado calificador del concurso celebrado de anteproyectos de casas económicas modestas"[730].

Además, se seguían apoyando las iniciativas culturales, concediéndose "una subvención mensual de cien pesetas a la Sociedad [Asociación] Cultura Musical". La Asociación Cultura Musical, nacida al principio de la dictadura, estaba dirigida por el doctor Fernando Fernández Berbiela, capitán médico de la Comandancia de Sanidad. Esta Asociación organizó algunas actividades musicales de gran relumbre. Muy sonados fueron, por ejemplo, los conciertos que tuvieron lugar en los pri-

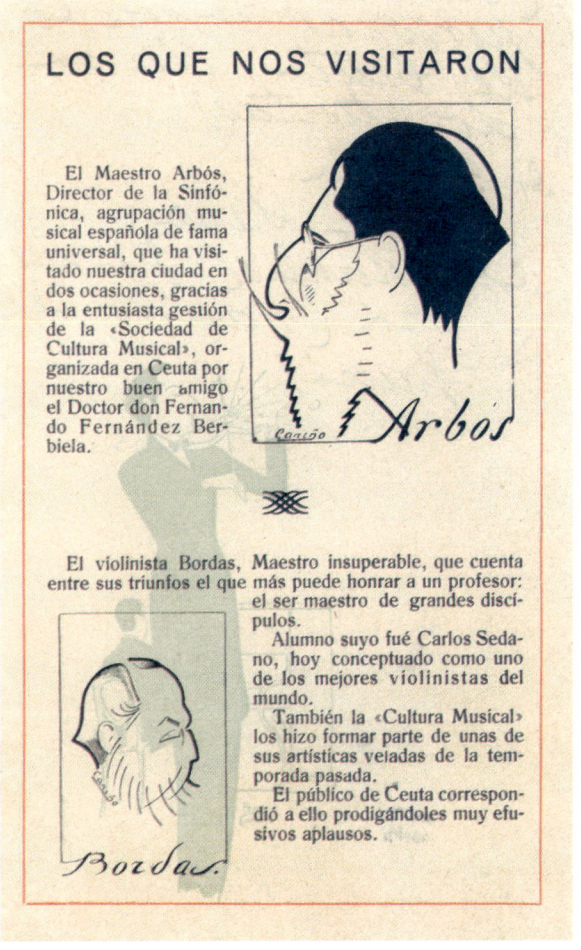

LOS QUE NOS VISITARON

El Maestro Arbós, Director de la Sinfónica, agrupación musical española de fama universal, que ha visitado nuestra ciudad en dos ocasiones, gracias a la entusiasta gestión de la «Sociedad de Cultura Musical», organizada en Ceuta por nuestro buen amigo el Doctor don Fernando Fernández Berbiela.

El violinista Bordas, entre sus triunfos el que Maestro insuperable, que cuenta más puede honrar a un profesor: el ser maestro de grandes discípulos.

Alumno suyo fué Carlos Sedano, hoy conceptuado como uno de los mejores violinistas del mundo.

También la «Cultura Musical» los hizo formar parte de unas de sus artísticas veladas de la temporada pasada.

El público de Ceuta correspondió a ello prodigándoles muy efusivos aplausos.

Caricaturas de los prestigiosos músicos Arbós y Bordas, Pepe Cariño. AGCE.

meros meses de 1927 ofrecidos por el maestro Arbós, primer titular de la Orquesta Sinfónica de Madrid, o el violinista Bordas, discípulo de Pablo Sarasate y de Jesús Monasterio, director del Real Conservatorio de Música de Madrid. En un afán de economizar gastos, llegó a solicitar autorización para poder celebrar conciertos en el salón de actos del palacio municipal[731]. Merece la pena sumar que otro grupo de clara vocación teatral era la Sociedad Artística La Farándula, que tenía cierta tradición en Ceuta, pues ya funcionaba desde 1918. Se dedicaba a representar fundamentalmente comedias y zarzuelas[732]. A principios de octubre de 1930 sería elegido presidente de la citada Sociedad, Pascual Morales Sicluna[733].

Por otro lado, el lunes 15 por la mañana, el día de la Asunción de la Virgen, tuvo una especial significación en Ceuta. En la catedral tuvo lugar la bendición apostólica concedida a los habitantes de la ciudad por el papa Pío XI. Al acto concurrieron comisiones de todos los cuerpos y dependencias, presidido por el general Gómez Morato, como representante del comandante general, y enorme gentío[734]. Precisamente, unos días después, el 21 de agosto, procedente de Madrid, donde había preparado la próxima visita de los reyes y había consensuado su próximo destino, llegó el general Berenguer[735].

---

729 BOCCE núm. 62, 1 de diciembre de 1927. Comisión permanente, 8 de agosto de 1927.
730 BOCCE núm. 62, 1 de diciembre de 1927. Comisión permanente, 13 de agosto de 1927.
731 AGCE. LAC núm. 92. Comisión permanente, 21 de enero de 1928, folio 48 vto.
732 DÍAZ FERNÁNDEZ, María Dolores: Opus cit., p. 56.
733 El Telegrama del Rif, 2 de octubre de 1930.
734 El Telegrama del Rif, 16 de agosto de 1927.
735 El Telegrama del Rif, 23 de agosto de 1927.

21. Carreras en el hipódromo

También, a finales de agosto, en el campo de la Real Sociedad Hípica, en un ambiente espectacular, se corrió la prueba de honor, disputándose el "premio del Rey" consistente en una valiosa copa. Corrieron 26 caballos, ganándola el teniente de Caballería de Alcántara, Mario Merina Cid, montando el caballo español *Huiteno*. Recordemos que el 22 de enero de 1927 se habían refundido a grupos los Regimientos de Caballería Cazadores de Vitoria núm. 28 de Ceuta, Alcántara núm. 14 de Melilla y Taxdirt núm. 29 de Larache, conservándose el nombre de Alcántara por ser el más antiguo. Igualmente, en las instalaciones de la Real Sociedad Hípica de la vecina Tetuán comenzaron unos días después los concursos de otoño, habiéndose organizado un servicio especial de trenes para que pudieran concurrir los aficionados de Ceuta[736]. Tal era la afición a la hípica que, al año siguiente, el equipo nacional de equitación obtuvo la medalla de oro de los Juegos Olímpicos de Ámsterdam.

Por esas fechas se estaba preparando la Exposición Iberoamérica de Sevilla, por lo que la Junta municipal concedió una subvención de doscientas cincuenta pesetas al *Libro de Oro* de la citada Exposición. Con esta subvención, Ceuta estaría presente en dicho libro a través de diversas y laudatorias páginas. Igualmente se concedió otra subvención de doscientas cincuenta pesetas para la edición de la *Guía general de Marruecos y Guinea 1927-1928*, dirigida por Diego Valera y López-Cordón e impresa en la tipografía Parres y Alcalá, donde Ceuta iba a disfrutar, asimismo, de un amplio espacio.

Mientras tanto, ya en septiembre, la Junta municipal seguía con sus objetivos de urbanización de la barriada del Morro y del ensanche interior: "Solicitar del Excmo. Comandante General autorización para la construcción de trescientas casas en la Barriada del Morro. Incoar los correspondientes expedientes de expropiaciones para llevar a cabo el ensanche de las calles Padilla y López Pinto"[737].

22. La Asamblea Nacional Consultiva

Pero también otras noticias corrían a nivel nacional. Un año después del famoso plebiscito, se publicó el Real Decreto de 12 de septiembre de 1927 por el que se creaba la Asamblea Nacional Consultiva. Como señalan Cayetano Núñez y Rosa María Martínez: "No se trata de un parlamento en el sentido democrático-liberal del término, ya que no tendrá capacidad legislativa, ni compartirá soberanías. Se trata de un órgano consultivo que podrá recabar del gobierno el conocimiento de sus propósitos, actos y orientaciones, así como preparar una legislación general y completa que posteriormente se someterá a la aprobación de la opinión pública"[738].

Sus miembros fueron designados principalmente, según un esquema corporativo, de los sectores de la Administración (estado, municipio y provincia), diferentes sectores de la economía nacional, y representantes del movimiento ciudadano (Unión Patriótica). El control del Gobierno sobre la Asamblea era casi total. Aunque se invitó a destacadas personalidades de la izquierda burguesa, el socialismo y el mundo de la cultura a integrarse en la Cámara; sin embargo, el rechazo fue mayoritario, por lo que la composición de la Cámara fue de clara composición conservadora. Por otro lado, el fin último de la Asamblea fue concebido como una vía de normalidad, con el objetivo de la redacción de un proyecto de constitución[739]. Compuesta por 429 asambleístas, celebró su sesión de apertura el lunes 10 de octubre. Es de destacar que en la Asamblea hubo una modestísima participación femenina -el propio Primo de Rivera insistió sobre la presencia de la mujer en la Asamblea-, con

---

736   Heraldo de Madrid, 28 de septiembre de 1927.
737   BOCCE. núm. 63, 8 de diciembre de 1927. Comisión permanente, 10 de septiembre 1927.
738   NÚÑEZ RIVERO, Cayetano y MARTÍNEZ SEGARRA, Rosa María: *Historia Constitucional de España*, p. 205.
739   Ídem, pp. 205 y 206.

nombres como Blanca de los Ríos, la marquesa viuda de La Rambla, la señora Rabaneda, Dolores Cebrián, esposa de Julián Besteiro, o María Maeztú[740].

En cuanto a Ceuta, se pidió que al menos un miembro de la Asamblea fuese de la ciudad. Por otra parte, durante el mes de septiembre la Junta municipal apoyó la petición formulada por la Cámara de Comercio sobre modificación de gravámenes, y la construcción de un ferrocarril que uniera Ceuta con el interior; dos cuestiones que reivindicaría reiteradamente la citada Cámara. También se acordó la construcción de un nuevo pabellón de infecciosos, al igual que se aprobó el programa de festejos "que se celebrarán en honor de SS. MM. Los Reyes"[741]. Por último, se fijó el presupuesto de gastos e ingresos para 1928 "a la suma de 3.417.714,50 pesetas"[742].

23. Cambios en la división territorial militar del Protectorado y Ceuta

El mes de octubre el mundo militar comenzó con varios ascensos y recompensas. Con respecto a Ceuta, Federico Berenguer fue ascendido a teniente general por méritos de campaña, siendo nombrado un mes más tarde capitán general de la VII Región Militar. No obstante, seguiría al frente de la Comandancia General hasta pasada la visita de los reyes. A Gómez Morato se le concedió la Gran Cruz Roja del Mérito Militar, también por méritos de campaña. En cuanto al general Millán Astray fue nombrado coronel honorario del Tercio[743].

También, el 2 de octubre de 1927 se publicó un Real Decreto por el que quedó el Protectorado dividido en cuatro circunscripciones: Melilla, Rif, Ceuta-Tetuán y Larache, estando al frente de cada circunscripción un general de brigada; suprimiéndose las Comandancias Generales de Ceuta y Melilla. Sin embargo, el plazo de su puesta en funcionamiento efectivo se fijó hasta el 1 de enero de 1928, pues la tarea no era sencilla. De esta forma se simplificaba de forma sustancial la organización militar, a la par que se reducían efectivos y se descargaba el erario público.

El ascenso a teniente general de Federico Berenguer produjo en Ceuta gran satisfacción, recibiendo numerosas felicitaciones. Por otro lado, el día 3 llegó a la ciudad a bordo del *Hespérides* el obispo de Cádiz, quien, tras ser recibido por representaciones de todos los estamentos sociales, marchó al colegio de las Madres Concepcionistas, donde fijó su alojamiento. El objeto del viaje era recibir al monarca en la próxima visita a la ciudad[744], que estaba prevista para el día 5.

24. La visita de los reyes a Ceuta y el Protectorado

Todos los ascensos, nombramientos y cambios en la organización militar quedaron eclipsados ante la opinión pública por la noticia de la visita de los reyes a las plazas de soberanía y el Protectorado. Desde hacía unos días Ceuta era un hervidero con la llegada de corresponsales nacionales y extranjeros, visitantes de todo tipo, periódicos locales con atractivos y llamativos titulares, tertulias interminables...

La visita de los reyes fue bien preparada por la Junta municipal y la Cámara de Comercio, que exhortó a sus afiliados a que cerrasen y engalanasen sus comercios; mientras que la Junta municipal llegó a publicar un bando tipo recordatorio con un lenguaje marcadamente gestual, haciendo ver al pueblo de Ceuta la visita de los reyes como un hecho de trascendencia histórica: "¡¡Pueblo de Ceuta, vas a vivir un día histórico de la Historia de España!! ¡¡Pueblo de Ceuta, en estos días comienza una era de paz en la que te corresponde misión

---

740   La Vanguardia, 6 de octubre de 1927.
741   BOCCE núm. 63, 8 de diciembre de 1927. Comisión permanente, 17 de septiembre de 1927
742   Ídem. Comisión permanente, 19 de septiembre de 1927. Comisión permanente, 26 de septiembre de 1927.
743   ABC, 2 de octubre de 1927.
744   La Vanguardia, 4 de octubre de 1927.

CEUTA · Año 1927

Don José García Benitez, Presidente
de la Junta Municipal de esta Ciudad

HAGO SABER: Que el miércoles cinco de octubre, Ceuta se honrará con la visita de SS. MM. y del Gobierno.

España entera va a tener su atención pendiente del recibimiento que el pueblo ceutí haga a sus Soberanos, porque estamos obligados por nuestra especial situación a dar una prueba de patriotismo y amor a nuestras instituciones fundamentales que satisfaga por igual a las mayores vehemencias de los que observan desde el otro lado del Estrecho y a los mayores entusiasmos de los que nos miran desde el Protectorado español.

Si el pueblo de Ceuta y todos sus habitantes, sintieron siempre, durante tantos y tantos días de prueba, una exaltación patriótica, que fué aliciente importantísimo para el triunfo y paz que ahora se festeja; si los habitantes todos de esta hermosa población han rendido tributo de agradecimiento y fé a las seculares tradiciones que en ellos inculcaron aquellos heróicos lusitanos, reyes y capitanes, prosternados después de la pelea ante la Virgen de Africa, tiene que ser de intensísima emoción para todos nosotros ver a nuestros Reyes queridísimos rendir homenaje al valor y a la fé: al valor, entregando la insignia de la Patria a unas tropas depositarias del más puro espíritu militar y a la fé entonando una salve en el mismo recinto que en el siglo XV la musitara Don Juan I.

¡¡Pueblo de Ceuta, vas a vivir un día histórico de la Historia de España!! ¡¡Pueblo de Ceuta, en estos días comienza una era de paz en la que te corresponde misión importantísima de trabajo y acumulación de energías!! Y se te ofrece un día para demostrar a Don Alfonso XIII que te das cuenta de tal misión y de tus compromisos para con la Patria y la Monarquía.

¡¡Viva España!! ¡¡Viva el Rey¡¡ ¡¡Vivan SS. MM.!!

José García Benitez

NOTA.—El día cinco se colgarán todos los balcones. Por la noche se iluminarán las fachadas. Con toda urgencia procederá cada vecino al blanqueo o pintado de su respectivo domicilio, especialmente en las calles Edrisis, Martínez Campos, San Juan de Dios, Avenida de Villanueva, Plaza de Prím, Calle de Gómez Pulido, Camino Nuevo, Plaza de Ruiz, Calle de Camoens, Plaza de Alfonso XII, Calle General Primo de Rivera, Plaza de Azcárate, la de Torrijos, Calle de Don Juan I de Portugal, la de Brull, Pozo del Rayo, López Pinto y General Gómez Jordana; advirtiendo que hasta el día cuatro del mes de octubre próximo quedan relevados los vecinos de solicitar permiso y de pagar arbitrios por los pintados y encalados de fachadas que realicen.

TIPOGRAFÍA PARRES Y ALCALÁ-CEUTA

Bando recordatorio editado por la Junta municipal con motivo de la visita de los Reyes. AGCE.

Las salvas, Mariano Bertuchi. África, Revista de Tropas Coloniales, octubre de 1927.

Alfonso XIII revistando a las tropas a su llegada a Ceuta. Cortesía de Rosa Ros Amador.

importantísima de trabajos y acumulación de energías!!", añadiendo una nota en la que se instaba a colgar todos los balcones, y señalando que por la noche se iluminarán las fachadas, además de instar a los vecinos al blanqueo o pintado de sus respectivos domicilios, especialmente por las calles donde iba a pasar la comitiva real.

No era la primera vez que el monarca visitaba la ciudad norteafricana, ya lo había hecho en dos ocasiones, en 1904 y 1909, cuando imperaban las tensiones internacionales. Pero, en esta oportunidad, la situación era completamente distinta. Llegaba con la aureola de haberse acabado la guerra, de certificar la paz con su presencia y de anunciar al mundo un nuevo periodo de prosperidad en las plazas de soberanía y en el Protectorado. Sin embargo, también arrastraba el sinsabor de no haber estado en la zona de guerra cuando la situación lo había requerido; sobre todo en 1921, con el desastre de Annual, o en 1924, con el doloroso repliegue de Xauen. En cuanto a la reina, era la primera vez visitaba estas tierras, aunque se le había esperado en un par de ocasiones -recordemos, por ejemplo, la cancelación de la visita de la primavera de 1924-. No obstante, la visita real sería un éxito total.

24.1. Día 5, Algeciras y Ceuta

Para esperar la llegada de los reyes en Algeciras un inmenso gentío, en el que formaba, además del vecindario en masa, un extraordinario número de forasteros llegados de todos los pueblos de la provincia, se congregó en los alrededores de la estación y calles del trayecto que había de recorrer la comitiva regia. En la estación, que estaba profusamente adornada, esperaban Primo de Rivera, el general Sanjurjo, el infante don Carlos, el alcalde de Algeciras y otras autoridades. Poco después de las nueve de la mañana llegó el tren real. Inmediatamente, tras los saludos protocolarios, se dirigieron al muelle, embarcando en el acorazado *Jaime I* que zarpó para Ceuta. Escoltaba al *Jaime I* una flotilla de submarinos, los cruceros *Reina Victoria Eugenia* y *Méndez Núñez*, y el acorazado *Alfonso XIII*. Previamente habían partido el *Miguel Primo de Rivera* y el *Vicente Puchol*, de la Trasmediterránea, con los invitados y séquito.

Y a las doce y media del miércoles día 5 de octubre fondeó la espléndida escuadra en Ceuta. Las baterías de la plaza, con las 21 salvas de ordenanza, saludaron al pabellón real que arbolaba el acorazado[745], desembarcando los reyes en una gasolinera que, rodeada de numerosas embarcaciones empavesadas, se dirigió al muelle de la Puntilla. Mientras, los buques surtos

———————

745   El Correo Gallego, 6 de octubre de 1927.

en el puerto tocaban insistentemente las sirenas y treinta aeroplanos evolucionaban sobre las embarcaciones, ejecutando vistosas maniobras. Según las crónicas, el momento de atracar la gasolinera fue hermoso. Y la muchedumbre, que esperaba ansiosa la llegada de los soberanos, atestando los muelles y lugares próximos, prorrumpió en vivas y aplausos frenéticos.

Al desembarcar se hallaba formada una compañía de Artillería, con bandera y música. Allí esperaban a los reyes los generales Sousa, Federico Berenguer, Burguete, Millán Astray y Gómez Morato, una representación del Ejército francés, un representante del jalifa, muchísimos musulmanes notables, comisiones militares y civiles, y enorme gentío. En el muelle se había levantado una tribuna, a la que pasaron los reyes para presenciar el desfile de las tropas, que resultó brillantísimo.

24.2 Día 5, Dar Riffien

Terminado el desfile, los reyes montaron en automóvil acompañados del general Primo de Rivera. Al costado, actuando de correo de gabinete, iba a caballo el general Sanjurjo. Mandaba la línea el comandante general de Ceuta, Federico Berenguer. En el comienzo de la carrera había una harca de a pie y a caballo, y cubriéndola, los Regulares y la Mehala con trajes de gala. La comitiva atravesó la población, que se encontraba espléndida, con los balcones engalanados y las calles relucientes, pasando por los arcos de triunfo que se habían levantado entre vítores y aplausos, marchando hacia Dar Riffien, el campamento de la Legión.

En el citado campamento se había levantado una arco monumental que decía "La Legión a sus Reyes"; mientras que en la gran explanada, que se hallaba profusamente adornada, se levantó una artística tribuna, al lado de la cual había un altar, y a los lados otras tribunas para los invitados. Frente a la tribuna regia cinco banderas del Tercio, mandadas por el coronel jefe, Sanz de Lerín.

El momento en que llegaron los soberanos, las tropas, al unísono, presentaron armas y las bandas interpretaron la Marcha Real. En los alrededores del campamento se agolpaba enorme público, que vitoreó a los soberanos. El rey revistó las fuerzas, pasando seguidamente a la tribuna con la reina, el jalifa, el gran visir, el jefe del Directorio, el jefe del gabinete diplomático francés y otras personalidades.

El acto comenzó descendiendo de la tribuna la reina, quien, al hacer la entrega de la bandera, leyó unas cuartillas que comenzaban con estas sentidas palabras: "La bandera que recibís lleva ya en cada una de las puntadas de sus bordados, una gota de sangre heroica, que los hombres a quienes se destina, ofrecieron como anticipo a la gloria, para que llegue a vuestras manos". Por su parte, el coronel del Tercio contestó con un emotivo discurso en el que expresó el alto honor que significaba recibir la bandera de manos de la reina.

Después de la entrega de un banderín, un guion y diversas condecoraciones, tuvo lugar el desfile de los legionarios y de los notables indígenas del territorio, que eran portadores de valiosos presentes. Las ceremonias de Dar Riffien tuvieron por remate el acto de nombrar coronel honorario del Tercio al general Millán Astray. Finalmente, fue servido un espléndido banquete[746].

24.3. Día 5, vuelta a Ceuta

Terminado el banquete, los reyes emprendieron el regreso a Ceuta, a donde llegaron a media tarde. Tras descansar unos momentos en la Comandancia General, se sirvió a los invitados un té a las cuatro y media, estando presentes el jalifa, gran visir, principales autoridades y personalidades[747].

---

746 La Vanguardia, 6 de octubre de 1927.
747 Ídem.

Mientras tanto, era las seis de la tarde cuando Alfonso XIII llegó a la empresa petrolífera Ybarrola con el fin de inaugurar oficialmente sus instalaciones. Por su parte, la reina Victoria Eugenia se encontraba en esos momentos visitando el Hospital de la Cruz Roja, en las inmediaciones de la plaza de Azcárate. Su paso por las calles fue acompañado por un vecindario completamente rendido, en medio de aplausos, vivas y numerosas muestras de cariño. Ya en el hospital, al que la reina le hubiese gustado visitar en anteriores ocasiones –la reina era la presidenta de la Cruz Roja-, impuso los brazaletes a las nuevas enfermeras.

A continuación, los soberanos se reunieron en el Santuario de Nuestra Señora de África, donde se celebró una solemne salve. Allí esperaba la llegada de los reyes una inmensa multitud, que los aclamó delirantemente. Fueron recibidos a la puerta del Santuario por el obispo de Cádiz, revestido de pontifical. Entraron en el templo bajo palio que llevaban seis

Palacio municipal. Cortesía de Diego Sastre.

canónigos del Cabildo catedral de Ceuta. Detrás marchaban el jefe del Directorio y sus dos hijas, los generales Sanjurjo, Berenguer y el séquito, y numerosos jefes y oficiales. Los reyes ocuparon un sitial en el altar mayor, que estaba profusamente adornado. Ofició el obispo de Cádiz, quien dio al final la bendición apostólica.

Tras la ceremonia religiosa se dirigieron al Ayuntamiento para asistir a la recepción oficial. Primero desfilaron las personalidades civiles, después el estamento militar y, finalmente, las damas de la Cruz Roja. El acto fue amenizado por una banda militar y por la nuba y tambores indígenas. Seguidamente, los soberanos se asomaron al balcón principal del Ayuntamiento y saludaron a los ceutíes, que los vitoreó agradeciendo el gesto.

A las nueve y cuarto se celebró el anunciado banquete de gala a bordo del *Jaime I* ofrecido por los monarcas en obsequio a las autoridades locales y representaciones marroquíes y extranjeras que habían asistido a la ceremonia de Dar Riffien. El puerto presentaba un aspecto magnífico, iluminados los buques y embarcaciones. También lucía hermosa iluminación la ciudad, reinando en las calles una extraordinaria animación. Al igual que los reflectores del monte Hacho enviaban sin cesar deslumbrantes haces de luz sobre el puerto y la ciudad. Después del banquete, en la Real Sociedad Hípica hubo una animada verbena, que honraron los monarcas con su presencia[748].

24.4. Día 6, Tetuán

A las diez y media partieron los reyes de Ceuta, presenciando la salida un gentío inmenso, que les tributó una despedida entusiasta.

Entraron en Tetuán en medio de delirantes ovaciones dirigiéndose a la plaza de España donde les dio la bienvenida el bajá, al cual acompañaban comisiones de notables indígenas y caídes, representantes de la colonia hebrea y jefes de los cuerpos y fuerzas vivas. Un gen-

---

748   ABC, 6 de octubre de 1927.

tío enorme ocupaba por completo la plaza, que lucía un aspecto espectacular. Por su parte, los balcones y azoteas estaban abarrotados de tetuaníes.

En la puerta de la Alta Comisaría recibió a los soberanos el general Sanjurjo. Después de los saludos de rúbrica, los reyes se dirigieron al cementerio, donde se desarrolló una escena emocionante. Se detuvieron ante la tumba del general Jordana y depositaron una corona de flores ante el monumento de la campaña que terminó con la ocupación de Tetuán. En este momento se hizo un silencio conmovedor.

Terminada la visita al cementerio, marcharon a la alcazaba. Desde el mirador contemplaron el magnífico panorama. También se impresionaron varias películas. A continuación se dirigieron a la Residencia de los Padres Franciscanos, siendo recibidos en la puerta por el obispo de Gallípoli y los miembros de la Comunidad. Después entraron en el templo bajo palio, cuyas varas llevaban los propios franciscanos. Los reyes ocuparon los reclinatorios frente al altar mayor y se cantó una solemne Salve. A continuación, los soberanos visitaron la sacristía y demás dependencias de la Comunidad.

Desde allí se dirigieron de nuevo a la plaza de España, donde presenciaron el desfile de las tropas, resultando el acto grandioso. Terminado el desfile, se trasladaron a la Residencia, donde a la una y media comenzó una recepción que resultó brillantísima. Posteriormente almorzaron en sus jardines. Durante la comida reinó alegría, mientras que los reyes se mostraban encantados del recibimiento que les había tributado la población de Tetuán.

Acabada la comida, el rey se dirigió en automóvil a Ben Karrich, desde donde contempló gran número de poblados que constituían la clave del camino de Xauen. Luego se dirigió a Loma Artillera, que tan importante papel había desempeñado en la campaña. Por su parte, la reina estuvo en la medina, donde se produjeron variadas y simpáticas anécdotas, dirigiéndose a continuación al Hospital de la Cruz Roja, a donde llegó el rey cuando su esposa estaba terminando la visita. Desde dicho hospital se dirigieron de nuevo al palacio de la Residencia, donde, a las seis, se sirvió un té a la usanza del lugar[749].

A las ocho de la noche, cuando los últimos rayos del sol sonrojaban el paisaje, emprendieron el regreso a Ceuta en automóvil. En la puerta de la Residencia y en las calles se congregó un público numerosísimo, que tributó a los soberanos una despedida entusiasta. En todos los montes se habían encendido numerosas hogueras en señal de regocijo; igualmente contingentes de las cabilas del Yebala habían enviado grandes grupos, que se extendieron por la carretera con hachones encendidos, produciendo un efecto fantástico[750].

24.5. Día 6, vuelta a Ceuta

Al llegar los reyes de nuevo a Ceuta fueron recibidos por las autoridades civiles y militares y la población en masa, que les vitoreó con un entusiasmo indescriptible. Poco después se celebró en el salón del trono del Ayuntamiento una cena de gala, que terminó a primera hora de la madrugada, ofrecida por la Junta municipal. La noche estaba espléndida.

En la mesa formaba la presidencia de honor el rey, quien tenía a su derecha a la reina, al presidente del Directorio y señora del presidente de la Junta municipal, y a su izquierda, la duquesa de San Carlos y presidente de la Junta municipal.

Otra presidencia la formaba el ministro de la Guerra, que tenía a su derecha a la duquesa de la Victoria, y a su izquierda a la señora de Bastos. En otra presidencia estaba el ministro de Marina, que tenía a la derecha a la señora del contralmirante García Velázquez, y a la izquierda a la señora de Sancho.

---

749 La Vanguardia, 7 de octubre de 1927.
750 ABC, 7 de octubre de 1927.

En otros puestos estaban los generales Dámaso Berenguer, Burguete, Muslera, obispo de Cádiz, gran visir, duque de Miranda, marqués de Bendaña, contralmirante García Velázquez, duque de la Victoria, el delegado general del Protectorado, agregados militares de los Estados Unidos, Francia e Italia, el inspector de los reales palacios, el director de Trasmediterránea, el cónsul de Tetuán, el juez de instrucción, el auditor de guerra, el presidente de la Cruz Roja, el comandante del *Jaime I*, el director del Fomento del Protectorado, el presidente de la Cámara de Comercio, el presidente de la Unión Patriótica, coroneles de los cuerpos de la guarnición, el vicealmirante Yolif, vocales y altos funcionarios de la Junta municipal, el comandante de Marina y otras distinguidas personalidades, hasta el número de ciento cincuenta. El salón de actos del palacio municipal, que se había inaugurado para este acto, presentaba radiante y artístico aspecto, llamando la atención de los soberanos.

Al iniciarse los brindis, el presidente de la Junta municipal ofreció el homenaje a los reyes, enalteciendo la heroica labor del Ejército, secundando las felices iniciativas soberanas. Terminó agradeciendo la visita regia a este pueblo, "que tan elevados tiene los sentimientos de amor a la patria y a la monarquía". En medio de gran expectación se levantó a hablar el monarca, durante largo tiempo la clamorosa y delirante ovación que se le tributó.

Después de agradecer el homenaje que se les ofrecía, manifestó que en la empresa de Marruecos su labor no había sido otra que la de confianza en el heroico Ejército español y en los caudillos que habían sabido llevarlo a la completa victoria: "Ahora nos queda—dijo—una segunda labor interesante: la de consolidación civil del protectorado, como hizo España en América hace doscientos años, confiando en la acertadísima labor del gobierno y en la providencia que vela por España". Igualmente, enalteció la importancia de Ceuta, por su situación geográfica, como base primordial para el desarrollo de los intereses de España en Marruecos y como nudo de comunicaciones de tres continentes.

Una delirante ovación coronó las palabras de Alfonso XIII. Seguidamente, el general Primo de Rivera dijo que, aunque fuera quebrantamiento del protocolo, "no quería dejar de enaltecer el prestigio del Ejército y recordar a su invicto caudillo, el general Dámaso Berenguer, que tan brillantes hechos de armas realizó en esta tierra, sufriendo la amargura de hechos de los cuales no tuvo la culpa", y, por tanto, proponía al rey, como recompensa de sus virtudes y dotes militares, la concesión del condado de Xauen. El momento fue de intensa emoción. Todos los comensales aplaudían y vitoreaban a "España, al Rey y al Ejército".

El rey, en medio de un gran silencio, se levantó nuevamente para decir que aceptaba la propuesta del presidente del Consejo y en aquel momento confería al general Dámaso Berenguer el título de conde de Xauen. Cuantos escucharon la declaración, prorrumpieron en vivas y aplausos.

El general Berenguer, visiblemente conmovido, agradeció las palabras del jefe del Gobierno, manifestando que el honor que le dispensaban el rey y su compañero de campaña le compensaba de todas sus luchas y borraban sus amarguras. Seguidamente se acercó al monarca, el cual le abrazó, como igualmente al presidente del Consejo. Los comensales aplaudieron vitoreando al rey, a la reina, a Primo de Rivera y a los hermanos Berenguer.

Amenizó el banquete la banda del Tercio dirigida por el maestro Córdoba. El presidente de la Junta municipal entregó al rey un folleto de las orientaciones sobre nuevas obras y servicios municipales, lujosamente encuadernado en piel. Los soberanos firmaron en el álbum de la ciudad, como igualmente lo hicieron Primo de Rivera y otras personalidades. El presidente de la Junta recibió del monarca una importante cantidad para fines benéficos.

También el presidente de la Cámara de Comercio, Manuel Delgado Villalba, entregó al monarca un cheque, importante veintiséis mil pesetas, para la Ciudad Universitaria. Seguidamente, los monarcas y su séquito marcharon a los jardines de la Real Sociedad Hípica, donde permanecieron hasta las dos de la madrugada, embarcando a continuación, para zarpar una hora después con dirección a Melilla. Enorme gentío de todas clases sociales les tributó una grandiosa despedida[751].

Por último, cabe anotar que los gastos de la Junta municipal con motivo de la visita real ascendieron a 133.472,1 pesetas[752]. También la Cámara de Comercio había invertido 5.500 pesetas en la construcción de un arco de homenaje[753].

25. Los guardianes de la memoria gráfica

Uno de los fotógrafos que mejor inmortalizó la visita de los reyes a Ceuta y el Protectorado fue el cartagenero Bartolomé Ros, que apenas contaba 21 años de edad. Llegado a este punto, no podemos pasar por alto, ni dejar de mencionar, el gran valor testimonial de los trabajos fotográficos que realizaron varios artistas que dieron su visión personal de Ceuta y el Protectorado.

Aunque desde el siglo XIX ya se habían instalado algunos estudios fotográficos en Ceuta, no obstante, con la creación del Protectorado, su número fue aumentado. A principios del siglo XX son dos grandes estudios los que se repartían el mundo fotográfico ceutí: Antonio Vidal, Méndez Núñez, 1; y Casas Fotógrafo, Marina, 18. En cuanto al retrato, destacaba Luis Arbona Rodríguez, que se instaló en Ceuta a finales del siglo XIX. Años más tarde se asoció al fotógrafo Ángel Vidal, pero esta unión sólo duró dos años. El "Gabinete fotográfico Vidal y Arbona" se anunciaba como "procedimiento rápido de gelatina bromuro de plata, Mendoza, 1.

Luis Arbona Rodríguez, primero de una larga saga de fotógrafos que se instaló en Ceuta a finales del siglo XIX. Cortesía de Jorge Arbona.

Ceuta. Retratos de todas clases de tamaños". En 1913 aparece en el mismo domicilio como "Arbona-fotógrafo", aunque años después se instalaría en la calle Primo de Rivera.

En 1909 llegó a Ceuta José Calatayud Aznar, joven fotógrafo que en 1914 fundó uno de los gabinetes más importantes de la ciudad. Junto con su hermano Manuel dirigieron la empresa ceutí, con sucursal en Tetuán entre 1920 y 1956, de la que salieron multitud de fotografías y tarjetas postales. También fueron corresponsales de prensa gráfica en revistas tan importantes como *La Unión Ilustrada* o *Blanco y Negro*. En 1926 el estudio Calatayud estaba en la calle Camones núm. 20.

Bien entrado el siglo XX se instalaron los fotógrafos Barceló y Rubio. Su presentación fue anunciada en el diario *El Defensor de Ceuta*: "La fotografía predilecta del público de gusto, artísticos retratos al pigmento, la única casa que ofrece al público tan maravilloso procedimiento". Sobre 1918 Ángel Rubio se separó de Barceló, creando su propio estudio. Fue Rubio un gran reportero de calle junto con su hermano Arturo. Sus imágenes marcan la historia de Ceuta, como la visita de los infantes, en 1915, la inauguración del ferrocarril Ceuta-Tetuán, en 1918, la proclamación de la II República, con el histórico momento de la izada de la bandera tricolor desde el balcón del Ayuntamiento, desfiles, juras de banderas… Publicó una portada en la revista *National Geographic Magazine*. En los años veinte era el

751   ABC, 7 de octubre de 1927. La Vanguardia, 8 de octubre de 1927.

752   AGCE. LAC núm. 91. Comisión permanente, 5 de noviembre de 1927, folio 184.

753   ALARCÓN CABALLERO, José Antonio: *La Cámara de Comercio, Industria y Navegación de Ceuta: un siglo en la historia económica y social de Ceuta (1906-2006)*, p. 378.

principal fotógrafo de prensa de la ciudad. Tras el fallecimiento de Ángel Rubio, en 1925, su viuda, María Machaviello, traspasó su estudio a manos de su hermano Francisco, instalándose en la calle Real, 32, laborando junto a ellos los retocadores Francisco Carmona, Rafael González y Antonio Alcázar.

Con respecto al susodicho Bartolomé Ros y Ros (Cartagena, 1906-Madrid, 1974), llegó a Ceuta en compañía de sus padres y de su única hermana en 1918. Pronto empieza a trabajar con el fotógrafo Ángel Rubio -aunque hay quien afirma que fue con José Calatayud- y adquirió los primeros conocimientos de la técnica fotográfica. Precoz por necesidad, empezó a ejercer la fotografía a los quince años de edad. En las imágenes que nos ha legado encontramos hoy no solamente una belleza profunda y una técnica depurada, sino todo un carácter. Ejerció en Ceuta y la zona norte de Marruecos y sus fotos fueron publicadas en las revistas y periódicos más importantes de la época. Fue también fotógrafo colaborador de la National Geographic Society de Washington. Antes de cumplir la mayoría de edad, entabló relaciones comerciales con la firma alemana AGFA, desarrollando desde entonces una actividad comercial que le ha sobrevivido. En las ciudades donde se estableció, su nombre comercial fue Casa Ros[754].

Según el *Anuario-Guía Oficial de Marruecos y del África española (comercio y turismo), 1930*, los fotógrafos instalados en Ceuta eran Antonio Bernal, José Calatayud, Camoens, 20. Viuda de Rubio, Primo de Rivera, 28. Herederos de Luis Arbona, Primo de Rivera, 35. Francisco Costa Salas. Casa Ros, Camoens. Artículos de fotografía, Manuel Vila, Primo de Rivera, 25. En cuanto a los corresponsales gráficos, el citado *Anuario-Guía* recoge a Francisco Rubio, José Calatayud, Francisco Costas, Bartolomé Ros o Julio Albalat, pasaje Matres, 7. También el incansable y polifacético López Rienda tuvo una faceta de corresponsal gráfico, sobre todo para *La Unión Ilustrada* de Málaga.

26. De la catedral laica a las chabolas

Tras la visita de los reyes, la permanente dio un voto de gracia al vicepresidente Federico Illana "por el celo y actividad e iniciativa demostrada en la organización de los festejos celebrados en honor de SSMM los Reyes". También acordó nombrar una comisión para que en representación de la Junta asistiera a los festejos en celebración por la terminación de la Campaña de Marruecos y homenaje al Ejército que iba a tener lugar en Zaragoza[755]. Por otro lado, se adjudicó al proponente José Blein el concurso anunciado para el levantamiento de planos taquimétricos; al igual que se le adjudicó a Francisco Palma García las obras de un nuevo pabellón para infecciosos. También se le concedió la jubilación por inutilidad al médico de la beneficencia Manuel Matres Toril[756]. Por último, se aprobó el acta de recepción definitiva de las obras de construcción de un urinario en la calle Martínez Campos -antigua calle de la Muralla-. Como es natural, aquel detalle no pasaría desapercibido por el carnaval del siguiente año:

> Tenemos un urinario moderno,
> señores en esta ciudad,
> situado en la calle Muralla
> que es muy digno de admirar[757].

Unos días después, la permanente quedó "enterada" del resultado de las gestiones realizadas por las comisiones que fueron a Zaragoza y Madrid. Asimismo se dio cuenta de que el comandante general Federico Berenguer se había ofrecido para apoyar "cuanto en benefi-

---

754 ROS, Rosa: 'Bartolomé Ros: a través de un objetivo', s.p.
755 BOCCE. núm. 63, 8 de diciembre de 1927. Comisión permanente, 8 de octubre de 1927.
756 BOCCE. núm. 63, 8 de diciembre de 1927. Comisión permanente, 15 de octubre de 1927.
757 SÁNCHEZ MONTOYA, Francisco: Opus cit., p. 31.

cio de Ceuta se refiera"[758]. También se acordó solicitar a través de la Dirección General de Marruecos y Colonias la creación "en esta ciudad un instituto de segunda enseñanza"[759].

Volviendo a la realidad ceutí, pasadas unas jornadas de la visita real la Junta municipal acordó "tomar en consideración" colocar en el palacio municipal dos lápidas conmemorativas de la estancia de los reyes y del acto en que fue solicitado el condado de Xauen para el general Dámaso Berenguer[760]; condado que le sería concedido el 4 de mayo de 1929. Con respecto al recién inaugurado palacio municipal, se había puesto la primera piedra el 5 de agosto 1914 y desde el verano de 1925 se habían empezado a trasladar los funcionarios municipales. Recordemos, asimismo, que fue durante las fiestas patronales de 1925 cuando tuvo lugar un baile de gala en los salones del palacio municipal. Se terminaría en 1926[761]. Obra del arquitecto provincial de Cádiz, José Romero Barredo, el edificio está compuesto por dos piezas rectangulares simétricas en altura y asimétricas en longitud, dispuestas en ángulo recto, y formando rótula entre ellas una pieza cilíndrica, en la que está su entrada, con escalinata de mármol, historiado zócalo talaverano de Luis de Luna y vidrieras, también historiadas, diseñadas por Bertuchi, coronada por una cúpula decorada con guirnaldas, que le da carácter y personalidad al conjunto. De estilo ecléctico, una de las dependencias más importantes del edificio es el salón del trono o de Fiestas, de estilo francés, que está decorado con tres pinturas ovaladas de los Reales Sitios de Bertuchi, y estucos y escayolas del escultor Cándido Mata Cañamaque (1883-1970)[762].

26.1. Las grandes construcciones

Además del palacio municipal, un edificio que estaba en plena construcción en 1927 era la Casa Trujillo. Ambos edificios marcarían un antes y un después en el perfil urbano de la ciudad, al igual que se convertirían en sendos referentes para el ensanche del espacio comprendido entre los dos fosos. A partir de entonces, todos los planes futuros contemplarían una "gran vía" como eje neurálgico entre ambas edificaciones. Como nexo, el citado puente de la Almina, que se había convertido en uno de los grandes proyectos de la Junta municipal primorriverista. Cabe añadir que por aquellos años era frecuente que los arquitectos firmasen los proyectos anteponiendo la palabra "Casa", seguida del nombre del propietario "Delgado", "Trujillo", "Marañés"…

La Casa Delgado se construyó entre 1910 y 1913; sin embargo, la Casa Trujillo se convirtió desde el primer momento en el símbolo de esa época de prosperidad, de la ciudad nueva y su modernidad, como así dejó escrito José García Benítez: "Ceuta está situada entre las vías comerciales más importantes del mundo, lo mismo que aquella antiestética pescadería del Rebellín estaba situada con relación a la Almina, en el mismo estratégico sitio comercial donde hoy se levanta la casa de 'Trujillo', y esto parece un símbolo del pasado y del provenir de nuestra histórica ciudad"[763].

Obra del arquitecto balear Andrés Galmés Nadal, es una construcción exenta, situada en un lugar estratégico de la población, entre las calles Gómez Pulido, General Jordana y Alférez Baytón, frente al jardín de Prim y el citado puente de la Almina. De planta prácticamente trapezoidal y levantada sobre una superficie de unos ochocientos metros cuadrados, comenzó a construirse en 1925, dándose sus últimos retoques en 1928. En su exterior destacan dos potentes torres rematadas con agujas, que le dan una prestancia y una personalidad únicas; semejando una catedral laica. En su interior sobresalen su hermoso distribuidor y su

758 BOCCE. núm. 63, 8 de diciembre de 1927. Comisión permanente, 22 de octubre de 1927.
759 Ídem. Comisión permanente, 29 de octubre de 1927.
760 ABC, 19 de octubre de 1927.
761 Era alcalde Demetrio Guillén Conde y comandante general de Ceuta Ramón García Menacho. GARCÍA COSÍO, José: *Ceuta, historia gráfica*, p. 97.
762 GÓMEZ BARCELÓ, José Luis: *Palacio de la Asamblea, guía de visita*, pp. 14-22.
763 VVAA: *Libro de Ceuta*, p. 169.

La Casa Trujillo y el nuevo puente de la Almina. Cortesía de Diego Sastre.

monumental y sobrecogedora escalera de caracol, coronada por una linterna rematada por un casquete, con decoración estrellada neo mudéjar. Los primorosos trabajos de estuco son obra del mencionado escultor y decorador jerezano Cándido Mata Cañamaque, autor también, como se ha señalado, de los estucos del palacio municipal. Además, Cándido Mata dejó su impronta en otras construcciones ceutíes, como el Hotel Majestic o la Casa Delgado, construcción modernista situada en la calle Gómez Pulido, y anteriormente en el Teatro Cervantes de Tánger. Por su parte, también Galmés Nadal firmó en 1926 los planos de la Casa Demetrio Casares. Esta casa, de cuatro plantas con elementos decorativos de palmetas a ambos lados de la fachada, imitando sendos paneles de sebkas, se encuentra en el solar en el número 11 de la calle Jáudenes. Galmés Nadal había nacido en Manacor en 1896. Obtuvo su título en Madrid en 1920, y pronto consiguió por concurso la plaza de arquitecto en la Alta Comisaría. En 1925 se afincó en Ceuta, donde realizó, como se ha visto, diversos encargos. En 1932 se trasladaría al Servicio de Catastro de Cádiz, y definitivamente a las islas Baleares, donde moriría en 1970.

Por otro lado, la citada Casa Trujillo se convirtió en la punta de lanza de un tipo de construcción sólida y robusta, que se fue extendiendo por toda la ciudad desde la calle Martínez Campos, que había empezado su expansión en la década anterior, puente de la Almina, Gómez Pulido, plaza del Teniente Ruiz, Camoens, plaza de Alfonso XII, Primo de Rivera -pasando por la plaza de Azcárate y Hospital de la Cruz Roja-, hasta la plaza de Torrijos, además de las calles que embocan a esta gran dorsal en forma de espina, como la avenida Villanueva, Canalejas, Serrano Orive, etc., que fue desposeyendo a Ceuta, sin complejo alguno, con determinación y firmeza, del aire típico de los pueblos andaluces. Otra calle singular que también fue creciendo con construcciones modernas fue López Pinto (la Marina), que, bordeando el mar, con hermosas vistas al puerto y al Estrecho, enlazaba con la calle General Jordana y jardín de Prim (San Sebastián).

Fueron tres principalmente los arquitectos que firmaron la mayoría de los planos de las edificaciones ceutíes; nos referimos a los citados Santiago Sanguinetti, Gaspar Blein y José Blein; aunque también hubo otros que dejaron su impronta en la ciudad, como el susodicho Andrés Galmés Nadal, José Larrucea Garma, Alejandro Ferrant, Luis Vegas, el ingeniero Francisco de Paula Gómez o José Mª Escriñá, por poner unos ejemplos.

Casa Marañés. AGCE.

Además de los mencionados edificios, como culminación de la arquitectura de la época primorriverista podemos señalar dos hermosas construcciones: la Casa García y Aguilar y la Casa Marañés.

Los planos de la denominada "Casa de alquiler para los señores García y Aguilar", están firmados por los hermanos Gaspar y José Blein en octubre de 1927. Construida sobre una superficie triangular de 212,10 metros cuadrados, en la calle Isabel Cabral núm. 4, consta de planta baja y seis plantas. Fueron sus promotores José García y Antonio Aguilar, propietarios de una ferretería sita en la calle Martínez Campos núm. 26. La Comisión permanente autorizó su construcción el 13 de agosto de 1928. Edificio vanguardista afecto al art-decó, se encuentra embutido entre edificios y calles estrechas -Cabral y Mina- y una pequeña plaza, por lo que si apenas se puede apreciar su verdadero empaque.

En cuanto a la Casa Marañés, aunque en realidad en los planos figura "Casa para D. Joaquín Marañés Franco", es un potente y hermoso edificio, algo lejano de las últimas construcciones vanguardistas afectas al art decó, maquinismo o racionalismo, que hace esquina entre las calles Primo de Rivera y Serrano Orive, y ocupa una superficie de 264,30 metros cuadrados, está firmado en Madrid en febrero de 1929 por el arquitecto Julio Jiménez Castedo. Aquí también dejó su sello inconfundible el citado escultor y decorador Cándido Mata. Cuatro tiendas con cuatro sótanos anexos a las mismas, una vivienda para portero y siete pisos más, cada uno de ellos a su vez con dos viviendas, con azotea y lavaderos, más dos patios interiores lo configuran. Tenía la altura máxima permitida "para los edificios cuyo solar reúnan las condiciones de emplazamiento que el que nos ocupa"; en otras palabras, se salía claramente de la tónica general, por lo que se convirtió en el orgullo de muchos ceutíes, aunque también tuvo sus detractores. Su construcción fue aprobada en la Comisión permanente de 6 de mayo de 1929. Fue el ingeniero y arquitecto Federico Tárrega, que gozaba de un gran prestigio como constructor, el técnico de la contrata (tres años después Tárrega también presentaría un precioso proyecto para el nuevo mercado de abastos del arquitecto R. Gascuñana, de estilo neo mudéjar, con abundante empleo del azulejo, que no saldría elegido). No obstante, a pesar de la contundencia de la Casa Marañés -fachada de 26,7 m y poco más de altura-, la gran mayoría de las edificaciones ceutíes de esta época no sobrepasaban las cuatro o cinco plantas; es decir, no llegaban a los veinte metros de altura.

Esta configuración en altura ha servido para perfilar la tipología urbana actual de Ceuta. Con respecto a la alineación, las propias ordenanzas municipales dictaban: "Art. 1044. No se consentirá salirse fuera de las líneas oficiales para la calle con ningún cuerpo avanzado que forme parte integrante de la construcción así como tampoco con retallos y molduras". "Art. 1047. Una vez aprobado por la superioridad el proyecto de alineación de una calle o plaza, todas las casas de ella quedan de hecho obligadas a entrar en línea según se vayan demoliendo o reedificando, sin perjuicio de las indemnizaciones que corresponda al propietario o al Ayuntamiento según los casos".

En cuanto a los estilos arquitectónicos, esta época de fiebre constructora se enmarca entre un *art nouveau* muy tardío, por lo que hay pocos ejemplos de este estilo, y el art decó y el racionalismo, que empezaban a manifestarse más claramente al final del periodo primo-rriverista, y van a venir de la mano, sobre todo, de los hermanos Blein Zarazaga (Gaspar y José), y otros arquitectos de menor presencia en la ciudad, como el susodicho José Larrucea Garma, afín al art decó, que firmará en 1927 la Casa Parres de la calle López Pinto. Así que un regionalismo muy matizado, el historicismo y el eclecticismo serán los estilos que convivan principalmente en Ceuta durante esos años.

Estas icónicas construcciones, algunas con desahogados balcones abalaustrados y todo un repertorio de elementos decorativos de diferente signo, junto a las numerosas obras de ensanche -el otro gran caballo de batalla de la Junta municipal-, alcantarillado, adoquinado, acerado, iluminación y embellecimiento, levantaban los ánimos de los ceutíes, que habían vivido épocas más lacónicas apenas unos años atrás, cuando la ciudad era un penal. También, estas nuevas edificaciones traían otros aires de modernidad; empezando a proliferar los ascensores, los cuartos de baños completos, habitaciones ventiladas, luminosas y soleadas, amplios y atractivos escaparates... Y así es como veía Ceuta el juez municipal Cándido Lería Lanzac en 1927, en pleno periodo expansivo:

> "Libre de obstáculos, gracias al decisivo impulso dado por Alfau, cuyas últimas sacudidas aún vibran, la población civil de Ceuta creció rápidamente. Alrededor de aquel primitivo núcleo de ciudadanos se establecieron gentes de fuera, venidas de la Península, y se constituyeron círculos sociales cada vez más amplios y fecundos hasta llegar a formar la Ceuta de hoy. A la vista está. Su progreso es innegable. Quizá algo rápido y precipitado, pero tal vez sea por el ansia natural de desquitarse del ominoso tiempo pasado. Se construyen casas suntuosas, funcionan ascensores, se ensanchan calles, se inician GRANDES VÍAS, la gente no cabe en tiendas y cafés e invaden las aceras, el tránsito rodado complica la circulación, la matrícula de autos alcanza cifra increíble, el comercio vive próspero y floreciente. La gente, ávida de diversiones, que no sean muy caras, llena los cines y enriquecen a los empresarios. No se viste muy mal. No se ven grandes ricos, pero tampoco miseria. No atormentan grandes preocupaciones. Todos comen. Una ciudad ideal y a esto se añade un clima amigo, una situación única, privilegiada..."[764].

26.2. Las chabolas

Aunque de pasada, Cándido Lería reconocía el desarrollo rápido y precipitado de la ciudad. Eran tiempos azarosos y de apremio, que derivaban inexorablemente a un chabolismo que afectaba principalmente a una buena parte de una potente población inmigrante, procedente, sobre todo, de la baja Andalucía. Recordemos que Ceuta en 1920 tenía 35.453 habitantes y en 1930 llegaría a tener 50.614, por lo que el aumento de la población en este decenio fue de más de quince mil habitantes –según el padrón de 1929 llegó a superar los cincuenta y dos mil habitantes-. Este crecimiento se debe fundamentalmente a la inmigración, puesto que el crecimiento vegetativo fue de 3.153 personas frente a 12.242 inmigrantes durante el periodo inter censal 1920-1930. Como dice José Antonio Alarcón: "Estamos ante un verdadero aluvión compuesto principalmente por obreros y jornaleros sin cualificar"[765]. Por otro lado, con respecto a los tramos de edad, el comprendido entre 0-14 años representa una población de 12.441 habitantes, que supone el 24,38 % del total; mientras que el comprendido entre 15 y 24 años representa una población de 16.637 habitantes, el 32,88% de la población. Situación que refleja la llegada masiva de gente joven[766]. Por eso no es de extrañar que la imagen de Ceuta de aquellos años sea de una ciudad alegre, animada, dinámica y bulliciosa...; todo ello alimentado por la presencia de miles de militares henchidos de vida...

---

764   VVAA: *Libro de Ceuta*, p. 45.
765   ALARCÓN CABALLERO, José Antonio: 'Ceuta en la II República', p. 298.
766   Ídem.

Exterior de una chabola. El chabolismo fue un problema endémico en Ceuta durante muchos años. Cortesía de Agustín Marañés.

Por su parte, Manuel Gordillo señala que "la condición socio profesional en los treinta primeros años del siglo [XX] estuvo constituido fundamentalmente por obreros de la escala laboral más modesta, peones y jornaleros, pescadores, etc. Su precaria economía los llevó a avecindarse en los sectores más modestos de la ciudad, acentuando su condición de barrios y lugares obreros". Más adelante, el mencionado autor apunta los principales lugares de asentamiento de esta población inmigrante: "Un amplio semicírculo que desde el Espino, siguiendo el Recinto Sur y parte de las laderas que descienden hasta las proximidades de la Calle Real, alcanzando en su curva el pie de El Hacho, desde el Sarchal hasta San Amaro, para girar por la Bahía Norte hasta las proximidad de Alfau". No obstante, aunque el propio Manuel Gordillo reconoce que no quedaron excluidos otros sectores de la ciudad y su Campo Exterior, el fenómeno de la inmigración no afectó por igual a toda la ciudad[767].

Otro autor que también ha trabajado este tema con profundidad y rigurosidad ha sido el citado José Antonio Alarcón. Veamos que dice con respecto a la llegada masiva de inmigrantes y como consecuencia la lacra urbanística que supuso para la ciudad, impotente de absorber tal aluvión: "La inmensa mayoría de la masa social pobre de Ceuta se concentra en las grandes bolsas chabolistas que se extienden por toda la ciudad. En 1930, 2.902 de las 5.941 edificaciones en Ceuta son barracas o chabolas, lo que los censos de población llaman eufemísticamente 'albergues'. El 49% de todas las construcciones son chabolas y esto sin incluir las infraviviendas de baja calidad concentrada en los patios, pero que al menos están construidas con pobres materiales de mampostería frente a las barracas que están hechas con maderas y chapas de cinc. Estos núcleos barraquistas acogen a unas 12.400 personas, una cuarta parte de toda la población"[768]. No obstante, el propio autor en otro trabajo desglosa el número de barracas por distritos:

767   GORDILLO OSUNA, Manuel: Opus cit., p. 116.
768   ALARCÓN CABALLERO, José Antonio: 'La dictadura de Primo de Rivera y la transición a la República', p. 292.

Barracas por distritos

Distrito 1º	76	Ribera, Edrissis, Fuente Caballos, Boquete de la Sardina
Distrito 2º	266	Huerta Martínez, Patio Castillo, Centenero, Sargento Coriat, General Serrano
Distrito 3º	132	Patio Bisagra, Barrio de la Salud, Machado, Diamante, Almirante Lobo, Soberanía Nacional
Distrito 4º y 5º	253	Peligros, Patio Páramo, Linares, Molino, Rampa Abastos, Pasaje Heras, Recinto Sur, García Hernández, Torrijos, San Amaro
Distrito 6º	379	Foso San Felipe, Huerta Matres, Llano de las Damas, Cuesta Otero, Barracas Charra, Puntilla, Terrones, San Antonio (playa), Serrallo, Poblado Sanidad
Distrito 7º	244	Almadraba, Miramar, Villa Aurora, Morro, Barriada La Unión
Ángulo	337	-
TOTAL	1.687	-

Fuente: ALARCÓN CABALLERO, José Antonio: 'Ceuta en la II República', p. 310.

Estas últimas cifras coinciden bastante con las que publicó *El Telegrama del Rif* del 3 de agosto de 1929, que calculaba unas 1.500 chabolas en las que habitaban unas 7.000 personas[769]; por lo que daba una media de 4,67 personas por barraca, que representaban casi el 14% de la población total (52.207) de ese año.

Sea como fuere, el problema no era ni menor ni residual. Indudablemente, la fuerte demanda de viviendas dio lugar a la subida de los alquileres. Si a ello añadimos el bajo poder adquisitivo de los inmigrantes, arrojó inevitablemente a esta población hacia la precariedad y, también en parte, hacia la marginalidad. Y de este problema fueron conscientes las autoridades y la opinión pública. Abundando en este sentido, en mayo de 1924, apenas unos meses después del pronunciamiento de Primo de Rivera, el propio delegado gubernativo envió un oficio al Ayuntamiento instando a la Corporación "se ponga remedio urgente para el mejoramiento y saneamiento de las innumerables barracas y edificaciones donde se albergan gran número de personas y en las que sólo existe un retrete y otras muchas que carecen de él"[770].

En 1926 *Marruecos Gráfico* en su sección 'La semana en Ceuta' veía una oportunidad en el cambio político en el Ayuntamiento ceutí para abordar este grave problema. El artículo está firmado por Don Álvaro:

"Un noventa por ciento de las casas en construcción, que tanto están embelleciendo a la ciudad, presentando a ésta de ambiente moderno, tropiezan con la también importante desventaja que en ella habitarán aquellos que puedan pagar el valor de sus alquileres.

La masa de población: el obrero y el empleado, vitalidad de una ciudad, esos no pueden de ninguna forma, alcanzar un departamento, y por consiguiente salir de las umbrías, insanas y antihigiénicas que por reveses de la fortuna tienen la desgracia de habitar.

Crear barrios de obreros. [...] He aquí a vuela pluma, uno de los principales programas, del total que seguramente, el nuevo Alcalde, llevará en cartera"[771].

Ahondando en la carestía de los alquileres, a principios de los años veinte el inspector Morales García finalizaba el análisis que hacía sobre la situación escolar en Ceuta comen-

---

769 El Telegrama del Rif, 3 de agosto de 1929.
770 AGCE. LAC núm. 88. Comisión permanente, 8 de mayo de 1924, folio 12 vto.
771 Marruecos Gráfico, 1 de septiembre de 1926.

tando las dificultades que tenía un maestro para sobrevivir en la ciudad: "convendría que dicha consignación fuera aumentada a la cantidad de 1.500 pesetas anuales, una vez que la carestía de la vivienda hace que no se encuentre casa capaz por menos de 125 pesetas mensuales"[772]. Por otro lado, si un jornalero cobraba entre cinco y seis pesetas diarias, acceder a una vivienda digna se había convertido prácticamente en una utopía.

Sobre este problema, el propio José Antonio Alarcón subraya: "En cuanto a las barracas, como era lógico, la ciudad no tuvo una respuesta inmediata ante la llegada masiva de tanta población, por lo que la proliferación del chabolismo, carente de todo servicio básico, daba lugar a un hacinamiento que era foco de todo tipo de enfermedades, dando como resultado una mortalidad, sobre todo infantil, superior a la media de la ciudad"[773].

Cabe añadir que la urgente necesidad de materiales baratos de construcción también tuvo una respuesta en el mercado, pues se comercializaban, además de la madera y la chapa de zinc, nuevos productos industriales, tal y como nos muestra este anuncio de la época: "Materiales de construcción Roviralta y Compañía, Barcelona. Uralita para techar, (colores gris claro, oscuro y rojo) grandes planchas para revestir paredes y cielos rasos (cemento y amianto comprimidos) incombustible, económico, ligero, eterno. Alfa (Roberoid). Cueros embetunados y arenados para cubiertas y revestimientos de barracas y habitaciones ligeras de madera. Depósito, venta y encargos: Isidoro Martínez, Ferretería".

En definitiva, el problema del chabolismo, que ya venía en gran parte heredado de la década anterior, no se resolvió durante el periodo primorriverista. No obstante, la Junta municipal, consciente e impotente ante el grave problema, intentó buscar algunas soluciones: disposición de nuevos terrenos en el Campo Exterior, construcción y alquiler de viviendas económicas -las denominadas "casas baratas"-, otorgamiento de licencias a particulares, urbanización de las nuevas barriadas etc.; incluso en la permanente del 17 de julio de 1930 se llegó a "Requerir a los propietarios de las barracas existentes en la calle Linares, para que proceda a dotarlos de agua y retrete"[774]. Sobre esta compleja cuestión, recogemos estas palabras del citado Luis Ortega Nieto, director de Sanidad del Puerto de Ceuta, escritas en 1928: "Sólo le falta a esta población, privilegiada por su situación, para ser la ciudad más sana de toda España, la pronta higienización de sus viviendas (que debido al aumento tan crecido de sus habitantes, que de diez o doce mil contaba el año 1909 ha llegado a la cifra de cincuenta mil, que cuenta en la actualidad), la construcción del alcantarillado y ensanche de sus calles insuficientes para su circulación"[775].

26.3. Los patios

Como se ha referido, entre las sólidas edificaciones y el chabolismo más severo, que con gran dificultad convivían sin escandalizar al más frío de los mortales, confraternizaban, con más pena que gloria, un sinfín de construcciones de todo tipo; pero los patios, los pasajes y las huertas fueron, sin lugar a dudas, las construcciones más populares. Las huertas eran espacios de cultivo situados principalmente en la Almina desde tiempos inmemoriales. En estos espacios se empezaron a construir chabolas, pasajes y patios; aunque muchas de estas construcciones heredaron el nombre de la huerta donde se ubicaban.

Aunque había pasajes por toda la ciudad, muchos estaban situados en la zona de la Berría Alta, como el pasaje Matres, el pasaje del Pilar, el pasaje Diamante, pasaje Heras, etc. Con respecto a los patios de vecinos, definidos por Manuel Gordillo como "conjunto de viviendas interiores", su tipología básica se importó de Andalucía, y también de Andalucía, sobre todo de Cádiz y Málaga, provenía la mayoría de sus habitantes, que llegó a representar

772 VELASCO AURED, Álvaro: 'Aspectos de la educación popular en el directorio', p. 61.
773 ALARCÓN CABALLERO, José Antonio: Opus cit., p. 293.
774 BOCCE núm. 204, 24 de julio de 1930.
775 VVAA: *Libro de Ceuta*, pp. 93-94.

Patio don Juan. Cortesía de
Rafael Pleguezuelos González.

un 80% de la población[776]. En ellos convivían familias sencillas compartiendo rutina diaria y experiencias vitales, no exentas de dificultades. Aunque también se convirtieron en centros naturales de la memoria de sus ancestros, donde el habla, la gastronomía, la copla y el cante, junto con los ciclos festivos, eran intrínsecos a sus habitantes. Y era en estos santuarios populares donde se palpaba la Ceuta más viva, castiza, singular y genuina.

Más de cincuenta patios de vecinos llegaron a edificarse, siendo la mayoría de las viviendas de alquiler. Estas viviendas solían estar construidas con materiales modestos, como ladrillo macizo, mortero -posteriormente cemento-, teja plana alicantina, baldosas hidráulicas, baldosín catalán para las terrazas, ventanas de madera, cal, barandas de hierro... Con respecto a su tamaño las había desde un dormitorio hasta cuatro, aunque de media solían albergar, en una superficie de unos 30 m², tres habitaciones (un comedor y dos dormitorios), una diminuta cocina con un pequeño poyete, que utilizaba el carbón como combustible –las carbonerías estaban muy extendidas por la ciudad-, y un solitario retrete –los más antiguos, situados en la planta baja, disponían de una placa turca para varios vecinos-, y grifos o fuentes en las zonas comunes y poca luz. Cabe apuntar que a partir de las ordenanzas municipales de 1923, y a la par que iban creciendo en altura, fueron evolucionando en cuanto a higiene -grifo de agua corriente y retrete en cada vivienda-, adecuada ventilación y corriente eléctrica; no obstante, al no haber duchas ni bañeras, se subsanaban los temas higiénicos con la blanca palangana esmaltada y el socorrido balde o barreño de zinc, que también servía para hacer la colada.

Por otro lado, normalmente se disponían en una o dos plantas, con corredores en la planta superior, aunque también los había de más altura aprovechando el desnivel del terreno, como fue el caso del patio don Juan, que incluso llegó a tener varias alturas y dos terrazas escalonadas. Este patio debía su nombre al empresario Juan Francisco Jiménez Atienza, casado con Mercedes Pérez Serrano (Dª Mercedes), que, en principio, adquirió en distintas épocas las dos primeras zonas construidas y que remató el conjunto mandando edificar la tercera y última fase. Estaba situado en la calle Primo de Rivera (calle Real), entre las plazas de Azcárate y Torrijos (Maestranza), frente al Hospital de la Cruz Roja. En conjunto, cuando estuvo completamente terminado, disponía de cincuenta y una viviendas, muy distintas unas de otras en superficie y distribución. Tras sobrevivir durante varias décadas, en 1976 quedó libre de inquilinos para, posteriormente, ser derribado y convertido en bloque de pisos, con su mismo nombre.

26.4. Barriadas en el Campo Exterior

Aunque a lo largo de esta exposición ya se han apuntado diversas notas sobre las barriadas del Campo Exterior; hagamos una recapitulación y veamos cómo se fueron desarrollando.

En principio, podríamos señalar que pocas eran las barriadas que existían en Ceuta antes de la desaparición del penal, en 1912. Fue a raíz de las grandes construcciones (puerto, ferrocarril, carretera a Tetuán, etc.) y gran demanda de mano de obra cuando empezó la

---

776   GORDILLO OSUNA, Manuel: Opus cit., p. 123.

proliferación de barriadas en el Campo Exterior. Ya hemos visto que con el Real Decreto de 27 de marzo de 1925, que regulaba la creación de Comisiones mixtas para la legitimación de la propiedad, se empezó a liberar terrenos en el Campo Exterior... No era todo el necesario; sin embargo, se abrieron nuevas perspectivas y empezaron las solicitudes. Veamos un ejemplo. En noviembre de 1927, el sargento de Artillería José Castillo Gómez, que estaba casado, solicitó un solar a la Junta municipal para construirse una casa en la barriada del Morro debido al "gravoso en extremo el abono de alquiler de casa por los elevados tipos de arrendamiento que rigen en esta capital".

Normalmente se construyeron casas modestas, las denominadas casas baratas de promoción municipal, promociones particulares o autoconstrucción. A todas ellas se les fueron dotando de servicios básicos, como agua, alcantarillado, electricidad, transporte, escuelas o correos. Podríamos señalar que fue entre 1927 y 1930 cuando se acometieron en firme estos servicios. Así, por ejemplo, en la permanente del 23 de febrero de 1929 se aprobó el proyecto y construcción de los colectores en las barriadas General Sanjurjo, Jadú y Príncipe Alfonso.

De las barriadas existentes antes del periodo primorriverista, destacaban la del Príncipe Alfonso, Hadú, Almadraba, Benítez y Benzú; casi todas sin apenas servicios básicos, además de otros núcleos de población de menor entidad. Entre las nacidas durante el periodo primorriverista destacaron la barriada del Morro (General Sanjurjo), O'Donnell y Villa Jovita, a la vez que se desarrollaron de forma notable las citadas barriadas de Jadú y Príncipe Alfonso.

26.4.1. General Sanjurjo

Sin lugar a dudas, la barriada del Morro -el nombre le viene dado por ser punta costera del promontorio escarpado situado en la cara sur-, fue la gran apuesta de la época primorriverista. A lo largo de los años nacería una construcción de casas modestas, aprobándose por autorización municipal y se le iría dotando de servicios paulatinamente.

La clave, el famoso Real Decreto de 27 de marzo de 1925. En el mes de mayo de 1926 una comisión del Ayuntamiento acudió al Morro exterior para reconocer los terrenos cedidos por el Ramo de Guerra con el fin de construir varias casas baratas[777]. Sin embargo, aquella iniciativa quedó aparcada por el cambio que se avecinaba de Ayuntamiento a Junta municipal. Una vez constituida la nueva Junta municipal, el 20 de noviembre de 1926 la permanente acordó solicitar al comandante general la cesión en propiedad al municipio de "una parcela denominada del Morro y de las siguientes hasta Miramar para en ellas establecer una barriada obrera".

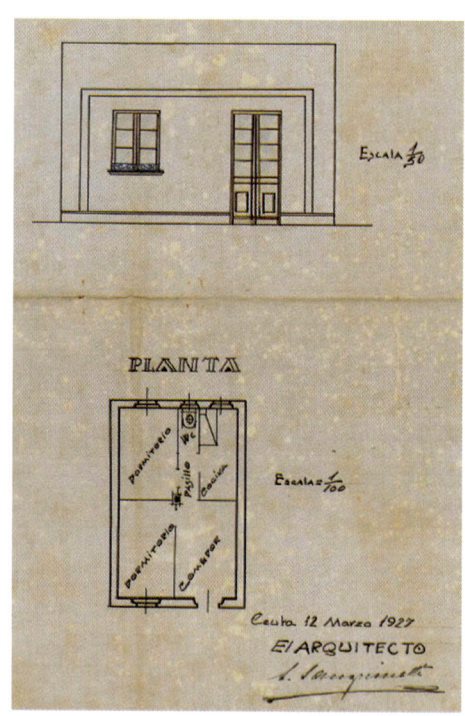

Alzado y planta de una casa económica, Santiago Sanguinetti, 1927. AGCE.

Toda vez cedidos los terrenos, en la permanente del 29 de enero de 1927 se volvió a tratar el tema de construcción de casas en la citada barriada, y el 17 de febrero hubo una reunión en el Ayuntamiento con el fin de reconstituir la Junta de Fomento y Mejora de Casas Baratas, que se encontraba en un estado latente. En la citada reunión se reconocía que desde su creación la cuestión había sido puramente informativa[778]. El 21 de mayo se aprobó "en de-

777   Región, 23 de mayo de 1926.
778   GARRIDO OLIVER, Emilia: Opus cit., pp. 214 y 215.

Grupo escolar de la barriada General Sanjurjo (Morro). AGCE.

finitiva al proyecto plano y presupuesto para las obras de saneamiento de la barriada del Morro"; en la permanente de 27 de agosto se acordó dotarla de agua y, tras la formación del proyecto, en la permanente de 10 septiembre se solicitó autorización del comandante general para la construcción de trescientas casas. Tal era el impulso, que en el mes de octubre la Comandancia General autorizó a la Junta municipal para que pudiera hacer directamente la adjudicación de terrenos en la citada "Parcela del Morro". Y en la del 31 de diciembre se acordó que se llamase General Sanjurjo. Así pues, se puede considerar el año 1926 como el punto de partida del desarrollo de aquella gran parcela.

Esta fiebre constructora vino respaldada por la edificación de las susodichas casas económicas, de pequeno tamaño, tipo Chad y Noreña, con sus diferentes variedades o sistemas: Calo, Eno, Nova, etc. (Chad); 2ab, 2b, 3a, 3ab, etc. (Noreña), repitiéndose como constructores, entre otros, José Mollá o Gonzalo Écija. A la par que se iban construyendo las casas, también se iban explanando y levantando muros de contención, debido a la configuración elevada del terreno. No obstante, en abril de 1928 aún estaba sin los servicios básicos: "Se fija en veinte pesetas mensuales el alquiler de las casas sistema Chad construida por esta Junta en el Morro, ha de percibir la misma, que será elevado en cinco pesetas más el día que se dote a aquella barriada de los servicios de alumbrado, agua y alcantarillado"[779]. Estos servicios se irían instalando en los siguientes meses. Así, por ejemplo, en la permanente del 7 de febrero de 1930 se recepcionaron definitivamente las obras de alcantarillado de las barriadas de Hadú, Príncipe Alfonso y General Sanjurjo.

Paralelamente a estas construcciones, otro gran reto de las autoridades primorriveristas fue la edificación de un grupo escolar de tres unidades, que se convertiría en uno de los símbolos y clara referencia de la barriada. En la permanente de 5 de noviembre de 1927 se aprobó el concurso para la adjudicación de las obras[780]. Al mes siguiente, en la permanente del 31 de diciembre se acordó firmar la escritura para su construcción. En la del 12 de abril de 1928 se aprobó la certificación expedida por el arquitecto municipal de las obras ejecutadas por el contratista Galmes & Beardo. El 23 de junio la permanente quedó "enterada de la firma para la creación en la Barriada General Sanjurjo de tres escuelas unitarias". Tras

779 BOCCE núm. 82. 12 de abril de 1928.
780 El Telegrama del Rif, 1 de diciembre de 1927

la dotación del material y el nombramiento de los maestros, a principios de noviembre se instaló la luz, y en la tarde del 16 del mismo mes, ya comenzado el curso, el alto comisario, general Jordana, inauguró oficialmente el grupo escolar. Y justo un año después, tras los trámites correspondientes, la Dirección General de Primera Enseñanza concedió a la Junta municipal veintisiete mil pesetas para el citado edificio[781]. Cabe agregar que en los terrenos del grupo escolar se construiría la Escuela Normal de Magisterio, ya en los años sesenta.

26.4.2. O'Donnell

Como prolongación de la barriada General Sanjurjo, bajando hacia el sur, apareció igualmente un núcleo de población al abrigo del Hospital O'Donnell, que se había construido en la punta del Morro. Como se ha referido, este hospital, aunque ya había empezado a funcionar con anterioridad, adquirió un protagonismo realmente notorio en el año 1924 (ofensiva sobre el frente occidental, repliegue de Xauen, etc.), siendo visitado por el propio Primo de Rivera en varias ocasiones.

20. Ceuta — Hospital O'Donnell y la Almadraba

Alrededor del Hospital O´Donnell nació una nueva barriada. AGCE.

Sin embargo, no sería hasta febrero de 1929 cuando en sesión de la Comisión permanente se acordó aceptar "la cesión que de las calles de la nueva barriada frente al Hospital O'Donnell, hacen los propietarios de la misma y dotarla de los servicios de alumbrado y limpieza[782]. Así, en el mes de octubre se acordó colocar treinta lámparas de 50 bujías, al igual que "rotular las calles de la misma"[783]. Y en enero de 1930 se acordó "Que se denomine barriada núm. 2 a las calles y plazas situadas frente al Hospital O'Donnell y a la principal de sus calles -la que conectaba con la barriada General Sanjurjo- se le dé el nombre del general José Millán Astray –aunque poco después, en el mes de marzo, se le daría el nombre de Millán Astray a una calle céntrica de la zona de la Almina-; al igual que a otra se le denominase Manuel Matres Toril[784].

---

781 BOCCE núm. 169, 28 de noviembre de 1929. Comisión permanente, 15 de noviembre de 1929.
782 BOCCE núm. 130, 16 de febrero de 1929. Comisión permanente, 16 de febrero de 1929.
783 BOCCE núm. 162, 10 de octubre de 1929. Comisión permanente, 3 de octubre de 1929.
784 BOCCE núm. 178, 23 de enero de 1930. Comisión permanente, 16 de enero de 1930.

26.4.3. Villa Jovita y Loma Larga

Los inicios de la barriada de Villa Jovita tuvieron su origen en 1928. De ello daremos sobrada cuenta en el Capítulo III de esta segunda parte. No obstante, podemos adelantar que fue una iniciativa particular; aunque la Junta municipal iría dotándola de los servicios básicos.

Sobre esa zona norte, la Junta municipal también estaba interesada en crear una nueva barriada. Para ello abrió un concurso "para el Anteproyecto de una barriada económica e higiénica en el llano de Loma Larga". En las bases del citado concurso, se requería un proyecto de casa económica modesta para combatir el chabolismo: casas de alquiler "no superior a veinte pesetas mensuales", con una superficie no superior a treinta metros cuadrados, con dos habitaciones, cocina y retrete, aisladas con un pequeño espacio de terreno. Asimismo, se estableció un primer premio de 2.000 pesetas[785]. Según la permanente del 4 de febrero de 1928, el premio del anteproyecto se le concedió al trabajo presentado bajo el lema 'Septa'[786].

26.4.4. Príncipe Alfonso

La barriada del Príncipe Alfonso tiene su origen en 1911, aunque se le prestó especial atención durante el periodo primorriverista. Nada más creada la nueva Junta municipal, el vicepresidente Juan Reig Valeriano visitó la barriada y redactó un informe sobre el estado en que se encontraba. En el referido informe, que fue dado a conocer en la permanente del 27 de noviembre de 1926, se apuntaba el desorden que existía y la necesidad de reformas sobre alumbrado, agua, alcantarillado, alineación de calles, etc.; pues la barriada tenía el "aspecto de aduar".

El compromiso con la barriada quedó certificado cuando en junio de 1927 se colocó la primera piedra de las obras de una capilla[787]. A partir de aquí las infraestructuras se fueron materializando. Así, al mes siguiente, en la permanente del 16 de julio, se acordó "dotar de agua y alumbrado". El 26 de septiembre se acordó abonar a Ramón Rodríguez 3.011 pesetas "por la apertura de zanjas para la instalación de tuberías de conducción de aguas al Príncipe Alfonso", y 8.867 pesetas a la Empresa de Abastecimiento de Aguas "para la instalación de tuberías para la conducción de aguas"[788]. Toda vez dotada de agua y alumbrado, el 23 de febrero de 1929 se acordó la construcción de colectores. Paralelamente se fueron concediendo permisos para la construcción de casas baratas.

Los servicios se fueron completando con la edificación de un dispensario y una escuela de dos unidades. Mientras se construían las escuelas, en diciembre de 1927 se acordó que la capilla del Príncipe "se utilice como escuela"[789]. Por fin, tanto la capilla como las escuelas fueron inauguradas el 4 mayo de 1929 por el obispo de Cádiz, monseñor Marcial López Criado[790]. Cabe añadir que para la construcción de la capilla y las escuelas se había formado un Patronato de señoras, que organizó diversos actos benéficos, colaborando también la Junta municipal. Unos días después de su inauguración, se autorizó a la presidencia para que "en representación de la Corporación acepte la recepción de los edificios expresados"[791]. Como colofón a estos esfuerzos, sus primeros festejos tuvieron lugar el 23 y 24 de enero de 1930.

---

785   BOCCE núm. 36, 2 de junio de 1927.
786   BOCCE núm. 73, 9 de febrero de 1928. Comisión permanente, 4 de febrero de 1928.
787   BOCCE núm. 37, 9 de junio de 1927. Comisión permanente, 4 de junio de 1927.
788   AGCE. LAP núm. 1. Pleno, 26 de septiembre de 1927, folio 175 vto.
789   BOCCE núm. 68, 12 de enero de 1928. Comisión permanente, 17 de diciembre de 1927.
790   El Telegrama del Rif, 5 de mayo de 1929.
791   BOCCE núm. 144, 6 de junio de 1929. Comisión permanente, 31 de mayo de 1929.

26.4.5. Jadú

Según el *Anuario-Guía Oficial de Marruecos y del África Española* de 1930, Jadú era la barriada más populosa del Campo Exterior. Señalaba el citado *Anuario* que era un poblado distante a tres kilómetros: "Puede casi decirse que es una continuación de la ciudad, un barrio de la misma. Hadú crece cada día, contando hoy con más de cinco mil vecinos entre cristianos y musulmanes, y en sus barriadas limítrofes, Príncipe, Serallo, Almadraba, etc., se albergan unos seis mil vecinos más".

En realidad, la zona de Jadú es una meseta con una cota de algo más de ochenta metros, donde se encontraban algunos edificios interesantes, como el cuartel de la Comandancia de Sanidad Militar, el depósito distribución de aguas, con capacidad de 16.000 m³, la plaza de toros y el Hadú Cinema. Disponía de cierta actividad comercial al haber tiendas de ultramarinos, estanco, zapatería, tejidos, peluquería, panadería, etc. y algunos servicios de hostelería y restauración, como los cafés El Cruce, El Panorama o La Plata.

Fue el principal origen de la barriada el cuartel González Tablas, del Grupo de Regulares de Ceuta núm. 3, y su poblado, bien trazado e higiénico, de unas doscientas casas, para clases y soldados casados. Este poblado era uno de los núcleos de población musulmana más importantes de la ciudad.

Cuartel del Grupo de Regulares de Ceuta. AGCE.

Al igual que la barriada del Príncipe Alfonso y General Sanjurjo, el desarrollo de la barriada tuvo lugar entre 1926 y 1930. Durante este periodo se le fue dotando de los servicios básicos; así, por ejemplo, el 23 de enero de 1930 se aprobó la certificación de las obras de saneamiento de Jadú.

En cuestión de sanidad, la Junta municipal, además de tener un médico, un practicante y una comadrona para aquel distrito, el 18 de mayo de 1929 acordó: "Aceptar los ofrecimientos hechos por el médico don Rafael Álvarez de prestar asistencia en la clínica que tiene establecida en Jadú, y visitar en sus domicilios a los enfermos pobres del Campo Exterior que requieran tratamiento urgente". También ofrecía sus servicios en dicha barriada la comadrona Flora Hurtado.

Con respecto al transporte, durante estos años se otorgaron diversas licencias. Sobre todo a partir de la inauguración de la plaza de toros y el Hadú Cinema, ambos en 1928: el 14 de julio de ese año se autorizó a Luis Redondo Martín y Francisco Cantero Jiménez para establecer un servicio público de camionetas desde avenida Villanueva a Jadú. El 7 de noviembre se autorizó a Eugenio Bernaola Barrera para dedicar al servicio público una camioneta entre San Sebastián y Jadú. También en noviembre se autorizó a José López para establecer un servicio de viajeros con similar trayecto[792]. Al año siguiente se siguieron autorizando licencias: el 23 de febrero se autorizó a Hernando y CIA para poner en servicio dos coches a Jadú, y el 18 de julio a Juan Pico para que pueda destinar al servicio de Jadú un autobús.

Igualmente, se estableció una estafeta de correos: en la permanente de 19 de diciembre de 1929 se acordó dar las gracias "a la Dirección General de Comunicaciones por el establecimiento de una estación telegráfica en Jadú". En cuanto a la cuestión de la enseñanza, además de la escuela hispano-árabe, no sería hasta noviembre de 1930 cuando en la permanente se acordó "se consigne una partida para la construcción de escuelas en Jadú". Por último, la personalidad de esta barriada se fue consolidando hasta el punto que en la permanente de 28 de junio de 1929 se les concedió autorización a sus vecinos para organizar unos festejos.

26.4.6. Benzú

Benzú, es un poblado situado a la orilla del mar, mirando el Estrecho, al pie la cantera que surtía de piedra a las obras del puerto que explotaba la empresa Arango, que instaló una cooperativa y tahona; al igual que contaba con una escuela y ferrocarril a Ceuta, que transportaba los bloques de piedra de la cantera. En 1930 tenía unos 500 habitantes. De pocos servicios más disfrutaba la barriada, si acaso de un par de pequeñas tiendas y alguna cantina que otra.

Cantera de Benzú. AGCE.

26.4.7. Almadraba

Barriada pesquera por excelencia, nacida al abrigo de la pesca del atún, remonta sus orígenes a épocas muy antiguas. Unos mil quinientos habitantes había en 1930. Asimismo, existían fábricas de conservas y salazones, como la de la Viuda de Romeu y la de Mesa y Coriat. Disponía la barriada de escuela y algunos servicios muy básicos.

Además de estas barriadas, existían otros núcleos poblacionales en el Campo Exterior de menor entidad, como Arroyo del Infierno, Terrones, Cabrerizas, Los Rosales, etc.

De los arquitectos ya hemos dado sobrada cuenta; en cuanto a los contratistas, se suceden nombres como José María Jiménez Palomeque, Manuel Morales Lucía, Juan Garrido Cózar, Juan Troyano, Miguel Anaya García, Alfonso Aguilar Gutiérrez, Rafael Serrano Álvarez, Cristóbal Navas, León Bentolila Alfón o José Mollá Noguerol.

Al comandante de Ingenieros José Mollá Noguerol, no sólo lo vamos a encontrar como contratista, sino que también va a estar muy presente en el campo asociativo. Mención aparte merece la figura de Francisco Palma García, que así fue descrito por La Esfera en su número de 14 de noviembre de 1925: "valor reconocido en el ramo de la construcción, y de gran competencia en la materia, con una inteligencia nada común; su nombre es indudable

792   BOCCE núm. 115, 29 de noviembre de 1928. Comisión permanente, 19 de noviembre de 1928.

que va unido al artista". Contratista de diversas obras municipales, también dejó su huella en primorosos trabajos decorativos para entidades de cierto fuste, como la Comandancia General o el Casino Africano, donde ya se ha comentado que decoró el salón noble, estilo Renacimiento español. Como es natural, alrededor de la construcción había una masa obrera a la par que numerosos comercios y almacenes suministraban los materiales, por lo que la construcción se había constituido en uno de los más importantes pilares económicos de la ciudad, siendo el principal subsector del sector secundario.

En definitiva, el desarrollo del Campo Exterior durante el periodo primorriverista fue espectacular:

Población de Ceuta

Año	Ciudad	Campo Exterior	Total
1920	29.233 (83%)	5.986 (17%)	35.219 (100%)
1930	36.654 (72,4%)	13.960 (27,6%)	50.614 (100%)

Fuente: ALARCÓN CABALLERO, José Antonio: 'Ceuta y el Protectorado en Marruecos', p. 90.

Es decir, en apenas diez años se había multiplicado el número de habitantes en el Campo Exterior por 2,33. Ese desaforado crecimiento dio como resultado un abanico de luces y sombras, pues también el chabolismo se había instalado de forma brutal en algunas de estas barriadas.

27. La Fiesta del Libro y el triduo a los Santos Patronos

Volviendo al pulso diario de la ciudad, el día siete de octubre por mañana, al día siguiente de la visita de los reyes, se celebró con toda solemnidad la Fiesta del Libro en el Patronato Militar de Enseñanza. Reunidos todos los niños en un amplio salón, con sus respectivos profesores, les dirigió la palabra Rafael Flores Poyato, maestro de dicho centro, que expuso ante la consideración de los niños las siguientes ideas: 'Historia del lenguaje', 'Biografía de Cervantes' y 'Cervantes como educador'. Terminó su discurso recomendando a los niños el amor al trabajo y la asistencia asidua al colegio, "por cuyos medios se encenderá en ellos el amor al libro y a la Patria, a la que con el estudio y el trabajo contribuimos todos a engrandecer". Un "¡Viva a España!" ahogó las últimas palabras del profesor Flores.

Los Stos. Mártires de Ceuta
Franciscanos

Santos Patronos. AGCE.

Pero el acto central estaba programado para la tarde. En el campo de la Real Sociedad Hípica se celebró con gran concurso de gente y la presencia del obispo de Cádiz. La fiesta comenzó con un discurso del presidente de la Junta municipal, que expuso las ventajas del libro. Por su parte, el obispo dio la bendición a todos los allí presentes y luego se repartieron libros y meriendas entre los alumnos de las escuelas nacionales, municipales y clase de obreros del Patronato. El acto estuvo realzado por un tiempo espectacular y la música del Tercio y los Exploradores.

La Fiesta del Libro de ese año fue realmente espléndida. En primer lugar, la concentración de más de mil quinientos niñas y niños, profesores, personal del Ayuntamiento e invitados, en el Campo de la Real Sociedad Hípica, supuso la movilización de autobuses, taxis y coches particulares, costando el desplazamiento 767,50 pesetas. En segundo lugar se ofrecieron meriendas, que consistió en un panecillo grande, queso, salchichón, pasas, una onza de chocolate, una chocolatina y un dulce, a 1,50 pesetas, que supuso un montante de 2.175 pesetas. Por su parte, los libros comprados ascendieron a 2.209 pesetas, además de 200 *lunch* para invitados, 600 pesetas; vinos y pastas para obsequiar a la banda de música del Tercio, 81 pesetas; y soporte de maderas donde debían instalarse las escuelas y otros gastos, 342 pesetas. Total 6.174,50 pesetas. También se acordó conceder "una gratificación a la banda del Tercio y a la de la Cantina Escolar [Exploradores]".

Por otro lado, el viernes 8 por la tarde dio comienzo en la catedral un solemne triduo a los Santos Patronos de la ciudad, San Daniel y sus compañeros mártires. Predicó el padre Olaso, rector de los Agustinos; el sábado, el canónigo Mejias Abadín, y el domingo el padre superior de los franciscanos de Tetuán. Por último, el lunes celebró de pontifical el obispo de Cádiz, administrador apostólico de la Diócesis, y por la noche se inauguró la Adoración Nocturna, que, según la prensa, "contaba con un crecido número de asociados"[793], siendo su presidente Mariano Arques Chavarría. Recordemos que el obispo se encontraba en Ceuta desde el día 3 con motivo de la visita de los reyes.

28. Cambios en la Administración: ¿alto comisario o virrey?

Dada la complejidad de la estructura político-administrativa en que se plasmó la acción de España en el Norte de África desde la segunda década del siglo XX, la finalización de la guerra supuso también una serie de cambios tanto en la organización militar de la zona del Protectorado en Marruecos, como en las atribuciones del alto comisario sobre la gobernación general de las plazas de soberanía de Ceuta y Melilla.

En principio, el 2 de octubre de 1927, como se ha visto, se firmó una Real Decreto-Ley simplificando la Organización Militar de la Zona del Protectorado en Marruecos. Y ya, a final de mes, el 31 de octubre de 1927, otro Real Decreto-Ley atribuía la gobernación general de las plazas de soberanía española en el Norte de África al alto comisario:

"Art. 2°. El Alto Comisario de España en Marruecos ejercerá el mando en dicha circunscripción administrativa y representará al Gobierno... con las facultades y atribuciones asignadas a los Gobernadores civiles...

Art. 3°. El Alto Comisario ejercerá sobre las Juntas municipales de Ceuta y Melilla las funciones expresamente atribuidas a los Comandantes de Ceuta y Melilla por el Estatuto local de 14 de Febrero de 1927.

Art. 6°. Para la tramitación de los asuntos de orden civil que se asignan al Alto Comisario, se organizará una Secretaría del Gobierno de las plazas y territorios de soberanía, adscrita a la Delegación General de la Alta Comisaría...".

Por lo tanto, por el Real Decreto de 31 de octubre de 1927 se llevó a cabo la vinculación administrativa de la ciudad con el Protectorado, pasando a formar parte de una circunscripción territorial administrativa al mando del alto comisario, que ostentaba tanto el poder civil como el militar.

Como el alto comisario tenía su residencia en Tetuán, como representante de la Secretaría del Gobierno se nombró a un delegado gubernativo, que recayó en un coronel[794]. Y en este sentido, ya bien avanzado el mes de noviembre, en un principio sería nombrado comandante militar de Ceuta el coronel de Artillería Modesto Aguilera y Ramírez de Aguilera[795], jefe muy conocido en Ceuta. No obstante, debido a la complejidad de la implantación la figura del delegado gubernativo no aparecería en firme hasta 1928.

---

793   El Siglo Futuro, 12 de octubre de 1927.
794   MARÍN PARRA, Vicenta: *La educación en Ceuta: 1912-1956*, p. 32.
795   El Imparcial, 12 de noviembre de 1927.

Por otro lado, fue también en octubre, como actividad complementaria al Día de la Raza, cuando se celebró una función de teatro organizada por la prensa local y escritores militares de la guarnición a beneficio de la viuda del escritor y comandante de Infantería Carreros. En la comedia *Zaragüeta* sobresalieron las señoritas de Fernández Bernal, Arrabal, Rubio y los oficiales Navarro, Canduche, Mijares, Germán González y Anselmo Roig, el joven Castellary y el niño Fernando Fernández. La dirección escénica corrió a cargo del teniente coronel Luis Fernández Bernal[796].

29. El Plan General de Instalación y Mejora de Servicios Municipales

Tras la visita del rey, el Real Decreto simplificando la organización militar del Protectorado y el Real Decreto atribuyéndole al alto comisario los poderes de gobernador civil, la Junta municipal tenía el claro proyecto de un plan de revitalización de la ciudad a través de un ambicioso programa de obras públicas. Y en este sentido va a tener un papel fundamental la creación del Banco de Crédito Local.

Según el diario *La Nación* del 20 de octubre, una representación de la Junta municipal visitó oficialmente en Madrid al director general de Colonias, "gestionando asuntos de suma importancia para dicha hermosa ciudad africana. Los comisionados, que lo son los vicepresidentes de la Junta, Bielza, Reig, Illana y Company, acompañados del secretario e interventor, Alfredo Meca y Martínez Barrié, conferenciaron extensamente con el general Jordana, a quien expusieron, en conjunto y en detalle, el nuevo plan de urbanización, reforma y ensanche de Ceuta, que ha de convertir a la citada población en una urbe de primer orden en consonancia con su privilegiada posición geográfica y comercial, así para Europa como para África".

El general Jordana escuchó atentamente a los delegados ceutíes, que le informaron de las excelentes impresiones recogidas en sus visitas a diversas entidades bancarias, entre ellas al Banco de Crédito Local, para la negociación de un empréstito de doce millones de pesetas, con destino a la rápida realización de dichas obras urbanas[797]. El Banco de Crédito Local, fundado en 1925, tenía el propósito de suministrar recursos a los ayuntamientos con el fin del fomento de las obras públicas.

Con respecto a los presupuestos extraordinarios, el Estatuto de Ceuta aclaraba: "Artículo 191. Con el exclusivo fin de atender al pago de intereses y amortización de empréstitos legalmente acordados, podrá la Junta establecer un recargo de un 5% sobre aquellos arbitrios o impuestos que, por su naturaleza y habida cuenta del destino que haya de tener el presupuesto extraordinario que dé lugar al empréstito de que se trata, sean más aptos para distribuir equitativamente la carga del mismo entre los contribuyentes. Artículo 192. La imposición del recargo mencionado en el artículo anterior exigirá necesariamente el prorrateo entre todos aquellos de la cantidad total repartida. La autorización del recargo extraordinario a que se refiere el artículo anterior corresponderá al Presidente del Consejo de Ministros".

Así pues, el asunto que más ilusión a la Junta municipal era los "Proyectos de obras que han de servir de base para formular el primer presupuesto extraordinario, con cargo a la cifra global de empréstito".

796   La Correspondencia Militar, 14 de octubre de 1927.
797   La Nación, 20 de octubre de 1927.

OBRAS A REALIZAR EN EL CASCO

1º. Alcantarillado y urbanización de la Marina.

2º. Transversal que enlace la Marina con la calle Real.

3º. Mercado y pescadería.

4º. Grupo escolar.

5º. Ensanche del Cementerio.

6º. Expropiaciones necesarias para hacer estas obras, excepto la primera.

Importe: 2.125.000 pesetas.

OBRAS EN EL EXTERIOR DE LA AVENIDA DE CIRCUNVALACIÓN DEL PUERTO (ZONAS DE 1º Y 2º ENSANCHE)

1º. Avenida de circunvalación del puerto (parte correspondiente a la Junta Municipal).

2º. Instituto escuela.

3º. Hospital.

4º. Edificaciones de viviendas para los moradores de los fosos.

5º. Matadero.

6º. Garajes y almacenes.

7º. Tres camiones de limpieza.

TOTAL: 5.015.000 pesetas.

Ceuta, noviembre de 1927.

Fuente: BOCCE núm. 65, 22 de diciembre de 1927, pp.5-7.

Un programa realmente atractivo. La Junta municipal, hizo información pública del proyecto, recibiendo respuesta de la Cámara de Comercio y del Centro de Hijos de Ceuta a finales de enero de 1928, "exponiendo su criterio en la información pública abierta sobre las obras a realizar dentro del primero de los presupuestos extraordinarios en proyecto"[798]. Como el cambio en la presidencia de la Junta municipal se produciría a finales de marzo, estaba claro que la materialización de las obras sería asumida por José E. Rosende Martínez; aunque lo más grueso, como el hospital o el instituto, no se pudo materializar.

30. La despedida del general Berenguer y la reorganización de la Armada

Volviendo a la crónica ceutí, ese mismo día 18 de octubre por la tarde llegaba a Ceuta a bordo del cañonero *Lauria* el comandante general Federico Berenguer, que había ido a Zaragoza para asistir al homenaje al Ejército. El viaje a Zaragoza estaba relacionado con los actos oficiales celebrados "para festejar el término de las operaciones en Marruecos y rendir homenaje al Ejército y a su caudillo General Sanjurjo". También la Junta municipal de Ceuta había enviado, como se ha referido, una comisión a dichos actos, aprovechando el viaje de retorno para conseguir empréstitos de los bancos y visitar la Dirección General de Marruecos y Colonias, a cuyo cargo estaba el general Jordana, para trasmitirle los proyectos de la ciudad, entre los que se contaba la construcción de un instituto de enseñanza secundaria[799].

En realidad, Federico Berenguer venía a recoger sus cosas y despedirse[800]. Y la ciudad se mostró muy agradecida ofreciéndole en el palacio municipal un vino de honor. El presidente de la Junta, coronel García Benítez, puso de relieve su figura como militar y gobernante. Por su parte, Berenguer se ofreció al pueblo "siempre para cuanto redunde en beneficio de Ceuta"[801]. Amenizó el acto la banda del Tercio[802].

---

798 Comisión permanente, 28 de enero de 1928.
799 AGCE. LAC núm. 91, Comisión permanente, 22 de octubre de 1927, folio 177.
800 ABC, 19 de octubre de 1927.
801 AGCE. LAC núm. 91. Comisión permanente, 22 de octubre de 1927, folio 177 vto.
802 El Correo Gallego, 22 de octubre de 1927.

Ya por la noche se celebró en el Hotel Majestic un banquete de trescientos comensales de las guarniciones de Ceuta y Tetuán, que obsequiaban al general Berenguer[803]. Ocuparon la mesa presidencial los generales Berenguer, Goded y Gómez Morato. Este ofreció el banquete, repasando la historia militar de Berenguer, que "tan importantes servicios había prestado a su patria". El general Berenguer contestó agradeciendo los elogios y ensalzando al general Sanjurjo. Igualmente, dedicó un recuerdo a la memoria del contralmirante García Velázquez, recién fallecido, poniendo de relieve la parte activísima y principal que había tenido "en nuestros éxitos en Marruecos"; a la vez que se ofreció incondicionalmente a todos como compañero y soldado[804]. Al día siguiente, el teniente general, con sus ayudantes y su hermana María Dolores –Federico Berenguer era soltero-, salió en automóvil para Larache con objeto de despedirse de aquella guarnición[805].

Como había señalado el general Berenguer, el domingo 16 de octubre había fallecido en Madrid, a los 60 años de edad, el contralmirante García Velázquez, quien, recordemos, había sido nombrado a principios de 1926 general jefe de la Fuerzas Navales del Norte de África. En Ceuta se celebró una misa por su alma, que tuvo como marco el Santuario de la Virgen de África, contando con la presencia de su familia, encabezada por su viuda Mª Teresa Freyre, del general Gómez Morato, el jefe interino de la escuadra, Pérez Ojeda, y la Junta municipal, además de numerosas comisiones civiles y militares. Ofició el capellán del crucero *Príncipe de Asturias*, Francisco Peces[806].

Por otro lado, la *Gaceta* publicó un decreto reorganizando la Armada, suprimiendo el Estado Mayor Central de la Armada y creando la Dirección General de Campaña y de los servicios del Estado Mayor. Esta reorganización afectó al Norte de África en virtud de otro decreto, por el que quedó derogado el del 22 de marzo de 1924. A partir de ahora "estarán constituidas por el crucero *Extremadura*, cañonero *Lauria*, seis guardacostas, cuatro barcazas, un remolcador y un aljibe. Estas fuerzas, así como los elementos navales, dependerán en su aspecto militar del capitán general del Departamento de Cádiz". Asimismo, disponía que los buques estuviesen a las inmediatas órdenes del interventor principal de Marina y del alto comisario. "Será interventor principal de Marina en la zona del Protectorado un capitán de navío o de fragata, cuya residencia será en Tetuán, y este, a su vez, tendrá un auxiliar que residirá en Río Martín". Por último, se creaba una Comandancia de Marina en Ceuta y otra en Melilla, y tres intervenciones de Marina en Larache, Río Martín y Alhucemas[807].

Vuelto a Ceuta Berenguer, en la tarde del día 23 se celebró en la Comandancia General la fiesta con la cual se despidió oficialmente. Y a las once de la noche, acompañado del general Gómez Morato, asistió a una comida íntima de despedida con que le obsequió la sociedad El Bakalito; sociedad presidida por el juez municipal Cándido Lería Lanzac e integrada por intelectuales y artistas.

Al día siguiente, a las doce, embarcó en el cañonero *Lauria*. Acudieron a despedirle las autoridades civiles y militares y numeroso público de todas las clases sociales. Más de 40 embarcaciones empavesadas acompañaron al cañonero hasta fuera de la bocana[808]. Berenguer se iba realmente agradecido, y a su llegada a Madrid dirigió un telegrama a Gómez Morato en el que mostraba "Mi ofrecimiento incondicional"[809].

---

803 Heraldo de Madrid, 22 de octubre de 1927.
804 La Nación, 22 de octubre de 1927.
805 ABC, 23 de octubre de 1927.
806 ABC, 23 de octubre de 1927.
807 Heraldo de Madrid, 21 de octubre de 1927.
808 La Correspondencia Militar, 25 de octubre de 1927. El Globo, 25 de octubre de 1927. La Vanguardia, 25 de octubre.
809 El Telegrama del Rif, 28 de octubre de 1927.

31. Noticias esperanzadoras y los últimos días de 1927

En cuanto al pulso de la ciudad, ya en noviembre, aprobados los gastos de la visita de los reyes y de las susodichas visitas a Madrid y Zaragoza, se anunció un concurso para la adjudicación de las obras de construcción de un grupo escolar en la barriada del Morro, a la par que se solicitaba la creación de tres escuelas nacionales[810]. Como se ha visto sobradamente, por aquellas fechas la barriada del Morro estaba en plena ebullición; también la barriada del Príncipe Alfonso estaba en expansión, al igual que la obra de ampliación del puente sobre el foso seco de la Almina estaba muy avanzada. De igual forma, la institución de la Gota de Leche, el alumbrado eléctrico de calles y centros públicos, además del derribo de casas viejas y el replanteamiento de solares para el ensanche de la ciudad.

Igualmente, varias cuestiones de diversa índole tuvieron lugar en el mismo mes de noviembre. Por un lado, se inauguró un grupo de viviendas destinadas a los maestros de talleres y auxiliares del parque de Artillería. Por otro, el escritor portugués Antonio Nobre impartió una conferencia en el Salón Apolo, acerca del tema 'Unión espiritual ibérica', que tanta sensibilidad despertaba en Ceuta. El teatro estaba rebosante, asistiendo las autoridades civiles y militares, el presidente de la Junta municipal y el Sindicato de periodistas, que premiaron al conferenciante con atronadores aplausos. Amenizó el acto la banda del Tercio[811]. Unos días después llegaba la noticia del fallecimiento del sultán Muley Yusuf, ocurrido el 17 de noviembre en Casablanca. La Junta municipal acordó: "Conste el sentimiento de la Corporación por el fallecimiento del Sultán de Marruecos y dar pésame a S.A.I. el Jalifa"[812]. Cabe añadir que la llegada del nuevo sultán, Mohamed V, no afectaría sustancialmente, en un principio, al jalifato tetuaní.

Como era tradicional, el día 8 de diciembre se celebró la festividad de la Inmaculada Concepción, patrona de Infantería. En primer término tuvo lugar una función religiosa en el Santuario de la Virgen de África, que se adornó con atributos militares. Asistieron el nuevo comandante general, Gómez Morato, autoridades civiles y militares, representantes de la Escuadra y una compañía de cada Cuerpo con bandera, Tercio y Regulares. Después hubo un lucidísimo desfile. En los cuarteles se dijeron misas, y hubo festejos variados y ranchos extraordinarios. Los suboficiales y sargentos celebraron banquetes, y la oficialidad asistió a un *lunch*. Por su parte, las baterías de la plaza y del crucero *Extremadura* lucieron salvas[813].

Pero este mes de diciembre se va a caracterizar por la gran cantidad de obras que se estaban proyectando, otras que se estaban ejecutando y otras recepcionando. Especial atención tuvieron, como se ha comentado, la barriada del General Sanjurjo y la del Príncipe Alfonso. Igualmente se efectuó la recepción definitiva de planos taquimétricos realizados por el arquitecto José Blein de la primera y segunda zona de Ensanche, así como la recepción definitiva de las obras realizadas por el contratista Juan Garrido para habilitar como escuela una casa de la calle Independencia.

Aunque también la Junta municipal tenía otras aspiraciones. Una de ellas era, como se ha referido, la creación de un centro de segunda enseñanza, al igual que estaba muy interesada en conseguir la cesión del Hospital Central; para ello se decidió nombrar una comisión, "que estudie la forma de solicitar al Estado la cesión a este Municipio del Hospital Militar para ensanche de la vía pública"[814].

---

810 BOCCE núm. 63, 8 de diciembre de 1927. Comisión permanente, 5 de noviembre de 1927.
811 La Vanguardia, 13 de noviembre de 1927. La Voz, 14 de noviembre de 1927.
812 BOCCE núm. 63, 8 de diciembre de 1927. Comisión permanente, 19 de noviembre de 1927.
813 La Correspondencia Militar, 9 de diciembre de 1927.
814 BOCCE núm. 63, 8 de diciembre de 1927. Comisión permanente 3 de diciembre de 1927. Comisión permanente, 10 de diciembre de 1927.

El 10 de diciembre la citada comisión, presidida por el ingeniero Álvaro Bielza, se desplazó a Tetuán para entrevistarse con el alto comisario[815]. La representación ceutí salió con sensaciones muy positivas de la entrevista, pues el 24 de diciembre la permanente acordó "Dar las gracias al Excmo. Sr. Alto Comisario de España en Marruecos por el interés demostrado en la resolución de la petición que se le hiciera de conceder para ensanche de la vía pública el local ocupado por el Hospital Central de esta ciudad". Unos días después también se recibió otra buena noticia: "que la matrícula de la contribución industrial y de comercio de esta plaza para el ejercicio de mil novecientos veintiocho sea con la misma base de población con que figura la del actual ejercicio, o sea a la mitad efectiva que tiene asignada en el censo"[816].

En este contexto de noticias esperanzadoras, la Junta decidió que la barriada que se estaba construyendo en el Morro recibiese el nombre de General Sanjurjo, la barriada que se había formado en la carretera de San Amaro (cantera del puerto) Federico Berenguer, y García Benítez a la barriada del Recinto Sur, que se encontraba situada a la espalda del cuartel de la Reina[817].

Por otro lado, los últimos días del mes estuvieron marcados, como es natural, por las tradicionales fiestas navideñas, que estuvieron más animadas por la concesión a los empleados municipales de una "gratificación equivalente al 50% del sueldo o jornal mensual". De la misma forma, los ceutíes pudieron disfrutar del icónico reloj del palacio municipal, pues el 10 de diciembre el arquitecto municipal informaba que había sido instalado "funcionando con precisión y regularidad"; reloj que había sido adquirido a "Don Guillermo Kallen" por un montante de 7.420 pesetas[818]; efectuándose días después su recepción definitiva. También se adjudicó la limosna concedida por los reyes durante su visita a Ceuta a las viudas pobres, al igual que se concedió otra de menor cuantía a cada una de las restantes viudas que la solicitaron -a estas últimas se les agració un socorro de 20 pesetas-. Asimismo, se formó una comisión para llevar a la práctica la propuesta del vicepresidente Federico Illana de celebrar la fiesta de Reyes, para lo cual se aprobó un crédito de dos mil pesetas[819].

---

815 El Telegrama del Rif, 11 de diciembre de 1927.

816 AGCE. LAC núm. 92. Comisión permanente, 17 de diciembre de 1927, folio 18 vto.

817 BOCCE núm. 69, 19 de enero de 1928. Comisión permanente, 30 de diciembre de 1927.

818 AGCE. LAC núm. 91. Comisión permanente, 21 de marzo de 1927, folio 6.

819 BOCCE núm. 68, 12 de enero de 1928. Comisión permanente, 17 de diciembre de 1927.

CAPÍTULO III

1928, EL AÑO DE ASTRAY Y ROSENDE

El año 1928 entró en Ceuta con una nueva mentalidad, atrás había quedado el año 1927 lleno de sensaciones de todo tipo, tanto positivas: fin de la guerra, visita de los reyes…, como negativas: inmigración que no cesaba, con los consiguientes problemas de chabolismo, educación, sanidad…, al igual que preocupaba el comienzo de la reducción de tropas. Pero también se miraba al futuro con ilusión: además de los numerosos proyectos que se estaban llevando a cabo, convirtiendo poco a poco a Ceuta en una ciudad moderna, el presupuesto extraordinario para Plan General de Instalación y Mejora de los Servicios Municipales significaba que la ciudad encaraba su devenir aún con más determinación. En este contexto, el año 1928 iba a dar sus primeros pasos con un claro tinte optimista: el multitudinario homenaje al general Sanjurjo y el primer premio de la Lotería Nacional.

1. Homenaje al general Sanjurjo

El año 1928 estaba previsto que comenzara con un gran homenaje al general Sanjurjo con objeto de celebrar la fiesta del día primero del primer año de Paz en Marruecos. Entre los actos programados se contemplaba que, en la noche de San Silvestre, las bandas de música y rondallas de Ceuta ejecutaran un amplio programa de músicas y canciones netamente regionales. Y al día siguiente una gran manifestación. En todos los sectores de la población, la idea de este homenaje causó excelente efecto, proponiéndose concurrir numerosos vecinos, por lo que estaba previsto que fuese una fiesta grandiosa[820].

Y así fue. El día primero se celebró una importante manifestación formada por más de tres mil personas de todos los estamentos sociales. La manifestación cívica partió de la plaza de la Constitución, marchando al frente la Junta municipal bajo mazas, que recorrió la población hasta la Comandancia General, que en aquellos momentos aún se encontraba en la calle López Pinto, donde, después de dejar tarjetas y pliegos firmados, fue recibida por el general Gómez Morato en representación del comisario superior. Durante la recepción, el alcalde pronunció un sentido discurso enalteciendo el espíritu patriótico de Ceuta y elogiando "al glorioso caudillo que consiguió la anhelada paz"; por su parte, el general Gómez Morato contestó en sentidas frases subrayando el amor de Ceuta a España.

Poco después, a las dos de la tarde, se celebró un banquete con más de 300 comensales, que fue presidido por el general Gómez Morato y el presidente de la Junta municipal. Se pronunciaron patrióticos brindis, y se telegrafió al rey, Primo de Rivera y Sanjurjo.

Para cerrar el homenaje, por la noche hubo función de gala en el Teatro del Rey, asistiendo el propio Sanjurjo, que fue aclamado a su llegada. Recogió mil pesetas de una cuestación que envió a la suscripción abierta para erigir un monumento al Quijote. Para realzar el homenaje, la población lució colgaduras y los buques estuvieron empavesados. Por último, se acordó regalar al general Sanjurjo, en recuerdo de la Fiesta de la Paz, un álbum con millares de firmas, apareciendo en las tapas el escudo de la ciudad en oro[821].

---

820 La Nación 26 de diciembre de 1927.
821 ABC, 3 de enero de 1928. El Liberal, 3 de enero de 1928. La Época, 3 de enero de 1928.
     El Telegrama del Rif, 4 de enero de 1928.

2. El 40.897, la barriada de Villa Jovita y la playa de Benítez

El premio mayor del sorteo núm. 1 de la Lotería Nacional, celebrado el día 2 en Madrid, correspondió al Casino Español de Ceuta, integrado por los suboficiales de la guarnición, que jugaban las tres series que habían sido repartidas en participaciones de diez y cinco pesetas, y aún de menor cantidad. Numerosas personas fueron agraciadas entre los socios y empleados. Las tres series se habían adquirido con dinero procedente del reintegro del billete de Navidad. No sólo en el casino reinaba una gran alegría general, sino que también produjo gran satisfacción en la ciudad por corresponder a las modestas familias de suboficiales y similares. El gordo de 500.000 pesetas correspondió al número 40.897. El conserje Antonio Álvarez adquirió el billete, y se dieron casos muy curiosos, como el de Valbanera Avilés, encargada de la limpieza, que jugó una peseta. Valbanera dio muestras de alegría pues tenía un hijo enfermo. También fueron partícipes del premio gordo el mozo del ambigú, el botones, el limpiabotas y el chófer del general Gómez Morato[822]. Tal fue el revuelo que se montó, que en el carnaval de aquel año se popularizó esta coplilla:

> Este año nuevo fue afortunado
> con el valeroso premio
> este gran pueblo africano,
> siendo el agraciado
> con el gordo por su suerte
> 40.897, con su premio
> causó mucho respeto
> en el Casino Español de los sargentos...[823]

El Casino Español estaba situado en Gómez Pulido núm. 6. En febrero de 1920 se constituyó esta sociedad con sus solos medios. Contaba con una biblioteca, servicios de baños, barbería, billares, lugares de tertulias, etc. En sus salones los socios y sus familias disfrutaban con frecuencia de conciertos y otros actos culturales y de esparcimiento. En lugar preferente, como homenaje perpetuo, figuraban fotografías de los socios caídos en campaña. Según señala el *Anuario General de Marruecos y Guinea 1927-1928*, su organización era envidiable y contaba por término medio con más de 700 socios, lo que hacía que se hallase constantemente concurrido. Era presidente honorario la primera autoridad militar de la plaza, y socios de esta categoría el general de la zona y los primeros jefes de los Cuerpos y Servicios del territorio[824].

Por otro lado, el premio de la lotería supuso el punto de partida para el nacimiento de la barriada de Villa Jovita, pues muchos de los agraciados se compraron casas en esa barriada. Como señala José Luis Gómez: "Entre las experiencias más interesantes, y que constituyen una excepción en la ciudad, se encuentra la construcción de la barriada de Villa Jovita, aprovechando la legalización de una parcela del Campo Exterior. Al calor del dinero que supuso el premio gordo de la lotería nacional del 5 [sic] de enero de 1928 aparecieron tanto el Banco de Construcción como un par de empresas constructoras que ofrecieron viviendas unifamiliares a los premiados. El éxito fue evidente y, a pesar de la falta de planteamiento urbano, el resultado fue más que aceptable"[825].

Cabe apuntar que la Junta municipal no quedó ajena a esta iniciativa urbanística, acordando dotarla de servicios. Por una parte, decidió "Aceptar la cesión de terrenos que hace la vecina doña Jovita Casares, con la condición que sean destinados a escuelas de ambos se-

---

822   El Telegrama del Rif, 4 de enero de 1928.
823   SÁNCHEZ MONTOYA, Francisco: Opus cit., p. 32.
824   VALERA Y LÓPEZ CORDÓN, Diego (director): *Anuario General de Marruecos y Guinea, 1927-1928*, p. 669.
825   GÓMEZ BARCELÓ, José Luis: 'Arquitectura en Ceuta en tiempos de entreguerras', pp. 163 y 164.

xos"[826]; asimismo, aprobó el presupuesto de dos mil novecientas cuarenta y cinco pesetas para la construcción de un barracón de madera con destino a la escuela en los terrenos de la Jovita[827]. Por otra, el 21 de julio de 1928 acordó "Instalar luz eléctrica en los alrededores de la playa de Benítez y barriada llamada de la Jovita"[828,] y el 12 de diciembre de 1929 la permanente acordó aceptar en principio las calles y plazas de dicha barriada. También se fueron implantando otros servicios, como transporte urbano y cartería. Incluso llegó a tener su propio equipo de fútbol, celebrándose el 1 de enero de 1930 un encuentro entre el Villa Jovita y Cultura Sport, venció el primero tres a uno[829]. Por otro lado, el nombre de la barriada tenía su origen en Jovita Casares, hija del ex alcalde y empresario Demetrio Casares Vázquez. Según Mª Dolores Díaz, Jovita Casares era poseedora de una casa de campo en 1916; tras llevar varios años trabajando casa y terreno, se los dieron en propiedad[830].

En cuanto a la playa de Benítez se había convertido en la más popular de la ciudad, y cuando llegaba la temporada de baños la Junta municipal autorizaba un servicio extraordinario de autobuses desde el jardín de Prim a la citada playa[831]. Así, por ejemplo, se le concedió autorización a Ifigenio Arrabal Martos para que con uno de los autobuses que tenía para el servicio de viajeros en circunvalación pudiera hacer uso especial durante la temporada de baños con el siguiente recorrido: San Sebastián-Alhambra, Alhambra-Mixto Artillería, Mixto Artillería-Baños Benítez, siendo el precio de cada recorrido de 0,15 pesetas, pudiendo volver después de las horas de baños al servicio de circunvalación[832]. También a José Martínez se autorizó a establecer un autobús entre el jardín de Prim y Benítez el 7 de noviembre de 1928; al igual que el 18 de julio de 1929 se autorizó a Antonio Guerrero y a José Martínez, para que pudieran destinar, cada uno de ellos, un autobús al servicio de la citada playa. No obstante, otras playas como La Peña o San Amaro, más cercanas al casco urbano, también eran muy populares; sobre todo entre los jóvenes.

Asimismo, la citada Junta designaba a un celador "para que vigile el cumplimiento de las disposiciones dictadas por la Autoridad durante la temporada de baños en la playa Benítez"[833]. Veamos que decían las ordenanzas municipales de 1923 sobre el particular: "Art. 361. Solo se permitirán los baños de mar en los sitios que oportunamente se fijen por la Autoridad competente. Art. 362. No se permitirá que se bañen los adultos, sino con la separación conveniente de sexos, debiendo ir todos los bañistas provistos de un traje apropiado. Art. 363. Se prohíbe que los niños menores de doce años entren en el agua sin ir acompañados de persona mayor, bajo la responsabilidad de sus padres, tutores o encargados. Art. 364. Las caballerías, perros y demás animales, solo podrán bañarse en los sitios que al efecto se designe por la Autoridad. Art. 365. La autorización para establecer barracas o casetas para bañistas será concedida por la Alcaldía"[834]. Con respecto a las casetas de baño, recordemos que cuando encalló el vapor Bristol-Mashal, a primeros de septiembre de 1925, soltó combustible, que se incendió y, llevado por el viento, quemó varias casetas de baño de la playa Benítez, al igual que obligó a huir de sus viviendas a los pescadores que habitaban allí cerca.

---

826 BOCCE núm. 85, 3 de mayo de 1928. Comisión permanente, 21 de abril de 1928.
827 BOCCE núm. 100, 16 de agosto de 1928. Comisión permanente, 4 de agosto de 1928.
828 BOCCE núm. 98, 2 de agosto de 1928.
829 El Telegrama del Rif, 3 de enero de 1930.
830 DÍAZ FERNÁNDEZ, Mª Dolores: Opus cit., p. 33.
831 BOCCE núm. 100, 16 de agosto de 1928. Comisión permanente de 21 de julio de 1928.
832 AGCE. LAC núm. 90. Comisión permanente, 21 de agosto de 1926, folios 37 vto. y 38.
833 BOCCE núm. 90, 7 de junio de 1928. Comisión permanente, 2 de junio de 1928.
834 Ayuntamiento constitucional de Ceuta, Ordenanzas Municipales, año 1923, p. 49.

3. La festividad de Reyes y el tráfico rodado

Estos dos acontecimientos de resonancia nacional fueron un claro estímulo para que se organizase "el festival de Reyes", que obtuvo un notable éxito[835], al igual que un partido de "balompié" en el Campo de la Hípica a beneficio de los niños pobres[836], siendo donada la copa por la Junta municipal. El festival de Reyes estuvo organizado por la Junta municipal y el Sindicato de Periodistas, celebrándose una fiesta infantil para el reparto de juguetes. Presidieron el acto, "con distinguidas damas", los presidentes de la Junta municipal y del Sindicato y las autoridades. El teatro estaba abarrotado. Desfilaron los niños de las escuelas públicas y particulares, así como de los establecimientos benéficos. El número de regalos repartidos fue de 6.000, adquiridos con donativos voluntarios. Una banda militar amenizó el acto, que duró varias horas. Los organizadores, vicepresidente de la Junta, Federico Illana, y presidente del Sindicato, Antonio Micó,

Anuncio publicitario de la Agencia Ford.

fueron muy felicitados por el éxito de la fiesta. Por otro lado, en esos días reinaba "un fuerte temporal de levante, sintiéndose un frío intensísimo"[837], quedando interrumpidas las comunicaciones marítimas con Algeciras[838].

Otro asunto que trató la Junta municipal a principios de año fue el tráfico de vehículos, debido al problema que estaba ocasionando al aumento del parque automovilístico y los accidentes que estaban sucediendo –muy comentada y sentida en Ceuta fue la muerte de la niña Isabel Postigo, ocurrida en el mes de enero[839]-. Por ello se elevaron las multas contra las infracciones de tráfico, sobre todo las relacionadas con la cuestión de la velocidad, que podían ascender a 75 pesetas; multa nada despreciable teniendo en cuenta los salarios de la época (un salario medio rondaba alrededor de las 300 pesetas mensuales). En este sentido, las ordenanzas municipales recogían algunos artículos:

Art.º 154.- Se retirará el permiso de circulación a todo vehículo que no reúna las debidas condiciones de seguridad y limpieza. Igualmente se retirará la autorización para ejercer la profesión al conductor que diere motivo para ello.

Art.º 164.- Son extensivas a los automóviles todas las disposiciones establecidas para vehículos en general, que les sean aplicables, además, de cuanto previene para la circulación de vehículos con motor mecánico el Reglamento de 24 de Julio de 1918.

Art.º 165.- Queda completamente prohibido que los automóviles sean conducidos por personas que no tengan título correspondiente, y siempre mayores de diez y ocho años.

Art.º 167.- Los automóviles en el interior de la población, deberán llevar una marcha moderada que no exceda de la de un caballo al paso; y desde la hora del anochecer deberán llevar encendidos los faroles en su parte delantera.

Art.º 169.- De cuantas infracciones se cometan a estas disposiciones, así como los perjuicios que se ocasionen, serán responsable subsidiarios los dueños de los respectivos automóviles[840].

---

835   "20. Conceder un voto de gracia al Vicepresidente señor Illana y demás señores que cooperaron con él a la organización del festival de Reyes, por el éxito obtenido". BOCCE, 19 de enero de 1928. Comisión permanente, 7 de enero de 1928.
836   AGCE. LAC núm. 92. Comisión permanente, 31 de diciembre de 1927, folio 39.
837   La Nación, 7 de enero de 1928.
838   ABC, 7 de enero de 1928.
839   "Ceuta 3. Ayer tarde, el director del diario local La Opinión, acompañado del cura párroco y otras personas, hizo entrega a la familia de la niña Isabel Postigo, muerta el pasado mes en accidente de automóvil, del importe de la suscripción iniciada por el teniente coronel señor Varela". El Telegrama del Rif, 4 de febrero de 1928.
840   BOCCE núm. 68, 12 de enero de 1928. Comisión permanente, 12 de enero de 1928.

Independientemente de que en Ceuta circulaban todo tipo de vehículos a motor desde hacía varios lustros -sobre todo militares-, que convivían torpemente con los de tracción animal, según el trabajo publicado por la Dirección General de Tráfico, 'Primeros Vehículos matriculados en España'[841], el primer vehículo que se matriculó en Ceuta, que llevaba la matrícula CE-1, fue el 14 de octubre de 1922, un turismo marca Mors, siendo su titular José Arango y Arango, ingeniero de Minas y conocido empresario asturiano que se había instalado en Ceuta a raíz de la construcción del puerto (director de la empresa constructora del puerto)[842].

Aquella primera matriculación, algo tardía, por cierto, con respecto al resto de España –el primer coche que se matriculó en España fue en Palma de Mallorca en 1900-, supuso el pistoletazo de salida, pues las cifras de matriculaciones fueron aumentando de forma sustancial durante el periodo primorriverista, al igual que pasó en el resto del país:

Vehículos matriculados en Ceuta (1923-1930)

Año	Número	Año	Número
1923	188	1927	465
1924	246	1928	595
1925	306	1929	768
1926	366	1930	902

Fuente: Elaboración propia a partir de 'Primeros Vehículos matriculados en España', pp. 13-15.

Si nos atenemos al cuadro, desde 1923 -188 vehículos matriculados-, hasta 1930 -902 vehículos matriculados-, el parque automovilístico había aumentado de forma espectacular; claro indicativo del periodo expansivo que vivió la ciudad durante estos florecientes años.

Como es lógico, el número de surtidores de gasolina fue creciendo. Y en este sentido no era raro contemplar en los acuerdos municipales autorizaciones para prestar este servicio. Así, por ejemplo, la permanente del 4 de junio de 1927 autorizó a Fernando López Canti instalar un aparato de distribución de gasolina en la calle Edrissis; la del 5 de noviembre de 1928 autorizó a Alberto Parres la instalación de un surtidor en la confluencia de las carreteras Jadú y Terrones, o en la del 27 de abril de 1929 se concedió permiso a la razón social viuda de Samuel Salama para instalar cinco surtidores Shell. En cuanto al precio del combustible, el 9 de junio de 1928 la permanente acordó abonar 84,15 pesetas por 165 litros de gasolina para el camión regadera, o sea a 0,51 pesetas el litro. Y el 5 de septiembre de 1929 acordó adquirir gasolina para los automóviles al precio de cuarenta y cinco céntimos el litro. Las grandes compañías suministradoras de combustibles eran Sphinix, Shell, Vacuum y Atlantic.

Igualmente, al aumentar el parque automovilístico, se construyeron varios "garages", como el del citado Alberto Parres en la carretera del Serrallo, en 1928; el de Filomena Mateo Calvet, en la calle Romero Robledo, a finales del mismo año; o el famoso Garaje Continental, de los hermanos Baeza, situado en el núm. 103 de la calle Primo de Rivera, cerca de la plaza de Torrijos (Maestranza). Este garaje disponía de 46 "jaulas" y 40 plazas en "galería". También, este aumento importante del parque automovilístico dio lugar a que la Junta municipal pusiese más guardias para dirigir el tráfico, al igual que se fueron instalando más discos. Así, por ejemplo, en la permanente del 18 de julio de 1929 hubo una "Propuesta de los inspectores de Carruajes sobre la instalación de discos en la población, indicadores de velocidad y dirección de los vehículos"[843], aunque ya a principios de junio de 1928 se habían encargado "carteles anunciadores de velocidad", debidos a los problemas de tráfico y a los

---

841 GARCÍA RUEDA, Mª Isabel: 'Primeros vehículos matriculados en España'. Ministerio del Interior, Dirección General de Tráfico, s. p.

842 VALERA Y LÓPEZ CORDÓN, Diego (director): *Anuario General de Marruecos y Guinea, 1927-1928*, p. 691.

843 BOCCE núm. 152, 1 de agosto de 1929. Comisión permanente, 18 de julio de 1929.

atropellos[844], cada día más habituales. Y, como es natural, estas cuestiones mundanas, generadoras de todo tipo de anécdotas e incidentes, no pasaron desapercibidas para el carnaval ceutí, que no dejaba títere con cabeza:

Boquerones y sardinas

El otro día en el Rebellín
se pelearon dos chóferes,
y uno decía así: tú no eres mecánico
ni de chófer no entiendes nada,
porque tu vida la has pasado
en la bahía, pescando bogas y caballas.
Los boquerones y las sardinas
tú los conoces mejor que la gasolina...[845]

4. Nueva organización territorial de las Fuerzas Militares del Norte de África

Ya avanzamos en páginas anteriores la nueva organización territorial de las Fuerzas Militares del Norte de África. No obstante, estaba aún pendiente su definitiva elaboración, empezando a regir en las plazas de soberanía y en el Protectorado desde el mes de enero de 1928. Con arreglo a lo prevenido en el artículo 9º de la Real Orden de 2 de octubre de 1927, el territorio quedó dividido en cuatro grandes circunscripciones: Larache, Ceuta-Tetuán, Rif y Melilla, al mando de generales de brigada. Estas circunscripciones se dividían en sectores—al mando de coroneles—y aquellos en subsectores. Se creaba, en virtud de las facultades concedidas en el R. D. orgánico, un sector especial exento en

Puente de Cristo, Benigno Murcia. África Revista de Tropas Coloniales, noviembre de 1935.

Xauen, al mando de un teniente coronel. En Ceuta, Melilla, Villa Sanjurjo y Torres de Alcalá se establecieron Comandancias militares regidas por un coronel las dos primeras y por un teniente coronel las últimas, con atribuciones de índole gubernativa, como delegados civiles de la Alta Comisaría y "con análogos cometido y funciones en el orden militar que un coronel Jefe de Sector en la extensión territorial que se les designe". Por otro lado, a cada Circunscripción se le asignó núcleos de fuerzas fijas (únicamente estaba previsto que variasen determinadas unidades y de un modo accidental en los sectores del Rif y Larache). En cada Circunscripción, además de los servicios de guarnición, se organizaron columnas y grupos maniobreros para atender en cualquier coyuntura a las contingencias militares[846].

División militar del Protectorado español en Marruecos, 1928

Circunscripción	General de brigada
Ceuta-Tetuán	**José Millán Astray**
Larache	Emilio Mola
Melilla	Manuel González Carrasco
Rif	Ángel Dolla Lahoz

Fuente: *África, Revista de Tropas Coloniales*, mayo de 1928.

---

844 El Telegrama del Rif, 2 de octubre de 1930.
845 DÍAZ FERNÁNDEZ, María Dolores: Opus cit., pp. 103 y 104.
846 África, Revista de Tropas Coloniales, enero de 1928.

Estos cambios también tuvieron su reflejo en la administración de la ciudad, como así quedó reflejado en el diario *ABC* de 13 de enero de 1928: "Por disposición del Jefe superior de las fuerzas militares de Marruecos, de acuerdo con recientes instrucciones, insertas en orden general, la citada autoridad asume la jurisdicción de justicia en todo el Protectorado, cesando, además, las atribuciones de carácter civil que poseían las extintas Comandancias generales de Ceuta y Melilla, pasando los asuntos de esta índole, por conducto de los comandantes militares de ambas plazas, a la secretaría especial creada en la Comisaría Superior. El comisario superior ejercerá funciones de gobernador civil en los territorios de soberanía, quedando los generales de circunscripción como delegados gubernativos en materias civiles"[847]. De todo ello se dio cuenta en la permanente del 14 de enero de 1928: "Quedar enterada de disposiciones de la Alta Comisaría de España en Marruecos sobre atribuciones de carácter civil". Aprovechando el momento la permanente solicitó "del Ramo de Guerra la ampliación del Puente de Cristo"[848.] La respuesta fue positiva: "No existe inconveniente en ampliación Puente del Cristo"[849]. Como es sabido, el icónico Puente de Cristo, que salva el foso marino, era el único enlace terrestre de la ciudad con el Campo Exterior.

5. Fallece el doctor Manuel Matres y el Voto a la Virgen

Además de este importantísimo tema que afectaba tanto a la cuestión militar como a la municipal, La permanente hizo constar "en acta el sentimiento de la Corporación por el fallecimiento de don Manuel Matres ex alcalde de esta Ciudad y don Luis Mesa ex concejal del extinguido Ayuntamiento testimoniando el pésame a sus familias"[850].

El fallecimiento a finales de enero del ex alcalde, presidente de la Unión Patriótica y del Casino Africano, doctor Manuel Matres Toril, que llevaba enfermo desde hacía unos meses, y del ex subdelegado de farmacia, Luis Mesa León, fueron muy comentados en la ciudad. Ambos entierros constituyeron sendas e imponentes manifestaciones de duelo. El primero lo presidió el alto comisario, que estuvo acompañado por los generales Goded y Gómez Morato y la Junta municipal[851].

Por otra parte, la Asociación Nuestra Señora de África organizó la función religiosa del Voto a la Virgen, que, como era tradicional, tuvo lugar el jueves 9 de febrero en su Santuario, que presentaba un aspecto brillantísimo. Asistieron la Junta municipal en pleno, las autoridades militares y numeroso público[852]. Era presidenta de la citada Asociación Josefa González de Trujillo.

6. Homenaje a los hermanos Álvarez Quintero y el Centro Filarmónico de Córdoba

Señalaba el crítico de teatro de *ABC* que los teatros de Madrid conmemoraban entre el 31 de enero y el 11 de febrero una "fecha histórica en el teatro español contemporáneo: aquella en que Serafín y Joaquín Álvarez Quintero, niños todavía, dieron al teatro sevillano del Duque su primera comedia, *Esgrima y amor*, ante un público nutrido de estudiantes". Era el año 1888.

La razón inmediata y propulsora del homenaje que España entera le tributaba a los sevillanos fue, precisamente, el estreno de sus dos últimas comedias –*Tambor y Casabel* y *Los mosquitos*-[853], coincidiendo con el cuadragésimo aniversario del estreno de su primera obra.

En este contexto, organizado por los elementos literarios y artísticos de la localidad, se celebró a principios de febrero, en el Teatro del Rey, el anunciado homenaje a los hermanos

847 ABC, 13 de enero de 1928.
848 BOCCE, 19 de enero de 1928.
849 BOCCE núm. 79, 22 de marzo de 1928. Comisión permanente, 12 marzo de 1928.
850 BOCCE núm. 73, 9 de febrero de 1928. Comisión permanente, 28 de enero de 1928.
851 La Vanguardia, 31 de enero de 1928.
852 El Telegrama del Rif, 10 de febrero de 1918.
853 ABC, 2 de febrero de 1928.

Álvarez Quintero. Fue representada la comedia *Los galeotes*, interpretada por los actores del Liceo Español. El secretario de la Asociación de la Prensa, Manuel Merchante, disertó acerca de la labor literaria de los festejados –cuatro décadas plagadas de éxitos-, y leyó un importante trabajo con el mismo tema el director del periódico *La Opinión*, Nicolás Fernández, siendo ambos muy aplaudidos. La orquesta, compuesta por 40 profesores militares, dirigida por el maestro Alcalá Galiano, ofreció un magnífico concierto. El teatro estaba concurridísimo, asistiendo representaciones de las autoridades civiles y militares[854].

Siguiendo la estela cultural, el día 10 de febrero fue elegido presidente de la junta directiva del Centro Cultural Militar el teniente coronel de Intendencia Antonio Micó y España[855]. Durante estos años, Antonio Micó se estaba mostrando muy activo en el panorama cultural ceutí, siendo elegido, asimismo, presidente de la Asociación de la Prensa.

También en el mes de febrero estuvo el Centro Filarmónico de Córdoba en Ceuta y Tetuán para celebrar "el primer año de la paz". Invitado por la Alta Comisaría, este Centro Filarmónico, que gozaba de un gran prestigio, había sido fundado en 1878 por el profesor de Música Eduardo Lucena.

El día 18 llegó a Ceuta, donde le esperaban comisiones con numerosos cordobeses. Los 86 integrantes del Centro desfilaron ante numeroso público, ataviados a la usanza estudiantina española, con la bandera de colores nacionales, adornada con múltiples cintas, indicadoras de los concursos ganados. Seguidamente, el Centro cordobés se dirigió al Ayuntamiento, donde en el salón del trono, rebosante de público, interpretó salutación y otras composiciones, siendo aclamadísimo el barítono Gan. A continuación habló Antonio Ramírez, en representación del Ayuntamiento de Córdoba y del propio Centro Filarmónico, quien fue contestado por el alcalde, entregándole a la bandera del Centro una nueva corbata. Ambos fueron muy aplaudidos. Luego tuvo lugar un concierto en el Casino Africano con numerosísimo público, siendo felicitado con efusión por el general Gómez Morato. Por la noche ofreció otro concierto en el Salón Apolo. Por último, actuó en el baile de carnaval organizado por periodistas de Ceuta.

Al día siguiente el Centro también estuvo muy ocupado. Por la mañana visitó el cuartel de Regulares y el poblado anexo; a continuación ofreció un concierto en el Casino de Clases. Ya por tarde dio un concierto en el campamento legionario de Dar Riffien, llegando a Tetuán por la noche[856]. Los días 20 y 21 los pasó en Tetuán ofreciendo numerosos conciertos y asistiendo a varias visitas.

El miércoles 22, de nuevo en Ceuta, el Centro tuvo un denso programa. En primer término visitó al general Goded en la Residencia de Otero; a las cuatro de la tarde ofreció un concierto en el Casino Militar, con éxito y agasajos; y a las diez de la noche ofreció otro concierto en el Teatro del Rey, organizado por el Casino de Clases. El Teatro estaba adornado con letreros en colores y con una dedicatoria al Centro Filarmónico. Asistieron los generales Goded y Morato. El éxito fue grandísimo[857].

7. Ceremonia del bastón, carnavales y la cuestión de Tánger

Mientras los integrantes del Centro Filarmónico desembarcaban en Ceuta, "Ante la Patrona de Ceuta se celebró la ceremonia tradicional consistente en la entrega a la Virgen del histórico bastón de mando de Juan II de Portugal entregó a Pedro de Meneses"[858]. Acompañaron al general Gómez Morato comisiones militares de todos los Cuerpos de la guarnición, muchos marinos, la Junta municipal y otras autoridades. El general Gómez Morato, que en

---

854   El Liberal 14 de febrero de 1928.
855   ABC, 11 de febrero de 1928.
856   La Voz, 20 de febrero de 1928.
857   El Defensor de Córdoba, 21 y 23 de febrero de 1928.
858   ABC, 19 de febrero de 1928.

varias ocasiones había ejercido de comandante general interino sustituyendo a Federico Berenguer, acudió al Santuario haciendo la entrega de ritual y cambiándose entre el gobernador eclesiástico y militar significativos discursos relacionados con el acto. Una compañía del regimiento del Serrallo, con bandera y música, rindió los honores correspondientes[859].

En cuanto al carnaval, que coincidió por esas fechas, la Junta acordó conceder un regalo para un premio del baile de la Asociación de la Prensa y otro al de Sindicato de periodistas[860]. Según la prensa, el carnaval de aquel año estuvo muy animado: "Ceuta 21, 11 mañana. El Carnaval se celebra con gran brillantez, abundando los coches engalanados, las máscaras, estudiantinas y comparsas. Los Casinos Militar y Africano celebraron animadísimos bailes de máscaras, a los que concurrieron las autoridades civiles y militares, adjudicándose premios a los mejores disfraces"[861]. También, una estudiantina del Colegio Español de Tánger visitó a las autoridades y casinos, dando diferentes conciertos, siendo muy bien acogidos y agasajados[862].

Es indudable que la llegada de la estudiantina estaba relacionada con el ambiente que se respiraba relacionado con la cuestión de Tánger. El mes de marzo empezó con las noticias de las conversaciones que se estaban llevando a cabo sobre la ciudad internacional, una cuestión de la que se hablaba en todas partes y que copaba buena parte de la información periodística, alimentada por el régimen. Según cuenta Susana Sueiro Seoane en su trabajo *La cuestión de Tánger*, desde 1923 la reivindicación de un Tánger español se convirtió en un *leit-motiv* de la política exterior española. No obstante, la cuestión quedó larvada por los acontecimientos bélicos. Sin embargo, los éxitos obtenidos en Alhucemas dieron impulso al dictador para lanzarse a otros retos para elevar el prestigio internacional de España. En 1926 comenzaron nuevamente las conversaciones internacionales sobre el tema de Tánger. Para ello Primo de Rivera había jugado la baza de una posible alianza con Italia, para reequilibrar el Mediterráneo occidental, y su salida de la Sociedad de Naciones.

El resultado de aquellas negociaciones fue la firma el 3 de marzo de 1928 de un nuevo acuerdo con Francia, por el que España accedió no sólo a quedarse sin Tánger, sino que regresó a la Sociedad de Naciones sin puesto permanente. Aunque sí logró incrementar el poder en el gobierno de la ciudad y se consiguieron algunas concesiones, lo que fue vendido como un éxito de la política exterior española[863].

Veamos en qué consistieron dichas concesiones: "Por el acuerdo hispano-francés de 3 de marzo de 1928, ratificado por Inglaterra e Italia en abril del mismo año, se conviene en la desaparición de los tabores jarifianos -creaciones del Acta de Algeciras de 1906-, y se crea la Gendarmería a las órdenes de un jefe español. Se crea, además, una Oficina de Información bajo la dirección de un funcionario español. Oficina independiente que no tenía que ver nada con la administración Internacional"[864].

Con respecto a Ceuta, las relaciones con la vecina Tánger eran fluidas. Así, por ejemplo, era frecuente la presencia de los Exploradores de Tánger en Ceuta y viceversa, al igual que se enviaban con motivo de las diversas fiestas nacionales bandas militares de música, como el Día de la Raza del 12 de octubre, o el cumpleaños del rey. En cuanto a la firma del nuevo Tratado con Francia, la Junta municipal acordó el 12 de marzo por unanimidad: "felicitar al gobierno de S.M. y su presidente por el feliz resultado de la negociación franco-española relativa a Tánger, felicitación que se hace extensiva al Sr. Alto Comisario de España en Marruecos".

---

859   La Opinión, 20 de febrero de 1928.
860   BOCCE núm. 75, 23 de febrero de 1928. Comisión permanente, 13 de febrero de 1928.
861   ABC, 22 de febrero de 1928.
862   La Vanguardia, 29 de febrero de 1928.
863   SUEIRO SEOANE, Susana: 'La cuestión de Tánger', pp. 131-135.
864   ORTEGA, Manuel L (coordinador): *Anuario-Guía Oficial de Marruecos-Zona Española (comercio y turismo), 1930*, p. 805.

8. Visitas del embajador de Francia y nuevos nombramientos

En el número de marzo de 1928 de *África, Revista de Tropas Coloniales* escribió Emilio L. López: "Acaba de firmarse el acuerdo franco español respecto a Tánger que disminuye el roce en el principal punto de fricción existente entre las dos potencias protectoras. [...] La visita del conde Peretti de la Rocca al Protectorado de España y la del Alto Comisarlo español a Rabat en unión del ilustre diplomático francés, parecen los últimos acordes de una marcha triunfal en honor del éxito español sobre Marruecos que como es natural no se contrae a la mejora de nuestra situación en Tánger, sino a la superación de todos los aspectos del viejo problema".

Veamos cómo se vivió en Ceuta la visita del embajador de Francia camino de Tetuán y Protectorado francés: "Ceuta 11, Procedente de Algeciras y a bordo del vapor *Primo de Rivera*, llegaron el embajador francés y el comisario superior, siendo recibidos por los generales Goded y Gómez Morato, coronel Aguilera, Junta municipal en pleno, distinguidas personas y comisiones de los organismo locales. Al desembarcar, las tropas presentaron armas, tocándose la Marcha Real y la Marsellesa. El representante del Ayuntamiento, ingeniero Álvaro Bielza, dio en correcto francés la bienvenida al conde de Peretti de la Rocca, luego entregó a las damas magníficos ramos de flores. El embajador le contestó y seguidamente revistaron a la compañía del regimiento del Serrallo, marchando seguidamente en automóviles a Tetuán"[865].

El día 13, a las diez de la mañana, el embajador regresó a Ceuta con el alto comisario, familia y séquitos, después de visitar durante dos días Tetuán y Xauen. Seguidamente recorrieron los alrededores de la población, visitando las canteras de Benzú, donde la empresa constructora del puerto les obsequió con un *lunch*. Posteriormente, en la Comandancia General se les sirvió un almuerzo invitados por el general Goded, asistiendo el alto comisario, su hermana, el presidente de la Junta municipal y demás autoridades con sus señoras y distinguidas personalidades. A las cinco de la tarde el embajador y su familia, generales Sanjurjo, Goded y Gómez Morato, comisiones e invitados marcharon al campamento de Dar Riffien, haciéndoseles los legionarios un grandioso recibimiento; estableciéndose un servicio de trenes especiales entre Ceuta y Riffien. A las diez se dirigieron al Casino del Tercio, donde se les ofreció una cena, realzada por la bondad de la noche. Y dos horas después embarcaron en la motonave *Primo de Rivera*, para amanecer en Villa Sanjurjo[866].

Otro ilustre personaje que visitó Ceuta en el mes de marzo fue el ministro plenipotenciario del Japón en Madrid, Tamerkkichi Ohta, su señora y el secretario del primero, Skomine. El ministro del Japón y sus acompañantes visitaron la población, marchando a continuación para Algeciras. Su visita a Ceuta se produjo después de haber estado en la zona del Protectorado español y Tánger[867]. Y a finales de marzo llegó la noticia del nombramiento de José E. Rosende Martínez como presidente de la Junta municipal; noticia que fue muy bien recibida por la Comisión permanente[868] y por la opinión pública ceutí.

Unas jornadas más tarde fue ascendido a general de división Agustín Gómez Morato, tomando el mando de la 9ª División en Zaragoza. La prensa de Ceuta hizo grandes elogios del general, anunciando que el Sábado de Gloria sería obsequiado con un banquete[869]. La vacante dejada por Gómez Morato la ocuparía el general Millán Astray[870].

---

865   ABC, 13 de marzo de 1928.
866   La Vanguardia, 14 de marzo de 1928.
867   La Voz, 20 de marzo de 1928.
868   BOCCE núm. 82, 12 de abril de 1928. Comisión permanente, 24 de marzo de 1928.
869   El Telegrama del Rif, 4 de abril de 1928.
870   La Nación, 4 de abril de 1928.

9. José Millán Astray y José Enrique Rosende, dos personajes icónicos

Como se ha visto, la primavera de 1928 supuso un cambio en cuanto a las autoridades ceutíes; dos contrastados personajes de larga y densa trayectoria, cada uno en su parcela, alcanzaron los más altos puestos de responsabilidad en la plaza norteafricana. Por un lado, el general José Millán Astray, el mítico fundador de la Legión (1920), fue nombrado jefe de la nueva Circunscripción Ceuta-Tetuán; por otro, el ingeniero jefe de la Junta de Obras del Puerto de Ceuta, José Enrique Rosende Martínez, fue nombrado presidente de la Junta municipal.

El general Millán Astray. Estampa, 3 de abril de 1928.

Sobre Millán Astray poco hay que añadir, numerosa y variada bibliografía de diverso signo se ha escrito sobre su figura. No obstante, cabe subrayar que nació en La Coruña el 5 de julio de 1879; por lo tanto, cuando fue nombrado jefe de la Circunscripción Ceuta-Tetuán, R. O. de 31 de marzo (D. O. n.º 75), tenía 48 años. En el aspecto familiar, aunque estaba casado con Elvira Gutiérrez de la Torre, no tenía hijos.

Tal y como estaba previsto, el día 7, Sábado de Gloria, Gómez Morato fue obsequiado con un banquete de honor en el Centro de Cultura Militar al que asistieron 400 comensales. Con el festejado ocuparon la presidencia el representante del alto comisario, general Goded, el delegado gubernativo, coronel Aguilera, y el presidente de la Junta municipal, José E. Rosende. A la hora de los discursos el presidente de la Junta municipal puso de relieve las altas dotes de cultura, prestigio y bondad que caracterizaban a Gómez Morato. Éste, por su parte, visiblemente emocionado, dijo que era un imborrable recuerdo para él las cariñosas atenciones que había recibido "del noble pueblo de Ceuta". Dos días después, en el correo de Algeciras marchó el nuevo divisionario, tributándosele una cariñosa despedida. Atrás quedaba una intensa carrera militar forjada no sólo en los despachos, sino también en el frente de guerra (Barranco del Lobo, Afrau, Tizzi Aza, retirada de Uad Lau y Xauen...). No obstante, el 5 de febrero de 1932 volvería al norte de África como general jefe de las Fuerzas Militares en Marruecos.

Tres días después del homenaje a Gómez Morato, se produjo la llegada de Millán Astray a bordo del vapor correo *Hespérides* acompañado de su familia y ayudantes. Le recibieron las autoridades civiles y militares, así como el coronel, jefes y oficiales del Tercio, marineros, autoridades civiles y representaciones de diversas entidades. También vinieron de Tetuán varios jefes, entre los que se encontraban los de Regulares y la Mehala. El recibimiento fue cariñoso y el numeroso público que invadía el embarcadero ovacionó largamente al legendario general[871].

En cuanto a José E. Rosende, cuando fue nombrado presidente de la Junta municipal era viudo y ya estaba próxima su fecha de jubilación. Personaje muy conocido y querido en la ciudad, "donde cuenta con muchos amigos y relaciones por su trato afable", estuvo casado con la gaditana Concepción Martín Barbadillo y Fernández de Herrera Dávila, "que brilló en nuestra buena sociedad"[872]. Su prestigio venía dado por su gran y larga labor como ingeniero director de la Junta de Obras del Puerto -en abril de 1910, el propio Alfonso XIII, que

---

871   La Vanguardia, 11 de abril de 1928. La Nación, 11 de abril de 1928.
872   El Noticiero Gaditano, 9 de marzo de 1929.

lo había conocido en Ceuta en la visita del año anterior, lo recibió en audiencia-; y "las altas dotes de cultura y honorabilidad que le adornan y estar compenetrado de las verdaderas necesidades locales y profundo conocimiento de la anterior y actual vida municipal"[873].

Que un civil fuese nombrado presidente de la Junta municipal era novedad, aunque el Estatuto de las Juntas Municipales de Ceuta y Melilla se había modificado en febrero de 1928 (Real Decreto núm. 391, 23 de febrero de 1928), "en el sentido de que puedan ser designadas para la presidencia personas civiles o militares"[874]. Y estaba justificada por la citada transformación iniciada con motivo de la reducción de efectivos del Ejército, que contribuía naturalmente a rebajar el personal del mismo capacitado para asumir tales funciones. Aclaraba el susodicho Real Decreto que "El nombramiento de Presidente será de libre elección del Gobierno".

El 2 de abril, unos días antes de la partida del general Gómez Morato y de la llegada de Millán Astray, se había celebrado con gran solemnidad el acto de tomar posesión del cargo el presidente de la Junta municipal. Fue un día realmente especial y se le quiso prestar particular relevancia. Por un lado, el alto comisario se estrenaba como gobernador civil en Ceuta; por otro, la presidencia de la Junta municipal la iba a ostentar un civil, tras año y medio ejercida por militares.

A dicho objeto vinieron de Tetuán el alto comisario, general Sanjurjo, el secretario general del Protectorado, Diego Saavedra, el cónsul de España, Julio Palencia Tubau, y otras personalidades. A las seis de la tarde se celebró sesión extraordinaria del Pleno, presidida por el alto comisario, asistiendo el alcalde electo y el delegado gubernativo, coronel Aguilera.

Después de leída la Real Orden de 16 de marzo, donde constaba el nombramiento, el general Sanjurjo dijo que se congratulaba de ser el primer acto que ejercía como gobernador civil. Puso de relieve el acierto del nombramiento, "dadas las altas dotes de cultura, prestigio y honorabilidad del señor Rosende", el cual gozaba de la confianza del Gobierno y la suya. Agregó que Ceuta necesitaba "de cuantos medios oficiales vivían en ella; de las fuerzas vivas, del comercio, la banca y la industria, para que se ocupen del presente y su porvenir y desenvolver en cuanto atañe a su cultura, sanidad, embellecimiento y urbanización", "con el objeto de que borre el triste recuerdo del fatídico presidio y sobre los nuevos cimientos surja una metrópoli moderna que sea digna entrada a las tierras africanas y plácido lugar de recreo del cuerpo y del espíritu". Añadiendo a renglón seguido: "Ceuta, situada en la llave del Estrecho, puede mirar codiciosa a los cuatro puntos cardinales sin temor; pero todos estos privilegios serán inútiles sin el esfuerzo y el entusiasmo de sus hijos y de la Junta municipal a cuyos elementos conjuro para avivar actividades en esta etapa que empieza; mejorando los procedimientos, conservando lo bueno que esté hecho y arrancando de raíz toda rutina o demasía y apagando el rescoldo de los enconos que pudieran quedar de las viejas luchas políticas, que aquí ni pueden ni deben perdurar". Las palabras del general Sanjurjo fueron premiadas con calurosas ovaciones. Rosende contestó exponiendo su agradecimiento al rey y al Gobierno por su nombramiento, así como al alto comisario por haberle propuesto. Dijo que, "contando con la cooperación de los valiosos elementos que constituyen la Junta", iba a poner "su inteligencia y buena voluntad y patriotismo hasta el sacrificio, para cumplir el sagrado mandato que se le ha encomendado". Por último, "expuso su confianza en que podrá realizar una gestión beneficiosa para Ceuta". Terminado el acto se ofreció un refresco, regresando el alto comisario anochecido a Tetuán[875]. El ingeniero José E. Rosende Martínez sería el último presidente de la Junta municipal.

---

873   La Vanguardia, 27 de marzo de 1928.

874   ABC, 25 de febrero de 1928. Gaceta de Madrid núm. 56, 25 de febrero de 1928, p. 1267.

875   AGCE. LAP núm. 1. Pleno, 2 de abril de 1928, folios 184 vto.-186. La Vanguardia, 3 de abril de 1928. ABC, 5 de abril de 1928. La Voz, 4 de abril de 1928.

PRESIDENTES DE LA JUNTA MUNICIPAL **(1926-1931)**

Agustín Gómez Morato (noviembre 1926-enero 1927)
José García Benítez (enero 1927-marzo 1928)
José Enrique Rosende Martínez (marzo 1928-abril 1931)

Fuente: Elaboración propia.

10. La reina del Estrecho

A pesar de estos cambios, un acto no institucional copaba la atención de los habitantes de ambas orillas del Estrecho. Nos referimos a la gesta que protagonizó la nadadora inglesa Mercedes Gleitze, que el cinco de abril de 1928 lograría atravesarlo, no sin antes haberlo intentado en varias ocasiones, por lo que tenía una legión de seguidores pendientes de sus evoluciones.

A las ocho y cincuenta minutos, con buen tiempo, aunque algo nublado, miss Gleitze se arrojó al mar desde Isla Paloma (Tarifa), escoltándola varias embarcaciones. Al principio avanzaba poco, pero a eso de los once empezó a alejarse con más rapidez de la costa europea, logrando llegar a Punta Leona a las nueve y media de la noche[876]. Habían transcurrido más de trece horas plagadas de incertidumbres. Al llegar a su destino fue vitoreada por el gentío que le estaba esperando. En el

Miss Gleitze, primera mujer que consiguió atravesar el Estrecho de Gibraltar a nado.

encuentro con los periodistas llegó a declarar que estuvo a punto de abandonar debido a las fuertes corrientes, aunque también reconoció que no sufrió agotamiento ni calambres[877]. Como es natural, al volver a Tarifa, donde era muy querida y admirada, fue aclamada por donde pasaba. De allí se dirigió a Algeciras, donde también tuvo igual recibimiento. De Algeciras marchó a Madrid, y de allí a Londres envuelta en una aureola de gloria.

Miss Gleitze, que tenía 27 años cuando consiguió la hazaña, se había convertido en la primera mujer en atravesar a nado el Estrecho de Gibraltar, al igual que había sido la primera británica en cruzar el Canal de la Mancha. La gesta del cinco de abril de 1928, que le catapultó a la fama, la convirtió en la reina del Estrecho.

11. Funciones del delegado gubernativo

Como se ha visto, el general Sanjurjo, como alto comisario también ejercía de gobernador civil de Ceuta. Como la residencia oficial del alto comisario estaba en Tetuán, era su representante en la ciudad el delegado gubernativo, que había sido nombrado el mes de marzo de 1928, el coronel de Artillería Modesto Aguilera y Ramírez de Aguilera. El citado coronel ya tenía sobrada experiencia en el norte de África, incluso había participado en las operaciones de Alhucemas de 1925 inscrito en la brigada de Ceuta. Asimismo, hacía algún tiempo que ejercía de comandante militar de la plaza de Ceuta. Sin embargo, con los cambios habidos en la presidencia de la Junta municipal, ocupada ahora por un civil, surgieron ciertos roces de competencias que había que definir.

---

876 La Libertad, 6 de abril de 1928.
877 El Progreso, 7 de abril de 1928.

En este contexto, en el *BOCCE* núm. 82 de 12 de abril de 1928 se publicó un escrito de la "DELEGACIÓN GUBERNATIVA DE LA ALTA COMISARÍA EN CEUTA", señalando las atribuciones del delegado gubernativo, "A reserva de introducir las modificaciones que la experiencia pueda aconsejar": "[…] convienen se señalen del modo más preciso posible las atribuciones que por delegación de V.E. están llamados a ejercer y que, […], pueden ser las que a continuación se expresan:

    1º Funciones relativas a las Juntas Municipales. […]

    2º Funciones de carácter gubernativo. [...]

Los Delegados Gubernativos ejercerán la presidencia de los siguientes organismos: Comisión local de Sanidad. Tribunal económico administrativo (art.º 177 del Estatuto). Junta de Obras del Puerto en Ceuta y Junta de Fomento en Melilla. Instituto General y Técnico "Victoria Eugenia" de Melilla.

Previsto en el apartado 6º del artículo 110 del Estatuto local QUE LA PRESIDENCIA DE LOS ACTOS PÚBLICOS CORRESPONDE AL PRESIDENTE DE LA JUNTA MUNICIPAL EXCEPTO EN LOS CASOS EN QUE ASISTA EL COMANDANTE GENERAL, parece conveniente que se aclare por V.E. este precepto EN EL SENTIDO DE QUE EN EL CASO DE ESTAR PRESENTE EL GENERAL JEFE DE LA CIRCUNSCRIPCIÓN corresponderá a este la Presidencia y EN SU DEFECTO AL DELEGADO GUBERNATIVO si asistiese al acto.- De Real Orden pongo cuanto antecede en conocimiento.

Ceuta 3 de abril de 1928. El Delegado Gubernativo, Modesto Aguilera y Ramírez de Aguilera".

Una vez leído el escrito, la Junta municipal quedó "enterada de oficio de la Alta Comisaría de España en Marruecos por el que se determina la forma en que será ocupada la presidencia de los actos públicos de esta ciudad[878]. De nuevo, con estas contundentes aclaraciones, el mundo civil quedaba relegado a un segundo plano.

12. La Ceuta de Astray y Rosende vista por un viajero

Veamos que dejó escrito Ángel Cruz Rueda del viaje escolar que hizo el Instituto de Aguilar y Eslava de Cabra a su paso por Ceuta, en abril de 1928:

"Ceuta. Ha transcurrido apenas hora y media, y ya estamos llegando. En el muelle hierve el gentío de los que esperan o curiosean nada más: señoras, militares, trabajadores o bausanes, moras y moros. Pisamos, con emoción, tierra africana.

[…]; recorremos el Cuartel del Grupo de Regulares Indígenas de Ceuta, número 3: las oficinas, el suntuoso despacho del Coronel y los de los otros Jefes, contemplamos la bandera y el pendón en una vitrina, los cuartos de aseo, los cocherones, los jardines. Contiguo se halla el poblado moro, con su Plaza de España en el centro. Suena el chorro de una fuentecilla, en que llenan vasijas diversas; en las pequeñas casas, enjambres de chiquillos, algunos viejos recostados en las esquinas, fugitivas sombras femeninas al pasar. No está el fakir -así lo designa el oficial-, personaje en el poblado, y nos resignamos, por ahora, a no beber té moruno ni a ver por dentro una vivienda.

Nos adentramos en la ciudad, que ya no es la del presidio en el Acho ni los presidiarios trabajando en las calles, sino un pueblo bello, con paseos, hermosos jardines, algunas estatuas, teatros, tiendas con montones de sedas, alcatifas, tapices…Cables telegráficos submarinos los comunican con la Península; los barcos van y vienen llenos de correspondencia y de viajeros. A unos doscientos metros de altura aquel monte,

---

878   BOCCE núm. 86, 10 de mayo de 1928. Comisión permanente, 28 de abril de 1928.

Calle Camoens y plaza de Alfonso XII. AGCE.

el Almina de los moros, vela, desde sus recintos amurallados y con sus fosos, por los treinta [cincuenta] mil habitantes de esta ciudad de los siete cerros, Eptadelfos de los griegos o Septem Fratres de los romanos, que es la Septa o Ceuta de hoy.

Si queréis mirar una estampa de los viejos tiempos, leed *Santa Rogelia* (De la leyenda de oro), la penúltima novela (1923) de nuestro don Armando Palacio Valdés. La tercera parte es una admirable descripción de los tiempos del Penal. [...] "Ceuta –escribe el novelista- no es una población africana, sino andaluza; es una prolongación de la Andalucía". "En esta población, en donde las mujeres son 'altas, esbeltas, con ojos negros, grandes y soñadores', los penados trabajaron hasta que fueron traídos a los presidios de la Península. La existencia de estos desgraciados laceraba el corazón".

De noche, en el puerto, centenares de luces se reflejan en las aguas; luces blancas, rojas, verdes; de codos en el rompeolas, aspiramos con fruición la brisa del mar. Sobre las tinieblas resaltan las espumas.

En la plaza más céntrica, en que hay kioscos con tabaco y libros recientemente publicados, las muchachas pasean con jóvenes, militares o paisanos. Los indios, abundantes como en Gibraltar, cerraron ya sus tiendas; algunos moros pasan por los cafés con mercancías.

Ya en el hotel no cesan de oírse los cantos de los gallos. De rato en rato, los pitidos de la policía. [...].

Hacia Tetuán. Son cerca de las diez y media del sábado, día 21, cuando salimos de la estación de Ceuta. Mientras parte el diminuto tren, curioseamos por el andén y los alrededores; los letreros de las oficinas, en castellano y en arábigo; los tipos exóticos que van llegando; moras ataviadas de blanco y con grandes sombreros de palma, que apenas si dejan al descubierto los ojos, recatados de los nuestros; gentes desharrapadas, como mendigos; muchachos con rojo fez"[879].

---

879 LÓPEZ ONTIVEROS, Antonio: 'Viaje Escolar a Ronda, Algeciras, Gibraltar, Ceuta y Tetuán' de Ángel Cruz Rueda (1928)', pp.299-302.

Cartel del Comité Local de Turismo, Mariano Bertuchi. Cortesía sucesores de Bertuchi.

13. El Comité Local de Turismo

Como hemos visto, por esos años de entreguerras los viajes de ocio eran cada vez más frecuentes. Y uno de las primeros acuerdos que tomó la nueva Junta municipal, presidida por José E. Rosende, fue la creación del Comité Local de Turismo. Unos años antes, informaba el diario *ABC* que, iniciada por la Cámara de Comercio, se había celebrado una asamblea, integrada por las fuerzas vivas de la localidad, para constituir la Sociedad Fomento del Turismo, "el cual reportará grandes beneficios a Ceuta y a las ciudades del Protectorado. Reinó gran entusiasmo"[880]. La idea nacía alentada por las noticias que estaban llegando de la capital de España sobre el proyecto de realización de dos grandes exposiciones: la Exposición Iberoamericana de Sevilla y la Exposición Internacional de Barcelona. Sin embargo, la realidad era otra. La situación bélica estaba en tal punto de ebullición que hacía imposible este tipo de empresas. No obstante, se tomaron algunas modestas iniciativas, como la del presidente de la Comisión Regia de Turismo de la provincia, "interesando se le remitan vistas fotográficas de esta ciudad para su publicación en la Guía Oficial"; acordándose adquirirlas y remitirlas a dicha entidad[881].

Sin embargo, en 1926, toda vez que se empezó a encauzar la cuestión militar en el Protectorado, Vitaliano Gómez, redactor de *Marruecos Gráfico*, en un artículo premonitorio, 'El porvenir de la Ciudad', dejó escrito este magnífico párrafo: "La creación de un Comité proturismo, con el apoyo material y moral del Ayuntamiento, y aún del propio Estado, será la primera medida a tomar para comienzo de esta labor, que en muy poco tiempo-trabajándose firmemente con las más amplias medidas de propaganda- dará mayor riqueza a Ceuta"[882]. Esta idea fue madurando a medida que las grandes exposiciones internacionales fueron tomando forma. Paralelamente, a nivel estatal se creó el 25 de abril de 1928 el Patronato Nacional de Turismo (PNT), que venía a sustituir a la citada Comisaria Regia de Turismo (1911-1928), con el claro objetivo de darle un fuerte impulso a la cuestión turística. En este contexto se acordó en la permanente de 31 de marzo "Aceptar la iniciativa de varios vecinos sobre la creación de un Comité local de Turismo[883]. Poco después, la permanente del 14 de abril acordó "Crear un Comité local de Turismo y designar las personas que han de integrarlo"; es decir, Mariano Bertuchi y los vicepresidentes de la Junta municipal Federico Sacasau y Álvaro Biclza, "los mismos firmantes de la propuesta". No obstante, no sería hasta junio cuando se eligió al presidente del Comité, José E. Rosende -presidente de la Junta municipal-, y al secretario, Luis Martínez Barrié -interventor municipal-. Por otro lado, en un principio, se fijó la sede del Comité en las dependencias del palacio municipal[884]. Y en julio se acordó que el Comité figurase "en la lista de entidades para el desarrollo del Turismo en España"[885].

Como es natural, una de las actuaciones que acordó el Comité Local de Turismo fue editar diversa propaganda. Inicialmente se materializó colocando fotografías de la ciudad en las motonaves que hacían la travesía del Estrecho y en diversos trenes repartidos por la geografía nacional. Posteriormente se editaron tarjetas postales, un folleto y un magnífico cartel firmado por Mariano Bertuchi; además, se incluyeron algunos reportajes de la ciudad en el referido *Libro de Oro* de la Exposición Iberoamericana y diferentes guías que proliferaban por doquier, como las famosas Guías Ortega, al igual que aparece bastante información sobre la ciudad en la *Guía de Cádiz para el uso del turista* (1930). También el Centro de Hijos de Ceuta realizó un notable esfuerzo con la edición del *Libro de Ceuta* (1928); un libro coral de magnífica factura y acertada presentación, del que trazaremos unas líneas más definidas en el siguiente epígrafe.

---

880 ABC, 20 de febrero de 1924.
881 AGCE. LAC núm.88. Comisión permanente, 2 de febrero de 1925, folio 145 vto.
882 PLEGUEZUELOS SÁNCHEZ, José Antonio: *Mariano Bertuchi, carteles y turismo*, p. 84.
883 BOCCE núm. 84, 26 de abril de 1928. Comisión permanente, 31 de marzo de 1928.
884 PLEGUEZUELOS SÁNCHEZ, José Antonio: Opus cit., p. 85.
885 BOCCE núm. 98, 2 de agosto de 1928. Comisión permanente, 21 de julio de 1928.

Con respecto al *Libro de Oro*, en la permanente de 17 de diciembre de 1927 se acordó conceder una subvención de tres mil pesetas. En cuanto al citado cartel de Bertuchi, el más icónico que se ha realizado hasta la actualidad en la ciudad norteafricana, representa una espectacular vista de Ceuta y su magnífico puerto, realizada desde el monte Hacho. Desde esta perspectiva altiva y privilegiada, de nuevo la luz bertuchiana y los colores cálidos, atemperados por los azules y celestes que envuelven a una ciudad proyectada hacia el mar, que sugieren un clima idílico, son los protagonistas del cartel. Por otro lado, también se aprobó la subvención de 500 pesetas a favor del fotógrafo Bartolomé Ros, "para contribuir a los gastos de la película que edita sobre asuntos de Ceuta, para lo cual se autorizó a la Presidencia"[886].

Por aquellas fechas de clara expansión económica era muy habitual ver trasatlánticos en el puerto. Citemos, por ejemplo, la llegada del *Saboya* en julio de 1926, con 350 aristócratas italianos, o en abril de 1928 el trasatlántico dinamarqués *Polonia,* de 12.000 toneladas, de la matrícula de Kobenhaven, trayendo trescientos turistas, los cuales desembarcaron, recorriendo la población y alrededores, haciendo compras[887]. En tren especial marcharon a visitar Tetuán y Xauen. Abundando en este sentido, cabe añadir que en 1930 "tocaron en el puerto de Ceuta treinta barcos turistas, mientras que Casablanca sólo tuvo diez y siete"[888].

En cuanto a los medios de transporte, ya hemos apuntado algunas notas; no obstante, merece la pena recordar el ferrocarril que hacía el servicio entre Madrid y Algeciras. Desde 1927 la travesía entre Algeciras y Ceuta se hacía en la motonave *Primo de Rivera*, calificada como "última palabra de la arquitectura naval". Una vez en Ceuta, se podía enlazar en tren o en ómnibus con Tetuán. No obstante, ante el aumento de la demanda, en enero de 1930 se estaban realizando gestiones para que el servicio de los buques-correos entre Ceuta y Algeciras se efectuase con una salida por la mañana y otra por la tarde desde cada puerto[889]. También la compañía Trasmediterránea ofertaba otros trayectos, como el que hacía entre Cádiz, Tánger y Ceuta. Si algún viajero decidía venir en automóvil a Ceuta, el Garaje Continental ofrecía sus instalaciones. Situado en el número 103 de la calle Primo de Rivera, contaba con 46 jaulas, y 40 plazas en galería.

Cartel publicitario de la Agencia Marañés. Cortesía de Agustín Marañés.

Como iniciativa privada destaquemos la "Agencia Marañés, turismo, excursiones y viajes. Gómez Jordana, 14". Esta agencia, que disponía de un local muy atractivo y sugerente, se publicitaba en diferentes revistas y editó un exótico cartel a color donde se conjuga en un solo espacio la imagen con el texto. En la parte superior se puede leer "visitad/ marruecos" en dos líneas; mientras que la parte inferior contiene: "CEUTA-PUERTA DE ENTRADA/ VIAGES Y TURISMO/AGENCIA MARAÑÉS/ Apartado de Correos Nº 61-CEUTA", en cuatro líneas. En referencia a la imagen, entra sin tribulaciones en un orientalismo imaginario y utópico, más propio y cercano a las películas "yankees", y poco acorde con el costumbrismo magrebí. Desconocemos el autor y el taller de impresión.

---

886   BOCCE núm. 90, 7 de junio de 1928. Comisión permanente, 2 de junio de 1928.
887   La Vanguardia, 11 de abril de 1928.
888   La Vanguardia, 18 de febrero de 1931.
889   BOCCE núm. 180, 6 de febrero de 1930. Comisión permanente, 24 de enero de 1930.

Con respecto al mundo de la hostelería, decía *El Financiero* de agosto de 1923: "Un excelente hotel, el Majestic, procura alojamiento decente, casi lujoso, a los forasteros. Los otros hoteles y fondas de la localidad, sin ser baratos, puede calificárseles de detestables". El Hotel Majestic estaba situado en la calle Martínez Campos, a unos pasos de la plaza de la Constitución, en el lugar más emblemático. Ofrecía vistas al mar, agua caliente en sus 60 dormitorios, cuarto de baño completo en todas las habitaciones, intérpretes y ómnibus a la llegada de los trenes y vapores. Dotado de un magnífico y amplio comedor, casi todas las celebraciones importantes se solían celebrar en este hotel. Era su propietario el conocido empresario Demetrio Casares.

No obstante, a medida que fueron pasando los años, los hoteles ceutíes fueron mejorando sus instalaciones y servicios. Citemos al Hotel España, en el pasaje de Gironés, 14, era su propietario Luis Hidalgo y González; Hotel Términus, en Pedro de Meneses, 5 y 7, que disponía de 50 habitaciones y ofrecía traslados en coche al puerto, era su propietario José López Díaz, que también tenía otro hotel con el mismo nombre en Algeciras; Hotel Gironés, cuyo propietario era Alfonso Gironés, situado en la calle Teniente Pacheco; Hotel Alhambra, en la calle Primo de Rivera; Hotel Oriente, en Conrado Álvarez; Fonda Oriental, en Gómez Pulido núm. 11; o el Hotel Africano, en Riego núm. 8, cuyo propietario era Antonio García Moreno.

Igualmente, un nutrido muestrario de cafeterías, bares y restaurantes salpicaban la ciudad. Veamos algunas muestras: Restaurante Nacional, en plaza de los Reyes (Alfonso XII), con cocina española y servicio a la carta; La Perla, en Primo de Rivera; La Coruñesa, en Primo de Rivera; Bar Sevillano, en el paseo de Colón; Restaurant el Sardinero; El Zepelin, en José Luis de Torres (Primo de Rivera), 93; Bar Ritz, en la plaza de Azcárate, 74; Cafetería Hispania, en los bajos de la Casa Delgado, en el paseo del Rebellín; Cafetería El Royalty; Restaurante Los Corrales y Bar Nacional

Foso marítimo. AGCE.

Anuncio publicitario del Hotel Majestic.

de Montero y García, en Primo de Rivera, 45 y plaza de los Reyes, 3; Cervecería y nevería Maravillas; Bar Pecino, Real, 10; El Rápido, "café económico y elegante", era su propietario Fermín Hoyos. Por otro lado, no era raro que algunos bares y cafeterías ofrecieran actuaciones en directo, como el Bar-Kin, también de Fermín Hoyos, que anunciaba "Conciertos a diario situado en lo más céntrico de la ciudad"; o Ambos Mundos, en Gómez Pulido, con orquesta de Alcalá Galiano. Por último, completaban la oferta de ocio dos teatros en la ciudad (Teatro del Rey y Salón Apolo) y el Hadú Cinema, en el Campo Exterior. Además, numerosos cabarets de todo tipo y categorías animaban las tardes y las noches ceutíes.

Merece la pena reseñar que durante estos años primorriveristas Ceuta vivió un resurgimiento de su ciclo festivo, destacando la fiesta de Reyes, los carnavales (a pesar de la censura), la Semana Santa, el Corpus, la romería de San Antonio, San Daniel y compañeros mártires, y, sobre todo, las fiestas patronales de agosto, que, desde 1928, con la inauguración de la plaza de toros San José, en Hadú, se habían revalorizado de forma exponencial, atrayendo a gran número de forasteros procedentes del Protectorado, de la zona de Tánger, del Campo de Gibraltar y la propia Gibraltar. En cuanto a los lugares de interés turístico destacaban el magnífico foso marítimo y las murallas reales, el Santuario de la Virgen de África, la Catedral, su atractivo comercio cosmopolita y exótico, y, sobre todo, su clima y sus incomparables vistas. Consciente la Junta municipal de tan preciado activo, en junio de 1928 acordó que la batería en desuso en los alrededores de San Antonio se habilitase como lugar de esparcimiento "para destino de turistas". También se hablaba de la búsqueda de un local para un futuro museo -recordemos el proyecto de Museo Hispano-Lusitano de 1923-, cuestión de la que tenemos pocas noticias. Por otro lado, tampoco escapó Ceuta de los itinerarios turísticos que nacieron con las grandes Exposiciones de Sevilla y Barcelona, como "Excursión a Andalucía y Marruecos", ofertada por el Patronato Nacional del Turismo. Veinte días de viaje, donde se contemplaban, entre otras, visitas a Ceuta, Tetuán, Xauen, Arcila, Larache, Alcazarquivir y Tánger[890], o algunas particulares, como la de la Compañía Trasatlantica Española en abril de 1929, visitando Sevilla, Ceuta y Tetuán.

14. Dos publicaciones: *Libro de Ceuta* y *Los Mogataces*

Dentro de este ambiente exultante y dinámico que vivía la ciudad, también fue en el mes de abril cuando salió a la luz el citado *Libro de Ceuta*, editado por el emergente y pujante Centro de Hijos de Ceuta. Un verdadero esfuerzo del referido centro cultural que venía a llenar un evidente vacío. El libro, de buena factura, cuidada calidad literaria y presentación, estaba pensado para divulgar las bondades de la ciudad y sus más ilustres hijos y moradores, dentro del contexto de las próximas Exposiciones ya citadas, que iban a ser inauguradas en 1929. Contiene más de treinta artículos de diferentes autores españoles, como Antonio Martín de la Escalera, Enrique Arques, Cándido Lería, Manuel Criado, etc.; portugueses, como Fray Diego de Almeida, Affonso de Dornellas o P.M. Laranjo Coelho, y uno del marroquí Mohamnet Ben Meryant L'Andalusí, en algo más de doscientas cincuenta páginas. Además, está ilustrado por una serie de fotografías en blanco y negro fuera de texto, de fotógrafos reconocidos como Ros, Rubio o Picazo y de ilustraciones de los artistas Benigno Murcia y Mariano Bertuchi. Se imprimió en la Imprenta Clásica de Ceuta, en 1928.

Con anterioridad se había publicado *Los Mogataces, los primitivos soldados moros de España en África*, de Enrique Arques y Narciso Gibert. Tanto Enrique, correspondiente de la Real Academia de la Historia, como Narciso, eran destacados africanistas. Ambos autores habían participado en las tertulias del renombrado Antonio Ramos Espinosa de los Monteros, el que fuera cronista de Ceuta, al que consideraban un auténtico maestro. En cuanto al libro, tenía un objetivo sencillo: "Sólo hemos querido decir a los que no lo sabían y recordar a los que lo habían olvidado, que España, antes que nadie, había empleado soldados indígenas, perfectamente organizados, en sus campañas africanas". Se referían a los denominados mogataces, soldados argelinos que habían luchado al servicio de España en Orán hasta finales del siglo XVIII, y que fueron trasladados a Ceuta. Asimismo, hace un recorrido histórico de otros cuerpos de origen magrebí como eran los Tiradores del Rif o Policía indígena, hasta culminar con la creación de las Fuerzas Regulares Indígenas, en 1911, y el Grupo de Ceuta, además de recoger algunos de los lances bélicos más sobresalientes en los que habían intervenido estas fuerzas. Impreso en la Imprenta de Tropas Coloniales (Ceuta-Tetuán, 1928), tendría una segunda vida al reeditarse en 1992.

---

890 La Voz, 23 de abril de 1930.

15. Una primavera festiva

Aunque el mes de abril empezó con una noticia poco favorable al ser denegada la creación de una sección del cuerpo de Seguridad[891]; no obstante, durante el resto del mes tuvieron lugar varios actos festivos. Debido a la iniciativa del comandante de Marina del puerto y presidente de la Sociedad de Salvamento de Náufragos, el capitán de fragata José Montero Ríos, a mediados de mes se celebró en el Teatro de Rey un brillantísimo acto benéfico como homenaje a la institución la Vejez del Marino. El local estaba lujosamente adornado con los atributos de Marina. Se representaron las funciones *Mimí Valdés* y *Molinos de viento*, "actuando aristócratas jóvenes". Asimismo, la banda de la Legión ofreció un magnífico concierto. El teatro estaba abarrotado, asistiendo los generales Goded y Millán Astray, el delegado gubernativo, coronel Aguilera, presidente de la Junta municipal, José E. Rosende, y otras autoridades[892].

Pocas jornadas después, el días 23, los Exploradores locales celebraron la fiesta de su patrón, San Jorge. En el Campo Exterior se estableció un campamento en el que se ofició una misa de campaña. Después se efectuaron diversos actos, con asistencia de las autoridades y de las familias de los exploradores, a quienes entregaron diferentes premios, resultado de varios concursos, y se les sirvió una comida extraordinaria[893].

Paralelamente, en el Centro Cultural Militar se inauguró la Exposición de acuarelas de asuntos marroquíes del artista y periodista easonense Antonio Got Inchausti, que fue muy felicitado. Antonio Got era muy conocido en Ceuta y, sobre todo, en Tetuán, donde fue el primer director de la Escuela de Artes y Oficios. Capitán de Artillería retirado con título de Ingeniero Industrial, había tomado posesión de su cargo el 21 de julio de ese mismo año -el nombramiento por R.O. estaba fechado el día 11 de junio-. Dibujante y acuarelista, ejerció como profesor de dibujo lineal en la escuela de Artes Industriales de Tetuán, realizando varios trabajos durante la campaña de 1909, algunos de los cuales se publicaron en el *Memorial de Artillería*. Corresponsal de periódicos, como *El Telegrama del Rif*, también fue autor, entre otras obras, de unos apuntes sobre el desembarco de Alhucemas, recogidos en *Vistas de ciudades de Marruecos y una crónica gráfica del desembarco de Alhucemas (1925)* -7 láminas de ciudades y 18 del desembarco-, de la que ha quedado constancia a través de una publicación del Archivo General de Ceuta (2003).

El día 27 el somatén local celebró la festividad de su patrona. En la plaza de la Constitución se reunieron los somatenes de diez distritos ante la bandera. El general Goded, en representación del alto comisario, dio posesión al general Millán Astray del cargo de comandante general del somatén de Ceuta, imponiéndole la insignia correspondiente. Seguidamente se celebró una solemne función religiosa en el Santuario de la Virgen de África, ante el altar de la Virgen de Montserrat, con asistencia de las autoridades. El templo estaba abarrotado de fieles. Terminada la función, los somatenistas desfilaron ante la bandera y autoridades, vitoreándose al general Millán Astray [894]. En cuanto a la vida municipal, se solicitó a la Dirección General de Marruecos y Colonias "la concesión de libertad absoluta a esta Corporación para el proyecto de urbanización de la primera y segunda zona de ensanche"[895].

---

891   BOCCE núm. 84, 26 de abril de 1928. Comisión permanente, 9 de abril de 1928.
892   La Nación, 19 de abril de 1928.
893   La Correspondencia Militar, 24 de abril de 1928.
894   La Vanguardia, 1 de mayo de 1928. El Tiempo, 2 de mayo de de 1928.
895   BOCCE núm. 86, 10 de mayo de 1928. Pleno, 27 de abril de 1928.

El mariscal francés Franchet D'Esperey en el cuartel de Regulares de Ceuta, acompañado del general Goded, general Millán Astray y teniente coronel Varela, jefe del Grupo. Cortesía de Agustín Marañés.

16. La visita del mariscal Franchet y la inauguración del muelle Alfonso XIII

El mes de mayo entró en Ceuta con varios temas de carácter municipal. En primer lugar se acordó reunir a las fuerzas vivas de la localidad para conocer su opinión sobre la implantación de un instituto de 2ª Enseñanza[896]. La propuesta fue aceptada, por lo que poco después se acordó nombrar una comisión con el fin de que se buscase la fórmula para su creación, proponiendo el local donde había de instalarse. También se autorizó a Arturo Laclaustra Valdés para que realizase la explanación de los terrenos para una plaza de toros. Al igual que se concedió la inclusión en el padrón de Beneficencia de cuarenta y cuatro vecinos pobres[897]. Por otra parte, patrocinada por la esposa del general Goded, el día 12 la Junta de Damas organizó una kermesse para contribuir a fomentar la construcción de escuelas en la barriada del Príncipe Alfonso, recientemente creadas. No obstante, mayo había comenzado con un hecho luctuoso que se produjo en el citado barrio; el niño de 12 años, Juan Barche, se encontró una bomba "Laffite" abandonada. Ignorando el peligro manipuló el artefacto, que hizo explosión, recibiendo la muerte instantánea[898].

Por otro lado, el día 6 estuvo en Ceuta el mariscal Franchet d'Esperey. El mariscal estaba visitando las ciudades del Protectorado y las plazas de soberanía. Como inspector de las fuerzas francesas en Marruecos, se interesó especialmente por los acuartelamientos militares. Estuvo en el campamento de Dar Riffien, donde fue recibido por los generales Goded y Millán Astray, y el coronel Sanz de Lerín, jefe del Tercio. Seguidamente tuvo lugar un brillantísimo desfile de fuerzas, recorriendo a continuación el campamento, cerrándose la visita con un banquete. A la hora del *champagne*, el general Goded reiteró su bienvenida al jefe francés quien, muy conmovido, dio las gracias. A su regreso a Ceuta el mariscal estuvo en el cuartel González Tablas de Regulares[899], donde pudo comprobar el magnífico aspecto de las instalaciones y la preparación de los soldados. Tras su estancia en Ceuta, embarcó en el *España núm. 5* con dirección a Villa Sanjurjo y Melilla.

---

896 BOCCE núm. 86, 10 de mayo de 1928. Comisión permanente, 5 de mayo de 1928.
897 BOCCE núm. 87, 18 de mayo de 1928. Comisión permanente, 12 de mayo de 1928.
898 La Vanguardia, 3 de mayo de 1928.
899 La Época, 8 de mayo de 1928.

Pero el mes de mayo iba a estar centrado en un acontecimiento realmente notorio. Uno de los primeros actos en los que intervinieron conjuntamente Millán Astray y José E. Rosende fue la inauguración del muelle Alfonso XIII, que tuvo lugar el 17 de mayo, día del cumpleaños del rey. Para realzar el evento, se le concedió una subvención de quinientas pesetas a la *Revista de Tropas Coloniales* "para ayuda número extraordinario"[900].

A las 4,30 de la tarde del citado día se inauguró el muelle Alfonso XIII. Para la ocasión se levantó un arco de triunfo a la entrada del muelle y se instaló una tribuna en su extremo para autoridades e invitados. No había ningún edificio más; no obstante, la gran explanada, de más de treinta y dos mil metros cuadrados, estaba ocupada por miles de ceutíes, deseosos y conscientes de participar en un acto que engrandecía a la ciudad. De Tetuán vinieron, además del comisario superior interino, Diego Saavedra Magdalena, que representaba al rey, el gran visir del Majzen, Ben Azus, director general de Intervenciones, Teodomiro Aguilar, y otras personalidades.

El obispo de Gallipoli, padre José María Betanzos, ante el altar levantado al pie de la tribuna, bendijo el muelle, mientras que la banda interpretaba la Marcha Real, resultando el momento de gran solemnidad. Seguidamente, el presidente accidental de la Junta de Obras del Puerto, coronel Procopio Pignatelli, pronunció un discurso, haciendo resaltar los beneficios de la obra realizada. Después, el ingeniero director de la Junta de Obras, José E. Rosende, expresó que el acto que se realizaba en aquel momento era un legítimo y debido homenaje que la Junta de Obras del Puerto elevaba al rey en el aniversario de su nacimiento, por haber sido protector de la obra desde antes de que ésta empezara a tomar cuerpo. Diego Saavedra, por su parte, puso de relieve el interés que el soberano y el Gobierno se habían tomado por la construcción del puerto de Ceuta, a fin de que adquiera la debida preponderancia, en armonía con las aspiraciones de la ciudad, que "no sólo debe ser puerta del Protectorado, sino de todo el Mediterráneo". Los discursos fueron muy celebrados.

Inauguración del muelle Alfonso XIII. Mayo de 1928. AGCE.

---

900   BOCCE núm. 85, 3 de mayo de 1928. Comisión permanente, 21 de abril de 1928.

Mientras resonaban los aplausos, poco después de las cinco entraba en la bahía la motonave *Primo de Rivera*, atracando en el muelle con rápida maniobra. Paralelamente, los buques del puerto, que se hallaban empavesados, hicieron sonar las sirenas, a la vez que los marineros gritaban el triple "¡¡hurra!!" resultando el acto de un efecto extraordinario.

Posteriormente, las autoridades e invitados se dirigieron en autos al muelle de la Puntilla, donde se sirvió una merienda en el recién construido almacén del puerto; almacén muy solicitado -recordemos el famoso temporal que se llevó las mercancías que estaban depositadas en el muelle-.

La inauguración del muelle Alfonso XIII suponía un hito muy importante para la ciudad, pues acercaba sustancialmente al viajero al centro urbano. El muelle, orientado hacia el norte y situado dentro del abrigo del puerto, era una obra de verdadera enjundia: "La supresión del muelle Reina Victoria, que figuraba en planes anteriores, ha permitido prolongar el muelle Alfonso XIII 80 metros", quedando así con 539 metros de longitud y 60 metros de anchura, con atraque por ambos lados, y 9,50 metros de calado en su mayor parte[901].

Asimismo, estaba previsto que en el recién inaugurado muelle atracasen los buques-correos y se instalasen los edificios de aduana, estación de viajeros y enlace ferroviario[902]. Abundando en este sentido, en 1929 sería levantado un edificio con planos del arquitecto Manuel Latorre Pastor, sobre un replanteo de otro de corte palaciego de Andrés Galmes Nadal. Inspirado en un barco, con sus importantes aleros en voladizo, sus vanos en forma de ojo de buey y espacios que recuerdan chimeneas, es un ejemplo de arquitectura de vanguardia, de estética máquina[903]. También, en la primavera de ese año se estaba ultimando el proyecto del muelle de la Ribera, de 780 m de longitud, que iba a cerrar el espacio comprendido entre el muelle de la Puntilla y el muelle Alfonso XIII, al igual que se estaban instalando las vías férreas. En cuanto a Diego Saavedra Magdalena era un contrastado militar y diplomático. Secretario general de la Alta Comisaría, fue autor de varios libros de temas coloniales como *España en el África Occidental*. Tras la llegada del general Jordana a la Alta Comisaría en noviembre de 1928, sería nombrado director general de Colonización.

17. El puerto de Ceuta

Ya hemos visto la importancia que tenía el puerto de Ceuta. Pero veamos en qué situación se encontraba cuando se inauguró el muelle Alfonso XIII, en mayo de 1928: "Actualmente, en el puerto de Ceuta hay seguridad absoluta dentro de él, a pesar de que sólo hay terminada una parte de las obras abrigo del mismo. Hay abrigo en el interior del puerto en una superficie de 106 hectáreas con calados de 4 a 20 metros, disponiéndose de atraque en el dique de Poniente para diez u once vapores de los que frecuentan este puerto: con una eslora media de 90 a 100 metros. [...]

Está en explotación asimismo en la parte de Levante de éste, un muelle provisional en el que se desarrolla el tráfico de veleros y vapores, cuando no hay atraque en el de Poniente.

Queda por desenvolver actualmente el plan siguiente: en primer lugar, la terminación del dique de Poniente [...] se proyecta para la parte de Levante del puerto un dique de muelle de gran capacidad, para establecer en él una estación carbonera. [...]

Se ha mejorado el servicio de viajeros, habilitando en la segunda alineación del dique de Poniente una estación modesta, para el trasbordo de que directamente pasan del vapor al tren de Tetuán, o viceversa, en la que, frente al vapor correo de Algeciras, encuentran

---

901 VVAA: *Libro de Ceuta*, p. 99.
902 El Telegrama del Rif, 17 de mayo de 1928.
903 Patrimonio Cultural de Ceuta, Edificio de la Junta de Obras del Puerto, s.p.

El crucero Reina Victoria Eugenia carboneando en el puerto de Ceuta. Cortesía de Diego Sastre.

concentrados los servicios de billetaje, facturación, Aduana, etc. -con la inauguración del muelle Alfonso XIII el servicio de viajeros pasaría al nuevo muelle, prolongándose también la línea férrea-.

La entrada de buques en los años 1923-27, es la siguiente: 8.705 vapores, con un tonelaje total de 5.310.705; y 4.297 veleros, con 150.417 toneladas.

El tráfico comercial por nuestro puerto durante los cinco años últimos, arroja estas cifras: Importación, 879.846,920 kilos. Exportación, 40.756,424 kilos. (4,63% de las importaciones). En cuanto al movimiento de pasajeros, en el referido quinquenio entraron, 127.011 y salieron, 123.130"[904].

Completemos estas cifras con las que nos ofrece Manuel Gordillo en los siguientes cuadros:

Número y tonelaje de los buques (1922-1930)

Año	Número de buques	Tonelaje
1922	1293	495.483
1923	2097	892.023
1924	2585	1.085.082
1925	2879	1.091.095
1926	2864	1.365.057
1927	2595	1.027.805
1928	2667	1.326.563
1929	2578	1.211.726
1930	2405	1.318.977

Fuente: GORDILLO OSUNA, Manuel: Opus cit., p. 323 y 324.

Tráfico de mercancías portuarias (1911-1930)

Año	Importación --- Redondeando	Exportación --- Toneladas
1911	33.800	1.200
1915	60.000	1.600
1920	60.000	12.000
1925	197.000	8.700
1930	192.000	16.000

Fuente: GORDILLO OSUNA, Manuel: Opus cit., p. 342.

904   VVAA: *Libro de Ceuta*, p. 97-101.

Como se puede deducir de estos fríos guarismos, las exportaciones del puerto de Ceuta apenas si tenían relevancia comparadas con las importaciones; por lo que claramente Ceuta y el Protectorado occidental eran consumidores natos, lo que reflejaba igualmente la debilidad productiva de estos territorios. Por otro lado, se puede apreciar que el año 1925 fue el punto culminante del periodo primorriverista en cuanto a la entrada de buques y a las importaciones; indicando tanto que la campaña militar se había trasladado a la Zona occidental del Protectorado, como la concentración de tropas. En sentido contrario, las exportaciones disminuyeron; otro síntoma debido a las circunstancias citadas.

En cuanto a actuaciones pendientes, aprovechando la inauguración del muelle Alfonso XIII, José E. Rosende presentó un nuevo proyecto el 21 de mayo de 1928, bajo el título "Proyecto reformado del Puerto de Ceuta" y otro titulado "Proyecto del Dique de Levante", que serían aprobados en los meses de agosto y octubre de ese año[905]. Tras diversas vicisitudes relacionadas con la crisis económica del 29, problemas laborales y sociales y guerra civil, el puerto de Ceuta no estaría acabado hasta el año 1942. Cabe añadir que hasta 1930 sería la empresa Arango, dirigida por el ingeniero José Arango, la encargada de la realización de las obras, renunciando ese año a su continuación por las dificultades económicas, por lo que finalmente se encargaría de las mismas la Administración[906].

Con respecto a las grandes empresas que trabajaban en el puerto, además de la citada empresa constructora Arango, estaban la Sociedad Anónima de Abastecimientos de Aguas de Ceuta, la Compañía Ibarrola, Depósito de Carbones de Ceuta S.A. y el Servicio de Alumbrado, que le daba un aspecto fantástico al puerto. A estas potentes empresas habría que sumar una nutrida nómina de consignatarios de buques, agentes de aduanas, etc.

Sobre la Sociedad Anónima de Abastecimientos de Aguas de Ceuta ya hemos trazado algunas pinceladas. En cuanto al puerto, daba servicio de agua potable mediante una tubería de 12,5 cm de diámetro, pudiendo suministrar a través de varias bocas de toma establecidas 60 toneladas por hora, lo que proporcionaba un rápido servicio de aguada[907].

En referencia a la Compañía Ibarrola, de Bilbao, era una de las entidades más importantes de España, que desde 1921 había llevado a cabo en el puerto de Ceuta una magnífica instalación para suministrar combustible líquido. El 26 de marzo de 1920 la Corporación municipal le concedió a Enrique Ibarrola Abaña autorización para instalar en los muelles Depósitos de Aceites combustibles[908]. Las instalaciones de la citada Compañía se encontraban cerca del dique Norte (muelle de la Puntilla). Disponía de tres grandes tanques que podían almacenar 8.200 toneladas de combustible cada uno, y cuatro tanques de 210 toneladas que eran auxiliares para la medición y trasvase. Los tanques, por medio de bombas de vapor y tuberías de 25 cm de diámetro interior, se comunicaban con el puerto y podían suministrar combustibles a los vapores a razón de 300 toneladas por hora. La enorme profundidad del puerto de Ceuta y la longitud de sus muelles permitían que atracasen buques de cualquier tonelaje, como ya lo había hecho el *D'Artagan*, de 22.000 toneladas[909] en abril de 1926.

Procedente de Cardiff, a principios de octubre de 1923 llegó el vapor español *Orsani*, trayendo dos mil toneladas de carbón, que formaban la primera partida para constituir el depósito flotante establecido por la Compañía de Carbones[910]. El Depósito de Carbones de Ceuta S.A. funcionaba desde ese mismo año "con un resultado que pregonaban las estadísticas". Muchos armadores se habían dado cuenta de las características del puerto y del servicio

---

905 ALARCÓN CABALLERO, José Antonio: Opus cit., p. 266.
906 Ibídem, p. 267.
907 VVAA: *Libro de Ceuta*, p. 98.
908 GARCÍA COSIO, José: *Ceuta, historia, presente y futuro*, p. 287.
909 ABC, 30 de abril de 1926.
910 La Correspondencia de España, 10 de octubre de 1923.

de carbones, por lo que estaban viniendo a Ceuta, "cuando antes del establecimiento del Depósito de Carbones eran contados los buques que hasta aquí llegaban". La Compañía contaba con un tren de gabarras, un pontón o depósito flotante, un almacén terrestre en el mismo muelle, dos potentes remolcadores y dos aljibes para el suministro de agua, por lo que podía hacer simultáneamente varias entregas. Suministraba carbones ingleses y su "domicilio social se encontraba en Madrid, calle de Recoletos, 12"[911].

En cuanto a los consignatarios de buques, se repiten en los anuncios publicitarios nombres como "Enrique Delgado Villalba, Agencia de Aduanas, Comisiones, Consignaciones, Tránsitos, consignatario de buques, Martínez Campos, 22"; Romaní y Miquel, Martínez Campos, 8; José Trujillo Zafra e Hijos armadores y consignatarios; Antonio Partida y Palma, armador de barcos a motor, San Francisco, 10; Juan García López, despacho de buques y agente de aduanas; Viuda de Samuel Salama, etc.

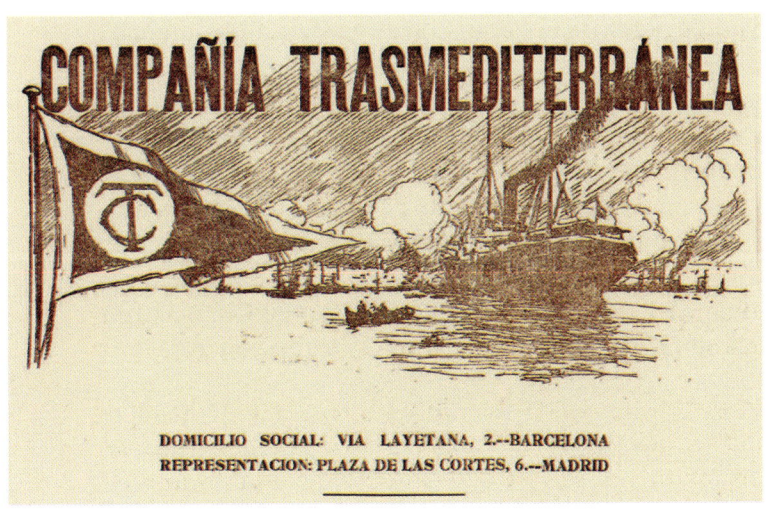

Anuncio publicitario de la Compañía Trasmediterránea.

Por su parte, numerosas navieras recalaban en Ceuta, como la Compañía Trasatlántica, Compañía Trasmediterránea, M.H. Bland de Gibraltar; James Moss de Liverpool; Royal Nedherland Steamship Company de Amsterdam; Oriental Navigation Co. de Nueva York, The Cunard, Steamship company Lid, Maindy Transport Limited, de Cardiff, etc.[912].

Para cerrar este epígrafe anotemos que fue una permanente reivindicación durante este periodo el tema de los impuestos. Tras salvar diversos escollos, se consiguió confirmar y ratificar la concesión de puerto franco a Ceuta (Real Decreto-Ley 11 de junio de 1929), cuyas bases fueron desarrolladas por el Real Decreto de 22 de julio de 1930.

18. La Comisión para el estudio del desenvolvimiento económico de las Plazas de Soberanía

Otro asunto que se trató durante ese mes de mayo fue el de la Comisión para el estudio del desenvolvimiento económico de las ciudades de Ceuta y Melilla, creada por R. O. de 28 de mayo de 1928. Era natural. Tras la finalización de la Guerra del Rif, con la consiguiente reducción de tropas, y la llegada continua de inmigrantes, la situación de la ciudad se había estancado y se empezaba a percibir que hacía falta definir el futuro.

En el mes de junio, presididas por el alto comisario, se reunieron por primera vez las personalidades designadas por la citada Real Orden. En esta primera reunión se trazó el plan de intenciones. En un principio, las juntas municipales de ambas plazas serían las encargadas de redactar las oportunas ponencias y remitirlas al alto comisario, y una vez discutidas, armonizando todos los intereses, serían elevadas a la Presidencia del Consejo de Ministros para la aprobación definitiva[913].

En cuanto a los trabajos de la Comisión fueron presididos y alentados por el citado conde de Jordana. Hallándose constituida por Cándido Lobera, presidente de la Junta municipal

911   ABC, 29 de abril de 1926.
912   ORTEGA, Manuel L. (coordinador): *Anuario-Guía Oficial de Marruecos-Zona Española (comercio y turismo), 1930*, p. 916.
913   La Voz 11 de junio de 1928.

de Melilla; José E. Rosende, presidente de la Junta municipal de Ceuta; Manuel Delgado Villalba, presidente de la Cámara oficial de Comercio e Industria y Navegación de Ceuta; Fidel Pi Casas, por la misma Cámara de Melilla; Luciano Valverde, director de Hacienda del Protectorado; José Domínguez Manresa, jefe de la Sección de Plazas de Soberanía de la Alta Comisaría, y Roberto Maraury, administrador general de Aduanas en el Protectorado. El objetivo principal era estudiar los problemas de Ceuta y Melilla, su futuro desarrollo y las relaciones con el Protectorado. Entre los problemas más importantes destacaban los relacionados con las Haciendas municipales[914].

El tema dio para sí, puesto que tras varios meses de reuniones, en agosto de 1930, ya finiquitada la dictadura de Primo de Rivera, se dio por terminada la Conferencia, donde se alcanzaron algunas conclusiones relativas al régimen contributivo y vuelta al régimen fiscal anterior a abril de 1926, habilitación de los puertos para un mayor rendimiento mediante la desgravación de tributos, terminación de las obras de dichos puertos, intensificación del comercio entre los puertos de Ceuta y Melilla, y los de la Península; organización comercial entre las plazas de soberanía y la Península, vías de penetración de los puertos marroquíes, colonización con facilidades para la concesión de terrenos, auxilios a la agricultura, extensión del crédito agrícola e inmobiliario; comunicaciones postales, telegráficas, telefónicas y aéreas. Todo un paquete de medidas que iban a servir para dar un nuevo impulso a ambas plazas[915]. Aquello no cayó en el olvido, pues en la permanente del 25 de octubre de 1930 se acordó felicitar al alto comisario por las gestiones que había realizado sobre la creación "de una comisión interministerial que examine la ponencia redactada sobre el régimen económico de la plaza de soberanía". Sin embargo, el Gobierno de Dámaso Berenguer no tuvo tiempo material de estudiar y aplicar las referidas conclusiones, pues, como se verá en el último capítulo, tuvo un corto recorrido.

19. De la Procesión del Corpus a la noche de San Juan

El jueves 7 de junio tuvo lugar la procesión del Corpus Christi, una de las grandes tradiciones religiosas de Ceuta. Estuvieron presentes todas las fuerzas de la guarnición, que rindieron honores a la valiosa y artística custodia de plata labrada, joya histórica del siglo XVI –el templete es del siglo XVIII-. La Junta municipal, como era tradición, sacó el histórico pendón, al que se le rindieron honores de capitán general[916]. Para realzar la jornada, las baterías de la plaza hicieron las salvas de ordenanza, mientras que los barcos estaban empavesados.

A la procesión asistieron las autoridades militares y civiles, asociaciones religiosas, representaciones de diversas entidades y numeroso público. La carrera estaba abarrotada. De Tetuán, Tánger y Larache la afluencia de forasteros fue grande. Una vez terminada la procesión, que se desarrolló con gran brillantez, las tropas desfilaron ante el pendón, que ondeaba en el balcón principal del palacio municipal[917].

Merece la pena subrayar que el artículo 68 de las Ordenanzas Municipales de 1923 precisa que el pendón saldrá en la procesión del Santísimo Corpus Christi; al igual que el artículo siguiente especifica el ritual de la ceremonia: "El Excelentísimo señor Comandante General de la Plaza sacará de las Casas Consistoriales el Pendón, y a la salida lo entregará al señor Alcalde, quien lo portará durante todo el trayecto, alternando con los demás concejales que asistan al acto, ocupando siempre la presidencia el que lo porta; y al regresar, y antes de entrar en la Casa Ayuntamiento volverá a hacerse cargo de él el Excelentísimo señor Comandante General, quien lo entregará al señor Alcalde para su entrada con él en el edificio, donde una

---

914   África, Revista de Tropas Coloniales, 1 de agosto de 1928, pp. 202 y 203.
915   ABC, 3 de agosto de 1930.
916   El pendón tiene honores de capitán general con mando por Real Orden de 20 de julio de 1894, ratificada por el rey Alfonso XII y, en su nombre, por la reina regente María Cristina el 1 de junio de 1895. GARCÍA COSÍO, José: *Pendón o estandarte de la siempre noble, leal y fidelísima ciudad de Ceuta, Historia de una restauración*, pp. 5 y 6.
917   La Nación, 8 de junio de 1928. La Vanguardia, 8 de junio de 1928. ABC, 9 de junio de 1928.

vez dentro y en el balcón principal presenciará dicha autoridad, con el Estandarte enarbolado y acompañado del Cuerpo Capitular, el desfile de las fuerzas que hayan cubierto la carrera". Por otro lado, el pendón había sido restaurado por Mariano Bertuchi, "que terminó la labor el 27 de octubre de 1922"[918]. Siguiendo la órbita religiosa, también en el mes de junio tuvo lugar procesión del Sagrado Corazón de Jesús, para la cual la permanente acordó "conceder un donativo de ciento cincuenta pesetas a la Parroquia de los Remedios"[919].

El 10 de junio de nuevo se vivió otra jornada interesante para la aviación. Por la noche amaró en la bahía norte un hidroplano tripulado por el comandante Gallarza, el capitán Ruiz de Alda y el mecánico Rada. Vinieron a aprovisionarse, pernoctaron en la plaza, y al mediodía del día siguiente salieron con destino a Cádiz. El mismo día de la llegada de los aviadores, bajo la presidencia del general Millán Astray, se reunieron los jefes y oficiales de la guarnición en el Centro de Cultura Militar, para preparar el ciclo de conferencias[920]. Sin salirnos del ámbito cultural, la empresa del Salón Apolo contrató al tenor Fleta y a la soprano Marta de la Vega para que actuaran el día 13[921]. Miguel Fleta era la sensación lírica del momento. En octubre de 1925, el inicio de la temporada en el Liceo de Barcelona quedó marcado por la revelación del gran tenor aragonés, que debutó con *Carmen* de Bizet[922].

En cuanto a la vida municipal, el final de la primavera se caracterizó por la continuación de las obras que había por toda la ciudad: instalación de farolas, balaustradas, derribos, adoquinado, construcción de casas[923], a la vez que los inscritos en el padrón de Beneficencia no paraban de aumentar. Pero un hecho que provocó un profundo sentimiento a los miembros de la Corporación fue la despedida del vicepresidente 1º de la Junta municipal e ingeniero subdirector de la Junta de Obras del Puerto, Álvaro Bielza Laguna, que había sido nombrado ingeniero del Canal Isabel II[924]. Mientras tanto, el ciclo de la vida continuaba, celebrándose la noche de San Juan entre risas, verbenas, fogatas y baños de mar...

20. La plaza de la Constitución y el Cristo de la Vera Cruz

Como se ha visto sobradamente a lo largo de esta exposición, la plaza de la Constitución (Plaza de África) era el centro neurálgico de la ciudad, pues en ella se concentraban los tres grandes poderes: el eclesiástico, con la catedral y el Santuario de la Virgen de África; el militar, con la nueva reubicación de la Comandancia General y el parque de Artillería; y el civil, con el palacio municipal.

Como señala Luis G. de Candamo, "Tiene esta Plaza de África, ordenada con palmeras, abetos y jardines, un atractivo peculiar, acentuado por el mar que refulge en sus extremos y la envuelve en una brisa acariciadora". De todos los edificios es el Santuario de la Virgen de África el que acoge a la patrona de los ceutíes, "bella y patética Virgen. Es sin duda el lugar donde el alma colectiva de los ceutíes alcanza un estadio supremo, con esa vibración mariana característica del alma de ese pueblo"[925].

Preside la plaza el monumento a los caídos en la Guerra de África, que se inauguró el 4 de mayo de 1895; obra del ingeniero militar José Madrid Ruiz. El monumento es un mausoleo de estilo neogótico de trece metros y medio de altura, construido con piedras de la cantera de San Amaro. La parte inferior está decorada con cuatro bajorrelieves en bronce del escultor sevillano Antonio Susillo Fernández.

918 GARCÍA COSÍO, José: Opus cit., pp. 8 y 9.
919 BOCCE núm. 92, 21 de junio de 1928. Comisión permanente, 9 de junio de 1928.
920 La Voz 11 de junio de 1928.
921 La Voz, 6 de junio de 1928. ABC, 6 de junio de 1928.
922 TAMAMES, Ramón: Opus cit., p. 340.
923 BOCCE núm. 92, 21 de junio de 1928. Comisión permanente, 16 de junio de 1928.
924 BOCCE núm. 94, 5 de julio de 1928. Comisión permanente, 23 de junio de 1928.
925 CANDAMO, Luis G.: 'Columna y crisol de epopeyas', p. 40.

Y en este armónico espacio circular era donde se celebraba la mayoría de los actos importantes, desde la Despedida del Soldado a las fiestas patronales, pasando por entregas de banderas, misas de campaña, etc. El objetivo de las autoridades municipales durante el periodo primorriverista fue urbanizarla y darle esplendor, como ejemplo y símbolo unívoco de la ciudad. Recordemos que la recepción de las obras de adoquinado y desagüe tuvo lugar en mayo en 1926; mientras que el alumbrado eléctrico permanente se acabó de instalar en julio de 1927.

Plaza de la Constitución. AGCE.

También durante estos años era habitual la instalación de una tómbola con fines benéficos para reparar el Santuario de la Virgen de África. Así, por ejemplo, durante las fiestas patronales de 1920 funcionó "una tómbola de señoritas", destinándose "los productos que se obtengan a reparar la Iglesia de la Virgen de África, que se halla en deplorable estado"[926]. Esta incansable labor continuó durante varios años bajo los auspicios de la Junta de Reparación del Templo de Nuestra Señora de África[927].

Es de referir que durante estas obras de reforma y saneamiento, con motivo de la visita del presidente de la Junta municipal, José Enrique Rosende, y del segundo arquitecto municipal, José Blein, en 1928, encontraron en la cripta del Santuario y en lamentable estado una talla del Crucificado que desde el primer momento les llamó poderosamente la atención. Con la autorización del cura párroco, Bernabé Perpén Rodríguez, se procedió a la limpieza de la imagen. Tras contactar con el secretario del Ayuntamiento y presidente de la Asociación de Empleados y Obreros Municipales, Alfredo Meca, en sesión celebrada el 28 de junio de ese mismo año, se decidió nombrarlo patrón y erigirle un altar. Posteriormente, en 1931, se organizaría la Hermandad, cuya procesión es conocida como 'El Silencio'. El Cristo de la Vera Cruz, que se encuentra en el Santuario de la Virgen de África, es una verdadera obra de arte del que poco se sabe[928].

Cristo de la Vera Cruz, foto Calatayud.
Cortesía de José Gallardo.

926   La Voz, 6 de agosto de 1920.
927   BOCCE núm. 94, 5 de julio de 1928. Comisión permanente, 2 de julio de 1928.
928   http://hdadveracruzceuta.org/stmo-cristo-de-la-veracruz/

Sin apartarnos del capítulo de obras, en el mes de julio se acordó la apertura de concurso para desmonte, bordillos y adoquinado de diversas calles por cuatrocientas mil pesetas[929]. Igualmente, se acordó formular los pliegos de condiciones para anunciar tres concursos: uno referente a la construcción de un edificio para un instituto completo de segunda enseñanza, y los otros dos para dos grupos de cuatro edificios escolares dos para enseñanza graduada y dos para escuelas unitarias de tres grados, "debiendo empezar las obras el próximo año de 1929". Por otra parte, el catalán José María Borrás y Borrás solicitó permiso para instalar una fábrica de hielo en la bahía sur, en el boquete de la Sardina[930]. José María Borrás, que se había avecindado en Ceuta en la década anterior, tendría cada vez más presencia en la ciudad, pues con el paso de los años se convertiría en uno de los empresarios más dinámicos y potentes.

21. La modernización de los servicios municipales: bomberos y limpieza

Pero la modernización de la ciudad no sólo consistía en las obras públicas, también se contempló la modernización de los servicios municipales. Para el presupuesto 1926-1927 ya se adjudicaron 30.000 pesetas para pago del primer plazo de adquisición de material de incendios, nuevo y completo, así como de carros y útiles modernos del servicio de limpieza pública.

Con respecto al servicio de incendios, se estuvo estudiando el tipo de material necesario. Esta cuestión no se abordaría en firme hasta el verano. En la sesión plenaria del 19 de agosto 1927 se acordó celebrar concurso para la adquisición de automóviles para el servicio de incendios con dispositivo para riegos. Toda vez que se aprobó la adquisición, la permanente del 3 de septiembre acordó aprobar "el pliego de condiciones". Finalmente, en la permanente del 15 de octubre se adjudicó "al proponente D. Carlos Palacios Cárdenas el concurso anunciado para la adquisición de automóviles con destino a servicios de incendios" -Carlos Palacios se anunciaba como "proveedor del Ejército. Automóviles, General Primo de Rivera, 60"-. Y en la permanente del 24 de diciembre se aprobó "Efectuar la recepción provisional de los automóviles adquiridos para el servicio de incendios". Como complemento a la adquisición de los camiones, también se fueron instalando bocas de riego por diversos puntos de la ciudad, al igual que se estuvo estudiando el "reglamento de bomberos"[931]. Igualmente, se le requirió al arquitecto municipal para que afectase un cálculo de las necesidades más

Camiones de bomberos y limpieza adquiridos por la Junta municipal. AGCE.

929   BOCCE núm. 95, 12 de julio de 1928.
930   BOCCE núm. 96, 19 de julio de 1928. Comisión permanente, 14 de julio de 1928.
931   BOCCE núm. 96, 19 de julio de 1928. Comisión permanente, 14 de julio de 1928.

perentorias para la organización del servicio de contraincendios[932]. Asimismo, en enero de 1930, se comisionó al vicepresidente Álvarez Sanz para que efectuase "un detenido estudio" del servicio de incendios existente en Sevilla, y su posible aplicación al de Ceuta[933]. En enero del año siguiente, a propuesta del vicepresidente Ordevás, se aprobó la "organización y funcionamiento de los servicios de incendio y riego"[934].

La eficacia del nuevo material adquirido quedó demostrada según esta nota de prensa que apareció en *El Telegrama del Rif* del 2 de agosto de 1928: "Quedar enterada de la carta de la Comandancia Militar de esta Plaza felicitando a la Presidencia de esta Junta por la valiosa cooperación prestada por personal y material de incendios de la misma en lo ocurrido en los almiares de pajar de Otero".

Con respecto al servicio de limpieza, en el mes de marzo de 1927 ya se trató la adquisición de camionetas[935], pues hasta entonces se hacía con carros: el 30 de agosto de 1926 se acordó el "arriendo de tres bestias que son necesarias para los carros de servicios municipales". Este sistema hacía el servicio con gran lentitud y, evidentemente, dificultaba el tráfico rodado. No obstante, por falta de presupuesto no se pudo abordar el tema hasta el mes de julio del siguiente año, cuando se acordó establecer un contrato para poseer "dos camionetas para el servicio de limpieza pública"[936]. Sin embargo, hubo que esperar hasta el 7 de noviembre cuando la permanente aprobó la contratación de las dos camionetas[937]. Por otro lado, también hacía falta un almacén para centralizar los materiales y camiones adquiridos. En un principio, la permanente del 11 de diciembre de 1926 acordó solicitar la concesión en propiedad de una zona de terreno en la primera zona de ensanche entre el Llano de las Damas y la parcela del Morro, "para la construcción de almacenes y parque de incendios". En el mes de septiembre de 1927 se anunciaba a concurso la adquisición de un barracón metálico con destino a garaje y almacén de material de incendios. Y el 15 de octubre se acordó "Aceptar la oferta de que un barracón para garaje y almacén de efectos de incendio hace fuera de concurso D. José Millau". Por fin, el 10 de mayo de 1928, la permanente quedó "enterada de oficio del Jefe de la Policía urbana y seguridad participando haberse trasladado al garaje de esta Junta los automóviles y material de incendio".

22. Las Fiestas patronales de 1928 y la inauguración de la plaza de toros

Con la entrada del verano ya se empezaba a preparar la temporada de baños y las fiestas patronales. Con respecto a la temporada de baños, la Junta municipal acordó designar "un celador para que vigile el cumplimiento de las disposiciones dictadas por la Autoridad durante la temporada de baños en la playa Benítez". Al igual que se empezaron a autorizar los servicios de autobuses a la citada playa. Por otra parte, una noticia causó alegría general en todo el país: el 1 de agosto de 1928 zarpó del puerto de Cádiz rumbo a Cabo Verde el flamante buque escuela de la Armada Española *Juan Sebastián de Elcano*, un bergantín-goleta de 113 metros de eslora y cuatro palos, que iniciaba su primera circunnavegación.

En cuanto a las fiestas patronales, la Junta municipal acordó anunciarlas mediante un cartel[938]. Asimismo se acordó conceder un premio de 500 pesetas para los Juegos florales y una copa que fuese el premio de Ceuta para el concurso hípico"[939]. También se acordó invitar a los festejos de la patrona y singularmente a los Juegos florales al alto comisario[940]. Por úl-

932 BOCCE núm. 182, 20 de febrero de 1930. Comisión permanente, 7 de febrero de 1930.
933 AGCE. LAC núm. 94. Comisión permanente, 2 de enero de 1930, folio 129 vto.
934 BOCCE núm. 234, 12 de febrero de 1931. Comisión permanente, 29 de enero de 1931.
935 AGCE. LAC núm. 91. Comisión permanente, 12 de marzo de 1927, folio 1.
936 BOCCE núm. 98, 2 de agosto de 1928. Comisión permanente, 21 de julio de 1928.
937 En enero de 1930 se decidió la adquisición de dos camiones para el servicio de limpieza y una barredera para el referido servicio. AGCE LAC núm. 94. Comisión permanente, 2 de enero de 1930, folio 129.
938 BOCCE núm. 88, 24, de mayo de 1928.
939 BOCCE núm. 90, 7 de junio de 1928. Comisión permanente, 2 de junio de 1928.
940 BOCCE núm. 98, 2 de agosto de 1928. Comisión permanente, 21 de julio de 1928.

GRANDES FIESTAS ORGANIZADAS
EN HONOR DE NUESTRA SEÑORA
LA VIRGEN DE AFRICA,
PATRONA DE ESTA CIUDAD ::: :::

4-7 AGOSTO-1928.

Programa de las fiestas patronales de 1928.
AGCE.

timo, se aprobaron las normas para "celebración de las corridas de toros y demás fiestas que se celebren en la plaza de toros"[941].

La ciudad estaba realmente animada con las fiestas patronales, que contó con la presencia de muchos forasteros procedentes de la Península y del Protectorado. Tanta animación estaba justificada, tenían el valor añadido de la inauguración de la nueva plaza de toros de San José, pues desde que se desmanteló la plaza del Llano de las Damas, en 1923, la afición estaba deseosa de espectáculos taurinos. También eran otros tiempos, ya habían pasado aquellas fiestas austeras de los primeros años de la década debido a las circunstancias bélicas (en 1921 no se celebraron las fiestas patronales). Ahora, una vida más alegre y lúdica imperaba en la ciudad. En cuanto a los festejos tuvieron lugar entre los días 4 y 7 de agosto; siendo el día principal el 5, el día de la patrona.

La construcción de la nueva plaza de toros fue iniciativa de Arturo Laclaustra Valdés, siendo presentada la solicitud a la Junta municipal en el mes de abril de 1928. La idea era "celebrar en la ciudad de Ceuta y durante las fiestas del próximo mes de Agosto, dos corridas de Toros, una novillada y una Charlotada". En cuanto a la plaza, el citado comandante de Ingenieros presentaba la construcción de mampostería y madera, con una capacidad para diez mil espectadores distribuidos de la siguiente manera: 30 palcos, 200 barreras, 200 contras, 4.500 de entrada general de sombra y 5.000 de sol; siendo estas cifras aproximadas. Asimismo, la construcción de la plaza respondería a las condiciones de seguridad, comodidad y elegancia; toda pintada, con fáciles y cómodos accesos a todas y cada una de las localidades. Cada cinco filas de tendidos tendrían un pasillo de comunicación y cada tendido tendría su puerta de acceso independiente. Tras los trámites burocráticos, en la permanente del 2 junio se autorizó "a don Arturo Laclaustra para construir una plaza de toros provisional en la parcela núm. 97 conforme al proyecto presentado". Por otra parte, desde el 13 de junio de ese mismo año se hizo extensivo y obligatorio la Real Orden núm. 127 de 7 de febrero de 1928 sobre la protección de los caballos en la corrida de toros.

Y llegó el día esperado. El domingo 5 de agosto por la mañana tuvo lugar la tradicional función religiosa en honor de la Virgen de África, pronunciando el sermón el padre agustino Vidal Ruiz. Y ya por la tarde se celebró la inauguración de la plaza de toros con la primera corrida de feria. Asistieron el alto comisario, el gran visir, autoridades de Ceuta y Tetuán y un grupo de oficiales interventores franceses, que habían sido invitados por el alto comisario. Igualmente, contó con la presencia del famoso diestro Juan Belmonte, que fue recibido a su aparición con una cariñosa y prolongada ovación[942]. El ambiente era magnífico, la plaza estaba llena, "rebosante".

941   BOCCE núm. 98, 2 de agosto de 1928. Comisión permanente, 28 de julio de 1928.
942   El Telegrama del Rif, 3 de agosto de 1928.

Construcción de la plaza de toros. AGCE.

Por su parte, la corrida estuvo compuesta por cinco toros de Padilla y uno de Gallardo para los diestros Saleri II, Zurito y el venezolano Julio Mendoza. Zurito venía a sustituir a Cayetano Ordóñez, el Niño de la Palma, muy conocido en Ceuta, pues anteriormente había trabajado de camarero en un popular bar de la ciudad.

Al primer toro lo despachó Saleri de una estocada tendida que le valió más pitos que palmas. Al cuarto, que brindó a Belmonte, toreó feamente de muleta, y, tras una estocada pasada, descabelló a la primera. Zurito hizo una faena en la que sobresalieron, uno ayudado de pecho, otro de rodillas y un molinete. A la hora de matar pinchó tres veces y descabelló a la segunda. En el quinto no hizo nada con el capote ni con la muleta. Pinchó dos veces y descabelló al segundo intento. Mendoza toreó bien por verónicas al primero de los que le correspondían. Brindó al general Sanjurjo, y, tras una gran faena, en la que sobresalió un pase de pecho formidable, acabó con media algo caída. Al sexto le hizo una faena de aliño y le dio media en lo alto. Remató con la puntilla y oyó palmas. Como ya los caballos llevaban la almohadilla reglamentaria, no ocurrieron "más que dos bajas"[943]. Con respecto al respetable, no salió satisfecho de la corrida[944].

En cuanto a la segunda corrida de feria del lunes 6, también se celebró con gran animación, lidiándose ganado de Esteban Hernández, que resultó dificultoso, para las cuadrillas de Luis Freg, Carnicerito y Barajas.

Luis Freg estuvo muy valiente en sus dos toros, sobresaliendo en el cuarto, del que cortó la oreja. Carnicerito también se lució en sus respectivos astados, cortando la oreja del segundo. Barajas, en su primer toro, el más difícil de todos, estuvo valentísimo, metido entre los pitones, por lo que el público le ovacionó con justicia. En el sexto banderilleó superiormente. Con la muleta dio pases artísticos y valientes, que se jalearon y ovacionaron. Largó una gran estocada a cambio de una aparatosa cogida, de la que resultó milagrosamente ileso. Descabelló al primer intento. Se le concedió la oreja y pasó a la enfermería a curarse del porrazo, que no tuvo importancia alguna[945].

Con respecto a la novillada del día 7, se contrataron novillos de Veragua para Saleri II, Luis Morales y Revertito. Por último, el día 12 tuvo lugar la charlotada con cuatro becerros de Gallardo para la cuadrilla cómica Bachiller Charlot (don José el As) y su Botones, y dos novillos del mismo ganadero para el novillero madrileño Natalio Ruiz[946].

La primera corrida de feria del domingo día 5 había sido uno de los actos principales de las fiestas patronales, pero no había sido el único. Esa misma mañana, además de la misa en honor de la Virgen de África, que resultó brillantísima, se celebró el sorteo de una casa para pobres de la barriada General Sanjurjo, donativo de la Junta constructora de esas viviendas. Le tocó la suerte al sexagenario Antonio Pérez Reina[947]. Asimismo, con asistencia de las au-

943   ABC, 7 de agosto de 1928. La Libertad, 7 de agosto de 1928. El Telegrama del Rif, 7 de agosto de 1928.
944   ABC, 7 de agosto de 1928.
945   La Nación, 7 de agosto de 1928.
946   "Además tienen en proyecto para el día 2 de septiembre próximo dos novillos de Veragua para Cañero y cuatro toros de la misma ganadería para Luis Freg y Algabeño, Bernalito". La Fiesta Brava, Semanario taurino, 10 de agosto de 1928.
947   El Noticiero Gaditano, 6 de agosto de 1928.

toridades se inauguró el zoco de artesanía marroquí, que se instaló en el recién inaugurado muelle Alfonso XIII, con la presencia de muchos cabileños de Anyera y el Haus[948]. Ya por la noche se celebraron los juegos florales. También la feria contó una retreta militar, "en la que han tomado partes elementos de todos los Cuerpos de la guarnición, presentándose al concurso artísticas carrozas"[949].

Como hemos visto, aquel año también tuvo como novedad, además de los festejos taurinos, un certamen literario hispano-árabe "para conmemorar el primer año de la pacificación efectiva de nuestra zona"[950], que tuvo como marco el Teatro del Rey.

Al certamen asistieron las autoridades y un enorme gentío. Bellísimas muchachas realzaban el trono efímero de Carmencita Saavedra. El presidente del certamen, Antonio Micó, pronunció un hermoso discurso. El mantenedor árabe, Sidi Erhoni, ministro de Justicia del jalifa, articuló brillantes conceptos, que fueron traducidos por el intérprete Emilio Álvarez Sanz Tubau. El poeta Ricardo González Salavert dio lectura a la composición premiada con la Flor Natural, *Dos razas y un corazón*, recibiendo una clamorosa ovación. Finalmente, el mantenedor, Manuel Figueroa Rojas, entonó un canto a la patria, a la poesía y al amor, que fue muy aplaudido. González Salavert ya tenía cierta experiencia en estos certámenes, pues había obtenido una Rosa de Oro en unos juegos florales celebrados en Madrid[951]. El acto culminó con un baile en el palacio municipal de "toda etiqueta"[952]. También hubo bailes en las casetas de los casinos y sociedades, resultando la iluminación del real espléndida[953].

Es de referir que la nueva plaza de toros también sería escenario de otras actividades, como fue la reunión pugilística que tuvo lugar el domingo 9 de septiembre[954], teniendo a Luis Rayo, campeón europeo de los pesos ligeros, como figura estelar de la reunión. Luis Rayo, que marchaba a la Argentina, se despidió del público de España con una brillante exhibición, siendo aplaudidísimo[955].

23. La conmemoración del 13 de septiembre. Manifestación en Madrid

Lejanos los ecos de las magníficas fiestas patronales, Ceuta continuaba con su habitual ajetreo. Así, seguía la pavimentación desde la plaza de Azcárate al Hospital de la Cruz Roja. Igualmente, hubo una petición de las fuerzas vivas de la ciudad para que se les concedieran la medalla de oro al trabajo a los ingenieros Rosende y Arango, "por los trabajos de la construcción del puerto de Ceuta"[956]. También se acordó celebrar "en igual forma que el año anterior la Feria del Libro"[957]. Por otro lado, tuvo lugar en la catedral la toma de posesión del cargo de deán por el doctoral del Cabildo, José Casañas Caraballo. El deán electo gozaba de grandes simpatías y prestigios por su religiosidad, caridad y cultura, perteneciendo 31 años al Cabildo catedral[958]. Asimismo, las fuerzas vivas de la ciudad se estaban preparando para asistir a la manifestación que iba a tener lugar en Madrid el 13 de septiembre, claro homenaje al dictador con motivo del quinto aniversario de su llegada al poder.

Aquel 13 de septiembre fue un día marcadamente festivo en Madrid. La manifestación salió del Retiro a las once de la mañana, desfilando representantes de la Unión Patriótica, en la que estuvo una representación de la Unión Patriótica ceutí[959] encabezada por su nuevo pre-

948   El Telegrama del Rif, 7 de agosto de 1928.
949   La Opinión, 9 de agosto de 1928.
950   ABC, 30 de mayo de 1928.
951   El Telegrama del Rif, 2 de agosto de 1928.
952   El Telegrama del Rif, 7 de agosto de 1928.
953   El Noticiario Gaditano, 6 de agosto de 1928.
954   El Liberal 11 de septiembre de 1927.
955   La Libertad, 11 de septiembre de 1928.
956   BOCCE núm. 103, 6 de septiembre de 1928. Comisión permanente, 25 de agosto de 1928.
957   BOCCE núm. 105, 20 de septiembre de 1928. Comisión permanente, 10 de septiembre de 1928.
958   La Vanguardia, 17 de agosto de 1928.
959   ABC, 14 de septiembre de 1928.

sidente, Manuel Delgado Villalba. Previamente la Junta municipal había acordado facultar a la presidencia para que habilitase un crédito que permitiera a una Comisión que, "como representación de esta Junta municipal, efectúe el viaje a Madrid con motivo que se tributará al régimen implantado el 13 de septiembre de 1923, abonándose gastos de locomoción y 50 pesetas diarias de dietas a cada uno de ellos"[960].

De la manifestación se hizo amplio eco la prensa; incluso se llegaron a imprimir numerosos recuerdos. Abundando en este aspecto, la revista *Unión Patriótica* editó un número extraordinario (Números 47 y 48) con fecha de 13 de septiembre de más de doscientas páginas, donde se hacía un recorrido de los logros obtenidos por la Dictadura a lo largo del quinquenio transcurrido entre 1923 y 1928. Con respecto a Ceuta, señalaba: "Y, por último, por lo que concierne a las plazas de soberanía, la aplicación del Estatuto Municipal a los nuevos organismos municipales de dichas plazas, que trabajan con gran actividad y entusiasmo, la legitimación de las parcelas rústicas y urbanas de los campos exteriores de Ceuta y Melilla y la aprobación de los planos de urbanización, la traída de aguas a Melilla y las obras en el puerto de Ceuta, son manifestaciones interesantísimas que han de reportar grandes beneficios para las citadas plazas". También la prensa de Ceuta hizo un balance de la gestión del dictador. *La Opinión* del 13 de septiembre, por ejemplo, escribió al respecto: "... exterminó la vieja política que venía permitiendo asesinatos, atracos, depreciación de moneda, francachelas a costa del pueblo que se trataban de justificar en gastos reservados, detestable política en todos los sentidos y órdenes, indisciplina generalizada en todos los ámbitos del país, nefandas propagandas independentistas y en fin de cuentas un lamentabilísimo estado social que hacían de temer grave cataclismo...". Igualmente reconocía que era pronto para hacer un juicio a fondo; no obstante, a la vez que valoraba la labor de Primo de Rivera en Marruecos, acababa con el deseo de que volviese la normalidad, "cuando ello sea pertinente".

Por esas fechas se modificó la organización del Ejército en Marruecos, creándose cuatro circunscripciones: Melilla, Ceuta, Larache y Villa Sanjurjo, estando al mando cada una de ellas un general de brigada. En cuanto a los acuerdos municipales, se designó al vicepresidente Gabriel Roca para concurriese al acto de recepción provisional de las obras del nuevo puente sobre el foso seco de la Almina[961]; puente que, tras completarse las obras de iluminación, sería recepcionado definitivamente a principios de noviembre del año siguiente[962].

24. Solidaridad con Madrid y Melilla: las tragedias del Teatro Novedades y Cabrerizas Bajas

Pasada la manifestación patriótica madrileña, que había copado gran parte de las portadas de periódicos y revistas, las noticias que tuvieron más repercusión durante ese mes en todo el país estuvieron relacionadas con las tragedias del Teatro Novedades de Madrid y Cabrerizas Bajas, en Melilla, ambas a finales de septiembre.

El Teatro Novedades ardió la noche del 23, fallecieron 80 personas y más de 200 resultaron heridas. Tenía un aforo de alrededor de 1500 espectadores. En el momento en que se inició el fuego se estaba representando la pieza *El mejor del puerto,* encontrándose el teatro abarrotado. Cuando se declaró el incendio cundió el pánico y la evacuación fue caótica, muriendo muchas de las víctimas aplastadas. Las llamas se extendieron con facilidad debido a que gran parte del edificio era de madera. Una vez sofocado el incendio se encontraron 67 cadáveres entre las cenizas, pero hubo muchas más víctimas las semanas siguientes. Sin embargo, el elenco de actores sobrevivió al completo.

Cuando aún el eco de la tragedia del Teatro Novedades resonaba en todo el país, hubo otra tragedia en Melilla. Aproximadamente a las 00,40 de la madrugada del 26 de septiembre,

---

960   BOCCE núm. 104, 13 de septiembre de 1928. Comisión permanente, 1 de septiembre de 1928.
961   BOCCE núm. 107, 4 de octubre de 1928. Comisión permanente, 29 de septiembre de 1928.
962   BOCCE núm. 168, 21 de noviembre de 1929. Comisión permanente, 7 de noviembre de 1929.

cuando la mayoría de los melillenses descansaban en sus hogares, enrojeció el cielo y, sin previo aviso, se dejó oír una formidable explosión que produjo una trepidación tan intensa que la mayor parte de los moradores de las viviendas, las abandonaron, lanzándose a la calle. "El momento fue,-según en *El Telegrama del Rif*-, indescriptible". Lo sucedido superó a cuantos sucesos se habían registrado en aquella plaza.

La explosión se había producido en el fuerte de Cabrerizas Bajas, dentro del cual se encontraba el polvorín, que contenía aproximadamente 20 toneladas de pólvora seca (sin humo). La explosión fue tan tremenda que no quedó ni el más leve vestigio del fuerte. Cerca de cincuenta fallecidos y más de doscientos cincuenta heridos fueron víctimas de tan formidable fenómeno. Asimismo, tuvieron que ser desalojadas por ofrecer peligro o haber quedado destruidas hasta 1.099 casas y barracas. En general, se podía afirmar que fue rara la vivienda melillense que no sufrió algún desperfecto.

Según ha dejado constancia Rosa María Montero en su trabajo *La catástrofe de Cabrerizas*, en la Junta municipal melillense se recibieron, entre otros, los siguientes ofrecimientos: "El coronel jefe de Estado Mayor de las fuerzas militares de Marruecos señor Aranda, recibió un telegrama del general jefe de la circunscripción de Ceuta y Tetuán, don José Millán Astray en el que le comunicaba: 'Por acuerdo de todos los cuerpos, armas y servicios de la circunscripción, todos los jefes, oficiales y clase de tropa de segunda categoría dejarán un día de haber para engrosar suscripción iniciada para socorrer a los damnificados a consecuencia de la voladura del fuerte de Cabrerizas Bajas". Por su parte, José María Rey Delgado, apoderado de la sucursal en Melilla de los Depósitos de Carbones de Ceuta, envió 500 pesetas. Finalmente, en la suscripción en pro de los damnificados que se realizó hasta el 15 de enero de 1929, en que quedó cerrada, Ceuta contribuyó con 18.639,15 pesetas[963].

Ambas tragedias causaron en Ceuta un hondo dolor y sobradas muestras de solidaridad. En principio, la Junta municipal determinó "consignar en acta el sentimiento de la Corporación"[964], al igual que se acordó por unanimidad "conceder dos donativos de cinco mil pesetas cada uno a favor de los damnificados"[965]. Por su parte, el periódico *La Opinión* abrió una suscripción, a la par que se organizó para el domingo 14 de octubre una becerrada benéfica[966], recaudándose 35.000 pesetas, "a beneficio de las escuelas de Príncipe Alfonso y damnificados por las catástrofes de Novedades y Cabrerizas"[967]. Asimismo, en el Teatro del Rey tuvo lugar una función a beneficio de los damnificados, viéndose el teatro completamente lleno. La música del Tercio ofreció un notable concierto y después el cuadro artístico del Liceo Español representó la zarzuela *Doloretes*, cantándose a continuación el coro de *Bohemios*[968]. El acto tuvo una gran acogida, enviándose 1.480 pesetas a los damnificados de Cabrerizas Bajas[969] y otro tanto a los del Teatro Novedades.

25. La Fiesta del Libro, el Día de la Raza y fiestas en Tetuán

Tras aquellos trágicos días, octubre entró en Ceuta con varios asuntos. Además de los actos benéficos que se siguieron celebrando a lo largo del mes, también estaba prevista la ya tradicional Fiesta de Libro -era la tercera edición-, aunque no se pudo celebrar, tal y como estaba prevista, el 7 de octubre, debido a la inseguridad del tiempo amenazante de lluvia; por ello, se decidió que tuviera lugar "en los locales de las respectivas escuelas"[970]. La Junta

---

963   MONTERO MADRID, Rosa María: 'La catástrofe de Cabrerizas (Melilla, 26 de septiembre de 1928)', pp. 155-168.
964   BOCCE núm. 107, 4 de octubre de 1928. Comisión permanente, 29 de septiembre de 1928.
965   BOCCE núm. 107, 4 de octubre de 1928. Comisión permanente, 29 de septiembre de 1928.
966   Heraldo de Zamora, 3 de octubre de 1928. ABC, 9 de octubre de 1928. Atienza Varela, p. 774. Mirar La Opinión, 9 de octubre de 1928.
967   ABC, 24 de noviembre de 1928.
968   El Telegrama del Rif, 21 de octubre de 1928.
969   El Telegrama del Rif, 21 de octubre de 1928.
970   BOCCE núm. 108, 11 de octubre de 1928. Comisión permanente, 8 de octubre de 1928.

municipal requirió a los maestros que hiciesen un listado de los libros que querían. Entre los 1.553 ejemplares solicitados, los más demandados fueron:

> *Grado Preparatorio* ... Porcel y Riera 98
>
> *Manuscrito 1º* .... Dalmau 84
>
> *Infancia* .... Dalmau 79
>
> *Lecciones de cosas* .... Dalmau 78
>
> *Grado Elemental* .... Porcel y Riera 68

No obstante, también se pidieron 27 ejemplares de *D. Quijote de la Mancha*, 18 de las *Fábulas de Samaniego*, 12 de las *Fábulas de Iriarte*, y no podían faltar los de la Editorial Calleja, como *Vida animal*, *Vida vegetal* o *La buena Juanita*, entre otros. Al no haber este año meriendas ni desplazamientos, los gastos ascendieron a 2.494,80 pesetas[971].

Porcel y Riera, Dalmau y Calleja eran tres de las grandes editoriales del ámbito escolar. La editorial del balear Porcel y Riera se especializó en manuales escolares cíclicos (cuatro grados), que tuvieron una gran acogida no sólo en España, sino también en América latina y el Protectorado. Por su parte, la editorial del gerundense José Dalmau Carles también tuvo una gran aceptación en el mundo de la enseñanza, sobre todo en el campo de la lectura y la escritura. No obstante, la más antigua y popular era la Editorial Calleja. Fundada por Saturnino Calleja en 1876, llegaría a publicar alrededor de tres mil títulos, entre los que figuraban sus famosos cuentos.

Por otro lado, para conmemorar el primer año de la visita de los reyes a Tetuán y la Fiesta de la Raza y de la Paz se celebraron sus primeras fiestas entre los días 8 y 12 de octubre. Numerosos ceutíes se desplazaron a la capital del Protectorado para asistir a ellas -se había aumentado el servicio de trenes- y, sobre todo, para ver jugar a los equipos de fútbol del Real Madrid y el Atlético de Madrid, que se enfrentaron en dos ocasiones en los terrenos de la Real Sociedad Hípica. En el primer encuentro, celebrado el día 9, ganó el Real Madrid por 4 a 1; mientras que en el segundo, que tuvo lugar el día 12, empataron a dos[972]. Aquel año comenzó la primera temporada de la Liga de fútbol -temporada 1928-1929-. No obstante, el cuero no empezaría a rodar hasta el 10 de febrero de 1929, adoptándose el sistema inglés "todos contra todos"; aunque la Copa del Rey ya se jugaba desde hacía unos años.

También llegó la buena noticia del director general de Marruecos y Colonias participando haber dictado una Real Orden suspendiendo por ahora el aumento del 25 por ciento en la contribución industrial. Al igual que la Alta Comisaría envió otro telegrama en los mismos términos[973]. Otra buena noticia del mes de octubre fue que el día 20 por la mañana, con asistencia del alto comisario y demás autoridades, tuvo lugar el acto de hacer entrega de seis casas construidas para los sargentos del regimiento de Ceuta, cuyo proyecto se debía al coronel de dicho regimiento, Ángel Prats Sousa, quien había trabajado incansablemente para construir 14 casitas, ocho de las cuales ya habían sido entregadas. La presencia del general Sanjurjo en Ceuta sería una de las últimas, pues pronto sería relevado. Igualmente, en el Salón Apolo, ocupado por toda la oficialidad franca de servicio, ofreció Millán Astray una conferencia versando sobre los servicios del Estado Mayor en campaña[974].

---

971 AGCE. Caja 1271-11.
972 PLEGUEZUELOS SÁNCHEZ, José Antonio: *Mariano Bertuchi, carteles y turismo*, pp. 134 y 135.
973 BOCCE núm. 108, 11 de octubre de 1928. Comisión permanente, 8 de octubre de 1928.
974 El Telegrama del Rif, 21 de octubre de 1928.

26. La Escuela Elemental del Trabajo

Fue en el otoño de 1928 cuando ya empezó a funcionar en el edificio de la calle Solís la Escuela Elemental del Trabajo, dirigida a la clase obrera. La propuesta sobre implantación de una Escuela Elemental de Trabajo ya fue contemplada en la permanente del 11 de junio de 1927. Un par de meses después se insistió sobre la urgencia de estas clases; sin embargo, no fue hasta la permanente de 29 de octubre cuando se aprobó la moción "de los señores Reig y Compayns relativa a la creación inmediata" de la citada Escuela.

En un principio, fue el Patronato Militar de Enseñanza el encargado de acoger el proyecto, por lo que la permanente aprobó en el mes de enero "conceder una subvención mensual de doscientas pesetas ínterin se instala la Escuela Elemental del Trabajo al Patronato Militar de Enseñanza, como compensación a los gastos que le origina el sostenimiento de clases nocturnas para obreros"[975]. El éxito fue total, pues se matricularon casi 400 obreros, que, según los conocimientos, fueron clasificados en tres niveles. En realidad, era un sondeo para evaluar su implantación en firme.

Viéndose el éxito de la oferta, la cuestión fue madurando en tres aspectos: el acondicionamiento de un edificio, la aprobación del reglamento y la contratación del personal. En cuanto al primer asunto, en la permanente de 21 de enero de 1928 se aprobó "el presupuesto de las obras del grupo escolar de la calle Solís en Escuela Elemental de Trabajo". Paralelamente se autorizó adquirir "muebles y efectos". Tras la obras de acondicionamiento, fue en julio cuando se procedió al pago de la cantidad de 9.779 pesetas de las obras efectuadas en el edificio del grupo escolar de la calle Solís, para su habilitación con destino a dicha Escuela[976].

Con respecto a la cuestiones del reglamento y del personal, en agosto se nombró portera a Dominga Jiménez López[977], el 9 de septiembre la permanente aprobó su reglamento, y el 22 de octubre se acordó facilitar a la presidencia para que habilitase todo lo necesario y nombrase un conserje. Toda vez elegido el profesorado, a principios de noviembre se aprobó el nombramiento del director y secretario a favor de los profesores de la misma, Manuel Gollonet y Clemente Botet, respectivamente[978]. Así pues, como se ha referido, fue en el curso 1928-1929 cuando pudo comenzar a funcionar. No obstante, en enero de 1929 Manuel Gollonet Megías cesaría como director, al "ser incompatible tal nombramiento con el de vocal de la Junta Local"[979], tal y como recogía el Estatuto municipal. A partir de entonces fue su director el comandante del Estado Mayor José Figuerola Alamá. Por otro lado, como es natural, las enseñanzas que se impartían en esta Escuela estaban orientadas hacía el mundo laboral, por lo que eran muy prácticas. Fruto de los trabajos realizados por los alumnos fue la exposición que tuvo lugar durante las fiestas patronales de 1930, donde se mostraron al público los resultados de su implantación.

27. La enseñanza en Ceuta

La Escuela Elemental del Trabajo fue una de los logros de la época primorriverista. No fue el único. También la enseñanza nocturna para adultos fue otro de los mayores logros del citado periodo, que tenía el claro objetivo de la promoción de la mano de obra inmigrante, que mayoritariamente llegaba sin apenas instrucción, por lo que hubo una gran preocupación en este sentido. En pocas palabras, había abundante mano de obra pero poco cualificada. Por otro lado, la enseñanza en Ceuta tuvo el problema crónico de que siempre fue a remolque con respecto a la población debido a la fuerte inmigración que sufría la ciudad. La enseñanza primaria era impartida tanto por el Estado y el Ayuntamiento como por la inicia-

---

975   BOCCE núm. 70, 19 de enero de 1928. Comisión permanente, 7 de enero de 1928.
976   BOCCE núm. 98, 2 de agosto de 1928. Comisión permanente, 21 de julio de 1928.
977   BOCCE núm. 101, 23 de agosto de 1928. comisión permanente, 11 de agosto de 1928.
978   BOCCE núm. 112 bis, 8 de noviembre de 1928. Comisión permanente, 5 de noviembre de 1928.
979   VELASCO AURED, Álvaro: 'Aspectos de la educación popular en el directorio', p. 87.

Aula de la escuela de la Cantina Escolar. AGCE.

Maestra y alumnas de la escuela de la Cantina Escolar. AGCE.

tiva privada. La secundaria no tenía oferta pública, lo que dio lugar a que continuamente se demandase la construcción de un instituto de enseñanza secundaria; aunque sí se ofertaba en el centro de los padres Agustinos y en el Patronato Militar de Enseñanza.

27.1. La enseñanza nocturna

Conscientes las autoridades de la demanda de esta enseñanza, en el Boletín Oficial de Ceuta núm. 56 de 20 de octubre de 1927 se puede leer: "En todas las escuelas Nacionales de niños de esta Ciudad darán principio las clases nocturnas para adultos el primer día laborable del primer día de noviembre, y durará el curso de esas enseñanzas como preceptúa la ley hasta el 31 de marzo siguiente.

Escuelas:

Escuela núm. 1. Calle Solís.
Escuela núm. 2. Pasaje de Gironés.
Escuela núm. 3. Calle Pavía.
Escuela núm. 4. Barracón calle Edrissis.
Escuela núm. 5. Calle Solís
Escuela núm. 6. Calle Solís.
Escuela núm. 7. Almadraba.
Escuela núm. 8. Cuesta del Otero.

Las horas de clase serán de 6 a 8 de la noche, variable según la estación.
Edad mínima 14 años"[980].

27.2. Primaria

La educación primaria durante el periodo primorriverista se caracterizó por un aumento del número de unidades; no obstante, principal atención se dio a párvulos y niñas; mejorando la tasa de escolarización, que, sin llegar a ser universal, aumentó significativamente. Así, por ejemplo, la Comisión permanente del 2 de febrero de 1925 quedó enterada de una R.O. de 19 de enero "creando seis escuelas unitarias de niñas en esta ciudad con carácter definitivo"[981]. En enero de 1929, cuando se organizó el reparto de juguetes con motivo de la fiesta de Reyes, se tomó como referencia el número de alumnos de las escuelas públicas:

---

980   BOCCE núm. 56, 20 de octubre de 1927.
981   AGCE. LAC núm . Comisión permanente, 2 de febrero de 1925, folio 143.

NÚMERO DE ALUMNOS DE LAS ESCUELAS PÚBLICAS, ENERO 1929

PÁRVULOS

Escuela nº 1, Pavía, 2 72

Escuela nº 2, General Serrano, 2 72

Barriada del General Sanjurjo 111

Total **255**

NIÑAS

Escuela nacional nº 1 85

Escuela nacional nº 2 81

Escuela nacional nº 3 100

Escuela nacional nº 4, Solís 88

Escuela nacional nº 5 90

Escuela nacional nº 6, Villa Jovita 58

Escuela nacional nº 7, Almadraba 55

Escuela nacional Bda. Gral. Sanjurjo 89

Escuela del Príncipe Alfonso

Escuela nacional de la Cantina Escolar
Reina Victoria Eugenia 91

Asilo 13

Hospital de la Cruz Roja 8

Total **758**

NIÑOS

Escuela nacional nº 1, C. Álvarez 90

Escuela nacional nº 2, Tte. Pacheco 60

Escuela nacional nº 3, Pavía 70

Escuela nacional nº 4, Solís 49

Escuela nacional nº 5, Solís 90

Escuela nacional nº 6, Independencia .. 67

Escuela nacional nº 7, Villa Jovita 36

Escuela nacional nº 8, Almadraba 52

Escuela de la Barriada Gral. Sanjurjo ... 64

Escuela barriada Príncipe Alfonso

Escuela municipal Arábigo Española ... 52

Escuela de la Cantina Escolar
Reina Victoria Eugenia 137

Escuela del Llano de las Damas 66

Asilo 10

Hospital de la Cruz Roja 15

Total **858**

Príncipe Alfonso **198**

TOTAL **2.069**

Fuente: AGCE. Festejos, 1929.

Al aumentar las escuelas y las matriculaciones, también hubo que aumentar el número de auxiliares que ayudaban a los maestros. Era la Junta Local de Enseñanza la encargada de proponer a la Junta municipal las necesidades de las escuelas. Tal era la demanda de auxiliares que en 1930 se convocaron oposiciones[982].

En cuanto a la enseñanza privada, destacaban la Academia San José, el Colegio de los RR.PP. Agustinos, en Méndez Núñez, y los Colegios de las RR.MM. Concepcionistas, en la calle Riego. Por otro lado, como consecuencia de la Real Orden de 25 de septiembre de 1923, se legalizaron varios colegios y escuelas privadas como los de Nuestra Señora del Pilar, Nuestra Señora del Carmen, Nuestra Señora del Valle, San José de la Montaña o Escuelas Román, en el Campo Exterior; siendo la mayoría de escasa capacidad. En 1926 se fundaron nuevas escuelas privadas como las de Villergas (Benítez), Romero (Apero Municipal), Rag (Primo de Rivera, 87), y el Colegio de los Ángeles Custodios. El Ayuntamiento subvencionaba a 7 de ellas[983].

Unidades escolares durante el periodo primorriverista

Unidades Escolares	1924	1926	1930
Públicas	13	20	25
Privadas	13	17	17
Total	26	37	42

Fuente: ALARCÓN CABALLERO, José Antonio: 'La dictadura de Primo de Rivera
y la transición a la República', p. 303.

---

982 BOCCE núm. 219, 6 de noviembre de 1930. Comisión permanente, 25 de octubre de 1930.
983 ALARCÓN CABALLERO, José Antonio: 'La dictadura de Primo de Rivera y la transición a la República, p. 303.

Como se puede observar, durante el periodo primorriverista casi se duplicó el número de escuelas públicas. Pero aún quedaba pendiente la edificación de otros grupos escolares; así, por ejemplo, en la permanente de 25 de octubre de 1930 se acordó "Se consigne partida para la construcción de escuelas en Jadú".

27.3. Secundaria

Ya hemos apuntado que los centros que impartían la enseñanza secundaria eran el Colegio de los padres Agustinos y el Patronato Militar de Enseñanza.

El también llamado colegio San Agustín fue uno de los principales edificios que se construyeron en Ceuta en la segunda década del siglo XX. Obra de Francisco Urcola (1915), estaba situado entre la calle Méndez Núñez y pasaje Romero. En 1918 era su director el padre Aurelio Martínez. El centro estaba dedicado a los estudios generales: escuelas graduadas, bachillerato y preparación militar. En abril de 1926 Enrique Garro escribió sobre este centro: "Con edificio propio y suntuoso, con higiene, amplias aulas, luz, aire y patio de recreo, es preciosísimo, es una honra de la enseñanza española. […] Edúcanse en él actualmente 150; todos externos; teniendo el mayor contingente de alumnos de hijos militares"[984].

Por su parte, el Patronato Militar de Enseñanza, en julio 1928 se anunciaba así:

> "Patronato Militar de Enseñanza de Ceuta
>
> En este Colegio se da la primera enseñanza graduada, cíclico-analítica, dirigida por diez componentes Maestros Nacionales.
>
> Bachillerato elemental y universitario (Ciencias y Letras) con absoluta separación entre alumnos de ambos sexos. Para esta enseñanza cuenta el Colegio con un cuadro de diez y ocho Profesores y tres Inspectores de estudio.
>
> CLASES ESPECIALES
>
> CARRERA DE MEDICINA. Profesores: Los Doctores D.L. Ortega Nieto, D.M. Sala Gavarrón, D.M. Zurita. Para práctica cuenta este Centro con Hospitales y Laboratorio.
>
> CARRERA DE DERECHO. Profesores: C. Lería y P. Rodríguez (del Cuerpo Jurídico Militar).
>
> CARRERA DE PIANO, SOLFEO. Piano y Harmonía: Profesora doña Rosa Díaz Guzmán, antigua alumna del Real Conservatorio de Música y Declamación de Madrid.
>
> IDIOMAS: FRANCÉS, INGLÉS Y ALEMÁN (Método Berlitz).
>
> MECANOGRAFÍA.

Patronato Militar de Enseñanza. AGCE.

> Además de las anteriores enseñanzas, el Colegio da clases nocturnas para obreros adultos con carácter absolutamente gratuito, por los mismos procedimientos pedagógicos que para la enseñanza primaria con aplicación a las Artes y Oficios. Pudiendo ampliar dichas enseñanzas con Francés o Inglés los que lo desearen"[985].

---

984 ABC, 27 de diciembre de 1918.
985 África, Revista de Tropas Coloniales, julio de 1928.

El Método Berlitz es un método que sigue vigente en la actualidad. En cuanto al Patronato Militar de Enseñanza fue creado el 14 de julio de 1904 por una Junta de accionistas civiles y militares, recayendo la presidencia en el comandante general y la vicepresidencia en el alcalde. En 1927 contaba con el siguiente personal docente: siete maestros y dos maestras nacionales y una auxiliar para cerca de 300 alumnos de ambos sexos que recibían la instrucción primaria dividida en seis grados, subordinada a un método cíclico-analítico. Diez y seis profesores seleccionados entre los concursantes de más méritos académicos y pedagógicos, para la 2ª enseñanza, en sus dos ramas de Bachillerato elemental y universitario. Los exámenes se efectuaban en el propio Patronato por una comisión de catedráticos del Instituto de Cádiz. El promedio anual de alumnos de Bachillerato era de 130.

Aunque en un principio estuvo ubicado en un local alquilado en la calle de Riego, y después se le señaló un solar por el Ramo de Guerra con dos barracones habilitados para aulas; en la etapa que nos ocupa contaba con un edificio de dos plantas y dos naves, una para cada sexo; dos amplios salones de estudio, diecisiete aulas espaciosas, dos grandes patios para recreos y gimnasia, portería, secretaría, dirección, gabinete de recibo, oratorio semipúblico, sala de profesores, cuartos de baño, etc.[986].

Merece la pena subrayar que la Junta municipal concedía algunas becas a los alumnos que mostraban aptitudes para realizar estudios de segunda enseñanza; al igual que en mayo de 1929 solicitó que una Comisión de Catedráticos de la Universidad de Sevilla se trasladase a Ceuta para examinar a los alumnos de bachillerato universitario[987]. De la misma forma, la Junta municipal nunca desmayó para conseguir un instituto para la ciudad.

En definitiva, como señala José Antonio Alarcón, "el esfuerzo educativo del periodo logró ampliar la tasa de escolarización que se incrementaría del 50% de 1920 al 56,7% de 1930, pasando la enseñanza pública obligatoria del 37% al 47%, con una subida de casi diez puntos". Este incremento se hizo notar sobre todo en el Campo Exterior, aumentando las unidades escolares de 2 a 12, donde hasta 1926 sólo existían las escuelas de la Almadraba[988]. Aunque este esfuerzo educativo fue claramente insuficiente, en apenas unos años aumentó de forma sustancial el compromiso del régimen con la enseñanza en general -especialmente de párvulos, niñas y adultos-, y el fomento de la lectura. Con respecto a esta última cuestión, se implantó el Día del Libro, repartiéndose miles entre los alumnos, y se aumentó el número de bibliotecas escolares. Así, por ejemplo, en la permanente del 19 de enero de 1930 se acordó adquirir de la Casa Ramón Sopena cinco bibliotecas para niños. Como colofón de este epígrafe, podemos añadir que en la permanente de 16 de enero de 1930 se acordó solicitar que el inspector de enseñanza fijase su residencia oficial en la ciudad.

28. El general Jordana, alto comisario

A principios de noviembre hubo cambios importantes en el Protectorado. Por un lado, el director general de Marruecos y Colonias, general Jordana, fue nombrado alto comisario; por otro, el diplomático Diego Saavedra, que hasta ahora había desempeñado la Delegación General de la Alta Comisaría de España en Marruecos, ocupaba el cargo que dejaba el general Jordana. También, el Real Decreto-Ley núm. 1888, de la misma fecha que los citados nombramientos (3 de noviembre de 1928), cambiaba el nombre de Ministerio de la Guerra por Ministerio del Ejército: "el Ejército es un importantísimo servicio nacional que más tiene por norte y afán evitar la guerra por la eficiencia de su organización y la exaltación de su espíritu que provocarla"[989].

---

986   África, Revista de Tropas Coloniales, septiembre de 1927.
987   BOCCE núm. 142, 23 de mayo de 1929. Comisión permanente, 10 de mayo de 1929.
988   ALARCÓN CABALLERO, José Antonio: 'La dictadura de primo de Rivera y la transición a la República', p. 303.
989   Gaceta de Madrid, domingo 4 de noviembre de 1928, nº 309.

El alto comisario general Jordana. África, Revista de Tropas Coloniales, mayo de 1927.

El recién nombrado teniente general Francisco Gómez-Jordana Sousa, hijo del también alto comisario fallecido en Tetuán en 1918, tenía tras sus espaldas una larga trayectoria en Marruecos, por lo tanto era un militar muy experimentado. Desde el primer momento había colaborado con Primo de Rivera, formando parte del Directorio militar. Veamos algunos apuntes de su trayectoria, que entresacamos de la biografía realizada por Juan Pando Despierto.

Primo de Rivera confió siempre en él por su capacitación y honestidad. En el verano de 1924, en Tetuán, frontera de la guerra, donde el Directorio se jugaba su vida política, a su lado seguía Jordana, que se convirtió, de hecho, en vicealto comisario sin dejar de ser general jefe del Estado Mayor. El emparejamiento Jordana-Primo de Rivera serenó al Ejército. Así se pudo afrontar la retirada desde Xauen. En febrero de 1925 Jordana ascendió a general de división. De todos sus ascensos, fue el más trabajado porque méritos le sobraban. Aparecía el objetivo: Alhucemas. Una operación anfibia a gran escala. Pétain quedó absorto ante la audacia española. Primo de Rivera le presentó al autor del plan: su general jefe del Estado Mayor. Jordana y Pétain se saludaron con sincera efusión. Por esos días se desarrollaban las sesiones de la Conferencia España-Francia, que presidía Jordana. El Plan Jordana recibiría significativas variaciones antes de verse cumplido, pero se conservó el objetivo esencial, desembarcar en Alhucemas. El entramado logístico, meticulosa obra de Jordana, se mantuvo. Fue una suma de aciertos cuando se completaron. Aquel 8 de septiembre de 1925 el Rif Libre quedó sentenciado. Sinceridad discursiva de Sanjurjo (10 de julio de 1927) al reconocer los méritos de Jordana, todavía entero pese al trabajo agotador de los últimos tres años. Alfonso XIII le había hecho conde de Jordana (19 de julio de 1926), distinción con la que se consideró muy honrado. Tras regir la Dirección General de Marruecos y Colonias, se decidió por entrar en política. Y fue asambleísta (por la Asamblea Nacional Consultiva, remedo del original francés) en el Congreso de los Ex Diputados. De tareas tan sin nervio como sin futuro le sacó Primo de Rivera para confiarle la Alta Comisaría[990].

29. Cariñoso recibimiento a Jordana en Ceuta y Tetuán

A las seis de la tarde del día 8, a bordo del cañonero *Recalde* llegó el nuevo alto comisario, general Gómez Jordana, acompañado del nuevo director general de Marruecos y Colonias, Diego Saavedra. El viaje fue algo molesto a causa de la fuerte marejada. De Tetuán vinieron para recibirle el alto comisario, el gran visir, el jefe de las Fuerzas Navales, el director de Intervención civil y numerosas personalidades civiles y militares. Se dispensó al general Jordana un entusiasta y cariñoso recibimiento. Terminadas las presentaciones, marcharon en tren especial a Tetuán[991].

990   PANDO DESPIERTO, Juan: 'Jordana. Vivir con fe, morir en cumplimiento', pp. 48-71.
991   La Vanguardia, 10 de noviembre de 1928.

El recibimiento tributado en Tetuán al conde de Jordana fue entusiasta, "pues en esta plaza no hay persona de las varias razas que la pueblan, que no le conozcan personalmente, por motivo de los largos años en que figuró como jefe de Estado Mayor, de su padre y del general Berenguer". Emotivo momento fue el de tomar posesión (8 de noviembre de 1928) donde su padre falleciera diez años atrás. Un gentío enorme invadió las calles, haciéndole objeto de una manifestación de simpatía. Al presentar el general Sanjurjo a los directores de los servicios, pronunció un discurso, manifestando que con aquellos elementos y su labor eficaz se hizo la colonización, "felicitándose de que le suceda en el cargo el general Jordana, quien seguirá la ruta que le marcara su padre, de gloriosa memoria". El general Jordana, que sería el último alto comisario del periodo primorriverista, visiblemente emocionado, dio las gracias a Sanjurjo, de cuya labor hizo grandes alabanzas.

ALTOS COMISARIOS **1923-1931**

Luis Silvela Casado (febrero 1923-septiembre 1923)

Luis Aizpuru y Mondéjar (septiembre 1923-octubre 1924)

Miguel Primo de Rivera (octubre 1924-noviembre 1925)

José Sanjurjo Sacanell (noviembre 1925-noviembre 1928)

Francisco Gómez-Jordana Sousa (noviembre 1928- abril 1931)

FUENTE: Elaboración propia[992]

30. La despedida del general Sanjurjo

Y al mediodía del día siguiente de la toma de posesión de la Alta Comisaria del general Jordana, llegó al muelle de la Puntilla, procedente de Tetuán, el tren especial que conducía al general Sanjurjo, al propio conde de Jordana, al gran visir y otras personalidades que venían a despedirle. El presidente de la Junta municipal, José E. Rosende, lo hizo en nombre del pueblo de Ceuta, entregándole un álbum con miles de firmas en recuerdo del homenaje que se le había tributado en conmemoración del primer año de la Paz en Marruecos. También se hallaban presentes cuantos elementos oficiales y particulares integraban la actividad local, encabezados por el general Millán Astray, y un gentío imponente. El general Sanjurjo revistó la compañía del regimiento del Serrallo con bandera y música, que le rindió honores. También asistieron la música del Tercio y la nuba de Regulares, que ejecutaron un animado programa. Antes de embarcar, Millán Astray pronunció un vibrante discurso ensalzando la personalidad de Sanjurjo y su significación en la paz que reinaba, haciéndole ofrenda del homenaje del Ejército, que consistió en la entrega de gorros y guerreras con galones de cabo y dos laureadas. Sanjurjo dio las gracias por el homenaje y se mostró emocionadísimo por la cariñosa despedida, "superior a toda ponderación". Al subir a bordo del cañonero *Lauria*, Carmencita Pichot le dio un beso "en nombre de las mujeres españolas de África"; simultáneamente sonaba la Marcha Real y las baterías de la plaza disparaban salvas. Sobre la cubierta del cañonero se abrazaron Sanjurjo y Jordana. El general Jordana dio un "¡viva!" a Sanjurjo, que fue contestado clamorosamente. También se vitoreó a Jordana y a Millán Astray. Todos los buques surtos en el puerto, hermosamente empavesados, tocaron las sirenas en el momento de zarpar y escoltaron al cañonero, que pasó entre una calle de embarcaciones[993]. Una despedida inolvidable.

31. Las primeras visitas oficiales de Jordana a Ceuta

Fueron los días 16, 17 y 20 de noviembre de 1928 cuando el general Jornada visitó oficialmente Ceuta. La primera visita estuvo centrada en el aspecto civil -recordemos las competencias que ejercía el alto comisario en la plaza-; las dos siguientes, en el militar.

992   Excepto Luis Silvela, los altos comisarios relacionados en este cuadro fueron militares.
993   La Vanguardia, 10 de noviembre de 1928.

La comitiva del general Jordana, procedente de Tetuán, fue recibida a las nueve de la mañana del viernes 16 en los límites de Ceuta por el presidente de la Junta municipal, José E. Rosende, el comandante general, Millán Astray, y el delegado gubernativo, coronel Aguilera.

Seguidamente visitó el palacio municipal, donde fue recibido por el general García Benítez y la Junta en pleno. Después de recorrer las dependencias, el alto comisario, en el salón de actos, dijo que su primera visita era como homenaje a Ceuta; palabras que fueron acogidas con entusiasmo. A renglón seguido visitó la institución municipal de la Gota de Leche, laboratorio y farmacia, y desde la azotea del palacio municipal se hizo explicar el ensanche de la futura ciudad, estudiando con las autoridades y técnicos los nuevos planos de reforma[994]; un asunto que se estaba dilatando.

Ya fuera de la Casa consistorial visitó la Clínica de Urgencia y el Asilo de niños y ancianos, elogiando el perfecto funcionamiento de estos servicios. A continuación, acompañado por los duques de la Victoria, se dirigió al Hospital de la Cruz Roja, donde fue recibido por el alto personal técnico y una comisión de damas enfermeras. Comprobó personalmente todas las salas y elogió el carácter altruista de la reina.

Entre numerosas notas de cariño recorrió luego a pie las principales calles, informándose del ensanche interior y de las reformas urbanas. A mediodía, en la residencia general del segundo jefe, se celebró una recepción a la que asistieron los diversos estamentos de la ciudad "y todas las representaciones de las fuerzas vivas". El desfile duró cerca de dos horas, rindiendo honores una compañía del regimiento de Ceuta con bandera y música. A las dos de la tarde se celebró una comida íntima en el Hotel Majestic. El paso del comisario superior por las calles fue acogido con calurosas ovaciones.

A las cuatro de la tarde, el general Jordana inauguró el servicio telefónico urbano establecido por la Compañía Nacional. Seguidamente se dirigió al muelle Alfonso XIII, visitó las obras y felicitó al ingeniero, José E. Rosende, y al constructor, José Arango. Por último, inauguró el grupo escolar de la barriada General Sanjurjo, marchando seguidamente a Tetuán.

Con respecto a la visita del día 17, como se ha referido, tuvo estricto carácter militar. A las nueve de la mañana llegó a Ceuta, dirigiéndose al Hospital O'Donnell, donde recorrió todas las dependencias; después estuvo en la Comandancia de Sanidad. A las diez y media se desplazó al cuartel de Regulares, donde se hallaban formadas las fuerzas al mando del comandante Pereda. Finalmente visitó el Sanatorio García Aldave y los cuarteles de Artillería y Caballería[995]. Esta visita a las dependencias militares del Campo Exterior se completaría con la que tuvo lugar día 20, cuando volvió para revistar el Parque de Artillería, cuartel de Intendencia y Casino del Tercio[996]. Recordemos que este Casino había sido inaugurado en septiembre de 1926.

32. La necesidad del ensanche del Campo Exterior

Hemos visto que el general Jordana contempló dos cosas importantes para la ciudad: la inauguración del servicio telefónico de la Compañía Telefónica Nacional de España y la necesidad de un ensanche tanto en la reordenación urbanística del interior, como, sobre todo, en el desarrollo del Campo Exterior. Jordana, como ex-director general de Colonización, conocía de primera mano los problemas de Ceuta.

---

994 El 26 de noviembre de 1928, la Delegación General de la Alta Comisaría en Marruecos envió un escrito solicitando los antecedentes referentes a la entrega de solares de propiedad del Estado. El Pleno de 29 de diciembre de 1928 acordó continuar las gestiones y nombrar una ponencia que estudie y proponga en definitiva las bases para el concurso de proyectos del ensanche.
995 La Vanguardia, 17 de noviembre de 1928. El Siglo Futuro, 17 de noviembre de 1928. ABC, 18 de noviembre de 1928.
996 El Telegrama del Rif, 22 de noviembre de 1928.

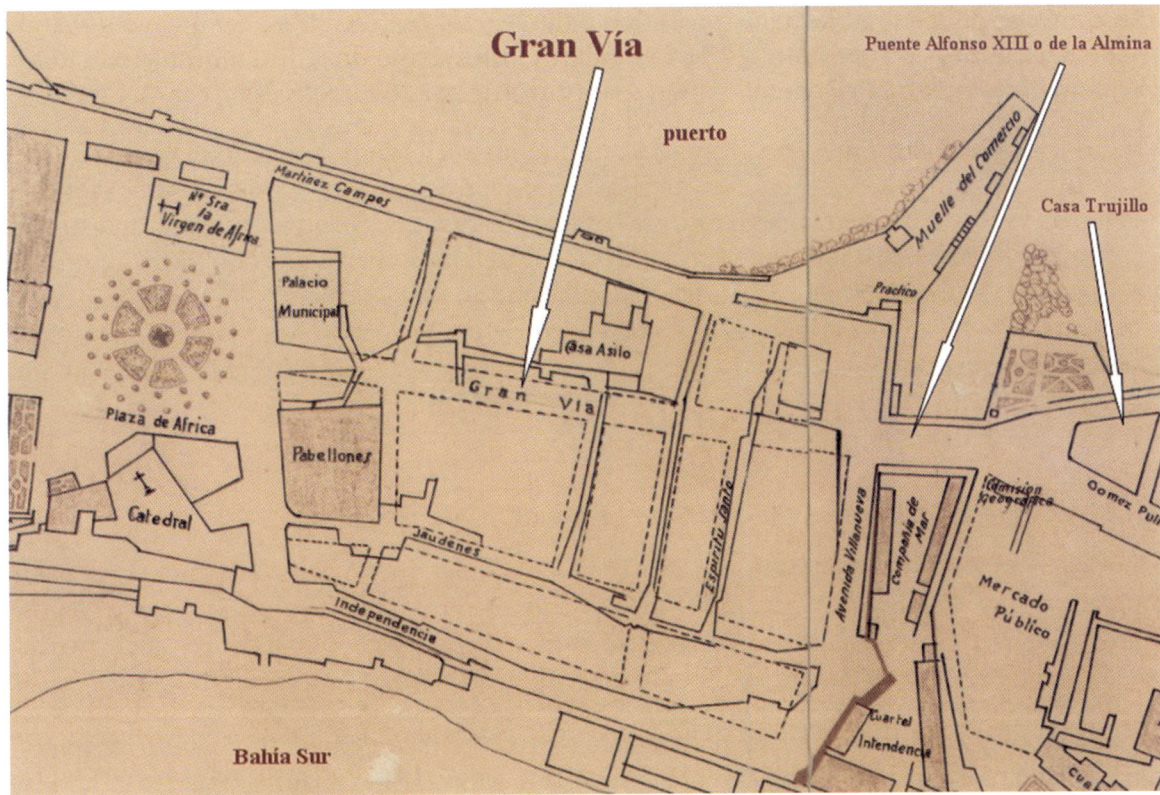

La Gran Vía, el gran sueño urbanístico de las autoridades primorriveristas. Colección particular.

Con respecto a los ensanches, el Estatuto Local, aprobado por Real Orden de 14 de febrero de 1927, imponía a la Junta municipal la obligación de redactar en un plazo de cuatro años un proyecto de Ensanche. Con estos presupuestos, Jordana estuvo viendo el proyecto de la Gran Vía; que tenía la clara vocación de unir la plaza de la Constitución con el puente de la Almina -de hecho en los bajos de la Casa Trujillo se abrió un bar restaurante que se llamó Gran Vía-. También contempló la idea de un ensanche en el Campo Exterior, que enlazaría con el anterior proyecto. Todo este engranaje urbanístico era el sueño y la obsesión de las autoridades primorriveristas. Incluso, desde hacía unos años se estaba hablando de la hipotética construcción de una ciudad lineal entre Ceuta y Tetuán, inspirada en la que se había proyectado en Madrid Arturo Soria.

No obstante, lo más real, palpable y plausible estaba en el modelo de otras ciudades del Protectorado español como Tetuán y Larache, que habían conseguido realizar sus ensanches, o en Melilla, la otra plaza de soberanía, que lo había resuelto con notable solvencia. Pero el gran problema de Ceuta era sus antiguas defensas, y concretamente el foso marino; un foso de gran valor histórico, monumental, arquitectónico y estético, pero que, situado en el estrechísimo istmo, asfixiaba a la ciudad dada su configuración alargada y peninsular. Con respecto al otro foso, al foso seco de la Almina, ya hemos visto que hacía unos días se había realizado la recepción provisional de la ampliación del puente, que le daba una nueva fisonomía a la zona.

Con estos antecedentes, terminadas el 16 de agosto de 1929, las bases se anuncian en el *Boletín Oficial de Ceuta* el 28 de noviembre, y en la *Gaceta de Madrid* del 8 de diciembre, en los diarios locales y en los de la capital de España *ABC* y *El Sol*.

Constituido el Jurado, dictaminó: "Que el único anteproyecto presentado, cuyos autores son los señores García Mercadal y E. Foertstch, no reúne, a su juicio, condiciones suficientes", aconsejando "a la Junta Municipal que abra un nuevo concurso". Por lo que en el Pleno del 27 de junio de 1930 se declaró desierto el concurso. El arquitecto zaragozano Fernando

García Mercadal ya era conocido en Ceuta, había estampado su firma en los planos de la casa del ingeniero Álvaro Bielza, en 1925. Con un futuro prometedor y aferrado a las vanguardias, sería uno de los artistas señeros de la famosa Generación del 25, que introdujo el racionalismo arquitectónico centroeuropeo, a la vez que fue el principal impulsor de la fundación del GATEPAC, que se constituiría en 1930.

Sin embargo, las autoridades no cejaron y se convocó otro concurso como continuación del anterior, que fue anunciado en el *Boletín Oficial de Ceuta* del 10 de julio de 1930 (Comisión permanente de 20 de junio y Pleno de 27 de junio). El jurado quedó constituido el 28 de noviembre de 1930[997]. Finalmente, el 17 de enero de 1932 resultó premiado el proyecto de Gaspar Blein Zarazaga, y se concedieron dos accésits: uno de Cort -20.000 pesetas- y el otro al de Muguruza-Latorre-Hervás -10.000 pesetas-[998]; aunque por diversas circunstancias no se llegaría a materializar.

33. La Compañía Telefónica Nacional de España (CTNE)

Con respecto a las comunicaciones telefónicas, Ceuta disponía desde la década anterior de una compañía de teléfonos, que le había sido concedida por subasta pública a Baldomero Blond Llanos. Pero no existía telefonía con la Península ni con Protectorado, es decir, no disponía de un servicio de llamadas interurbanas, ni por supuesto conexiones internacionales.

Antes de la fundación de la Compañía Telefónica Nacional de España (CTNE), las comunicaciones de la Península con el Protectorado se realizaban por medio de seis cables telegráficos submarinos: uno de Almería a Melilla (1891), uno de Málaga a Melilla, uno de Málaga a Ceuta, dos de Algeciras a Ceuta y uno de Cádiz a Arcila. Existían, además, una serie de cables inter-africanos que recorrían toda la costa septentrional del Protectorado de oeste a este: Larache-Arcila (1921), Tánger-Ceuta (1907), Ceuta-Peñón de la Gomera (1894), Peñón de la Gomera-Alhucemas (1891), Alhucemas-Melilla (1891), Melilla Chafarinas (1891), Chafarinas-Nemours (1908) y Chafarinas-Cabo de Aguas (1920)[999].

En cuanto a la Compañía Telefónica Nacional de España se había fundado en abril de 1924 y sólo unos meses después, el 25 de agosto de 1924, el gobierno de Primo de Rivera contrataba con la compañía la organización de telefonía de todo el país, otorgándose la concesión por adjudicación directa.

Especial interés tenía Primo de Rivera en la comunicación de la capital con el norte de África, por lo que pronto se decidió instalar, como se ha referido, dos cables submarinos; el primero de ellos en las Navidades de 1924[1000]. La decisión de colocar dos cables tenía un carácter de seguridad. La experiencia observada en los cables telegráficos tendidos con anterioridad en el Estrecho, junto con la naturaleza de las corrientes marinas, hacían muy arriesgada la dependencia de un solo circuito portador para una comunicación que tenía la consideración de estratégica[1001].

Como hemos visto, la inauguración de la central urbana e interurbana de Ceuta, que tuvo lugar el día 16 de noviembre de 1928 por la tarde, contó con la asistencia del general Jordana -se había retrasado la inauguración para que coincidiera con su presencia-; numerosas autoridades y representaciones comerciales, industriales y de otras actividades de la ciudad. Bendijo las instalaciones el vicario general ante la presencia del director del distrito 5°, al cual pertenecía Ceuta, Gil Merino, quien pronunció un discurso agradeciendo la asisten-

997 MECA ROMERO, Alfredo: *Memoria Municipal, 1932*, pp. 67-102. .GORDILLO, Manuel: Opus cit., pp. 385 y 386.
998 GÓMEZ BARCELÓ, José Luis: 'Arquitectura en Ceuta en periodo de entreguerras', p. 166.
999 PÉREZ YUSTE, Antonio: *La Compañía Telefónica Nacional de España en la Dictadura de Primo de Rivera (1923-1930)*, pp. 357 y 358.
1000 Ibídem, p. 361.
1001 Ibídem, pp. 149 y 150.

cia al alto comisario para seguidamente realizar una breve memoria de la presencia de la Compañía Telefónica en Ceuta. A continuación hizo lo propio el alto comisario, quien puso en servicio el nuevo equipo accionando una palanca.

La CTNE, tras la adquisición de la anterior compañía, había procedido a la construcción de una nueva red y al montaje de una nueva central con capacidad para absorber la demanda de instalaciones de teléfonos –estaba equipado para 300 líneas y podía llegar a tres mil-. Para ello, se había cambiado la antigua red aérea de hilos de hierro por encima de los tejados por nuevos cables bajo plomo, unos subterráneos y otros apoyados en las fachadas. Asimismo, se habían cambiado los antiguos conmutadores de llamadas por chapitas por unos modernos de batería central y señales luminosas, por lo que la central de Ceuta se había convertido en una de las mejores del norte de África.

A partir de entonces se fueron ampliando las líneas. Veamos algunas muestras. En diciembre de 1927 se le concedió autorización a la Compañía Telefónica para el tendido de líneas subterráneas. En marzo de 1928 un aviso de la Junta municipal señalaba que "a partir del 27 del corriente queda suspendida la circulación rodada desde la calle Sargento Coriat hasta la Plaza Azcárate" debida a la instalación del nuevo servicio de red Telefónica. Y en noviembre de ese mismo año, la Junta municipal llegó a un acuerdo para instalar aparatos telefónicos en dependencias municipales[1002]. Por último, este servicio, como se ha referido, permitía también realizar conexiones internacionales, pudiéndose hablar "con el 80 por 100 de los aparatos del mundo"[1003]. Según el *Virginiachronicle*, del 21 de marzo de 1929, "Ceuta is the first African City to have trans-Atlantic telephone service installed".

34. Los medios de transporte

Dada la situación marítima de Ceuta, el medio natural de enlace de Ceuta con la Península era a través del Estrecho. Un servicio diario del correo entre Ceuta y Algeciras de ida y vuelta cubría la línea. Recordemos que antiguos vapores, como el *Apóstol* o el *Virgen de África*, realizaron esta labor. Sin embargo, durante el primer periodo primorriverista fue ejercida, entre otros, por el vapor *Hespérides*, al que se uniría, a partir de 1927, la motonave *Primo de Rivera* y, en 1928, *General Sanjurjo*. No obstante, al final de la dictadura se empezó a solicitar el aumento a dos servicios diarios. También había otros servicios, como el que existía entre Cádiz-Tánger-Ceuta y viceversa, que era semanal. El correo de Ceuta enlazaba con el expreso de Andalucía, Algeciras-Madrid, que efectuaba varias paradas a lo largo del recorrido.

Con respecto a los transportes interurbanos terrestres con Tetuán se hacían por carretera y por ferrocarril. El trayecto a Tetuán en ferrocarril se consiguió salvando montículos y riachuelos mediante siete túneles, nueve puentecillos y seis estaciones:Tetuán-Malalien-Rincón-Negrón-Riffien-Castillejos-Miramar-Ceuta-Ceuta Puerto.

Como apunta Leopoldo Caballero: "Cuarenta kilómetros, no más, […] La línea que empezó con ancho normal (los primeros túneles guardaban el gálibo internacional) quedó reducida a vía estrecha. Y, dentro de su modestia, inauguró solemnemente el servicio el 18 de mayo de 1918"[1004]. Tenía varios servicios diarios de ida y vuelta, enlazando igualmente con el ferrocarril Algeciras-Madrid. Como señala José Antonio Alarcón, el ferrocarril Ceuta-Tetuán vive los mejores años en su explotación con balances positivos, unos beneficios brutos de 4.023.300 pesetas entre 1923 y 1930, con un máximo en 1924 de 808.900. Entre 1927 y 1929 circularán por la línea 174.087 toneladas de mercancías y material, alcanzando su máximo en 1929 con 69.651. El mayor tráfico se realiza desde Ceuta a Tetuán, un 80%, lo que confir-

---

1002 BOCCE núm. 63, 8 de diciembre de 1927. Comisión permanente 3 de diciembre de 1927. BOCCE núm. 76, 1 de marzo de 1928. BOCCE núm. 122, 3 de enero de 1929. Comisión permanente, 24 de noviembre de 1928.
1003 'El teléfono en Ceuta', Revista Telefónica Española, enero de 1929, pp. 38-41.
1004 CABALLERO LÓPEZ, Leopoldo: *Ceuta en el recuerdo*, pp. 70 y 71.

Estación de ferrocarril de Ceuta. AGCE.

ma la función importadora del puerto. Desde 1927 y 1929 transportó más de un millón de pasajeros, cayendo tras la apertura de la nueva carretera Ceuta-Tetuán en 1927 y la implantación de servicios de autobuses (La Valenciana y La Castellana), que en 1929 transportaron a las vecinas ciudades del Protectorado a 151.324 viajeros[1005].

En cuanto a las empresas de autobuses había varias que cubrían este servicio, como La Valenciana S.A. o Hispano-Africana, que, antes de 1915, en pequeñas "camionetas", cubría el servicio Ceuta-Rincón del Medik-Tetuán. Otras empresas eran Manzanares o La Castellana. Pero fue La Valenciana S.A. la que llegaría a implantarse con más prestigio. Desde luego era la más popular y de las más antiguas, pues desde antes de la entrada del general Alfau en Tetuán (febrero de 1913), ya cubría la línea Ceuta-Tetuán con diligencias tiradas por caballerías. Propiedad de José Llodra, la solvencia de sus vehículos quedó demostrada, por ejemplo, con las intensas lluvias que inundaron el trayecto a finales de octubre de 1927: "las aguas han inundado la carretera principal en una extensión de cinco kilómetros, inundando numerosas huertas. Las aguas impidieron ayer la circulación de automóviles por dicha vía. Únicamente pudieron verificarlo los coches de la Compañía Valenciana, por tener estos la carrocería bastante alta. Las aguas llegaban hasta la línea del chasis"[1006]. La Valenciana S.A. llegó a tender a principios de los años treinta una extensa red, anunciándose con "SERVICIOS DIARIOS POR ÓMNIBUS DE GRAN LUJO ENTRE TODAS LAS POBLACIONES DE LAS ZONAS DEL PROTECTORADO FRANCÉS Y ESPAÑOL DE MARRUECOS", y suroeste de Andalucía, con un recorrido diario de 15.000 kilómetros.

Toda esta red de transportes hacía que se pudiese viajar entre Madrid y Tetuán en menos de veinticuatro horas, siempre y cuando el tiempo no lo impidiera, pues los recurrentes temporales, de los que ya hemos dado sobradas referencias, se enseñoreaban con frecuencia en el Estrecho.

Como cuestión transversal podemos incluir a los hidroaviones, que servían al Ejército, aunque también hicieron algún que otro servicio esporádico de urgencia hospitalaria, por lo que Ceuta contaba con una estación de hidros dentro del puerto.

1005 ALARCÓN CABALLERO, José Antonio: *Historia de Ceuta. Siglo XX*, p. 223.
1006 El Telegrama del Rif, 28 de octubre de 1927.

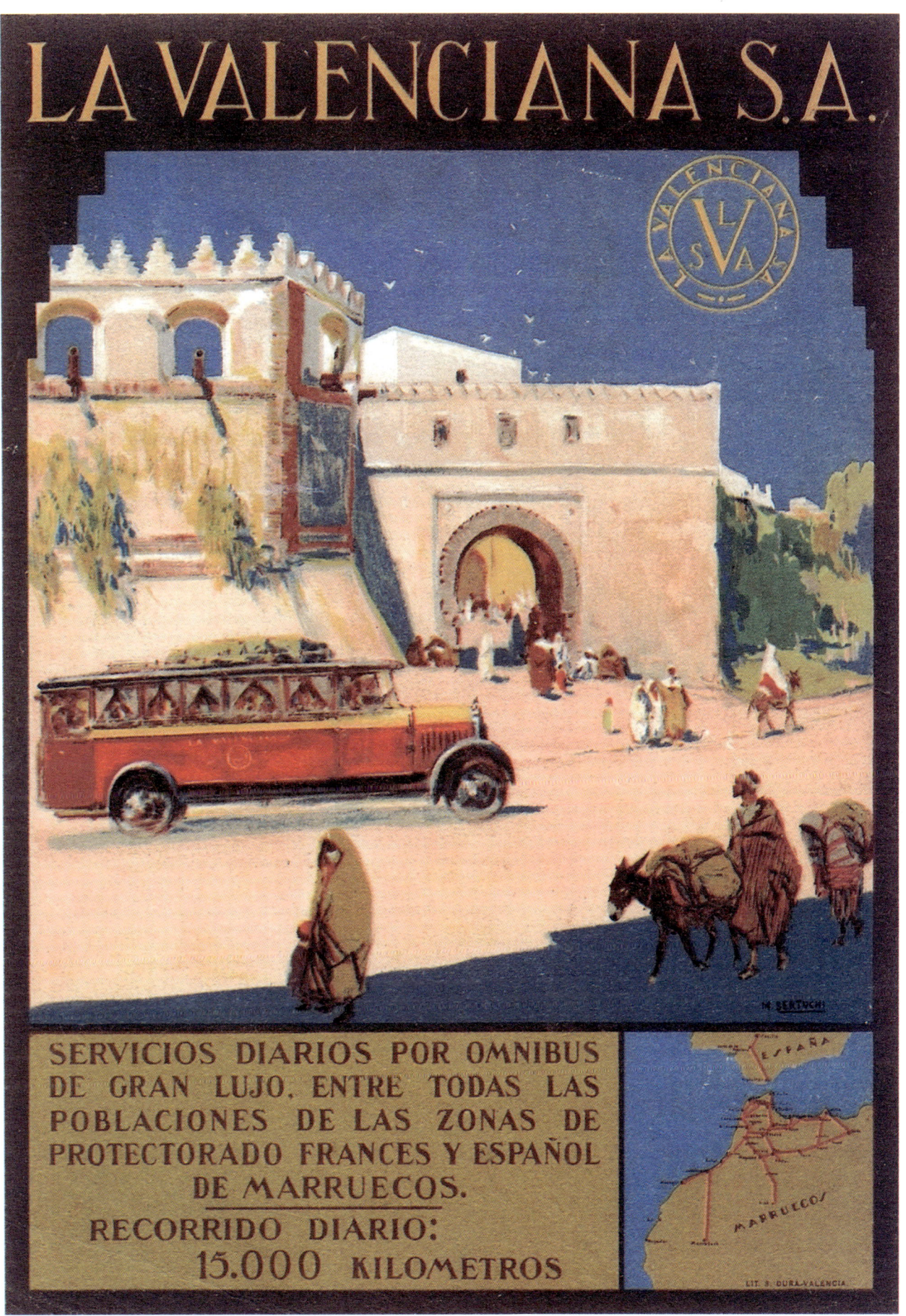

Cartel publicitario de La Valenciana S.A. Cortesía sucesores de Bertuchi.

Coche ligero o camioneta de circunvalación. Cortesía de Diego Sastre.

Los servicios urbanos de transporte público se hacían a través de empresas de autobuses particulares, que solían tener como estacionamiento principal los alrededores del puente de la Almina: Casa Trujillo, jardín de Prim (San Sebastián) y avenida Villanueva. Sobresalía la empresa "I. Arrabal y Compañía", de la que era gerente Ifigenio Arrabal Martos[1007]. También destacaba la empresa de Morales y Tendero, Autobuses de Ceuta, que se anunciaba como "los mejores coches que existen entre los que hacen el recorrido de la población, los de mayor comodidad para los viajeros". Completaban la nómina Nicolás Expósito, que ofrecía servicio de viajeros con autobuses entre la Plaza de San Sebastián y la Almadraba, Juan Clemente Gallart[1008], José de la Rubia, José Martínez, Juan Puertas o Manuel Espinosa[1009]. En cuanto a la tipología de los transportes destacaban las populares camionetas (el sustantivo que ha calado en el habla de los ceutíes) o coches ligeros[1010], y en este sentido tengamos en cuenta que algunas de las calles de Ceuta eran estrechas y sinuosas.

Con respecto a las líneas, durante estos años se fueron ampliando de forma notable –durante este periodo se concedieron numerosas licencias a particulares- dándole servicio a las nuevas barriadas que iban creciendo o naciendo en el Campo Exterior, como Hadú, General Sanjurjo, Almadraba, etc. También, como se ha señalado, había autobuses de circunvalación interior, al igual que se solían ampliar los servicios hacia la playa de Benítez, cuando llegaba la temporada de baños.

Así pues, las licencias las otorgaba la Junta municipal, al igual que regulaba los horarios y los precios de los billetes -en 1929 el trayecto entre el jardín de Prim y la plaza de Azcárate era de 0,15 pesetas-. En este sentido, ya en enero de 1927 estaba listo el proyecto de Reglamento del servicio de autobuses para ponerlo en vigor[1011]. Igualmente, dada la gran cantidad de peticiones para poner más autobuses en circulación, en enero de 1931 se acordó limitar el número a 26, quedando en reserva cuatro[1012]. No obstante, quedaba pendiente la

---

1007 ABC, 14 de abril de 1927.
1008 BOCCE núm. 163, 17 de octubre 1929. Comisión permanente, 11 de octubre de 1929.
1009 BOCCE núm. 123. Comisión permanente, 10 de diciembre de 1928.
1010 BOCCE núm. 132, 14 de marzo de 1929. Comisión permanente, 4 de marzo de 1929.
1011 BOCCE núm. 20, 10 de febrero de 1927. Comisión permanente, 29 de enero de 1927.
1012 BOCCE núm. 234, 12 de febrero de 1931. Pleno, 26 de enero de 1931.

construcción de una estación central de autobuses, cuestión que se solventaría unos años después, levantándose en el paseo de Colón gracias a los planos firmados por el arquitecto municipal, José Blein Zarazaga.

De igual forma, el servicio de taxis proliferaba cada día más en la ciudad, teniendo que reglamentar constantemente las autoridades municipales las licencias y las tarifas, al igual que tuvo que poner más señales de tráfico –sobre todo por los constantes atropellos debido a la velocidad de los vehículos-, y aumentar los agentes dedicados a este servicio. Por otro lado, en septiembre de 1929 se reglamentó que los "conductores de automóviles al servicio público, usen uniforme compuesto de gorra azul y guardapolvo gris"[1013]. También, en el mismo mes se decidió habilitar como parada de taxis la rampa de acceso al muelle del Comercio. Otros lugares que tenían paradas de taxis eran la plaza de Alfonso XII y la plaza de Azcárate. En cuanto a las tarifas, también estaban reglamentadas por la Junta municipal. Así, en la permanente de 16 de febrero de 1929 se aprobó la tarifa normal de taxis en 0,40 pesetas el kilómetro; no obstante, había otras tarifas, dependiendo si el servicio era al puerto, al Campo Exterior, etc., por lo que la permanente de 31 de julio de 1930 decidió colocar las tarifas en los postes del alumbrado y publicarlas en los periódicos para evitar posibles confusiones.

Parada de taxis en la plaza de Alfonso XII. AGCE.

35. Los últimos meses de 1928

Volviendo al día a día de la vida municipal, tras las visitas del alto comisario a Ceuta entre los días 16 y 20 de noviembre, el resto del año estuvo marcado por la gran cantidad de noticias relacionadas con las obras y mejoras urbanas. Así, por ejemplo, en el Campo Exterior se aprobó el alumbrado eléctrico de la escuela de la barrida General Sanjurjo[1014], al igual que se estaban acondicionando nuevas calles y aceras en la referida barriada[1015], e instalando colectores[1016]. También seguían las obras en la Almina, como el alcantarillado en la calle Primo de Rivera o la pavimentación de las calles Canalejas y Serrano Orive[1017]. Además de

---

1013 BOCCE núm. 162, 10 de octubre 1929. Comisión permanente, 26 de septiembre de 1929.
1014 BOCCE núm. 112, 15 de noviembre de 1928. Comisión permanente, 5 de noviembre de 1928.
1015 BOCCE núm. 115, 29 de noviembre de 1928. Comisión permanente, 12 de noviembre de 1928.
1016 BOCCE núm. 124, 17 de enero de 1929. Comisión permanente, 22 de diciembre de 1928.
1017 BOCCE núm. 122, 3 de enero de 1929. Comisión permanente, 24 de noviembre de 1928.

las numerosas obras que se estaban llevando a cabo, otros asuntos se trataron en las distintas sesiones de la permanente, como quedar enterado de la carta del obispo de Cádiz dando las gracias por la creación de becas en el Seminario de Cádiz[1018]; o del oficio de la Sociedad Filantropía Académica de Coimbra participando haber sido elegida socio benemérito de dicha sociedad la Junta municipal[1019].

En cuanto al capítulo de sucesos, el buque italiano *Maria Antonieta*, de 500 toneladas, encalló a causa de la niebla y el temporal reinante en el bajo Susan, en Punta Blanca, donde ya habían ocurrido otras desgracias, perdiéndose completamente. La tripulación del buque compuesta por treinta personas embarcó en tres botes de salvamento, siendo socorrida por el pesquero *Alberta*[1020]. Por otro lado, como todos los años, durante el mes de diciembre tenían lugar representaciones teatrales. Este año visitó su Ceuta natal José G. de Castro para actuar en el Salón Apolo. Como señala José Luis Gómez, "El gremio le rindió un sincero homenaje aprovechando esta visita". En la portada del programa se puede leer: "Teatro Apolo/ compañía Planas-Díaz/ gran función/en Honor y Beneficio/ del distinguido actor ceutí José G. Castro/ el cual tiene el honor de dedicarle a su/ querido pueblo/ Jueves 6 de diciembre de 1928/a las diez en punto". Sobre esta obra señalaba *La Nación*: "La Compañía de Antonia Planas y Antonio Díaz ha estrenado en esta plaza, con un éxito enorme de risa, la graciosa farsa cómica en tres actos, de los Antonio Navarro y Emilio Sáez *Napoleón en la Luna*. La interpretación fue acertadísima"[1021]. En realidad, la compañía estaba de gira por provincias.

También, la Junta municipal estaba preparando las próximas fiestas navideñas, por lo que aprobó conceder un donativo de doscientas cincuenta pesetas al Asilo, Hospital de la Cruz Roja y Cantina Escolar para ayuda de la comida extraordinaria que daban a los acogidos en dichos centros; al igual que, como era tradicional, se aceptó la propuesta de Manuel Gollonet de celebrar una fiesta en día de Reyes, "donde se repartan juguetes a los niños de las escuelas nacionales y municipales"[1022].

Con respecto al tema de las publicaciones, a las ya citadas, podemos sumar el *Anuario-Guía oficial de Marruecos y del África española (Comercio y Turismo). Año VI (1928)* de la Compañía Ibero Americana de Publicaciones, S. A. Director: Manuel L. Ortega. Sobre esta nueva edición *África, Revista de Tropas Coloniales* llegó a señalar: "Una vez más la Compañía Ibero-Americana de Publicaciones acredita haberse adueñado del primer puesto en la edición de guías de Turismo y Comercio, [...] Cumple el Anuario-Guía una necesidad en ningún otro libro análogo satisfecha tan positiva y concienzudamente"[1023]. Cabe apuntar que Mariano Bertuchi era su director artístico, por lo que la portada del *Anuario-Guía* de 1928 está ilustrada con un motivo a color del artista granadino.

1018 BOCCE núm. 115, 29 de noviembre de 1928. Comisión permanente, 19 de noviembre de 1928.

1019 BOCCE núm. 123, 10 de enero de 1929. Comisión permanente, 10 de enero de 1929.

1020 La Unión Ilustrada, 23 de diciembre de 1928. El Telegrama del Rif, 13 de diciembre de 1928.

1021 La Nación, 10 de diciembre de 1928.

1022 BOCCE núm. 123, 10 de enero de 1929. Comisión permanente, 17 de diciembre de 1928.

1023 África, Revista de Tropas Coloniales, enero de 1929.

CAPÍTULO IV

1929, ENTRE LUCES Y SOMBRAS

El año 1929 entró en Ceuta con cierta placidez, aunque con mucho frío. Tras unos meses bastante secos, un temporal de frío y nieve azotó toda España. También estaban previstos unos presupuestos municipales que sobrepasaban holgadamente los tres millones y medio de pesetas; presupuestos que nunca hasta ahora se habían alcanzado. Después de varios años de expansión económica, numerosos proyectos de obras estaban en marcha; pero igualmente existían muchas sombras: la reducción de tropas, el continuo flujo de inmigrantes -según el padrón municipal la ciudad llegó a alcanzar más de cincuenta y dos mil habitantes en 1929-, la falta de viviendas, el chabolismo, los problemas educativos y sanitarios, el abultado gasto de beneficencia… Asimismo, quedaban pendientes varios asuntos, como el ensanche, los impuestos...

Todo ello se iría agudizando a medida que vayan pasando los meses. Esta crisis local se va ir agravando cuando en el otoño aparezca la famosa crisis internacional. Mientras tanto, la vida cotidiana de la ciudad la va determinar su ciclo natural…; al igual que las esperanzas puestas en su futuro. Igualmente, los espectáculos de masas, como los toros, el fútbol o el cine estaban en su apogeo; así como la moda, los viajes, la liberación de la mujer... A la par que las fiestas locales habían alcanzado un esplendor inusitado. Ceuta había entrado de lleno en los felices años veinte…; años de oportunidades, que habían configurado una potente oligarquía local, al igual que se estaba fraguando una nueva clase media; pero también muchas ilusiones se quebraban y se hacían estériles por la sal de las frustraciones.

1. Los presupuestos municipales y la composición del Ayuntamiento de Ceuta en 1929

A lo largo de estas líneas se ha visto sobradamente que uno de los principales motores económicos de Ceuta era el Ayuntamiento junto al Ejército, el puerto y la demanda interna. Sobre últimos aspectos, ya se han trazado gruesas pinceladas, pero veamos más detenidamente como era el Ayuntamiento.

1.1. Los presupuestos municipales

Los presupuestos municipales habían evolucionado de forma favorable a lo largo de la dictadura. Las cifras presupuestarias prácticamente se habían triplicado desde el último presupuesto de la Restauración de 1923. Notorio fue el cambio que se produjo en el sistema recaudatorio municipal a raíz de la etapa de alcalde de Rodríguez Macedo (1924-1926). Sin embargo, con la reducción de tropas y la depresión económica del 29, los presupuestos municipales empezarían a reducirse ligeramente. Así, el presupuesto de gastos para 1929 -el más elevado del periodo primorriverista- se fijó en 3.633.428,65 pesetas, el de 1930 en 3.536.235, 71 pesetas[1024], y el de 1931 en 3.511.469 pesetas.

1024 BOCCE núm. 171, 5 de diciembre de 1929. Pleno, 24 de septiembre de 1929.

Los gastos se repartían entre los siguientes capítulos:

Junta municipal en pesetas - año natural

Año	Presupuesto
1927	3.255.182,63
1928	3.317.614
1929	3.633.428, 65
1930	3.536.249,90
1931	3.511.469

Fuente: Elaboración propia

CAPÍTULO I .... Obligaciones generales
CAPÍTULO II .... Representación municipal
CAPÍTULO III .... Vigilancia y seguridad
CAPÍTULO IV ...... Policía urbana y rural
CAPÍTULO V .... Recaudación
CAPÍTULO VI ...... Personal y material de oficinas
CAPÍTULO VII ..... Salubridad e higiene
CAPÍTULO VIII .... Beneficencia
CAPÍTULO IX .... Asistencia social
CAPÍTULO X .... Instrucción pública
CAPÍTULO XI .... Obras públicas
CAPÍTULO XIII .... Fomento de los intereses comunales
CAPÍTULO XVIII . Imprevistos
CAPÍTULO XIX .... Resultas[1025]

El capítulo más importante del presupuesto, como se ha visto a lo largo de esta exposición, era el de las obras públicas, uno de los motores de la ciudad, que representaba aproximadamente el 30% de la partida presupuestaria (en 1929 se destinaron 1.112.400 pesetas a este capítulo). Los gastos de beneficencia también eran importantes, llegando a suponer aproximadamente el 12%; y así lo llega a reconocer el propio Ayuntamiento: "sobre el presupuesto ordinario gravita una carga enorme en Beneficencia". Según los padrones de beneficencia, durante el periodo primorriverista la pobreza en Ceuta llegó a oscilar entre el 14 % y el 17 % de la población, y afectó alrededor del 20% de las familias[1026]; cifras realmente respetables, que se encuadraban entre las cinco mil, al principio del periodo, y más de ocho mil personas, al final del mismo. A beneficencia debemos sumar instrucción pública, pensiones, salubridad e higiene, asistencia social... Todas estas partidas sociales hacían que el montante superase más del 40% de los presupuestos municipales. Otro capítulo importante era el de los gastos de personal, que suponía alrededor del 10% del presupuesto.

En cuanto a los ingresos se obtenían a través de diversos capítulos. Llegados a este punto merece la pena subrayar el contencioso que tuvo el Ayuntamiento con la Administración con motivo de la implantación de los estatutos municipales, en 1924. Es por ello que el Ayuntamiento se vio obligado a abrir un expediente para solicitar al Gobierno una Carta Municipal de orden económico. En dicha Carta se reconocía que el principal ingreso municipal era el arbitrio de consumo (comer, beber y arder). Este arbitrio había sido suprimido en 1911; sin embargo, en Ceuta siguió vigente. En el expediente incoado para solicitar al Gobierno la implantación en este Municipio, en el régimen de Carta Municipal se puede leer: "se concediera por la Regencia del Reino, en septiembre de 1869, facultad para cobrar arbitrios sobre artículos destinados al consumo (Documento núm. 5), que fue confirmado con motivo de la ley de 12 de junio de 1911, de supresión de este impuesto, en Resolución de la Dirección General de Propiedades e Impuestos del 19 del mismo mes y año. Con este impuesto que ha adquirido la categoría de impuesto municipal, ha podido desenvolver este Municipio su vida económica, aunque sea precariamente [...] se hace imprescindible la continuación de la exacción de dicho arbitrio...". La Carta municipal de orden económico entraría en vigor el 6 de septiembre de 1926.

Veamos cómo se aplicaba este arbitrio en 1930: "Gestor municipal que realice la cobranza de arbitrios (de consumo: comer, beber y arder). El gestor no podrá entregar menos de 175.834

1025 BOCCE núm. 124, 17 de enero de 1929.
1026 AGCE. Padrones de Beneficencia 1922-1930.

pesetas mensuales. La línea fiscal que el Gestor se compromete a vigilar comprende dos sectores: uno exterior, desde el fielato del Tarajal, Príncipe Alfonso, Cabrerizas Bajas, y Hadú, terminando en el fielato de la Puntilla, y otro interior, que comprende el puesto del Agujero y los fielatos de Alfau, muelle del Comercio, del foso del Cristo y estación de Ferrocarril. Además existirán los puestos de vigilancia del puerto franco y Estación de Miramar, y los puestos de recaudación de los paquetes postales en la Administración Central de Correos y en la estafeta de Hadú"[1027]. Si el presupuesto de 1930 se estableció en 3.536.249,90 pesetas, los arbitrios de consumo (comer, beber y arder) 175.834x12= 2.110.008 pesetas, por lo que representaba el 59,67% del presupuesto. No obstante, durante la mayoría de estos años este impuesto suponía aproximadamente 2/3 de la recaudación municipal.

A pesar de ser un impuesto indirecto, que indudablemente beneficiaba a las clases más pudientes, los arbitrios de consumo eran de diferentes cuantías dependiendo del tipo de artículo. Así, podía oscilar entre las 0,02 pesetas de un kilo de carbón vegetal y las 1,60 pesetas de un litro de "champagne". Veamos algunos ejemplos de arbitrios que existían en 1927:

> Carbón vegetal, 0,02 pesetas. Kilo.
> Fideos, pastas para sopa y sémolas, 0,05 pesetas. Kilo.
> Arroz nacional, 0,05 pesetas. Kilo.
> Vinagre, 0,10 pesetas. Litro.
> Bacalao, 0,10 pesetas. Kilo.
> Azúcar, 0,15 pesetas. Kilo.
> Botella de agua mineral, 0,15 pesetas. Litro.
> Vinos tintos sin embotellar, 0,15 pesetas. Litro.
> Dulces de todas clases y bombones rellenos, 0,75 pesetas. Kilo.
> Champagne, 1,60 pesetas[1028]. Litro.

En un intento de controlar al máximo este arbitrio, en la permanente del 16 de marzo 1929 se acordó que las mercancías de tránsito al Protectorado pagasen también el arbitrio correspondiente para evitar fraudes, depósito que era devuelto si en el plazo de las 48 horas siguientes justificaba el haber introducido en territorio del Protectorado las mercancías[1029]. Asimismo, en su afán recaudatorio, curioso fue, tal y como se ha referido, el enconado contencioso que mantuvo la Junta municipal con el Ejército por la cuestión de los consumos.

Completaban este arbitrio otros de diversa índole: sobre expedición de bebidas espirituosas, espumosas y alcohólicas, circulación por la vía pública de coches, carros y caballerías, inspección de fondas, hoteles y casas de dormir, sobre vallas, solares sin edificar, altura de edificios, canales y bajantes de aguas, calderas y motores, casinos y círculos de recreo, sobre carnes en reses en vivo, etc. Y otros ingresos procedentes del Estado, como los citados del timbre (10%), contribución industrial (13%), cédulas personales o venta de parcelas en el Campo Exterior.

1.2. Composición

En cuanto a las plantillas del Ayuntamiento, uno de los artículos del Estatuto de 1926 decía que "Se nombrarán una serie de funcionarios municipales como: secretario, interventor, arquitecto, abogado, médico, farmacéutico, veterinario..., que serán elegidos por concurso. Los empleados administrativos entrarán por oposición". Estos nombramientos quedaron plasmados, de cara a la ciudadanía, en los artículos 6.º y 7.º del Reglamento de 14 de mayo de 1928, que ordenaba la publicación de las plantillas y escalafones del personal administrativo, técnico y subalterno.

1027 BOCCE núm. 176, 9 de enero de 1930.
1028 El Telegrama del Rif, 4 de septiembre de 1927.
1029 BOCCE núm. 134, 28 de marzo de 1929. Comisión permanente, 16 de marzo de 1929.

Abundando sobre esta cuestión, según Enrique Orduña, durante la dictadura de Primo de Rivera se creó el Cuerpo de Secretarios de Ayuntamiento en sus dos categorías, así como el Cuerpo de Interventores de la Administración Local, cuyo puesto en la plantilla municipal era obligatorio para todos los Ayuntamientos cuyo presupuesto de gastos, en cada ejercicio, no bajase de 100.000 pesetas –era el caso del Ayuntamiento de Ceuta-. A partir de ese momento surgieron los Cuerpos Nacionales de Administración Local, con habilitación para ejercer en todo el territorio nacional. También se reguló el acceso y estabilidad del resto de los funcionarios locales, dando un importante paso en la organización municipal[1030].

Veamos la plantilla municipal en enero de 1929:

PLANTILLAS

Personal administrativo

Secretario	1	Jefes de Negociado de 2ª	2
Interventor	1	Jefes de Negociado de 3ª	3
Depositario	1	Oficiales primero	4
Oficial Mayor	1	Oficiales segundo	5
Jefe de Negociado de 1ª	1	Oficiales tercero	7

Sección administrativa auxiliar

Administrador del Matadero	1	Auxiliar de Secretaría	1
Jefe de los Servicios Municipales	1	Auxiliar de Intervención	1
Mayordomo del municipio	1	Auxiliar de recaudación	2
Recaudador de arbitrios	1	Fiel contraste	1
Conserje de la Pescadería	1	Celadora Expósitos	1
Conserje de Mercado	1	Escribiente mecanógrafo	1
Conserje del Cementerio	1		

Personal técnico

Médicos de término	3	Odontólogo	1
Médicos de ascenso	3	Practicante de farmacia contable	1
Médicos de entrada	3	Ídem	1
Practicante mayor	1	Arquitecto	1
Practicante de ascenso	5	Arquitecto 2º	1
Practicante de entrada	2	Maestros aparejadores	2
Matronas	6	Delineantes	2
Veterinarios inspectores pecuarios	3	Auxiliares mayores de escuela	2
Médico Bacteriológico	1	Maestro escuela árabe	1
Farmacéutico, jefe Laboratorio	1	Auxiliares de escuela	11

Personal subalterno

Alguaciles de la Junta	2	Portero de matadero	1
Alguaciles de quintas	2	Ayas de párvulos	3
Ordenanza	1	Sepulturero	1
Guardias ciclistas	2	Sepulturero	1
Portero de palacio	1	Mecánico electricista	1
Mozo de la Junta	1	Subjefe de la guardia municipal	1
Mozo de la Junta	1	Cabos de Guardia municipal	5
Celadores de la Policía (a extinguir)	2	Guardias de primera	5
Celadores de higiene	3	Guardias de segunda	66
Guarda-jurados jardineros	6		

Fuente: BOCCE núm. 125, jueves 24 de enero de 1929

1030 ORDUÑA REBOLLO, Enrique: 'Historia del Municipalismo español (XVI). Un siglo de municipalismo. El Estatuto Municipal de Calvo Sotelo', s.p.

Resumen plantillas

Personal administrativo	26
Sección administrativa auxiliar	14
Personal técnico	51
Personal subalterno	105
Total	196

Fuente: Elaboración propia a partir del BOCCE núm. 125
jueves 24 de enero de 1929

Con respecto a los escalafones se publicaban siguiendo el tipo de personal y su empleo, y los parámetros de nacimiento, ingreso y antigüedad. Veamos algunos ejemplos:

Personal Administrativo

	Nacimiento	Ingreso	Antigüedad
Secretario, Alfredo Meca Romero	02/12/85	07/09/25	07/09/25
Interventor, Luis Martínez Barrié	23/07/83	01/04/25	01/04/25
Depositario pagador, Rafael Orozco García	09/06/01	28/12/18	28/12/18
Oficial mayor, Rogelio Díez Añino	14/09/71	06/11/94	01/01/29
Jefe de negociado de 1ª, Adolfo Blanco Mérida	11/08/79	01/08/04	01/01/29 [...]

Personal Técnico

	Nacimiento	Ingreso	Antigüedad
Médico de término, Miguel Sala Igual [y Gual]	12/01/60	19/04/01	01/01/21
Médico de término, Miguel Sala Gavarrón	19/09/98	06/07/21	06/11/26
Médico de término, Manuel Rovayo Martí	26/02/96	21/10/24	15/10/27
Médico de ascenso, Tomás Rayo Colandrea	30/11/85	18/07/25	05/06/26
Médico de ascenso, Manuel Muñoz Márquez	26/01/98	18/07/25	06/11/26 [...]

Personal Subalterno

	Nacimiento	Ingreso	Antigüedad
Alguacil, José Baltasar Fernández	06/01/73	02/02/12	17/04/13
Alguacil, Ramón González Ruiz	26/12/70	01/04/10	23/02/25
Alguacil, Alfonso Abad Muñoz	11/12/73	26/02/23	01/02/28
Alguacil, Antonio Carmona Rayos	18/07/87	02/01/24	01/02/28
Ciclista, José Otero Domínguez	25/04/92	01/01/25	01/02/28 [...]

Fuente: BOCCE núm. 125, jueves 24 de enero de 1929

En 1929 los salarios de los empleados municipales oscilaban entre las 12.500 pesetas anuales del secretario, las 11.500 pesetas del interventor, las 6.000 pesetas de un médico de término o las 2.000 pesetas de un sepulturero o una aya de párvulos; no obstante, el salario de la mayoría de los empleados municipales se encuadraban entre las 3.000 y 4.000 pesetas. Cabe subrayar que algunos empleados subalternos, que tenían a su cargo esposa y varios hijos, fueron incluidos en el padrón de Beneficencia, cuestión que revela las dificultades que había para llegar a fin de mes. Esta situación abocaba al funcionario al pluriempleo, que no era incompatible con las funciones municipales. Como muestra veamos el caso del arquitecto municipal Santiago Sanguinetti, que firmó muchos proyectos particulares, además de ostentar la presidencia de Cerámica Castillejos S.A. También, como se ha visto, existía una Asociación de Empleados y Obreros Municipales, nacida en 1919. En 1926 era su presidente el doctor Manuel Matres Toril, sucediéndole, tras la enfermedad y el fallecimiento del citado doctor, el secretario del Ayuntamiento, Alfredo Meca Romero. Por último, en el Pleno del 26 enero de 1931 se aprobó el Reglamento para la implantación del Montepío de funcionarios y subalternos, quedando pendiente las posibles reclamaciones y la aprobación de la autoridad[1031].

2. La Fiesta de Reyes, la inauguración de un tramo de la carretera Ceuta-Tetuán y la Asociación de la Prensa

Organizada por la Junta municipal, se celebró la fiesta de Reyes desfilando una vistosa cabalgata. Según el programa que había establecido la Junta municipal, los niños y niñas de las escuelas tenían que estar situados antes de la once y media en el anillo de la plaza de la Constitución (si hubiese llovido estaba previsto que estuvieran dentro del Santuario de Nuestra Señora de África). Desde allí presenciarían el paso de la Cabalgata, para pasar a continuación al palacio municipal, donde entrarían por la puerta principal, recogerían los juguetes y saldrían por la puerta de servicio. Los maestros serían los encargados de que todo transcurriera con normalidad[1032]. Se repartieron unos diez mil juguetes entre los alumnos de las escuelas de la ciudad. Después hubo recepción en el palacio municipal, amenizada por varias bandas de música. También la prensa local organizó un reparto de juguetes a los niños pobres en el Teatro del Rey, con asistencia de las autoridades[1033], que contó con una subvención de la Junta municipal de 200 pesetas[1034] y la ayuda de los comercios, entidades y familias pudientes. Ante el éxito de los actos, la Junta municipal acordó dar las gracias al "Excmo. Sr. Jefe de la Circunscripción, Coronel del regimiento de Ceuta, Jefe del Grupo de Regulares y Maestro de la Escuela de la Cantina Escolar por la cooperación que han prestado al mayor esplendor de esta fiesta"[1035].

Tras las fiesta de Reyes, el día 10 tuvo lugar la inauguración oficial del tramo de carretera, que partiendo de Ceuta unía con la que desde el barranco del Tarajal llevaba a Tetuán, que estaba ya comprendida en la zona del Protectorado, obra de su Administración. Esta misma Administración, en virtud del acuerdo con la española, había emprendido la labor de convertir el trozo de referencia en una hermosa calzada de firme especial y de excelentes cualidades para el turismo. En 25 de marzo se empezaron las obras, bajo la dirección y proyecto del ingeniero de la Dirección de Fomento del Protectorado, Pedro Benito Barrachina, comprendiendo un trayecto de unos tres kilómetros, con pendientes y curvas que habían sido reducidas y mejoradas, dada la índole exclusivamente estratégica del primitivo trazado[1036].

1031 BOCCE núm. 234, 12 de febrero de 1931.Pleno, 26 de enero de 1931.
1032 AGCE. Caja 1076. 62/4, Exp. 14.
1033 El Sol, 8 de enero de 1929.
1034 BOCCE núm. 124, 17 de enero de 1929. Comisión permanente, 5 de enero de 1929.
1035 BOCCE núm. 124, 17 de enero de 1929. Comisión permanente, 12 de enero de 1929.
1036 África, Revista de Tropas Coloniales, 1 de enero de 1929

En cuanto al resto del mes de enero, además de los actos relacionados con la onomástica del rey del día 23, empezó a regir el presupuesto de la Junta municipal, que, como se referido, ascendía a pesetas 3.633.428, el presupuesto más alto del periodo primorriverista. Los presupuestos tenían que ser aprobados por la presidencia del Consejo de Ministros, Dirección General de Marruecos y Colonias[1037]. Por otro lado, los periodistas de Ceuta decidieron fusionarse formando la Asociación de la Prensa de Ceuta. En el acto, al que concurrieron todos los elementos intelectuales de la localidad, reinó el mayor entusiasmo[1038]. Al fusionarse la Asociación y el Sindicato de Periodistas quedó constituida su primera Junta directiva de la siguiente forma: Presidente, Antonio Mico, teniente coronel de Intendencia; vicepresidente Diego Trujillo, abogado; tesorero, Miguel Viedma; secretario, Arsenio de Fuentes, comandante de Infantería; vocales: Marcelino Mediavil, José J. Baillo, Demetrio Bouso, Ernesto de la Calle y Miguel Bernal[1039].

Con respecto a los corresponsales encontramos al veterano Cayetano González Novelles, que también formaba parte del personal administrativo de la Junta municipal, Nicolás Fernández García, Vicente Mesa de Mendoza y Francisco Javier García de Ezpeleta. Por su parte, los corresponsales gráficos citemos a Francisco Rubio, José Calatayud, Francisco Costa, Bartolomé Ros o Julio Albalat[1040].

3. Nuevo golpe sobre golpe y la muerte de la reina María Cristina

El mes de enero acabó con la noticia del levantamiento del regimiento de Artillería de Ciudad Real. Lo que sucedió en Ciudad Real no era más que un fracasado intento de golpe de estado (golpe sobre golpe) promovido por Sánchez Guerra con el objetivo de volver al sistema constitucional. Algunos historiadores ven en este suceso el resquebrajamiento del apoyo de algunos militares a la Dictadura -se le apartó del servicio, por ejemplo, al mismísimo Castro Girona, capitán general de Valencia, que había sido una pieza clave de Primo de Rivera en el Protectorado-, que ya estaba completamente rota desde hacía tiempo con esta Arma. Ante esta situación, la Junta municipal acordó "Dirigir un telegrama de felicitación al Jefe del Gobierno por la favorable resolución de los sucesos de Ciudad Real, sirviendo al mismo tiempo para testimoniar la inquebrantable al Rey, de la Junta y el pueblo de Ceuta"[1041].

El mes de febrero entró con la noticia de la muerte de la reina madre María Cristina, que se había producido en la madrugada del día 6. El luctuoso acontecimiento dejó al rey tocado anímicamente, pues, además de haber criado a un hijo huérfano de padre, como reina regente entre 1885 y 1902, conocía de primera mano el complicado y enrevesado entramado político español; por lo que Alfonso XIII no sólo perdía a una madre, sino también a una valiosísima consejera. Durante ese día, en Ceuta se abrió un pliego de firmas en el palacio municipal. Por su parte, la permanente del día 9 acordó levantar "la sesión en señal de duelo por el fallecimiento de S.M. la Reina Doña María Cristina"[1042].

Ese mismo día 9 se celebró, con la tradicional solemnidad que le caracterizaba, la fiesta religiosa denominada "del voto a la Virgen de África". En el Santuario se congregaron la Junta municipal bajo mazas, que costeó la ceremonia, y las autoridades civiles y militares. El templo se vio abarrotado de fieles a pesar del tiempo desapacible provocado por las fuertes lluvias. Predicó el canónigo Cayetano Mejías[1043].

1037 BOCCE núm. 125, 24 de enero de 1929. Comisión permanente, 24 de enero de 1929.
1038 El Sol, 24 de enero de 1929.
1039 Heraldo de Madrid, 24 de enero de 1929.
1040 ORTEGA, Manuel L. (coordinador): *Anuario-Guía Oficial de Marruecos-Zona Española (comercio y turismo), 1930*, p. 935.
1041 BOCCE núm. 127, 7 de febrero de 1929. Comisión permanente, 2 de febrero de 1929.
1042 BOCCE núm. 128, 14 de febrero de 1929. Comisión permanente, 9 de febrero de 1929.
1043 La Opinión 12 de febrero de 1929.

4. El carnaval

Pero también, como era también tradicional, por esas fechas se estaban ultimando los preparativos del carnaval. Como apunta Mª Dolores Díaz, en el Teatro del Rey, donde se levantaba el patio de butacas, se celebraba esta semana el baile más importante del año, denominado baile de la prensa, concurriendo los más animados de la ciudad. Un detalle que no podía faltar era el clásico mantón de Manila, que con gran donaire lucían nuestras abuelas. Igualmente, durante el recorrido del paseo de coches de punto, se organizaban verdaderas batallas entre los transeúntes de a pie y los motorizados, siendo tal abundancia de confetis y serpentinas, que cubría el suelo hasta los tobillos de los transeúntes[1044].

Ya se ha señalado que durante la dictadura de Primo de Rivera no fue prohibido el carnaval. Sin embargo, como señala Francisco Sánchez, la dictadura "había traído censura y grandes trabas para escribir sus coplas con total libertad"[1045]. Esta estrofa, aparecida en el *Almanaque 1928 El Diluvio*, así lo refrenda:

> Si en este *mundo traidor*,
> según la frase manida,
> *todo es según el color*
> *del cristal* con que el Censor
> nos deja mirar la vida[1046]

En el primer carnaval de la dictadura primorriverista, el de 1924, el comandante general, Manuel Montero Navarro, publicó un bando con ocho artículos en los que se recogían las disposiciones a seguir "con objeto de mantener el orden público en las próximas fiestas de carnaval". Según informaba el diario *El África* de cinco de marzo de 1924, aquel año hubo mucha animación en las calles y algunas personas fueron detenidas y multadas por no cumplir el citado bando[1047].

Comparsa del carnaval ceutí. Cortesía de Francisco Sánchez Montoya.

Una de las calles más concurridas durante el carnaval, apunta Francisco Sánchez, era la calle Camoens. Debido a su estrechez, era uno de los puntos clave en la "bulla" entre los que iban al Teatro del Rey, a los bailes, y los que salían o iban al Teatro Apolo, Casino Africano, Casino Militar y Círculo Reformista[1048]. Ese año, entre las muchas máscaras, sobresalió la pareja disfrazada de Eva y Adán, formada por los hermanos Carmen y José Sánchez Melguizo, que fue primer premio en el Círculo Reformista. La citada pareja se presentó con una canción que dice:

> Cuando el Mundo lo hizo Dios,
> fue sólo por un capricho
> y Adán nuestro padre creó
> y lo mandó al Paraíso,
> Adán solo se aburría…[1049]

1044 DÍAZ FERNÁNDEZ, Mª Dolores: *Recuerdos y vivencias de la tercera edad en Ceuta*, p. 101.
1045 https://fsanchezmontoya.wordpress.com/2017/02/12/ceuta-en-la-memoria-del-carnaval-2/
1046 Almanaque 1928 El Diluvio, p. 33.
1047 SANCHEZ MONTOYA, Francisco: *Más de un siglo de carnaval. Ceuta, 1886-1993*, p. 28.
1048 Ídem.
1049 Ibídem, p. 25.

Como vemos, la imaginación popular siempre salía a la superficie impelida, hubiese o no censura, por el singular gracejo andaluz, verdadero germen de esta fiesta. Pongamos dos ejemplos de letras carnavalescas extraídas del trabajo citado de Francisco Sánchez *Más de un siglo de carnaval. Ceuta, 1886-1993*; una del carnaval de 1924, criticando el riesgo del ferrocarril Ceuta-Tetuán, y otra del carnaval de 1928, recordando la visita del rey de octubre de 1927, esta última escrita por el citado y activísimo barreño Joaquín Rodríguez Romero, uno de los grandes puntales del carnaval ceutí de los años veinte:

El ferrocarril Ceuta-Tetuán

Un ferrocarril tenemos
que a Tetuán nos conduce
y a cada instante produce
algo que nos lamentemos.
Bien podemos presumir
del *sleepy* que gozamos
donde al viajar dejamos
en este mundo existir.

Ya he perdido la noción
de las veces que este tren
escarriló en Malalíen
en Miramar o en Rincón.
Que giren una inspección
y si el material es malo
que hagan con él un regalo
a una buena fundición.

Desde luego, el ferrocarril no gozaba de buena fama. Veamos la "adivinanza" que circulaba por esas fechas:

— ¿En qué se parece un burro viejo al tren que va de Ceuta a Tetuán?

— En que los dos andan a fuerza de *leña*.

Alfonso XIII y la pescadería

Todavía estamos recordando
este año que ha pasado,
cuando vino el monarca y la reina
a este gran pueblo africano.
Adoquinaron las calles,
el puente nuevo se estrenó
para que pasara el monarca
como rey de la nación.

Ustedes sabrán señores
que nadie en el pueblo dormía
solo por ver el alumbrado
que en la población había.
Y no pusieron una luz
allá en la pescadería,
y una vieja que vende estropajo
puso una bandera que está todavía.

En cuanto al carnaval de 1929, que tuvo lugar entre el 10 y el 13 de febrero, nuevamente las preocupaciones principales de las autoridades estuvieron centradas en el orden público y el respeto a la autoridad; por ello, unos días antes, la Junta municipal publicó un bando en términos muy parecidos a los de años anteriores, aunque añadiendo el itinerario a seguir por los coches y autos que acudiesen al carnaval, con lo cual demostraba que estaba muy regulado, pero no en decadencia:

BANDO

D. José E. Rosende y Martínez, Presidente de la Junta Municipal de esta Ciudad.

HAGO SABER: Que a fin de que no se altere el orden público en las próximas fiestas de Carnaval, se observarán las disposiciones siguientes:

Art. 1º. Durante los tres días de Carnaval y el Domingo de Piñata, se consentirá la circulación de máscaras sin antifaz por la vía pública.

Art. 2º. Las serpentinas que se arrojen, serán precisamente de las llamadas inofensivas, o sea de disco blando, y el confetti de un solo color, para evitar que se aproveche el que haya caído al suelo.

Art. 3º. Queda prohibido vestir disfraces, o realizar actos que ofendan a la religión y a las buenas costumbres, vestir hábitos de los ministros de la Iglesia, o uniformes de funcionarios civiles o militares, ostentar insignias o condecoraciones del Estado y llevar armas que no sean imitadas, aunque lo requiera el disfraz.

Art. 4º. Las máscaras o comparsas no ofenderán con discursos, actitudes, frases o acciones inconvenientes a persona alguna.

Art. 5º. Con objetos de evitar perturbaciones o accidentes desgraciados, dada la aglomeración de gente en la vía pública, los caballos y los carruajes deberán ir al paso.

Art. 6º. Podrán ser admitidas en los bailes públicos y de sociedad, las máscaras que se presenten con antifaz, mientras su traje, porte y maneras, no sean por cualquier concepto reprochables o indecorosas.

Art. 7º. No podrán penetrar en dichos locales con armas o bastones otras personas que la Autoridad y sus agentes y además los jefes, oficiales e individuos de tropa que se encuentren de servicio.

Art. 8º. Los contraventores a este Bando serán castigados gubernativamente con la multa de cinco a quinientas pesetas, sin perjuicio de otras responsabilidades que pudieran corresponderle.

Art. 9º. Durante los tres días de Carnaval y el Domingo de Piñata, los coches y autos que concurran al festival circularán siguiendo el itinerario siguiente:

Calle Gómez Pulido, bajando por Méndez Núñez, Gómez Jordana, Puente Alfonso XIII, calle Martínez Campos, Edrissis, Plaza de la Constitución, calle Independencia, Avenida Villanueva, Puente Alfonso XIII a Gómez Pulido.

Lo que se hace público para general conocimiento y cumplimiento.

Ceuta 5 de Febrero de 1929.   José E. Rosende

Con respecto al desarrollo del carnaval de aquel año no sabemos exactamente cómo discurrió, aunque sí tenemos noticias de que el tiempo no acompañó: "Reina fuerte temporal de lluvias, que hace muy penosas las comunicaciones con el interior de la zona[1050]. De lo que sí tenemos constancia es del baile que organizó la Asociación de la Prensa a beneficio de la Caja de Socorros, que tuvo lugar el domingo 10 por la noche. Fue elegida reina de la fiesta Caroli Micó, hija del presidente de la citada Asociación. La animación fue extraordinaria y se rifaron numerosísimos regalos, dándose por terminado el festival, "que resultó brillantísimo, en las últimas horas de la madrugada"[1051].

Por otro lado, también durante las fiestas de carnaval de 1929, se inauguraron "con mucho entusiasmo" las nuevas instalaciones del Centro de Hijos de Ceuta[1052]; instalaciones situadas en el amplio distribuidor de la recién construida Casa Trujillo.

5. El alumbrado eléctrico

En la letra de "Alfonso XIII y la pescadería" se habla del alumbrado eléctrico: "nadie en el pueblo dormía/ sólo por ver el alumbrado/ que en la población había". Y la letra algo de razón tenía. No era casualidad, desde hacía un par de años las obras públicas se habían incrementado de forma notable.

1050 La Opinión, 12 de febrero de 1929.
1051 El Telegrama del Rif, 12 de febrero de 1929.
1052 La Opinión, 12 de febrero de 1929.

Anuncio publicitario de la Empresa de Alumbrado Eléctrico de Ceuta.

La Empresa del Alumbrado Eléctrico, conocida popularmente como "fábrica de la luz", se había fundado en 1886, año en que empezó a suministrar corriente al público con dos motores térmicos. Pero fueron en los años diez y veinte cuando la demanda eléctrica se disparó de forma espectacular, tal y como señalaba *ABC* en abril de 1926: "Últimamente la demanda de energía ha tomado un incremento grande en esta población, habiéndose aumentado en un medio la capacidad de producción de la central. Dispone ésta de dos motores 'Diessel' de 250 y 230 HP, respectivamente, y de seis motores a gas pobre, que suman 550 HP, aproximadamente, lo que hace un total de 1.130 HP. Todos estos motores estaban destinados a producir corriente continua, menos un motor Crossley de 100 HP, que mueve un alternador de 70 KVA".

El mismo diario apuntaba sobre los nuevos planes: "La empresa tiene ya en proyecto nuevas instalaciones para poder atender a la demanda creciente de fluido, se estaba instalando un grupo Diessel-Alternador de 290 KVA, signo halagüeño porque demuestra el progreso evidente de la industria de Ceuta, que tiene ya en marcha, noche y día, un buen número de motores, que pone en movimiento a talleres, imprentas, pequeñas, fábricas, etc."[1053]. También se destacaba el incremento que estaba experimentando la demanda de energía eléctrica[1054].

Abundando en este sentido, importante fue el quinquenio comprendido entre 1926 y 1930. Veamos algunas muestras. El 4 de diciembre de 1926 se acordó instalar el alumbrado eléctrico desde la Alhambra a la huerta conocida como "La Baltasara" y en el puente de paso a nivel del ferrocarril. A principios de julio de 1927 ya estaba instalado el alumbrado eléctrico permanente en la plaza de la Constitución, al igual que se había acordado instalar el alumbrado de la barriada del Príncipe Alfonso y el de la calle Martínez Campos; el día 3, el de la Cortadura del Valle y López Pinto (paseo de la Marina); también a principios de septiembre

---

1053 ABC, 29 de abril de 1926.
1054 La Esfera, 14 de noviembre de 1925. En la página 36 vienen interesantes datos del puerto, Compañía Ibarrola y Empresa de Alumbrado.

se acordó "Aceptar la recepción de las columnas de hierro adquiridas para el alumbrado de la calle Martínez Campos", y a finales de diciembre, el día 24, la permanente acordó efectuar la recepción definitiva de las obras de instalación eléctrica de la planta principal del palacio municipal. En 1928, el 21 de enero, se acordó dotar alumbrado eléctrico una escuela de niñas y el trozo de carretera comprendido entre el Puente de Cristo y la Estación de Ferrocarril, el 16 de junio se anunciaba que se habían recepcionado 24 farolas entre las calles Gómez Jordana y López Pinto; al igual que por esas fechas se acordó instalar luces en la Barriada Berenguer, en el Recinto Sur[1055], así como en la barriada General Sanjurjo; también fue en 1928 cuando se solicitó la licencia de obras para instalar cajas de registros subterráneos en varias calles. El 4 de marzo de 1929 se acordó adjudicar a Carlos Ritcher el concurso de instalación de nuevo alumbrado en el Puente de la Almina, a la vez que se seguía con la instalación del tendido eléctrico subterráneo. Paralelamente se fueron construyendo nuevas casetas de transformación. Y a final de año se acordó dotar de alumbrado eléctrico a la barriada de la Huerta de la Guarnición[1056]. También en 1930 se siguió con esa política de cambios de farolas –que le estaban dando, junto con el acerado, adoquinado y las balaustradas, una gran prestancia y personalidad al aspecto de la ciudad- y mejora del alumbrado. En la permanente del 6 de marzo se acordó instalar farolas en las plazas de Prim y Torrijos y confluencia de las calles Juan I de Portugal y López Pinto; al igual que el 31 de julio de 1930 se acordó instalar luces en frente a los pabellones de Otero, en la carretera de la Puntilla.

En definitiva, la Empresa del Alumbrado Eléctrico, cuyo presidente era el conocido empresario Juan Acevedo Ponce, casi siempre estuvo a remolque de la demanda del fluido eléctrico; así pues, no eran raros los cortes de luz. El 14 de septiembre de 1923, por ejemplo, se trató en el Ayuntamiento el problema del corte del alumbrado eléctrico "llegando al extremo de dejar a la población a oscuras durante varias horas". Unos días después, en la sesión del día 28, el concejal Vázquez instó a la Presidencia a que obligase a la Empresa del Alumbrado a mejorar el alumbrado público, "imponiéndole cuantas multas sean necesarias". En marzo de 1925 López Rienda decía: "Ceuta presenta esta noche del sábado [28] una animación extraordinaria. Si no fuese por la nota triste del infame alumbrado eléctrico de la ciudad, diríase que Ceuta ofrecíase a la vista del viajero radiante". Y en 1928 la Junta municipal tuvo que requerir a la Empresa "para que monte una guardia para reparar con toda urgencia las averías que puedan producirse"[1057]. No obstante, a pesar de todos los problemas, en unos pocos años el alumbrado eléctrico había cambiado la fisonomía nocturna de la ciudad.

6. El viaje a América de Millán Astray, la jubilación de José E. Rosende y la Federación de Esgrima

El 1 de marzo de 1929 el general Millán Astray partió de Ceuta para emprender una gira por Hispanoamérica, quedando como jefe interino de la Circunscripción Ceuta-Tetuán el segundo jefe de las Fuerzas militares de Marruecos, el general García Benítez. El día 8 embarcó en Cádiz con dirección a Buenos Aires, aunque antes pasó unos días en Sevilla para visitar la Exposición Iberoamericana[1058], que estaba próxima a su inauguración. El viaje a Hispanoamérica, según diversas notas de prensa, fue un rotundo éxito. La Junta municipal, atenta a estos acontecimientos, le dirigió un telegrama felicitándole "por los éxitos obtenidos en la labor patriótica que realiza en América"[1059]. Y en la permanente de 18 de mayo se acordó concurrir en corporación a recibir al general José Millán Astray, a su regreso[1060].

1055 BOCCE núm. 95, 12 de julio de 1928. Comisión permanente, 7 de julio de 1928.
1056 BOCCE núm. 175, 2 de enero de 1930. Comisión permanente, 12 de diciembre de 1929.
1057 BOCCE núm. 92, 21 de junio de 1928. Comisión permanente, 9 de junio de 1928.
1058 ABC, 3 de marzo de 1929.
1059 BOCCE núm. 137, 18 de abril de 1929. Comisión permanente, 12 de abril de 1929.
1060 BOCCE núm. 143, 30 de mayo de 1929. Comisión permanente, 18 de mayo de 1929.

Otra noticia del mes de marzo que caló en la sociedad ceutí fue la jubilación del ingeniero jefe de primera clase, José E. Rosende Martínez, que desempeñaba el puesto de director de obras de la Junta de Obras del Puerto de Ceuta, aunque la jubilación no fue óbice para que fuese nombrado asesor técnico de la citada Junta y siguiese desempeñando la presidencia de la Junta municipal. Para celebrar la jubilación, Rosende, "ejecutor del puerto de Ceuta y remozador de la ciudad", fue obsequiado con un banquete en el Hotel Majestic[1061]. Para cubrir la plaza que dejaba José E. Rosende, fue nombrado Gustavo Piñuela Martínez, que con anterioridad había dirigido la de San Esteban de Pravia.

En otro orden de cosas, bien avanzado el mes de marzo se constituyó en Ceuta la Federación de Esgrima de la zona occidental del Norte de África, nombrándose presidente al general Jordana, vicepresidentes a los generales García Benítez y Millán Astray, y socio de mérito al teniente coronel de Intendencia Antonio Micó[1062].

La esgrima había llegado a Ceuta de la mano del mundo militar, y, por esas fechas, ya gozaba de cierta tradición en la ciudad. Famoso fue el Campeonato de España del Norte de África, con motivo de las fiestas patronales de Melilla de septiembre de 1927, en el que participaron los equipos de Melilla, Ceuta, Tetuán y Larache. El Campeonato se celebró en el Casino Militar a lo largo de varias jornadas, quedando ganador del premio colectivo el equipo de Melilla, y segundo el equipo de Ceuta, compuesto por el maestro Enrique Catalán y los discípulos Mariano Aguilar, Augusto de la Cierva e Ildefonso Blanco. En cuanto a los premios de maestros de florete, espada y sable los consiguió Enrique Bossini, que representaba a Melilla, y segundo el citado Enrique Catalán[1063]. El maestro Bossini, militar de origen italiano asentado en la citada plaza, se había convertido en todo un referente de la esgrima del norte de África, creando una importante escuela que tuvo cierta fama; incluso llegó a publicar el libro *La Esgrima Moderna: Tratado teórico-práctico de la esgrima de florete, espada y sable.*

Al año siguiente tuvo lugar, también en Melilla, en el marco de sus fiestas patronales, el Real Concurso Nacional de Esgrima, participando equipos de Barcelona, Murcia, Valencia, Málaga, Melilla y Ceuta[1064]. El equipo de Ceuta estuvo integrado por el maestro Enrique Catalán, el comandante del Estado Mayor José Figuerola, el capitán Reyes y el teniente Aguilar. Del equipo de Ceuta destacó el comandante Figuerola, que obtuvo la copa donada por el Ayuntamiento de Valencia[1065], y la participación en el asalto de honor del maestro Enrique Catalán, con el que finalizaba el Concurso, que se enfrentó al gran maestro Bossini[1066]. Merece la pena añadir que aquel año, en los Juegos Olímpicos de Amsterdam, España había presentado un potente equipo de esgrima, aunque no obtuvo ninguna medalla.

Al calor de la creación de la citada Federación, ya en 1929, y con motivo de las fiestas patronales en honor a la Virgen de África, tuvo lugar un concurso de esgrima. El día 1 de agosto, en la sala de armas del Centro Cultural Militar, empezaron las pruebas eliminatorias, concurriendo buen número de tiradores procedentes de la zona del Protectorado y de las plazas de soberanía -la gran mayoría militares-, ejerciendo de árbitro el gran esgrimidor Antonio Micó, quien, recordemos, era socio de mérito de la citada Federación[1067]. Las clasificaciones se efectuaron sobre las tres modalidades clásicas de la esgrima: florete, espada y sable. Y el día 7, coincidiendo con el último día de feria, se celebró el asalto de honor en los jardines de la Real Sociedad Hípica. Obtuvieron premios en las tres armas el capitán de Intendencia Carrillo de Albornoz, el capitán del Tercio Pérez Caballero, el referido maestro de esgrima Enrique Catalán, el abogado Lorenzo y el capitán Mariano Aguilar[1068].

1061 Ingenieros y Construcción, marzo de 1929. El Noticiero Gaditano, 9 de marzo de 1929.
1062 La Opinión, 21 de marzo de 1929.
1063 El Telegrama del Rif, 14 de septiembre de 1924.
1064 El Telegrama del Rif, 13 de septiembre de 1928.
1065 El Telegrama del Rif, 18 de septiembre de 1928.
1066 El Sol, 15 de septiembre de 1928.
1067 El Telegrama del Rif, 3 de agosto de 1929. La Libertad, 6 de agosto de 1929.
1068 El Sol, 9 de agosto de 1929.

7. Clara Campoamor y Margarita Nelken en el Centro de Hijos de Ceuta

Aunque a Clara Campoamor se la relaciona fundamentalmente con la época de la II República y el sufragio femenino, su labor a favor de la igualdad de la mujer en cuanto a derechos y libertad política se remonta a años anteriores, en plena dictadura primorriverista. Y este trabajo lo desarrolló a través de numerosas conferencias y colaboraciones en diversos periódicos, como *La Libertad*, del que fue asidua colaboradora. Los años veinte fueron los años de la liberación femenina; liberación alcanzada gracias a su cada vez más alto grado de alfabetización -aunque insuficiente- y a la participación más activa en el mundo laboral -también insuficiente-.

En este sentido, recordemos que durante la Dictadura ya se contemplaba el voto femenino, aunque el grado de colaboración de las mujeres comprometidas en la causa feminista con el gobierno de Primo de Rivera fue desigual. Se puede afirmar que no se dio en ningún caso una actitud colectiva. Mientras algunas mujeres rechazaban cargos en los comités paritarios impulsados por Eduardo Aunós —es el caso de Matilde Huici y la propia Clara Campoamor— otras lo aceptaban, como fue el caso de la socialista Victoria Kent. De cualquier forma, feministas o no, las mujeres participaron durante la Dictadura siempre que se les brindó la oportunidad. Fue la celebración del plebiscito convocado por la Unión Patriótica la gran prueba que iba a evidenciar hasta qué punto era verdad la pasividad de la mujer en relación con la política activa. El plebiscito se celebró, como ya se ha comentado, durante los días 11,12 y 13 de septiembre de 1926. La alta participación de la mujer sorprendió a derechas e izquierdas, y cada uno dio su interpretación de este hecho.

Clara Campoamor, una de las grandes intelectuales del primer tercio del siglo XX.

Por otro lado, en la Asamblea Nacional Consultiva, abierta el 11 de octubre de 1927, había 13 mujeres, la mayoría de ellas nombradas como representantes de Actividades de la Vida Nacional, es decir, por destacar dentro de sus profesiones. También parte de esta pujanza fue debida a algunas iniciativas, como la famosa Residencia de Señoritas, que tenía el objetivo de fomentar la enseñanza universitaria de las mujeres. La Residencia, que tenía su sede en la madrileña calle Fortuny, había sido fundada en 1915 por la pedagoga María de Maeztu. Asimismo, en el III Congreso de los Sindicatos Libres celebrado en Madrid, en noviembre de 1927, se aprobó el salario mínimo para la mujer y se pidió igual remuneración para ambos sexos en aquellos servicios donde prestaban sus trabajos[1069].

En este contexto de tímidos avances jurídicos y participativos de la mujer -la dependencia del padre y después del marido era casi total- y dentro de estos planteamientos, invitada por el Centro de Hijos de Ceuta, Clara Campoamor pronunció una conferencia sobre el tema `La mujer en el nuevo Código penal`, que hacía referencia a la protección que la ley penal otorgaba a la mujer. La conferenciante, escuchada por numeroso público, tuvo momentos de emotividad y gran delicadeza ante el difícil tema elegido, cosechando atronadores aplausos.

1069 El Telegrama del Rif, 11 de noviembre de 1927.

Presidieron el acto el juez de primera instancia, Joaquín Domínguez, el presidente de la Junta municipal, José E. Rosende, y demás autoridades, concurriendo elementos intelectuales y muchas señoras de la clase alta. Los abogados de la localidad la obsequiaron con un *lunch* en el café Royalty, dedicándole un magnífico ramo de flores. También se organizaron una serie de actos y excursiones para mostrar a la invitada los aspectos y puntos más interesantes de Ceuta y el Protectorado[1070]. Entre estos actos merece la pena subrayar la visita a Tetuán. Invitadas por el abogado Diego Trujillo, llegaron a la capital del Protectorado la abogada madrileña y la profesora de idiomas del Instituto diplomático alemán, Berta Grima, que la acompañaba en el viaje. Allí recorrieron los barrios típicos, visitando algunos palacios musulmanes. Las distinguidas viajeras fueron objeto de muchas atenciones[1071]. Y en otra de las excursiones, al día siguiente de la conferencia, visitaron el campamento de Dar Riffien, del Tercio, y el cuartel González Tablas, del Grupo de Regulares de Ceuta[1072]. Cuando la abogada del colegio madrileño impartió la conferencia, tenía 41 años y estaba en pleno periodo de madurez intelectual y reivindicativa.

Al año siguiente, a principios de junio, otra reconocida intelectual que también estuvo invitada por el Centro de Hijos de Ceuta fue Margarita Nelken. La conferencia que impartió la madrileña versó sobre `El Romanticismo en los países latinos´ (´Las musas del Romanticismo`, según *ABC*); tema muy en consonancia con su sólida formación artística. Al terminar fue muy aplaudida[1073]. Mujer avanzada para la época y poseedora de una cultura vasta, era una magnífica conferenciante. Autora de varios libros y numerosos artículos periodísticos, cuando vino a Ceuta le faltaba un mes para cumplir 36 años.

Ambas conferenciantes, junto a Victoria Kent, serían las tres únicas mujeres elegidas en las Cortes constituyentes en la II República. Entablándose en las citadas Cortes un vigoroso combate dialéctico a favor y en contra del voto femenino. Tanto Victoria Kent como Margarita Nelken se manifestaron en contra, mientras que Clara Campoamor se postuló a favor. Como es sabido, triunfaron las tesis de Clara Campoamor, que mostró, en un memorable discurso, un sólido fuste intelectual.

8. El Domingo de Resurrección

Seguramente que Clara Campoamor, que ya había estado en Ceuta en mayo de 1927 -recordemos el Congreso de Cádiz-, encontraría una ciudad muy animada, pues se estaba cerrando la Semana Santa, que este año contó con la asistencia de numerosos visitantes procedentes, sobre todo, de Tetuán. También visitaron esta ciudad los condes de Jordana, acompañados de numerosas personalidades, que aprovecharon la bondad del tiempo. Igualmente fondeó el buque de guerra francés *Dieppe*, del cual desembarcó una comisión de oficiales que cumplimentó al general García Benítez.

Sin embargo, dos cuestiones van a centrar el final de marzo: la participación de la Legión en los desfiles de Semana Santa de Málaga y la corrida del Domingo de Resurrección.

En cuanto a la participación de la Legión en los desfiles procesionales de Málaga, el presidente de la cofradía del Cristo de Mena se dirigió al alto comisario, general Jordana, pidiéndole que un piquete del Tercio se trasladase a Málaga para dar guardia a dicha imagen en las procesiones de Semana Santa. El general Jordana trasladó la petición al ministro del Ejército, que accedió a la solicitud[1074]. Sin embargo, un fuerte temporal abortó la partida. No obstante, la semilla había quedado plantada. Al año siguiente, el 16 de abril de 1930, a bordo del vapor *Isleño*, partió una compañía con bandera y música al mando del coronel Liniers[1075].

1070 La Libertad, 5 de abril de 1929.
1071 El Telegrama del Rif, 31 de marzo de 1929.
1072 El Imparcial, 3 de abril de 1929.
1073 El Telegrama del Rif, 5 de junio de 1930.
1074 ABC, 24 de marzo de 1929.
1075 El Imparcial, 18 de abril de 1930.

Con respecto a la corrida del Domingo de Resurrección, reinó un gran entusiasmo entre los aficionados, no sólo de Ceuta sino también de los alrededores, pues de Larache, Tetuán y Tánger se solicitaron numerosas localidades[1076]. Y llegó el día esperado, el domingo 31 de marzo se inauguró en Ceuta la temporada taurina de 1929, al igual que lo hacían las plazas andaluzas, como la Maestranza de Sevilla. Con buena entrada y mucha animación se jugó ganado de Gallardo, de Los Barrios, de hermosa lámina y, en general, buenos[1077]. Actuaron Cagancho, legendario por sus actuaciones dispares, Vicente Barrera y Tato de Méjico, que debutaba en esta plaza. El gitano sevillano consiguió un gran éxito con la capa, instrumentando verónicas formidables. Tato resultó muy valiente en quites y con la muleta. Pero, sin lugar a dudas, el gran triunfador fue Barrera, superior en su primero, en el que fue ovacionado y dio la vuelta al ruedo, y mejor aún en su segundo, en el que hizo una gran faena y mató pronto y bien. Hubo ovación, oreja y vuelta. Barrera fue sacado en hombros[1078].

También para los niños el Domingo de Resurrección era un día especial, pues, tras los días de silencio y recogimiento, buscaban latas vacías y las ataban a una cuerda y se iban a rodarlas por las calles, clara manifestación de alegría por la Resurrección de Jesucristo[1079]. En este ambiente festivo, con la presencia del alto comisario, el gran visir y las autoridades de la plaza, se inauguró una importante fábrica de efectos para las industrias marítimas. Asimismo, en el puerto había atracado el vapor alemán *Cervantes* con cientos de turistas, que desembarcaron y recorrieron las ciudades del Protectorado[1080]. Otra grata noticia que llenó de alegría a la ciudad a principios de abril fue que el segundo premio de la Lotería Nacional cayó en Coria, Ceuta y Madrid. En Ceuta, el premio estuvo muy repartido entre obreros y familias modestas[1081], por lo que fue muy celebrado.

Coincidiendo con estos actos, la opinión pública española, y por ende la ceutí, estaba muy pendiente de lo que estaba sucediendo fuera del país. Por un lado, la Junta municipal acordó "Manifestarse ante el Delegado Gubernativo del Excmo. Sr. Alto Comisario de España en Marruecos para expresarle la adhesión a S.M. el Rey y al Gobierno y protestar contra la campaña que en el extranjero se realiza contra España". Por otro, el *Jesús del Gran Poder* había llegado a Brasil a finales de marzo. Ya hemos referido la sensibilidad que había en Ceuta al respecto, por lo que la Junta municipal dirigió un telegrama de felicitación por el vuelo realizado a los aviadores Jiménez e Iglesias[1082]. También la Junta municipal estaba potenciando la Biblioteca municipal, por lo que, consciente del momento, adquirió "a don Enrique Arques doce ejemplares de su obra *Los Mogataces*"[1083], y dos docenas de ejemplares del *Libro de Ceuta*[1084].

9. La visita de la reina María de Rumanía, exploradores y somatén

Ya en abril se le ofreció un banquete por su ascenso al coronel Varela, jefe del Grupo de Regulares de Ceuta[1085]. Y dos días después, el martes 23, a las cinco y cuarto de la tarde, entró en la bahía atracando seguidamente en el muelle de la Puntilla, que se hallaba ricamente exornado, el destructor *Sánchez Barcaiztegui*, que traía a bordo a la reina de Rumanía con motivo de la prolongación del viaje que estaba realizando por España, atraída por la Exposición Iberoamericana de Sevilla. María de Rumanía venía acompañada por su hija, la

---

1076 El Telegrama del Rif, 31 de marzo de 1929.
1077 La ganadería de Ramón Gallardo González era habitual en Ceuta; presentada en Madrid el 6 de julio de 1919, ya había estado en las fiestas patronales de 1920.
1078 La Libertad, 2 de abril de 1929. La Voz, 1 de abril de 1929.
1079 DÍAZ FERNÁNDEZ, María Dolores: Opus cit., p. 106.
1080 La Independencia, 2 de abril de 1929.
1081 La Vanguardia, 3 de abril de 1929. Diario de Almería, 2 de abril de 1929.
1082 BOCCE núm. 137, 18 de abril de 1929. Comisión permanente, 12 de abril de 1929.
1083 BOCCE núm. 130, 28 de febrero de 1929. Comisión permanente, 23 de febrero de 1929.
1084 BOCCE núm. 145, 13 de junio de 1929. Comisión permanente, 7 de junio de 1929.
1085 ATIENZA, Antonio: *Africanistas y junteros. El ejército español en África y el oficial José Enrique Varela Iglesias*, p. 781.

La reina de Rumanía a su llegada a Ceuta. AGCE.

princesa Ileana, la infanta Beatriz, el infante Alfonso de Orleans, el general Athanasescu, y la dama de la reina madre, Irene Procopia. Nieta de la reina Victoria de Inglaterra, había sido esposa del rey Fernando, fallecido en 1927.

En el momento del desembarco, el destructor hizo las salvas correspondientes y desde el monte Hacho se dispararon 21 cañonazos. Los barcos que se hallaban en el puerto hicieron sonar sus sirenas. Aguardaban al pie de la escalerilla el general Jordana y su esposa, el general García Benítez como segundo Jefe, y el presidente de la Junta municipal, José E. Rosende, quien le dio la bienvenida en nombre del pueblo de Ceuta. A continuación revistó a una compañía que le hacía los honores, que posteriormente desfiló ante la egregia visitante.

Terminado el desfile, la comitiva partió en automóviles al chalet de la Residencia del alto comisario, en la Cuesta de Otero. Después de descansar breves momentos, posteriormente marchó al cuartel del Grupo de Fuerzas Regulares Indígenas, donde se había organizado un té en su honor. Tras la visita al cuartel, se dirigió de nuevo a la Residencia dándole escolta una sección de Caballería, que portaba artísticos y vistosos faroles, ofreciendo un aspecto cinematográfico.

El último acto del día estaba reservado al banquete en el palacio municipal, engalanándose como en los días de mayor solemnidad. La guardia municipal, de gala, daba guardia de honor en la escalinata principal. La cena de gala fue ofrecida en el salón principal, que se hallaba espléndido. Acabada la cena, se levantó la reina para dirigirse al salón de la Rotonda, en donde los huéspedes firmaron en el álbum de la Junta municipal, y donde se les obsequió con álbumes conteniendo vistas de Ceuta. Posteriormente se dirigieron al salón de sesiones en donde les fue mostrado el pendón de la ciudad[1086]. Al día siguiente, la reina de Rumanía continuó su visita por el Protectorado.

1086 El Noticiero Gaditano, 25 de abril de 1929.

El mismo día que la reina de Rumanía visitaba Ceuta, el Consejo y tropas de Exploradores celebraron la fiesta de su patrón, San Jorge, estableciendo el campamento en el monte de Ingenieros, donde se dijo una misa de campaña, con asistencia de las autoridades. El delegado gubernativo pronunció un breve discurso de altos tonos patrióticos, ensalzando la institución y procediendo a la imposición de condecoraciones a los exploradores. Merece la pena referir que los Exploradores disponían de un órgano de difusión a través de la revista *La selva africana*[1087].

Cuatro jornadas después, en el Santuario de la Virgen de África, ante un espléndido altar de la Virgen de Montserrat, celebraron los somatenes la fiesta de su patrona con una función religiosa, asistiendo el general segundo jefe, García Benítez, el jefe de la Circunscripción militar, coronel Pignatelli, el delegado gubernativo, comisiones de los cuerpos de la guarnición y Marina, la Junta municipal y autoridades civiles, representaciones, entidades y numeroso público que abarrotaban el templo. Terminada la función los somatenes fueron revistados por el general García Benítez, desfilando ante las autoridades. La música del Tercio amenizó el acto. Asimismo, en el cuartel de González Tablas los suboficiales celebraron un solemne acto para despedir al laureado coronel Varela. El suboficial Guillermo Delagarra, tras un emotivo discurso, le hizo entrega de un valioso bastón de mando. Varela, emocionado y en sentidas frases, agradeció el obsequio[1088].

10. De las cancionistas al cinematógrafo

Mientras la reina de Rumanía continuaba su periplo por las ciudades del Protectorado, en Ceuta, la Junta municipal había iniciado una serie de funciones culturales cinematográficas, con asistencia de los niños de las escuelas. La primera se celebró en el Salón Apolo y asistieron mil alumnos[1089]: "Que por los maestros se expliquen a los niños la significación pedagógica las películas culturales e instructivas de las películas que se proyectan en los cinematógrafos de la ciudad"[1090].

Tanto el citado Salón Apolo, como el Teatro del Rey, eran los dos coliseos por antonomasia de Ceuta; ambos habían sido levantados gracias a los planos del arquitecto municipal Santiago Sanguinetti, siguiendo una tipología de edificación de teatro-cine. En ellos, el arquitecto parte del modelo de los pequeños teatros italianos, con escaso lujo exterior y soluciones a medio camino entre éstos y las salas modernas[1091].

El Teatro del Rey, de la empresa de Juan Gallardo, se inauguró el 31 de julio de 1915. Sanguinetti lo contempló con un amplio patio de butacas, divididas en cuatro grupos, gradillas laterales, palcos, anfiteatro y amplio escenario[1092]. En él se representaban todo tipo de géneros, como zarzuelas, comedias, dramas, varietés y cine, al igual que fue el foro de diversos actos sociales. Según se anunciaba, estaba abierto durante todo el año y era "el centro de reunión de la aristocracia ceutí". Desde abril de 1928 fue su titular Antonio Delgado[1093].

Por su parte, las obras del Salón Apolo empezaron el 9 de junio de 1914 y terminaron el 16 de julio de 1916, celebrándose su apertura el 22 del mismo mes. Fueron dirigidas por el citado arquitecto municipal, siendo el maestro de obras Antonio Jiménez. Este teatro constaba de seis plateas, 450 butacas, 70 delanteras de balconcillos, 20 anfiteatros y 450 entradas generales. Destinado igualmente a zarzuelas, comedias, varietés y cine, la empresa explota-

1087 DÍAZ FERNÁNDEZ, Mª Dolores: Opus cit,. p. 89.
1088 La Vanguardia, 30 de abril de 1929.
1089 ABC, 26 de abril de 1929.
1090 BOCCE núm. 140, 9 de mayo de 1929. Comisión permanente, 27 de abril de 1929.
1091 GÓMEZ BARCELÓ, José Luis: 'El cine en Ceuta', p. 65.
1092 Ídem.
1093 LACASA, Ricardo: 'Un centenario imposible', s.p.

Fachadas del Teatro del Rey y del Salón Apolo, Santiago Sanguinetti. AGCE.

dora del negocio se denominaba Francisco Alcántara y Cía[1094]. Durante esos años los salones y teatros de todo el país se llenaban de incontables espectáculos populares, destacando por encima de todos las "cancionistas", que eran las reinas del escenario. Por los escenarios de los referidos teatros ceutíes pasaron artistas de primera línea, como los Romeu, los hermanos Gómez, los Luxenti, Teresita Pastor, Salcedo Crespo, la Rádium, Dorita Ceprano, Úrsula López, Trío Lara…

Asimismo, debido a la expansión urbanística que se estaba viviendo en el Campo Exterior, sobre todo en las barriadas del Príncipe Alfonso, Hadú y General Sanjurjo, en septiembre de 1928 se inauguró el Hadú Cinema. Francisco Palma García, domiciliado en la calle García núm. 9, solicitó, como representante de la Compañía Regular Colectiva de Espectáculos, la construcción de un cinematógrafo público. El proyecto, firmado por Sanguinetti en marzo de 1928, consistía en un edificio exento que constaba de seis plateas con diez sillas cada una, cuatrocientas quince butacas de preferencia y doscientas entradas generales. En agosto de 1928 ya se habían superado todos los trámites, pudiéndose inaugurar, tal y como se ha referido, al mes siguiente.

Como se ha visto, a medida que avanzaban los años veinte cada vez tenía más protagonismo el cine, que empezó a convertirse en un espectáculo de masas, compitiendo firmemente con las actuaciones en directo. Normalmente se proyectaban películas norteamericanas – denominadas "yan-kees"-, pues los estudios de Hollywood de Los Ángeles copaban gran parte del negocio. No obstante, algunos protagonistas españoles también atraían a un numeroso público, como, por ejemplo, Raquel Meyer, que en 1923 rodó *Violetas Imperiales* en su versión muda -en 1932 rodaría la versión sonora-, proyectada en el Salón Apolo en junio de 1924. La actriz aragonesa se había convertido en un verdadero icono del cine español, que rivalizaba con las grandes actrices norteamericanas.

También hubo algunos cines al aire libre, que normalmente se instalaban sobre solares vacíos, como El Patio, que en 1926 se anunciaba como "Gran cinema de verano"[1095]. Unos años atrás, en 1922, Juan Francisco Jiménez Atienza, propietario del Cabaret Cantante, obtuvo autorización para montar un cine al aire libre, desde Corpus Christi a noviembre, en el solar de la antigua Pescadería, que había sido derribada en 1912, –donde hoy se ubica la Casa Trujillo-. Damián Sala Gavarrón también conseguiría otro tanto en 1928, en el baluarte del

---

1094 ABC, 12 de febrero de 1918.
1095 Marruecos Gráfico, 29 de agosto de 1926.

Cristo[1096]. Y al año siguiente, la Junta municipal autorizó a Antonio Nadal para instalar un cine durante la temporada de verano en un solar de la calle Teniente Arrabal[1097]. Tampoco nos podemos olvidar de las películas que se proyectaban en la avenida Villanueva (actual Victori Goñalons) durante las fiestas patronales de agosto, patrocinadas por la Junta municipal. Como vemos, estos cines de verano se habían convertido en una atracción muy popular; atracción que quedaría enraizada en la ciudad a lo largo de décadas. Actrices como Theda Bara, Mary Pikford, Luise Brooks o Gloria Swanson, o actores como Charles Chaplin, Buster Keaton, el Gordo y el Flaco o Rodolfo Valentino, hacían la delicia de los espectadores. Mientras, el cine español alcanzó su gran éxito con *Nobleza baturra*, que en 1926 llenó las más de mil cuatrocientas salas que había por entonces en el país.

Por otro lado, aunque el cine sonoro comenzó su andadura en Estados Unidos en 1927 con la producción de la Wagner Bros *El cantor de Jazz*, las películas que se proyectaban por aquellos años en Ceuta eran mudas y en blanco y negro, a veces acompañadas de música en directo. No obstante, a finales de marzo de 1929 William Fox anunciaba que la Compañía Fox Film Corporation iba a producir exclusivamente películas habladas o musicales, para lo cual había contratado a doscientos artistas de Brodway con el claro objetivo de transformar Hollywood "en un centro internacional para directores de escena, actores, bailarines, comediantes y autores"[1098]. También en España se grabaron a finales de 1929 dos películas sonoras: *Fútbol, amor y toros* y *Puerta del Sol*. La primera en estrenarse fue *Fútbol, amor y toros*, en el Teatro de la Zarzuela, el 7 de enero de 1930. Dirigida por Florián Rey, contó con Blanquita Rodríguez y Ricardo Núñez como principales protagonistas.

En definitiva, durante el periodo primorriverista se asentó el cine en España como espectáculo de masas, a la vez que nació al final de este periodo el cine sonoro. Aunque todavía se rodaba en blanco y negro, se había evolucionado de la estética de la fotogenia, con recurrentes primeros planos y luces muy contrastadas para acentuar el expresionismo mímico, a la de la naturalidad y la calidez de la voz. Todo este cambio ha quedado reflejado en sendas obras de arte: en la mítica tragedia *El crepúsculo de los dioses* (1950), de Billy Wilder con William Holden y la citada Gloria Swanson como principales protagonistas, donde la actriz de Chicago encarna la propia metáfora de la decadencia del cine mudo, y en la ya clásica *Cantando bajo la lluvia* (1952), de Stanley Donen y Gene Kelly, donde el sinsentido de este cine se muestra a través de un humor lacerante.

11. El parque de San Amaro

Otro centro de ocio de gran popularidad en Ceuta eran los jardines o parque de San Amaro, que se publicitaba en las revistas de los años veinte como "Parque de atracciones, hermosos jardines, cine y varietés"[1099]. Situado a los pies del monte Hacho, frente a la playa del mismo nombre, el parque tenía justa fama de ser beneficioso para la salud por la paz que emanaba debida a una temperatura ideal, fomentada por su disposición geográfica, su abundante agua, frondosa flora y variada fauna, sobre todo ornitológica. Levantado en el siglo XIX, era un verdadero remanso de paz para el espíritu de los ceutíes, al estar situado en un pequeño y recogido valle resguardado de los vientos y alejado de los ruidos de la urbe.

Y en la entrada de este singular enclave, en el mes de junio de 1925 se inauguró un parque de espectáculos. En un principio, el Ayuntamiento fue "felicitadísimo por esta mejora"[1100]. El nuevo parque de atracciones ofrecía "Secciones cinematográficas con las películas de más fama mundial, una gran pista de patinaje, música durante la tarde y noche, bailes, una

1096 GÓMEZ BARCELÓ, José Luis: Opus cit., p. 66.
1097 BOCCE núm. 150, 18 de julio de 1929. Comisión permanente, 4 de julio de 1929.
1098 El Telegrama del Rif, 31 de marzo de 1929.
1099 Marruecos Gráfico, 29 de agosto de 1926.
1100 ABC, 17 de junio de 1925. El Siglo Futuro, 17 de junio de 1925.

admirable cocina, y todas clases de bebidas". Eran los concesionarios Lillo y Ángel Ruiz Enciso. Además, se convirtió en el centro de las veladas pugilísticas ceutíes, pues el boxeo se había erigido en uno de los deportes favoritos de los españoles. Buena culpa de ello la tuvo Paulino Uzcudun, pugilista guipuzcoano que se había proclamado en 1926 campeón de Europa de los pesos pesados, en una memorable velada que tuvo lugar en Barcelona. Con estos precedentes no era raro que se ofrecieran combates. En enero de 1927, por ejemplo,

Anuncio publicitario del Parque de Atracciones San Amaro. AGCE.

los pugilistas Fausto y Peña, tomaron parte en un *match* de boxeo, cuyos productos se destinaron a la viuda y cinco hijos del infortunado obrero Domingo Lozano García, que había perdido la vida cuando transportaba al muelle de la Puntilla una caja de explosivos para el Ejército[1101]. Y el 15 de mayo de ese mismo año tuvo lugar el sonado combate ya referido entre el campeón madrileño Ruiz y Félix Sadoun, campeón militar de Francia. El encuentro, que estaba previsto a doce 'rounds' de tres minutos[1102], fue ganado por el español.

Pero además de estos eventos, el parque de atracciones fue cogiendo cierta fama por la presencia de un cabaret. Sobre la utilización de los jardines de San Amaro con fines de exhibición de "cines y varietés", Juan Ortega Costa, tras hacer una alabanza sobre los jardines introducidos por los Borbones en España, señalaba en el verano de 1927: "Desde que la estatua [de Carlos IV] entró por la puerta de San Amaro debió haberse conservado el jardín como quedaba, con esmero, pero con respeto, sin descuidos, pero sin celos excesivos, evitando las innovaciones, que no siempre convienen a una obra concluida ya. […] Ceuta, que tiene su jardín, no sabe sacar de él todo el provecho. Ha consentido que le pongan un disfraz de cupletista barata con postizos horribles. Y es una pena"[1103].

Con respecto a la desaparecida estatua de Carlos IV, un suplemento de la *Gaceta de Madrid* de 14 de noviembre de 1794 dice: "en el año de 1789 el esmero de su Gobernador el Teniente General Conde de las Lomas, en la aplicación de un arbitrio extraordinario, destinándolo a una magnifica estatua, que hizo traer de Génova, de mármol blanco de Carrara, de 7 pies y 4 pulgadas de alto, y que representa a S. M. en pie, adornado con las Reales insignias de manto y cetro".

Volviendo a la polémica que se había suscitado en la sociedad ceutí por el mantenimiento del parque de atracciones; estas críticas tan severas provocó que en la permanente del 7 de septiembre de 1929 se aprobase un dictamen de la Secretaría proponiendo la rescisión del arriendo de los jardines de San Amaro, "que hace varios años fue hecho a una sociedad, la cual instaló allí un cabaret"[1104].

12. Cabarés y prostíbulos

Los cabarés eran un tipo de evasión muy popular de aquellos años, y en Ceuta proliferaron por doquier, como, por ejemplo, el Salón Varietés de la calle Peligros núm. 3, que anunciaba "super-tango desde las diez de la noche en adelante", el citado Cabaret Cantante, en la calle Peligros núm. 5; La Hungarita, en el número 15 de la misma calle; el Cabaret Kursaal, el referido del parque de San Amaro o el Salón Olimpia de Hadú, que se anunciaba con "orquesta dirigida por el maestro Monrea, con 15 hermosas señoritas de Antonio Gallardo". Como es sabido, el término cabaré se utiliza para designar aquellos establecimientos que funcionan principalmente durante la noche que se caracterizan por servicios y espectáculos para adultos. Como es natural, los había de todo tipo y categorías, dependiendo del poder adquisitivo del cliente.

Con respecto a la prostitución, en el Capítulo XXV de las ordenanzas municipales "Profilaxis venéreo-sifilítica" se contemplan ocho artículos, desde 1004 hasta el 1011. Interesante el Artículo 1010, "Con arreglo al Convenio Internacional para represión de la Trata de blancas, celebrado en París en 4 de Mayo de 1910, se prohíbe terminantemente y será castigada toda persona que reclute, induzca o desencamine una mujer joven mayor o menor para la prostitución, aunque sea con su consentimiento".

1101 El Telegrama del Rif, 18 de enero de 1927.
1102 La Libertad, 19 de abril de 1927.
1103 África, Revista de Tropas Coloniales, 1 de julio de 1927.
1104 El Telegrama del Rif, 8 de septiembre de 1929.

Cabaret Cantante, calle Peligros. Cortesía de Rafael Pleguezuelos González.

La dedicación de un capítulo completo en las ordenanzas municipales a este tema era claramente indicativo del problema que se vivía en la ciudad. Que proliferaran cabarés y prostíbulos no era raro en la década de los veinte del siglo pasado. Veamos la población de Ceuta de finales del periodo primorriverista:

Reparto por edad y sexo de la población ceutí en el año 1930

Edad	Varones	%	Mujeres	%
0-14	6.274	12,39	6.137	12,09
15-24	12.761	25,21	3.876	7,67
25-54	11.409	22,54	7.085	14,24
55-64	772	1,52	946	1,87
65+	427	0,85	607	1,19

Fuente: GORDILLO OSUNA, Manuel: *Geografía urbana de Ceuta*, p. 72. VELASCO AURED,
    Álvaro: 'Aspectos de la educación popular en el directorio', p. 53.

Estas cifras delatan datos bastantes significativos. Así, la suma de todos los varones comprendidos entre 15 y 54 años representaban 24.170 individuos, o lo que es lo mismo el 47,75% de la población; por su parte, la suma de mujeres comprendidas entre los 15 y 54 años ascendía a 10.961, el 21,91%. En definitiva, en el tramo de edad comprendido entre 15 y 54 años por cada mujer había en Ceuta en 1930 casi 2,18 varones. Ahora bien, si observamos en tramo entre 15 y 24 años, la ratio aumenta sustancialmente, pues por cada mujer había 3,29 hombres.

En verdad, eran cifras inasumibles para que existiera cierta paz social. A todo ello hay que recordar que entre 1923 y 1927 arribaron a Ceuta más de trece mil buques y embarcaciones de todo tipo. Y tampoco podemos olvidar el trasiego de soldados que transitaban hacia el Protectorado o hacia la Península.

Esta gran desproporción entre hombres y mujeres jóvenes hacía que hubiera una gran demanda de estos establecimientos; así que la proliferación de cabarets, casas de citas y mancebías era más que significativa. Al igual que abundaban las fondas baratas para dar servicio a la prostitución callejera, a pesar de su prohibición: "Art. 1007.- Se prohíbe a las mujeres públicas; atraer a los transeúntes por medio de palabras, gestos o de otro modo cualquiera; admitir en sus casas jóvenes menores de diez y ocho años; y presentarse en público con trajes o maneras que produzcan escándalo".

En cuanto a los prostíbulos censados por las autoridades municipales, acudimos a los datos que ofrece José Antonio Alarcón de principios de 1930:

Ubicación y número de prostíbulos

Ubicación	Número
Peligros	27
Berría Alta	21
Pasaje Recreo	6
Hadú	4
Serrano Orive	1
Riego	1
López Pinto	1
Molino	1
Recinto	1
Almadraba	1
Carretera de Tetuán	1
Total	65

Fuente: ALARCÓN CABALLERO, José Antonio:
'La dictadura de Primo de Rivera y la transición
a la República', p. 307.

Anuncio publicitario del Salón de Varietés.

Como se puede observar, muy significativa era la abundancia de estos establecimientos en la calle Peligros y en el barrio de la Berría Alta, en la zona de la plaza de Azcárate, que con 48 locales representaban casi el 74% del total, por lo que no era raro que apareciera en la prensa algún que otro incidente en dichos lugares y calles adyacentes.

Estos locales estaban censados en tres categorías, estando obligados a pasar dos desinfecciones municipales anuales[1105]. Según el presupuesto de ingresos para el ejercicio 1924-1925, se consideraban de primera clase los que cobraban 10 pesetas o más por visita; de segunda,

---

1105 ALARCÓN CABALLERO, José Antonio: 'La dictadura de Primo de Rivera y la transición a la República', p. 308.

de 5 a 9 pesetas por visita; y de tercera, menos de cinco. Asimismo, pagaban sus respectos impuestos mensualmente dependiendo de si eran casa de mancebía, en sus tres clases (150, 125 y 100 pesetas, respectivamente), o casa de citas (200 pesetas)[1106]. Por otro lado, no disponemos de datos de la prostitución no censada, que indudablemente multiplicaría este lucrativo negocio.

Toda esta vorágine dio lugar a la trasmisión y proliferación de enfermedades venéreas, como la sífilis, la gonorrea o la clamidia, entre otras. Conocedoras las autoridades municipales del grave problema, se decidió habilitar un sifilicomio en San Amaro, que estaba en obras en noviembre de 1925, aunque en abril de 1928 se solicitaba "de la superioridad la cesión a este municipio de terreno para la construcción de un Sifilicomio"[1107]. Por otro lado, y producto de esta lacra, se fue formando una bolsa de mujeres, ya ajadas por el paso del tiempo, con severos problemas sanitarios y sociales.

13. Nueva visita pastoral e inauguración de la capilla y las escuelas de la barriada del Príncipe Alfonso

A primeros de abril se aprobó la recepción definitiva de las obras de pavimentación realizadas en el mercado público, así como las obras de balaustrada y urbanización efectuada en el jardín de Prim; al igual que se concedió una subvención de 200 pesetas vez al periódico de Madrid *Informaciones* por la que publicaba sobre esta ciudad[1108].

Y a final de mes, el día 30, llegó al obispo de Cádiz acompañado de su secretario y del deán de la catedral de Ceuta, José Casañas, que fue a esperarlo a Algeciras. En el muelle lo recibieron representaciones de todos los estamentos y asociaciones benéficas. El prelado, después de los saludos y las presentaciones, marchó al antiguo palacio episcopal. Era la cuarta visita que realizaba. Durante su estancia tuvo una apretada agenda. El día 2 de mayo visitó el Colegio de las Madres Misioneras, donde tuvo lugar por la mañana el acto de la confirmación de los niños de dicho Centro, también bendijo un copón, regalo de las antiguas

Inauguración de la capilla de San Ildefonso. AGCE.

alumnas al citado colegio[1109]. El día 3 estuvo en Tetuán. Allí, acompañado por el presidente de la Junta municipal de Ceuta, coincidió con el obispo de Gallipoli. Ambos prelados cumplimentaron al alto comisario, quien los invitó a almorzar[1110]. El día 4 administró el sacramento de la confirmación a los niños de las escuelas del monte Hacho. Y el día 5 se procedió a la inauguración de la capilla y las escuelas de la barriada del Príncipe Alfonso. A las seis de la tarde bendijo la iglesia de nueva construcción. El obispo, de pontifical, fue acompañado durante la ceremonia por el vicario general, Cabildo de la catedral, clero castrense, agustinos, asociaciones religiosas, Junta de Damas y autoridades. Después de las ceremonias de

1106 AGCE. Caja 84/7. Expediente 1630/3. Presupuesto ordinario 1924-1925, folio 28.
1107 BOCCE núm. 84, 26 de abril de 1928. Comisión permanente, 14 de abril de 1928.
1108 BOCCE núm. 136, 11 de abril de 1929. Comisión permanente, 1 de abril de 1929.
1109 La Vanguardia, 1 de mayo de 1929. El Telegrama del Rif, 3 de mayo de 1929.
1110 La Opinión, 4 de mayo de 1927.

Monseñor Marcial López Criado con los niños de la barriada del Príncipe. AGCE.

ritual, pronunció una plática haciendo historia de la gestación de la obra. Terminó dando la bendición a los fieles que llenaban el templo. El comandante de ingenieros Juan Rech fue felicitadísimo por el acierto y belleza de la construcción. Una banda militar amenizó el acto. Y al día siguiente, el obispo ofició la primera misa de comunión general, obsequiándose con un desayuno a los niños de las escuelas de la barriada[1111].

Sobre la construcción de estas escuelas, especial interés y empeño puso la Junta de Damas organizando actos benéficos[1112]. Este esfuerzo quedaría recompensado con la aprobación por parte del alto comisario de la creación de dos escuelas unitarias en dicha barriada[1113]. Asimismo, la Junta municipal concedió un donativo de 3.928 pesetas "al patronato de señoras constituido para la instalación de escuela y capilla del Príncipe Alfonso", "importe a que han ascendido estas obras"[1114].

14. Las grandes exposiciones: la Iberoamericana de Sevilla y la Internacional de Barcelona

El mes de mayo de 1929 fue un mes realmente hermoso y brillante para España. Dos grandes exposiciones se inauguraron durante aquel mes: la Exposición Iberoamericana de Sevilla y la Exposición Internacional de Barcelona. Entre ambas inauguraciones el cumpleaños del rey, que coincidía con su vigésimo séptimo aniversario de su entronización. Sin lugar a dudas el mes de mayo de 1929 y el de septiembre de 1925, fueron de los meses más radiantes de la época primorriverista.

En Ceuta, estos acontecimientos se vivieron con muchísima ilusión, sobre todo la Exposición Iberoamericana de Sevilla, no sólo por su cercanía y afinidad, sino también por las expectativas turísticas que había levantado. Así, por ejemplo, la Compañía

---

1111   La Vanguardia, 7 de mayo e 1925.
1112   La Voz 11 de junio de 1928.
1113   BOCCE núm. 124, 17 de enero de 1929. Comisión permanente, 29 de diciembre de 1928.
1114   BOCCE núm. 140, 9 de mayo de 1929. Comisión permanente, 27 de abril de 1929.

Trasatlántica Española ofertó un crucero en el "yatch de lujo Reina María Cristina" visitando Sevilla, Ceuta y Tetuán, con salida de Barcelona el 6 de abril de 1929, regresando a la ciudad condal el 28 del mismo mes.

Por otro lado, en una época de revitalización de las fiestas populares, no podía faltar la fiesta de la Cruz de Mayo, fiesta típica en todos los patios. Las familias, de manifiesta ascendencia andaluza, se afanaban en adornarlos con plantas y colgaduras de colores, organizándose fiestas y bailes animadísimos[1115]. Eran familias modestas, que utilizaban macetas y coloridos mantones para adornar las cruces. También, a finales del mismo mes, se celebró el banquete de la Asociación de la Prensa y de confraternidad y afirmación patriótica. Al final el periodista más veterano, Vicente Mendoza, ensalzó la labor del presidente local y rindió homenaje al presidente de la Asociación, Antonio Micó, por haber conseguido la unidad periodística y el progreso moral y material de los periodistas. Contestó el presidente que la unión de periodistas debía manifestarse respondiendo a la iniciativa del marqués de Luca de Tena, relativa a la fundación de la Casa Nazareth, y que se debía testimoniar el agradecimiento a la condesa de Jordana, que había aceptado la presidencia de la Junta local de la suscripción para dicha institución benéfica[1116].

15. La romería de San Antonio

Tras el homenaje a Antonio Micó, el mes de junio se presentó con numerosos actos. En un principio se disputó el trofeo Marañés, venciendo el equipo de Ceuta al del Serrallo, por tres a uno[1117], y el jueves 13 se retomó con más vigor si cabe la tradicional romería de San Antonio. Según cuenta Alejandro Sevilla Segovia en su libro *San Antonio de Padua de la Almina en Ceuta (Monte Hacho)*, San Antonio no nació en Padua sino en Lisboa entre los años 1190 y 1195. En cuanto a la imagen que se conserva en la ermita de Ceuta es de estatura más bien mediana, va vestida de sencillo hábito franciscano con blanco cordón, y en una de sus manos sostiene, a la altura del pecho, un Niño Jesús de recia talla. Sobre su tonsa cabeza figura una aureola de plata, símbolo de la santidad. Según el mismo autor, "Acerca de la antigüedad y origen de esta hermosa imagen nada o muy poco hemos podido averiguar", aunque la imagen del Santo "existía ya en su Ermita en el año 1588".

La ermita de San Antonio. AGCE.

Con respecto al origen de la ermita, el propio Alejandro Sevilla señala: "Es verosímil que la Ermita de San Antonio en el Monte Hacho de Ceuta se edificara en los primeros años después de la conquista". Dos razones apunta para que así sea: "la naturaleza de los conquistadores" y que "los capellanes de la flota que los acompañaron pertenecían a la orden franciscana, a la que San Antonio también pertenecía"[1118].

1115 DÍAZ FERNÁNDEZ, Mª Dolores: *Recuerdos y vivencias de la tercera edad en Ceuta*, pp. 106 y 107.
1116 ABC, 29 de mayo de 1929.
1117 El Telegrama del Rif, 13 de junio de 1929
1118 SEVILLA SEGOVIA, Alejandro: *San Antonio de Padua de la Almina en Ceuta (Monte Hacho)*, pp. 11-21.

Unos días antes de la romería, en la permanente del 24 de mayo, se había acordado "Invitar al Centro de Hijos de Ceuta para que, con la ayuda de la Corporación, organice las tradicionales verbenas en las inmediaciones de la ermita, existente en el monte Hacho"[1119]. Y el Centro de Hijos de Ceuta recogió el guante rápidamente encargándose de su organización. Para darle más realce se nombraron presidentas de honor a María del Carmen Prats,

condesa de Jordana, a María Moreno y a Elvira Gutiérrez de la Torre, esposas del coronel Aguilar y del general Millán Astray, que concurrieron a la romería acompañadas de sus familias. Cabe recordar que adosada a la parte trasera de la ermita se encontraba la residencia de verano del comandante general.

Para difundir los actos que iban a tener lugar tan señalado día, se editó un atractivo programa-recordatorio, por lo que levantó una extraordinaria animación entre los ceutíes. El referido programa reza así:

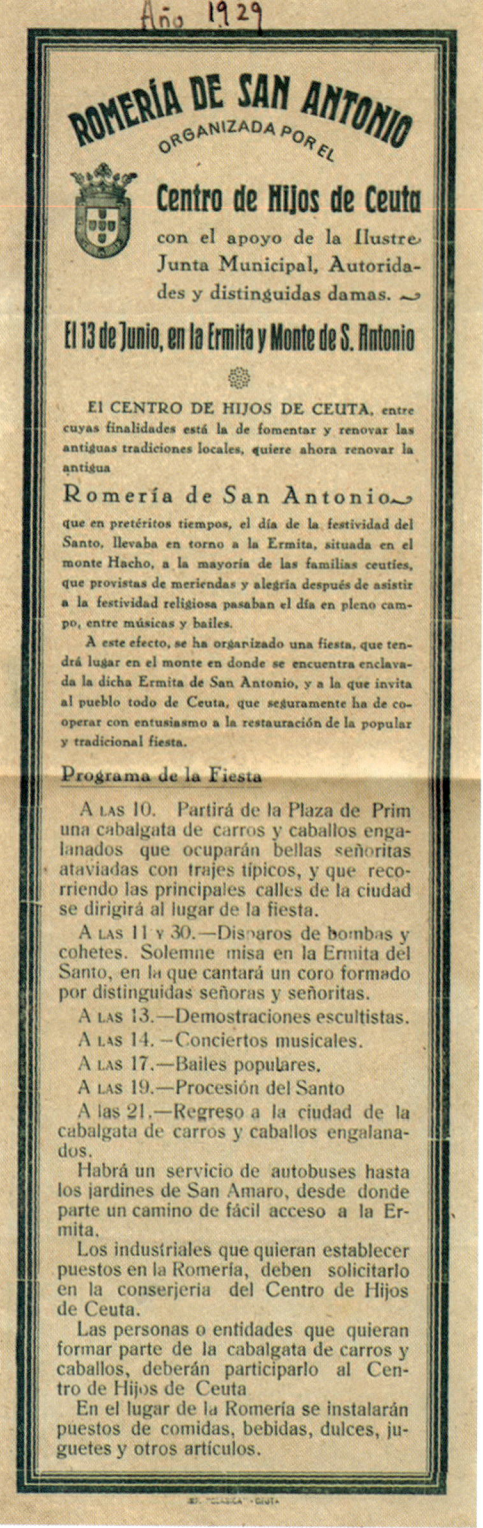

Programa de la romería de San Antonio de 1929. AGCE.

"Romería de San Antonio

Organizada por el **Centro Hijos de Ceuta** con el apoyo del Ilustre Ayuntamiento, Autoridades y distinguidas damas.

El 13 de Junio, en la Ermita del M. San Antonio

Romería de San Antonio que en pretéritos tiempos, el día de la festividad del Santo, llevaba en torno a la Ermita, situada en el monte Hacho, a la mayoría de las familias ceutíes, que provistas de meriendas y alegrías después de asistir a la festividad religiosa pasaban el día en pleno campo, entre músicas y bailes.

A este efecto, se ha organizado una fiesta, que tendrá lugar en el monte donde se encuentra enclavada la dicha Ermita de San Antonio, y al que invita al pueblo todo de Ceuta, que seguramente ha de cooperar con entusiasmo a la restauración de la popular y tradicional fiesta.

Programa de la Fiesta

A las 10. Partirá de la Plaza de Prim una cabalgata de carros y caballos engalanados que ocuparán bellas señoritas ataviadas con trajes típicos, y que recorriendo las principales calles de la ciudad se dirigirá al lugar de la fiesta.

A las 11,30. Disparo de bombas y cohetes. Solemne Misa en la Ermita del Santo, en la que cantará un coro formado por distinguidas señoras y señoritas.

A las 13. Demostraciones escultistas.

A las 14. Conciertos musicales.

1119 BOCCE núm. 144, 6 de junio de 1929. Comisión permanente, 24 de mayo de 1929.

A las 17. Bailes populares.

A las 19. Procesión del Santo.

A las 21. Regreso a la ciudad de la cabalgata de carros y caballos engalanados.

Habrá un servicio de autobuses hasta los jardines de San Amaro, desde donde parte un camino de fácil acceso a la Ermita.

Los industriales que quieran establecer puestos en la Romería, deben solicitarlo en la Conserjería del Centro de Hijos de Ceuta.

Las personas o entidades que quieran participar en la cabalgata de carros y caballos, deberán participarlo al Centro de Hijos de Ceuta. En el lugar de la Romería se instalarán puesto de comidas, bebidas, dulces, juguetes y otros artículos"[1120].

16. La supresión del regimiento del Serrallo n.º 69 y la Casa de Nazareth

Los festejos populares quedaron ensombrecidos en parte por la noticia de la supresión del regimiento de Infantería del Serrallo n.º 69 (Real Orden de 10 de junio de 1929). Durante el resto del mes miles de soldados y muchas familias salieron de Ceuta a sus nuevos destinos. El regimiento del Serrallo, que tuvo como último jefe al coronel Cándido Sotelo, estaba basado en el cuartel del Rebellín. También en Caballería, el regimiento de Alcántara, que había sido refundido en 1927, iba a tener uno de sus grupos en Ceuta-Tetuán, con destacamentos en Larache[1121]. La dolorosa noticia suponía un duro contratiempo para la población y la economía local.

Por otra parte, ya vimos cómo durante el homenaje que la Asociación de la Prensa de Ceuta hizo en el mes de mayo a su presidente, Antonio Micó, éste aludió a la condesa de Jordana y su relación con la Casa de Nazareth. Cuando falleció Torcuato Luca de Tena, el fundador de *ABC* y *Blanco y Negro,* cedió a su esposa, Esperanza García de Torres, un capital con el fin de que se construyese y sostuviese una residencia donde las huérfanas de periodistas y de empleados de obreros de la Prensa que lo necesitaran, pudiesen seguir estudios y se preparasen para afrontar la lucha por la vida. La escritura de fundación tendría lugar el 24 de enero de 1930, acabándose la construcción de la obra a finales de 1932[1122].

Desde el primer momento, la condesa de Jordana estuvo muy interesada en colaborar con la citada Asociación, y, en principio, patrocinó dos festivales benéficos, uno en Tetuán y otro en Ceuta.

El de Tetuán tuvo lugar a mediados de junio. El teatro presentaba deslumbrador aspecto, realzado por la interpretación de la compañía de Margarita Xirgu, que puso en escena la comedia de Jacinto Benavente *Rosas de Otoño.* El acto contó también con la asistencia del jalifa[1123].

Unos días después, en el Teatro del Rey se celebró una función que contó de nuevo con presencia de la condesa de Jordana, siendo recibida a los acordes de la Marcha Real y obsequiada con flores por los periodistas. El teatro presentaba un brillantísimo aspecto, ocupando las localidades principales lo más granado de la sociedad ceutí. La Sociedad Álvarez Quintero representó la comedia *Cobardías,* de Linares Rivas; el periodista señor Guillis leyó unas bellas cuartillas alusivas al acto; el quinteto Alcalá Galiano interpretó un excelente programa de concierto; y el cuadro artístico del Liceo Español representó la zarzuela *Alma de Dios,* de Arniches, García Álvarez y Serrano. El éxito artístico de tan apretado y denso programa fue completo[1124].

1120 AGCE. Festejos.
1121 Diario Oficial del Ministerio del Ejército nº 126, 12 de junio de 1929, p. 663.
1122 Blanco y Negro, 19 de abril de 1958.
1123 El Telegrama del Rif, 19 de junio de 1929.
1124 La Correspondencia Militar, 27 de junio de 1929.

Y el 11 de agosto apareció esta noticia en *ABC*: "La Asociación de la Prensa nos envía la siguiente nota: 'El presidente de la Asociación de la prensa de Ceuta, don Antonio Micó, ha remitido a la Junta gestora de la Fundación Luca de Tena, la Casa de Nazareth, un cheque de 12.995 pesetas, […] En las 12.995 pesetas van incluidas las 1.000 pesetas con que se ha suscrito la Asociación de la Prensa de Ceuta"[1125].

Abundando sobre esta cuestión, al año siguiente, en marzo de 1930, la susodicha Asociación volvería a celebrar un nuevo festival a beneficio de la Casa de Nazareth, que tendría también como marco el Teatro del Rey, contando nuevamente con la presencia de la condesa de Jordana. Durante el acto, el presidente de la Asociación de la Prensa de Ceuta entregó a la citada condesa el título de presidenta de honor de la Asociación[1126].

17. El Ropero de Santa Victoria

También la condesa de Jordana presidía las directivas del Ropero de Santa Victoria de Ceuta, fundado en 1914, y Tetuán. Por tal motivo, en el mes de junio se celebró una reunión de ambas directivas aprobándose la memoria del año anterior, felicitándose del resultado obtenido por la distribución de muchos miles de prendas entre los pobres. Igualmente se leyó una carta de la reina, acompañando otra del Pontífice en que le daba bendición apostólica al citado Ropero[1127]. Ese mismo verano, durante las fiestas patronales del mes de agosto, tuvo lugar un festival en el Teatro del Rey a favor del Ropero.

El Ropero hacía la campaña principalmente en Navidades, cuando los fríos son mayores e intensos. Era un periodo en el que se animaba a los que más tenían a cumplir caritativamente con los menos favorecidos. Según Domingo Imanol, la asistencia social recaía con más o menos implicación en los municipios, la Iglesia y en las clases más favorecidas, que consideraban una obligación poner en práctica las directrices evangélicas y ayudar al que lo necesitara. Lo concebían como un acto de justicia, de caridad y, todo hay que decirlo, como un convencionalismo social más, puesto que, si desde la más alta instancia del país, la Corona, se animaba a poner en práctica ese tipo de actuaciones benéficas, no quedaba más remedio que cumplir. De algún modo, ser caritativo para los integrantes de las clases altas era una cualidad o virtud inherente al lugar que ocupaban en la escala social. Cuanto más arriba, la entrega a las actividades benéficas debía de ser mayor. Y en todo esto destacaban las mujeres, mejor dotadas para la ayuda social[1128].

Veamos una muestra, en diciembre de 1924, en plenas fiestas navideñas, en la Comandancia General la Junta de Damas del Ropero de Santa Victoria, presidida por Mª Cristina Morenés, baronesa de Casa Davalillo, repartió "con profusión, ropas y otros efectos a todos los pobres de la localidad"[1129]. Como es natural, la Junta municipal también colaboraba con el Ropero mediante la concesión de donaciones en metálico.

18. Fiestas en la Marina

Además de la exitosa función del Teatro del Rey, también se celebraron otros actos lúdicos, como fue una corrida de novillos, con la participación de los hermanos Bienvenida[1130], o la instalación por cinco días del circo de Mix Roxana en la plaza de la Constitución[1131]. Pero quizá lo más interesante fueron los actos organizados por los vecinos, los días 22, 23 y 24 de junio, "con el fin de celebrar con fiestas y verbenas la terminación del pavimento que embellece toda la marina", "que corresponde a los días de San Juan".

1125 ABC, 11 de agosto de 1929.
1126 ABC, 20 de marzo de 1930.
1127 ABC, 22 de junio de 1929.
1128 IMANOL VILLA, Domingo: 'El ropero de Santa Victoria'. s.p.
1129 La Vanguardia, 28 de diciembre de 1928.
1130 El Telegrama del Rif, 15 de junio de 1929.
1131 BOCCE núm. 147, 27 de junio de 1929. Comisión permanente, 21 de junio de 1929.

Según el programa de actos, la verbena se inauguró el día 22 a las nueve de la noche, disparándose bombas y cohetes; a las 10 de la noche la banda de los Exploradores "recorrerá las calles Alfau, Conrado Álvarez, Galea, García, López Pinto y Clavijo, quedándose después en la Marina donde dará un concierto y baile público". A las 24 horas apertura de la tómbola destinada a fines benéficos, luciendo toda la Marina espléndida iluminación, momentos después elevación de globos y sesión de fuegos artificiales.

El día central, el 23, estuvo repleto de actividades, que comenzaron a las siete de la mañana con la música de los Exploradores "que tocarán alegres dianas", cerrándose la jornada a las 23 horas con elevación de globos y disparo de cohetes. Entre medio un sinfín de actos. A las 8 de la mañana, carrera pedestre desde la calle Alfau hasta Valdeaguas y regreso, con un importante premio al ganador de la carrera. A las 10, partido de fútbol entre los equipos infantiles Cagancho C. F. y Virutita S.C., en el campo del Picadero. A las 16, concurso "hípico" desde la calle Alfau hasta la de Riego, en el que "tomarán parte todos los burros y burras del distrito", "el recorrido será montado el jinete en pelo, sin cabezada ni bridas", efectuándose las inscripciones en la oficina de la Fábrica de Chocolates, López Pinto, 60. A las 17, cucañas con magníficos premios. A las 18, concurso de ollas y sartenes con sorpresas y regalos para los chiquillos del barrio. A las 21, iluminación y concurso de bailes con patines habiéndose designado un gran premio para la pareja vencedora. A las 22 concierto de música y sesión de cinematógrafo.

Los actos del día 24 estaban previstos que comenzaran a las 18 horas con carreras de sacos para los chiquillos del barrio, disputándose la caza de gallos y gallinas. A las 19 concurso de baile charleston "con un premio a la pareja que más se distinga". A las 21, espléndida iluminación y nueva sesión de cine. A las 22, última noche de verbena amenizada por la banda de los Exploradores y piano de manubrio, con iluminación especial instalado a la veneciana. Durante la verbena "habrá un jurado encargado de proclamar reina del barrio a la señorita más guapa y después de ser proclamada paseará en coche por toda la marina, también habrá un concurso de mantones de manilas con un premio asignado al más lujoso".

En la nota se señalaba que la tómbola se instalaría con todo lujo en la fachada de la Tipografía Olimpia, quedando todo el pueblo de Ceuta invitado, al igual que se anunciaba la instalación de un café-bar y una churrería[1132].

19. Intento frustrado, rescate afortunado e ingleses en Ceuta

Muy comentado fue a finales de junio el episodio frustrado de cruzar en hidroavión el Atlántico Norte, con la siguiente ruta: Los Alcázares-Nueva York-Washington-Terranova-Galicia. Tras un primer intento fallido de vuelta al mundo, el afamado comandante Franco tenía previsto llevar a cabo un vuelo a Norteamérica. El 21 de junio, junto a González Gallarza, Ruiz de Alda y el mecánico Madariaga, despegó de la base aérea de Los Alcázares rumbo a las Azores. Al día siguiente de su partida, se perdió la posición. Una semana estuvo a flote el hidroavión sin ser encontrado. Finalmente, y cuando se temía lo peor, el 29 de junio fue localizado y rescatado por el portaaviones británico *Eagle,* en una posición muy próxima a la isla de Santa María, en el archipiélago de las Azores. La noticia tranquilizó a un público muy pendiente de los acontecimientos. Desde las Azores fueron llevados a Gibraltar, y como héroes internacionales fueron recibidos en la comarca. Como es natural, todo este episodio fue seguido muy de cerca desde Ceuta, pues, como ya se ha referido, el comandante Franco era muy querido en la ciudad norteafricana: "Viajeros llegados de Gibraltar relatan el grandioso recibimiento de que fueron objeto ayer Franco y compañeros por todas las clases sociales"[1133]. Sin embargo, Franco sería apartado de la carrera militar: había cambiado un Dornier español por uno italiano camuflado. El público no entendía nada.

1132 AGCE. Festejos, 1929.
1133 La Vanguardia, 4 de julio de 1929.

Mientras los aviadores españoles viajaban rumbo a Gibraltar, en el campo de la Real Sociedad Hípica se jugó un partido de fútbol entre la selección militar de Gibraltar y la selección militar de Ceuta, ganando ésta por dos a uno. Antes de empezar el partido se alinearon los equipos ante la tribuna ocupada por el general Millán Astray, el presidente de la Junta municipal y demás autoridades. Las bandas de música interpretaron el God save the King -era rey del Reino Unido George V- y la Marcha Real. El público, que abarrotaba el campo y las tribunas, prorrumpió en una delirante ovación, dando vivas a Inglaterra en homenaje por el salvamento de los aviadores del *Dornier 16*. La selección inglesa, al recorrer la población, fue objeto de unánimes aclamaciones y de atenciones cariñosísimas. Por otro lado, este animadísimo mes de junio acabó nombrándose arquitecto municipal, "segundo Jefe de esta Junta al único concursante", José Blein Zarazaga[1134].

20. Buques de guerra italianos y bodas de oro

Todavía resonaban en Ceuta los aplausos a las selecciones militares de fútbol cuando llegaron procedentes de Lisboa los cruceros italianos *Ancona*, que enarbolaba la insignia del almirante, y *Taranto*. Ambos cruceros hicieron las reglamentarias salvas de saludo, contestándole las baterías de la plaza. Al arriar sus respectivas banderas, la banda de música del *Ancona* tocó la Marcha Real italiana y la española, oyéndola descubierto, con el mayor respeto, el público que invadía los muelles. Las autoridades militares y civiles enviaron representantes a los buques para que diesen la bienvenida a los comandantes de los cruceros, los cuales a poco de atracar en el puerto, comenzaron el abastecimiento. Posteriormente, los comandantes y la oficialidad de los buques italianos asistieron a la verbena organizada en su honor por la Real Sociedad Hípica. Estas unidades de guerra tenían previsto zarpar al amanecer para Málaga y Barcelona[1135].

Y apenas unos días después, los cruceros italianos *Pantera* y *Bari* recalaron en el puerto de Ceuta. Los marinos, invitados por las autoridades, visitaron el cuartel del Grupo de Regulares, donde se les obsequió con un espléndido *lunch* y un animado baile. Los cruceros, terminado su aprovisionamiento, marcharon con rumbo a Marsella. Antes de partir cambiaron visitas con los buques de guerra españoles[1136].

La presencia de estos buques de guerra en el puerto de Ceuta estaba contextualizada en las nuevas relaciones que mantenía el Gobierno español con el italiano. Desde la firma del tratado hispano-italiano de agosto de 1926, las relaciones entre ambos países habían mejorado. En 1928 se acentúa la internacionalización de Tánger con la intervención de Italia, que dio como resultado el referido acuerdo hispano-francés de 3 de marzo de 1928. No obstante, Primo de Rivera, que siempre mantuvo una política pacifista, nunca llegaría a comprometerse de lleno con la Italia fascista de Mussolini, pues era consciente de que tenía que cuidar cierto equilibrio con Francia y el Reino Unido, con los que mantenía buenas relaciones.

Con el mes de julio, como ya era tradicional en Ceuta desde hacía unos años, comenzaba la temporada de baños, los paseos por el Rebellín (Gómez Pulido), los cines de verano y las veladas al aire libre… Mientras los restaurantes y cafeterías se llenaban por las noches.

Y como también era tradicional, los marinos celebraron la festividad de su patrona con una solemne función religiosa en el Santuario de la Virgen de África, ante el altar de la Virgen del Carmen, que se encontraba soberbiamente adornado con flores y atributos de la Marina, como el resto del templo. Asistieron las autoridades civiles y militares, el comandante de Marina, jefes y oficiales del *Extremadura* y *Lauria* y numerosos fieles. También asistió la Compañía de Mar, que desfiló lucidamente. Por la tarde, a bordo del crucero *Extremadura*,

1134 BOCCE núm. 148, 4 de julio de 1929. Comisión permanente, 28 de junio de 1929.
1135 La Vanguardia, 2 de julio de 1929.
1136 La Vanguardia, 4 de julio de 1929.

se celebró un baile al que asistieron las autoridades y principales familias de la localidad. La marinería celebró sus festejos acostumbrados sirviéndoles comidas extraordinarias. En el puerto todos los buques fueron empavesados.

Pero también en el Asilo de la Misericordia tuvo lugar un acto entrañable y emotivo. Se celebró el acto solemnísimo de las bodas de oro de la profesión religiosa de la superiora M. Inmaculada Concepción María del Socorro Martínez, que desde hacía 29 años estaba al frente del Asilo. Se celebró una misa a toda orquesta, oficiando el deán de la catedral y pronunciando un magnífico sermón el canónigo Cayetano Mejías. La apadrinaron en el acto el deán, doctor José Casañas, y la señorita María Mac Crohon. Asistieron las autoridades, asociaciones religiosas y diversas personalidades. La superiora recibió valiosos regalos, mientras que la prensa pedía a las autoridades que solicitasen para la superiora la gran Cruz de Beneficencia en recompensa a su meritísima obra.

21. Del proyecto de reforma del cuartel del Rebellín en instituto a la creación del Instituto Hispano-Marroquí

Sin embargo, bajo este ambiente festivo, la crisis económica empezaba a mostrarse en la ciudad; así, por ejemplo, en la permanente de 7 de junio se había acordado "limitar durante la vigencia del actual presupuesto varios de los gastos en el mismo consignados al objeto de evitar posible déficit, dada la disminución que han experimentado los ingresos". También se llevó a estudio el caso de algunos dueños de establecimientos que deseaban se les eximiera del pago de arbitrios, sin dejar de requerir los servicios municipales[1137]. Igualmente, en la permanente de 26 de julio se aprobó el "expuesto de la presidencia proponiendo medidas para restringir los gastos relacionados con los servicios de la Beneficencia municipal".

Proyecto de reforma del cuartel del Rebellín en Instituto, 1929, José Blein. AGCE.

Gran parte de esta situación fue debida, como se ha referido, a la supresión del regimiento de Infantería del Serrallo n.º 69, que estaba basado en el cuartel del Rebellín, frente al Teatro del Rey, uno de los lugares más céntricos, entre el puente de la Almina y la plaza del Teniente Ruiz, por lo que la Junta municipal vio una oportunidad de revertir el terreno para la ciudad, y el proyecto que más ilusión creaba era la construcción de un instituto de segunda enseñanza; una vieja aspiración de las autoridades locales –recordemos que desde 1927 se estaba insistido sobre esta cuestión-. Como el proyecto tenía que pasar por diversos y largos trámites, paralelamente se le dirigió un escrito al alto comisario "solicitando la cesión con carácter provisional del edificio Patronato Militar de Enseñanza para habilitar como Instituto de primera enseñanza"[1138].

1137 BOCCE núm. 154, 15 de agosto de 1929. Pleno, 1 de agosto de 1929.
1138 BOCCE núm. 143, 30 de mayo de 1929. Comisión permanente, 18 de mayo de 1929.

No obstante, la Junta municipal siguió creyendo en el proyecto, como así lo demuestra los planos que ya estaban firmados en agosto de 1929 por el nuevo arquitecto municipal, José Blein Zarazaga: "Proyecto de reforma del cuartel del Rebellín en Instituto"; un espectacular edificio de dos plantas donde predominan las líneas rectas, grandes ventanales –la abundancia de luz y el aire limpio y fresco eran obsesiones de la nueva regeneración arquitectónica- y la simpleza de la fachada; un maridaje que dominaba sin más concesiones. Ante los planos realizados por José Blein, la permanente del 5 de septiembre de 1929 aprobó la propuesta de la presidencia "relativa a la implantación de un instituto de 2ª Enseñanza".

Ahora quedaba el tema de la financiación; por lo que la Junta municipal tuvo que acudir a un presupuesto extraordinario en el que también se incluían otra serie de obras: "Se ha concedido un crédito de seis millones de pesetas para la construcción de una red de alcantarillado y realización de otras mejoras urbanas. Será construido un instituto y dos grupos de escuelas"[1139]. Sin embargo, el proyecto se fue disolviendo al no concretarse la cesión del cuartel. Y no sería hasta el 9 de octubre de 1931 cuando se le concedió a la ciudad que pudiera disponer de un instituto de segunda enseñanza, que se instaló en el citado Patronato Militar, en la actual calle Beatriz de Silva. Fue su organizador Rafael Arévalo Capilla[1140], recibiendo el nombre de Instituto Hispano-Marroquí.

22. Las fiestas patronales de 1929

Como el año anterior, las fiestas patronales, que empezaron el sábado 3 de agosto, fueron anunciadas a través de un cartel (150x100 cm) de marcado estilo art decó. No obstante, los días previos a la inauguración de las fiestas estuvieron cargados de actos culturales y benéficos.

El lunes 29 de julio tuvo lugar una función mixta en el Salón Apolo organizada por el Consejo Local de Exploradores a beneficio de los fondos de la tropa del mismo. El programa de la función fue el siguiente: 1. Sinfonía por la orquesta del teatro. 2. Una película de Exploradores. 3. Una película cómica. 4. El sainete en un acto original de Pedro Muñoz Seca *El Sueño de Valdivia*, interpretado por los actores locales señoritas Balongo, Mollá y Vilches, y los señores Ceballos, M. Orozco, Castillo.

También el Centro Cultural Militar organizó una velada literaria del poeta Ricardo Gilabert para conocer su última producción literaria[1141]. Gilabert había sido galardonado en los juegos florales del año anterior con la flor natural.

Asimismo, en el Salón Apolo, continuando el ciclo de las conferencias militares, tuvo lugar, el 1 de agosto, las de los comandantes de Ingenieros Adrados y Rigoltos, sobre servicios del cuerpo y fortificaciones[1142]. Igualmente comenzaron en el Centro Cultural Militar las pruebas de clasificación de esgrima.

Y el día 2 se celebró la anunciada función a beneficio del Ropero de Santa Victoria. A la hora de comenzar la función el Teatro del Rey presentaba un aspecto deslumbrante. Un cuadro artístico, formado por aficionados, puso en escena varios juguetes cómicos, siendo todos sus intérpretes muy aplaudidos. Y esa madrugada pasó sobre Ceuta el dirigible Conde de Zeppelin, conociéndose su paso por el extraordinario zumbido de sus motores y por señalarse las siluetas de sus barquillas iluminadas[1143].

1139 La Tierra, 5 de enero de 1930.
1140 GARCÍA COSÍO, José: *Ceuta, presente, pasado y futuro*, pp. 305 y 306.
1141 El Telegrama del Rif, 28 de julio de 1929.
1142 El Telegrama del Rif, 2 de agosto de 1929.
1143 El Telegrama del Rif, 4 de agosto de 1929.

Tras la inauguración del muelle Alfonso XIII el recinto ferial se fue trasladando a este espacio. AGCE.

El día 3, el primer día de feria, se notaba una gran afluencia de forasteros, inaugurándose el zoco en la explanada de entrada del muelle Alfonso XIII, teniendo lugar por la noche un concurso de cante flamenco en la plaza de toros.

Sin embargo, fue el día 4 cuando la ciudad se animó del todo. Para asistir a las fiestas y a las corridas de toros, vinieron de Gibraltar, Algeciras y La Línea en los vapores *Gibel Zerjón*, *Gibel Tarik*, *Alerta* y *Primo de Rivera*, unos dos mil turistas. Y otros tres mil en trenes especiales y autos de Tetuán, Tánger, Alcázar, Rabat y Casablanca. Los hoteles estaban atestados, reinando inusitada animación. En cuanto a los toros, en la primera de feria del día 4 se lidiaron seis de Samuel Hermanos para el madrileño Victoriano Roger Serrano o "Valencia II", Fuentes Bejarano y el mexicano Fermín Espinosa o "Armillita Chico"[1144]. Meses después, un Real Decreto de 21 de diciembre de 1929 prohibía la asistencia a las corridas de toros y espectáculos de boxeo a los menores de catorce años.

El lunes día 5, en el Santuario de la Virgen de África, soberbiamente adornado con derroche de luces, flores y tapices, se celebró la tradicional función religiosa. Asistió la Junta municipal bajo mazas, el general segundo jefe, García Benítez, el delegado gubernativo, comisiones de marinos de los buques de guerra, las autoridades civiles, representaciones de entidades y numerosos fieles que llenaron el templo, llamando la atención la oración sagrada del padre agustino Vidal Ruiz. Terminada la función religiosa, las autoridades e invitados pasaron al palacio municipal, presenciando el sorteo de una embarcación con todos sus aparejos, que correspondió a un marinero pobre, más dos máquinas de coser para dos viudas igualmente pobres. Seguidamente se sirvió un espléndido *lunch*. También se celebraron regatas en la bahía, con importantes premios en metálico, y en las cantinas escolares se sirvieron abundantes comidas a quinientos pobres.

Ya por la noche, en la Real Sociedad Hípica, invitados por el general Sanjurjo, tuvo lugar un festival en honor de los jefes y oficiales de las intervenciones francesas del Protectorado,

1144 ABC, 6 de agosto de 1929.

verificándose un concurso de trajes regionales, obteniendo el primer premio Niní Novelles, que lucía traje de charra, desfilando del brazo del jefe francés a los acordes de la Marsellesa. Además del alto comisario y los oficiales franceses, asistieron los generales García Benítez y Millán Astray, autoridades civiles y militares, y elementos oficiales, amenizando el acto la banda de música de la Legión[1145].

También hubo un concurso de carrozas y coches engalanados, donde participaron vehículos de tracción animal y mecánica. El desfile se hizo entrando por la calle Edrissis dando vueltas por la plaza de la Constitución hasta salir por la misma calle de entrada. Los vehículos premiados estaban obligados a asistir a la Retreta cívico militar[1146]. Obtuvo el primer premio, de 1.500 pesetas, la carroza del regimiento de Ceuta, representando "Un cuento de hadas"; el segundo premio, de 750 pesetas, la presentada por la Asociación de la Prensa, el pasaje del "Quijote" la aventura de los molinos de viento; el tercero, de 500 pesetas, "El miquelete", de la Casa de Valencia.

Como brillantísima nota de color, procedente de Barcelona, el 7 de agosto, último día de feria, atracó en Ceuta el trasatlántico alemán *Cap Polonio*, de 20.576 toneladas, 200 m de eslora, tres chimeneas y tres hélices, con varios cientos de turistas procedentes del norte de Europa, especialmente alemanes y daneses, que desembarcaron y recorrieron el real de la feria, haciendo bastantes compras, así como otros se dirigieron a Tetuán. Al atardecer partió el espectacular buque con rumbo a Lisboa. El crucero por España tenía por principal objetivo visitar las Exposiciones de Sevilla y Barcelona[1147].

Otra actividad que se celebró aquel día fue una carrera de bicicletas, que tuvo lugar a las cinco de la tarde. El trayecto a recorrer era el siguiente: desde la plaza de la Constitución, esquina de Edrissis, hasta Castillejos, por la carretera central de Otero, carretera entre Docker y Morro, carretera de la Almadraba y Tarajal, dando la vuelta por delante de la Aduana establecida en la llanura de la Condesa, y regresando por el mismo camino. Al regresar los corredores estaban obligados a dar una vuelta a la plaza de la Constitución, hasta la puerta del palacio municipal, donde estaba establecida la meta y el jurado. La cuota de inscripción era de cinco pesetas, "siendo condición indispensable que los corredores lleven trajes de sport, jersey y pantalón corto"[1148]. Cabe añadir que el ciclismo era un deporte que tenía cierto arraigo en la ciudad. Así, por ejemplo, durante las fiestas patronales de 1923 Luis Pérez ganó la copa del Ayuntamiento[1149]; al igual que la permanente del 2 de abril 1927 autorizó a Abelardo Bayona celebrar una carrera de bicicletas[1150].

Por la noche tuvo lugar la gran retreta cívico militar, que resultó vistosísima y muy aplaudida. Cerró la feria una espectacular traca. Asimismo, en la Real Sociedad Hípica se cerró el concurso de esgrima con el asalto de honor, del que hemos hecho sobrada alusión. La fiesta acabó con un baile. También en el jardín de Prim hubo una verbena organizada por el Centro Hijos de Ceuta.

Como se ha visto, la feria se fue acercando al nuevo muelle Alfonso XIII al quedarse pequeños los espacios de la plaza de la Constitución, calle Edrissis y Martínez Campos, que entorpecían el tráfico. Así, en un escrito de la Junta de Obras del Puerto de 11 de julio se puede leer: "para evitar desgracias posibles y aún fáciles: en consecuencia, considero imprescindible aislar la parte de la explanada que se le ha concedido para la instalar los aparatos ya detallados (zoco moro, carruseles, circos, caballitos y demás números), durante los festejos"[1151].

1145 La Vanguardia, 7 de agosto de 1929.
1146 BOCCE núm. 148, 4 de julio de 1929. Bases concurso de carrozas y coches engalanados.
1147 El Telegrama del Rif, 28 de julio de 1929. El Sol, 9 de agosto de 1929.
1148 BOCCE núm. 150, 18 de julio de 1929. Comisión permanente, 4 de julio de 1929.
1149 La Unión Ilustrada, 19 de agosto de 1923.
1150 BOCCE núm. 28, 7 de abril de 1927. Comisión permanente, 2 de abril de 1927.
1151 AGCE. Festejos, 1929.

Tras la celebración de las fiestas patronales, la permanente acordó dar las gracias al caíd de la cabila de Biutz por la distinción dispensada al aceptar el cargo de jefe del zoco. También se acordó facilitar medio pasaje hasta Algeciras y costearles la merienda a los Exploradores de Ceuta que marchaban al Campamento Internacional de Barcelona[1152]. En 1929, aprovechando que Barcelona era el centro del mundo con motivo de la Exposición internacional, los Exploradores de España organizaron un Jamboree Nacional. El Jamboree -gran campamento o reunión de scouts-, tuvo lugar en el lugar denominado Tres Pinos, en Montjüic, dentro del recinto de la Exposición Internacional, pero con entrada independiente. La actividad transcurrió desde el 21 de agosto al 3 de septiembre, participando más de 2.000 scouts de 14 países[1153].

En cuanto a los temas municipales del mes de agosto, es de resaltar que se concedió autorización a Andrés Galmés y José Luis de Oriol para efectuar estudios para redactar un proyecto de reformas urbanas en el trozo de la ciudad comprendido entre el Foso Real y el de la Almina (la codiciada Gran Vía). Asimismo, se designó una comisión que estudiase las bases para el concurso de anteproyecto de urbanización de la zona de Ensanche y límites de éste[1154]; al igual que, con ligeras modificaciones, fue aprobado el proyecto de presupuesto de gastos para el ejercicio de 1930, fijándose en 3.536.249, 90 pesetas[1155]. Por último, se efectuó la recepción definitiva de las obras de construcción de un depósito de agua y lavadero en la barriada del Príncipe Alfonso[1156].

23. Recibimiento al general Jordana y recepción definitiva del palacio municipal

Septiembre comenzó con el entierro del médico decano de la Beneficencia municipal, Miguel Sala y Gual, que causó un gran pesar en la ciudad[1157]. Unos días después, el conde de Jordana fue objeto a su llegada a Ceuta de cariñosísimo homenaje para testimoniarle su gratitud por haber conseguido del Gobierno se eximiera del citado pago del impuesto de Utilidades a las plazas de soberanía, respetando su antiguo fuero. La Cámara de Comercio había repartido una circular invitando a todos sus asociados a concurrir al muelle, lo que hicieron millares de personas. El alto comisario venía muy satisfecho de su visita al Gobierno y a la Exposición Iberoamericana de Sevilla, donde había visitado el Pabellón marroquí[1158], obra de Gutiérrez Lescura y Mariano Bertuchi.

Pocos días después, a mediados de mes, el conde de Jordana recibió en Tetuán a una importante representación de las fuerzas vivas de Ceuta, a cuyo frente iba el presidente de la Junta municipal. Los comisionados agradecieron las atenciones que les dispensaba el alto comisario a todos los problemas de la ciudad. También le interesaron en la concesión del citado cuartel del disuelto regimiento del Serrallo, para utilizarlo como instituto de segunda enseñanza[1159].

Por otro lado, en la permanente del día 7 se dio lectura a una Real Orden por la que se aprobaba el acuerdo de la Comisión mixta administradora del patrimonio del Estado sobre la entrega a la Junta municipal del noventa y cinco por ciento de las recaudaciones obtenidas a título de redenciones de los concesionarios de parcelas. Al igual que el día 10 se esperaba a la Audiencia de Cádiz para ver y fallar los juicios orales instruidos por el Juzgado de instrucción[1160]. Sin salirnos del mes de septiembre, se aprobó la recepción definitiva del palacio municipal. También se estableció con carácter provisional el servicio de cremación de basuras y animales en el vertedero de Santa Catalina[1161].

1152 BOCCE núm. 156, 29 de agosto de 1929. Comisión permanente, 16 de agosto de 1929.

1153 DURÍN: 'Qué dura es la vida del coleccionista (II): Jamboree Nacional 1929', s.p.

1154 BOCCE núm. 154, 15 de agosto de 1929. Pleno, 1 de agosto de 1929.

1155 BOCCE núm. 157, 5 de septiembre de 1929. Comisión permanente, 21 de agosto de 1929.

1156 BOCCE núm. 157, 5 de septiembre de 1929. Comisión permanente, 22 de agosto de 1929.

1157 Diario Gráfico, 3 de septiembre de 1929.

1158 ABC, 11 de septiembre de 1929.

1159 La Vanguardia, 18 de septiembre de 1929.

1160 El Telegrama del Rif, 8 de septiembre de 1929.

1161 BOCCE núm. 162, 10 de octubre 1929. Comisión permanente, 26 de septiembre de 1929.

24. Homenaje del Ejército de África a los aviadores del *Jesús del Gran Poder*

El 24 de marzo, Domingo de Ramos, a las 17 horas 35 minutos, bajo la mirada lejana del comisario regio de la Exposición Iberoamericana, el *Jesús del Gran Poder* despegaba de Tablada (Sevilla). A bordo el ingeniero Francisco Iglesias Brage y el piloto y observador Ignacio Jiménez. Era la 1 y 25 minutos del martes 26 de marzo cuando el *Jesús del Gran Poder* aterrizó en el campo de aviación de Cassamary, cerca de Bahía (Brasil). Atrás quedaban cuarenta y tres horas y cincuenta minutos de vuelo sin descanso. Había batido la marca de permanencia en vuelo de una aeronave terrestre sobre el mar. Dos días después comenzaba un vuelo de regularidad por Sudamérica que acabaría en La Habana. El *Almirante Cervera* los trajo a Cádiz el 7 de junio, siendo el recibimiento apoteósico. Al día siguiente llegó en vuelo a Tablada, donde le esperaba una gigantesca formación de 125 aviones, los llamados "embajadores volantes", que horas después lo escoltarían en los primeros momentos del vuelo hacia Madrid[1162]. Tanto Francisco Iglesias como Ignacio Jiménez se habían convertido por derecho propio en dos nuevos héroes de la aviación.

La fama de los aviadores hizo que el Ejército de África organizase unos actos en su honor. Y el día 5 de octubre, a las 2,30 de la tarde, desde el citado aeropuerto de Tablada partió el *Jesús del Gran Poder* pilotado por los capitanes Jiménez e Iglesias con dirección a Tetuán, donde aterrizaron pasadas las cinco de la tarde en el aeródromo de Sania Ramel, tras soportar fuerte viento. Una columna de 12.000 hombres, que se hallaba de ejercicio, acudió a vitorear a los aviadores. Estos fueron recibidos por el alto comisario, representaciones de diversos organismos y un gran gentío. Desde allí hasta la ciudad las manifestaciones de entusiasmo no dejaron de decaer. En el Teatro Español fueron obsequiados con un vino de honor, y se les entregó un pergamino, que les dedicaba el Ejército de Marruecos. Al final fueron ovacionados por el público estacionado frente al edificio[1163]. Por la noche cenaron con el comisario superior.

El domingo día 6 por la mañana siguieron los aviadores en Tetuán recibiendo diversos homenajes, esperándose por la tarde en Ceuta, donde tenían previsto asistir a una novillada, que consistió en ocho astados de Gallardo Hermanos, buenos. Parrita sufrió un fuerte varetazo en el borde anal y contusiones, que le impidió continuar la lidia. Atarfeño despachó los suyos y los de Parrita, siendo en todos ellos muy ovacionado. Perete toreó muy adornado y valiente. Saturio Torón dio una buena tarde y despachó a sus dos astados recibiendo, cortó dos orejas[1164]. Tras la novillada, donde los aviadores habían sido acogidos con especial cariño, se les ofreció un vino de honor en la Real Sociedad Hípica y animado baile[1165].

Al día siguiente, el lunes 7, tuvo lugar la Fiesta del Libro. Era su cuarta edición, pero también la última que se celebraba en esa fecha, pues al siguiente año cambiaría al 23 de abril, día del fallecimiento de Cervantes. Por otro lado, en sesión de la permanente se hizo constar nuevas bajas de empresas; síntoma de que la crisis ya estaba afectando a la ciudad.

25. La visita del gobernador de Gibraltar a Ceuta y el Protectorado

Pasada la Fiesta del Libro tuvieron lugar dos actos festivos: el día 9 se celebró el día de los Santos Mártires, y el 12, el Día de la Raza. Aunque también tuvo lugar en el mes de octubre un acontecimiento que pasó algo desapercibido, nos referimos a la visita del gobernador de Gibraltar, sir Alexander Godley, a Ceuta y el Protectorado.

Cuando sir Alexander Godley fue invitado por el general Jordana a visitar Ceuta y las ciudades del Protectorado español, ya era un veterano militar, aunque seguía portando una apariencia alta y fibrosa. En su dilatada hoja de servicios figuraba su participación en acciones y

1162 PÉREZ SAN EMETERIO, Carlos: 'Entre Oriente y Occidente: Los vuelos del "Jesús del Gran Poder", s.p.
1163 La Voz, 5 de octubre de 1929. La Libertad, 6 de octubre de 1929.
1164 La Voz, 7 de octubre de 1929. El Adelanto, 8 de octubre de 1927. La Correspondencia de Valencia, 8 de octubre de 1929.
1165 ABC, 8 de octubre de 1929.

El gobernador de Gibraltar, sir Alexander Godley, saliendo del palacio municipal. AGCE.

lugares tan sonoros como la guerra de los Boers, comandante de las fuerzas británicas en Nueva Zelanda, el fracasado desembarco de Gallipolli, o comandante del Ejército británico del Rin. Tras su ascenso a general en 1924, fue nombrado comandante del Comando del Sur de Inglaterra, y gobernador de Gibraltar en 1928, hasta su jubilación en 1933. Representaba al típico militar colonial que había defendido los intereses de la Gran Bretaña a lo largo de su vasto imperio. La visita se extendió entre el jueves 24 y el sábado 26.

El jueves por la mañana, a bordo del crucero *Extremadura* llegaron a Ceuta, procedentes de Gibraltar y Algeciras, sir Alexandre Godley y el general Muslera, gobernador militar del Campo de Gibraltar, con sus respectivos séquitos. En el puerto les esperaban el alto comisario, general Jordana, el presidente de la Junta municipal, José E. Rosende, y otras autoridades. Efectuados los saludos oficiales, la comitiva se trasladó al palacio municipal, donde los invitados fueron obsequiados con un vino de honor. Después de visitar las distintas dependencias municipales, se trasladaron al cuartel de Regulares de Ceuta, donde fueron recibidos por el jefe de dicha unidad, teniente coronel Múgica. Terminada la visita al cuartel, un tabor realizó diversos ejercicios de armas. El general inglés afirmó que "ni las tropas indias poseen galas tan fastuosas, como las que lucían las tropas del tabor durante los ejercicios". Terminada la visita al cuartel González Tablas, se trasladaron al chalet de la Residencia, donde el alto comisario obsequió con una comida íntima a los ilustres visitantes y demás autoridades.

Acabada la comida, los generales Godley y Muslera, acompañados por el conde Jordana, pasearon en automóvil por el campo exterior de Ceuta, y después se trasladaron al campamento de Dar Riffien, donde fueron recibidos por el coronel jefe del Tercio, Juan José Liniers. En la amplia explanada del soberbio campamento formaron dos banderas de la Legión, que después de ser revistadas por el general británico, desfilaron en forma brillantísima. Sir Alexandre quedó vivamente impresionado. Después, el escuadrón de Lanceros llevó a cabo diversos ejercicios de equitación, que fueron muy elogiados. Tras el desfile pasaron a la sala de oficiales donde se sirvió espléndido *lunch*[1166]. Aquella primera jornada acabó con el traslado a Tetuán y una cena íntima en la Alta Comisaría.

El viernes 25 lo dedicó el gobernador a visitar Xauen, regresando el mismo día a Tetuán. Mientras que el sábado 26 visitó Arcila, Larache y Alcazarquivir. En esta última población, después de recorrer el caserío en automóvil, se trasladó la comitiva al Grupo Escolar España, pues el conde de Jordana expresó vehementes deseos que esta institución fuese conocida por el gobernador de Gibraltar. La visita fue detenida, y sir Alexander solicitó algunos ejemplares de lectura empleados para los alumnos, entregándosele algunos libros dedicados por la directora y el subdirector del centro, Julia Pérez y Adalberto Aguilar. Sir Alexandre, que estudiaba el español, exclamó sonriendo: "Antes de marchar a Inglaterra, con gratísimos recuerdos, tendré que volver a este grupo, para examinarme del idioma español". Después se celebró un banquete en el Hotel Real, emprendiendo a continuación el regreso a Tetuán. Y ya por la tarde, sobre las seis, llegó a Ceuta, marchando al muelle

1166 El Telegrama del Rif, 26 de octubre de 1929.

Alfonso XIII para embarcar en el crucero *Extremadura*. Antes de partir, sir Alexandre expresó nuevamente al conde de Jordana su admiración al Ejército colonial español y su gratitud por las numerosas atenciones de que había sido objeto[1167].

Como se ha visto a lo largo de esta exposición, no era raro ver por Ceuta excursiones de gibraltareños que venían a disfrutar de las fiestas patronales, así como a los Exploradores de aquella localidad. Como cuestión anecdótica apuntemos el partido de fútbol que tuvo lugar en el campo de la Hípica, el domingo 6 de julio de 1924, entre el equipo inglés Britanian y el Militar Real Sociedad Hípica de Ceuta. Vencieron los de la Hípica por cuatro tantos a dos[1168].

26. Nueva oficina de Correos y homenaje al general Jordana

Finalizando el mes de octubre tuvo lugar la inauguración de la nueva oficina de Correos, en la calle González de la Vega, 4[1169] -transversal entre las calles Camoens y Cervantes-, con asistencia del comisario superior, el general Jordana, y el subdirector general de Comunicaciones, el coronel de Ingenieros Salvador Navarro de la Cruz, además de otras autoridades civiles y militares. Salvador Navarro, que era natural de Ceuta, venía de inaugurar la oficina española de Telégrafos de Tánger.

Tras recorrer el general Jordana todas las dependencias, se celebró un *lunch*, al final del cual pronunciaron discursos el citado subdirector general de Comunicaciones y el alto comisario[1170]. Posteriormente, Salvador Navarro fue obsequiado con un banquete ofrecido por los funcionarios de Correos y Telégrafos, al que asistió una representación del Centro de Hijos de Ceuta, "por ser el honorado natural de la ciudad"[1171].

Homenaje al general Jordana en el Hotel Majestic. AGCE.

1167 ABC, 29 de octubre de 1929. El Telegrama del Rif, 30 de octubre de 1929.

1168 ABC, 11 de julio de 1924.

1169 "El 17 de marzo de 1930 fue nombrado Hijo Predilecto de la ciudad, por la Corporación municipal". GARCÍA COSÍO, José: *Ceuta, historia, presente y futuro*, p. 196.

1170 La Libertad, 29 de octubre de 1929.

1171 El Telegrama del Rif, 30 de octubre de 1929.

También se celebró un homenaje dedicado al comisario superior, que fue organizado por los elementos comerciales como "testimonio de gratitud por el interés y cariño demostrado por el conde de Jordana en la resolución de problemas locales". Al banquete concurrieron unos cuatrocientos comensales, asistiendo las autoridades del Protectorado y de la plaza, y nutridísima representación del comercio y actividades ceutíes.

Al llegar el conde Jordana al Hotel Majestic, fue recibido con una prolongada salva de aplausos. Hizo el ofrecimiento del homenaje el presidente de la Cámara de Comercio, que impuso al general Jordana las insignias de presidente honorario. En su sugestivo discurso pidió al comisario superior que "interesase del Gobierno" para que desaparecieran las trabas aduaneras, que impedían el verdadero desarrollo de la industria y el comercio locales. Por su parte, Jordana contestó que pondría mayor empeño a favor del engrandecimiento de Ceuta, refiriéndose a la R.O. que ordenaba el estudio del régimen económico de las plazas de soberanía, que estaba estudiando con ahínco. Tras estas palabras tan esperanzadoras, el comisario superior fue aplaudidísimo[1172]. Por otro lado, en la permanente de 15 de noviembre se le dio las gracias al alto comisario, "por la gestión realizada para que no se eleve el tipo de imposición de la matrícula industrial en esta ciudad"[1173].

Merece la pena añadir que la nueva oficina de Correos era una antigua aspiración de la Junta municipal; en la permanente del 10 de septiembre de 1927 se había acordado "Solicitar la construcción en esta Ciudad de un edificio para Correos y Telégrafos". Incidiendo sobre el tema, Correos y Telégrafos estaba viviendo una verdadera transformación en Ceuta. Así, por ejemplo, en el mes de noviembre la Dirección General de Comunicaciones concedió la instalación de tres buzones de columna de hierro[1174]. También en noviembre se facultó al presidente de la Junta municipal para que adquiriese el material que fuese factible para carteros; al igual que a principios de diciembre se aprobó facilitar casa-habitación para carteros en las barriadas General Sanjurjo, Príncipe Alfonso y Villa Jovita. De la misma forma, a principios de diciembre de 1929 la permanente dio las "gracias a la Dirección General de Comunicaciones por el establecimiento de una estación telegráfica en Jadú"[1175]; estafeta que inauguró su servicio público el 1 enero de 1931, al igual que las carterías de las citadas barriadas[1176].

En cuanto al pulso de la ciudad, llegado el 1 de noviembre tuvo lugar el Día de todos los Santos. Pero esa fecha también era el "Día de la Mochila", ancestral y genuina fiesta ceutí, cuyo origen se pierde en la noche de los tiempos. También fue en noviembre cuando se dio por recibidas definitivamente las obras extraordinarias de urbanización complementarias de pavimentación efectuadas por la Empresa General de Construcciones S.A.[1177]. Acabando el mes, en el *BOCCE* se publicaron las Bases del concurso para la formación del ensanche de Ceuta[1178].

27. La crisis internacional

Aún se estaba comentando la inauguración de la nueva oficina de Correos cuando apareció en el diario *ABC* el artículo *Ceuta, puerta del Estrecho*, firmado en Tetuán por Emilio L. López. En este artículo el periodista empezaba recordando el homenaje gratitud que se le había ofrecido al conde de Jornada por sus gestiones a favor de los elementos mercantiles de Ceuta. La Cámara de Comercio agradecía la gestión del alto comisario para que quedara sin cumplir la pretensión de hacienda de extender a Ceuta el cobro del impuesto de Utilidades. También recordaba que al entregarle las insignias de presidente honorario de la Cámara de Comercio le exponían un programa de intenciones sobre los beneficios que se obtendrían

---

1172 ABC, 29 de octubre de 1929. El Telegrama del Rif, 30 de octubre de 1929.
1173 BOCCE núm. 169, 28 de noviembre de 1929. Comisión permanente, 15 de noviembre de 1929.
1174 BOCCE núm. 169, 28 de noviembre de 1929. Comisión permanente, 15 de noviembre de 1929.
1175 BOCCE núm. 173, 19 de diciembre de 1929. Comisión permanente, 5 de diciembre de 1929.
1176 BOCCE núm. 232, 29 de enero de 1931. Comisión permanente, 8 de enero de 1931.
1177 BOCCE núm. 174, 26 de diciembre de 1929. Comisión permanente, 12 de diciembre de 1929.
1178 BOCCE núm. 169, 28 de noviembre de 1929.

para el pueblo, el puerto de Ceuta y el porvenir de España en Marruecos. A continuación denunciaba el periodista lo caro que era el puerto de Ceuta. Seguidamente hacía una exposición de los impuestos que pagaba el puerto, dando por resultado que "el puerto está casi desierto"[1179]. Pero en realidad, el articulista no conocía todavía un escenario mucho más profundo: a los efectos de la crisis, que ya se empezaban a vislumbrar, se iba a sumar la gran depresión económica internacional, que se mostró con la caída de la bolsa de Nueva York...

28. El problema de la inmigración

Con respecto a Ceuta ya vimos que la crisis había empezado con la reducción de tropas, el cierre de algunos negocios, y la llegada de una inmigración que no podía absorber la ciudad.

En lo tocante a los dos primeros temas, la Cámara de Comercio de Ceuta envió un escrito al ministro de Economía denunciando la crítica situación, indicando como causa principal "la repatriación de tropas que operaban en la vecina Zona del Protectorado, que se han retirado de Ceuta un Regimiento de Infantería de tan antiguo abolengo en Ceuta como es el del Serrallo, el Regimiento de Caballería de Alcántara y se han reducido los efectivos de los demás cuerpos"; reclamando, por último, la vuelta al estado tributario anterior[1180]. Asimismo aparecieron algunos artículos en la prensa denunciando las dificultades por las que estaba pasando la ciudad, como el referido artículo de Emilio L. López.

En cuanto a la inmigración, ya en julio de 1928 la permanente quedó enterada de la carta de la Compañía Trasmediterránea concedido una rebaja del cincuenta por ciento a los pasajes para pobres transeúntes con destino al puerto de Algeciras[1181]. Y en el mes de junio del año siguiente la permanente autorizó para que se hiciese entrega a la Junta de protección a la infancia y represión de la mendicidad de los locales habilitados para hospedería de pobres transeúntes[1182].

Recién incorporado el general Jordana a la Alta Comisaría, a principios de diciembre de 1928 se había constituido en Tetuán una comisión de estudio y reglamentación de inmigración y trabajo, presidiéndola el director de Colonización. Ya en la primera reunión se abordaron medidas para el encauzamiento de emigrantes al Protectorado, "procurando dar facilidades a los elementos útiles, cerrando el paso al aluvión de gentes indeseables"[1183]. Tras salvar el trámite de la Alta Comisaría, el "Reglamento para la inmigración en la Zona del Protectorado de España en Marruecos" apareció en el Boletín Oficial de la Zona Protectorado Español de Marruecos de 10 de agosto de 1929[1184].

Al trasladarse el problema a Ceuta, comenta José Antonio Alarcón, "la única solución será la limitación de la llegada de los inmigrantes, fijada por R.O. 491 del Ministerio de la Gobernación de 21 de diciembre de 1929 sobre los trabajadores atrapados en Ceuta y Melilla"[1185], que aparece en La Gaceta del 28 diciembre de 1929. En ella se recogía que "todos los españoles de ambos sexos, mayores de catorce años, que desembarquen en Melilla y Ceuta, que no acrediten ser vecinos de estas ciudades o de alguna de la zona del Protectorado español en Marruecos deberán ir provistos de los documentos siguientes: Tarjeta de identidad expedida por el gobierno civil de la provincia de embarque o de intervención local de la zona del Protectorado. Contrato de trabajo o documento análogo, en que la empresa o patrono que lo contrate, se comprometa a pagar el viaje de regreso a la procedencia, en caso de despido o invalidez en el trabajo. Cuando se trate de personas que hayan de esta-

---

1179 ABC, 3 de diciembre de 1929.
1180 ALARCÓN CABALLERO, José Antonio: Opus cit., p. 275.
1181 BOCCE núm. 111, 1 de noviembre de 1928. Comisión permanente, 22 de octubre de 1928.
1182 BOCCE núm. 150, 18 de julio de 1929. Comisión permanente, 4 de julio de 1929.
1183 La Vanguardia, 7 de diciembre de 1928.
1184 MARTÍN CORRALES, Eloy: 'El movimiento obrero en el Protectorado español en Marruecos', p. 183.
1185 ALARCÓN CABALLERO, José Antonio: Opus cit., p. 285.

blecerse particularmente, deberán justificar que cuentan con los medios suficientes para ello. Llevarán también el certificado de vacunación y de no padecer enfermedad contagiosa o parasitaria. Estarán exentos de tales requisitos agentes diplomáticos y consulares extranjeros y representantes de otros países que vayan en viaje oficial, sus familias y séquitos, los funcionarios civiles y militares y servidumbre; las familias de los vecinos de Melilla y Ceuta, y las personas a quienes se les haya permitido el desembarco en dichas ciudades y hayan cumplido todo lo prevenido en el número primero a condición de que presenten la cédula personal y el certificado sanitario señalado. También estarán exentos los extranjeros y españoles que regresen del extranjero, los turistas y todos aquellos que vayan por motivos artísticos, familiares, mercantiles o financieros si la permanencia no exceda de treinta días". Se dictaron disposiciones "sobre los elementos perjudiciales y peligrosos, a los cuales se les exigirá un depósito de la cantidad necesaria para el regreso. Los viajeros que desembarquen con el propósito de inmigrar a la zona del Protectorado, están obligados a presentar análogos documentos, y el certificado que le acrediten que poseen pericia en determinado oficio o arte. Además del contrato de trabajo, no se permitirá desembarcar a quienes no presenten esos documentos. Las compañías navieras estarán obligadas a llevarles al puerto de procedencia"[1186].

Cabe añadir que el resultado de la reducción de tropas, el cierre de negocios, la política de inmigración y, en definitiva, la falta de oportunidades, sería la pérdida en apenas un año de cerca de dos mil habitantes.

29. Visita del residente francés y los últimos días de 1929

El mes de diciembre comenzó con las tradicionales celebraciones de los días de las patronas de Artillería e Infantería, 4 y 8 respectivamente. Especialmente emotivo fue la celebración por los cuerpos de Infantería de los actos religiosos en sufragio del alma de los compañeros fallecidos en campaña. Y poco después, procedente de la zona francesa llegaron en automóvil de Tetuán el residente general francés Lucien Saint y su señora acompañados por diversas personalidades. En Ceuta les recibieron los generales García Benítez, Millán Astray, el presidente de la Junta municipal, diferentes representaciones de entidades y numerosísimo público. El presidente de la Junta municipal les dio la bienvenida en francés en nombre de Ceuta, obsequiando a madame Saint con un ramo de flores. Después de las presentaciones y saludos embarcaron en el muelle Alfonso XIII a bordo del crucero *Extremadura* donde fueron recibidos a los acordes de la Marsellesa, conduciéndoles a Algeciras. La despedida que se les tributó fue cariñosísima[1187]. El abogado y político Lucien Saint había sido nombrado residente el 2 de enero de 1929. Con anterioridad, entre enero de 1921 y enero de 1929, había ejercido el mismo cargo en Túnez. Merece la pena señalar que el alto comisario, general Jordana, mantenía unas relaciones muy fluidas con el residente francés, al igual que las mantenía, como se ha visto, con el gobernador inglés de Gibraltar.

El residente francés Lucien Saint visto por Ramos. África, Revista de Tropas Coloniales, diciembre de 1931.

1186 El Telegrama del Rif, 29 de diciembre de 1929.
1187 La Vanguardia, 11 de diciembre de 1929.

Por otro lado, también tuvo lugar una función a beneficio de la Asociación de la Prensa. La agrupación artística el Liceo Español puso en escena la comedia de Jacinto Benavente *La propia estimación*. El dramaturgo madrileño era muy querido y recordado en la ciudad, pues en agosto de 1912 la había visitado con motivo de los I Juegos Florales. Sin salirnos de la esfera cultural, quedó constituida la nueva directiva del citado Liceo Español, siendo elegido presidente el teniente coronel Micó, y vicepresidente Fernando Gillis[1188]. Como hemos visto a lo largo de esta exposición, el Liceo Español se había convertido en un foco importante del mundo lírico y teatral ceutí, formando un respetable cuadro de cantantes aficionados y actores locales.

Además del ambiente festivo debido a las fiestas navideñas, otro acontecimiento que tuvo lugar a finales de diciembre fue la conferencia 'Ciencia y Filosofía', impartida en el Centro de Hijos de Ceuta por Mario Roso de Luna[1189]. Teósofo, astrónomo, abogado y escritor, se inclinó hacia la teosofía, inspirado en la obra y el pensamiento de Helena Petrovna Blavatsky[1190].

Sin apartarnos de la senda cultural, el 26 de diciembre la permanente dio "por recibido un cuadro adquirido al señor Bertuchi, para el despacho del señor Presidente, y autorizar a este señor para su pago". El óleo referido es una hermosa vista de Ceuta que está realizado desde el monte Hacho. También se acordó "Proceder al estudio y redacción de las condiciones que han de servir de base al concurso del empréstito a que se refiere el presupuesto extraordinario"[1191], al igual que se llegó a un acuerdo con Rubén Bentolila para la cesión de 600 metros cuadrados de la parcela 172 del Campo Exterior, para construir una cárcel[1192]. Para acabar el año, se esperaba con gran expectación una nueva visita de Primo de Rivera, por lo que la Junta municipal acordó "conceder a la presidencia un amplio voto de confianza para efectuar cuantos gastos puedan originarse"[1193]. Con esta noticia se cerraba un año de los más notables de Ceuta, pero también se percibía que la situación había empezado a cambiar.

1188 El Telegrama del Rif, 12 de diciembre de 1929.
1189 La Correspondencia de España, 23 de diciembre de 1929.
1190 CORREAS, José Carlos: 'Mario Roso de Luna', s.p.
1191 BOCCE núm. 176, 9 de enero de 1930. Comisión permanente, 26 de diciembre de 1929.
1192 BOCCE núm. 175, 2 de enero de 1930. Comisión permanente, 12 de diciembre de 1929.
1193 Ídem.

CAPÍTULO V

1930, EL AGOTAMIENTO DEL RÉGIMEN

En 1929 se habían inaugurado en España dos grandes Exposiciones, que fueron utilizados por la Dictadura como escaparate de la modernización del país y que dieron brillo al régimen: la Exposición Iberoamericana de Sevilla y la Exposición Universal de Barcelona. El éxito indiscutible de ambas exposiciones no consigue, sin embargo, disimular una evidencia: el hecho de que la dictadura empezaba a resquebrajarse.

Por un lado, la Dictadura, establecida por un plazo temporal limitado, llevaba seis años sin haber conseguido institucionalizarse como un régimen permanente, a pesar del famoso plebiscito de 1926 y la creación de la Asamblea Nacional. Al igual que en su afán por buscar una salida constitucional a su régimen, Primo de Rivera intenta sacar adelante una nueva Constitución de carácter autoritario y corporativo (5 de julio de 1929). El proyecto de Constitución de 1929, llamada *Estatuto Fundamental de la Monarquía*, fue, en realidad, un proyecto de *Carta Otorgada*, porque estaba redactada por la Sección Primera de la Asamblea Nacional, y no ofrecía ventajas sobre la Constitución de 1876. Las dos instituciones que se contemplaban eran las Cortes unicamerales, que introduce el corporativismo en la Cámara, y el Consejo del Reino, cuya misión es asesorar al rey; un Consejo que tenía además ciertas facultades gubernativas, consultivas y de intervención legislativa e incluso jurisdiccional. Como era natural, no contó con grandes defensores, sino que fue acogido en el mejor de los casos con la fría indiferencia de la opinión pública[1194].

Así pues, el proyecto de Primo de Rivera acaba siendo un profundo fracaso político, que es aprovechado por la oposición para hacerse presente ante la sociedad. También los viejos políticos, a los que había arrinconado, reprochaban a la Dictadura haber liquidado el constitucionalismo sin haber creado nada para sustituirlo. Y la intelectualidad no pudo perdonar al dictador la suspensión ilimitada de las más elementales libertades políticas (de prensa, de palabra, de reunión, etc.). Las mejores cabezas, como Unamuno, Marañón, Jiménez de Asúa, Ortega y Gasset, Fernando de los Ríos o Valle Inclán, entre otros, clamaban por el restablecimiento de la legalidad constitucional y de las libertades públicas. Las Universidades, Ateneos, Colegios de Abogados, etc. eran centros activos de oposición, y los estudiantes, encuadrados en la Federación Universitaria Española (FUE), desencadenaron desde 1928 vivas campañas anti dictatoriales. La política anti autonomista de la Dictadura había creado una oposición poco menos que unánime en la que participaban desde el clero catalanista hasta las masas obreras de la suspendida CNT- los partidos autonomistas de izquierda (la Ezquerra, la Acció Catalana, etc.) y el separatismo habían engrosado considerablemente sus filas. Igualmente, la Dictadura se enemistó también con la Santa Sede defendiendo gallarda pero imprudentemente las prerrogativas del poder civil, y también con motivo del clero nacionalista vasco y catalán. Así el apoyo de la iglesia el régimen, hasta ahora incondicional, empezó también a resquebrajarse[1195].

Y cómo no, todo ello se agudizó con un trasfondo económico de gran calado que hacía que aumentasen exponencialmente los descontentos. Los años de prosperidad se habían

---

1194 NÚÑEZ RIVERO, Cayetano y MARTÍNEZ SEGARRA, Rosa María: *Historia constitucional de España*, p.207.
1195 SOBREQUÉS, Santiago: *Historia de España Moderna y Contemporánea*, pp. 418 y 419.

acabado y ello fue debido a la referida crisis económica mundial de 1929. Por otro lado, la política expansiva de la dictadura hizo aumentar considerablemente el gasto público y la deuda. Calvo Sotelo mantuvo una política monetaria de fortalecimiento de la cotización de la peseta. Sin embargo, los efectos de la citada crisis internacional y el elevado volumen de la deuda provocaron una brusca devaluación de la moneda española (60%). La política de Calvo Sotelo fue, por ello, muy criticada, lo que le llevó a presentar su dimisión en enero de 1930.

1. Ceuta a principios de 1930

Hemos visto que el presupuesto municipal había aumentado durante estos años, contemplándose un ciclo expansivo entre los años 1926-1929, que se había hecho notar en diversos apartados de la vida municipal, prestándose una especial atención al ensanche tanto interior como exterior, a las obras públicas, a la beneficencia y a la educación. Sin embargo, el año 1930 nacía con una pequeña reducción de los presupuestos, síntoma de que la situación económica se había estancado.

En la zona del Estrecho, a principios de año se instaló un fuerte temporal que dificultó las comunicaciones. Tras las fiestas de Reyes, se esperaba en Ceuta con gran expectación una nueva visita de Primo de Rivera, que tenía prevista su salida de Madrid el día 7; pero la Junta municipal recibió un telegrama aplazando la visita del presidente; no obstante, aprovechó la ocasión para enviar un saludo y felicitación de primero de año[1196]. Indudablemente, el aplazamiento de la visita estaba relacionado con los acontecimientos que se estaban desarrollando en la capital de España, por lo que se perdía la oportunidad de plantear directamente al presidente del Directorio los problemas por los que estaba atravesando la ciudad.

Mientras tanto, el alto mando dio órdenes para que por el servicio de Ingenieros hiciese entrega a la dirección de Obras Públicas de la carretera que partía del muelle Alfonso XIII, hasta el llamado de la Puntilla, que entroncaba con el que iba desde el poblado de Jadú a la carretera Ceuta-Tetuán[1197]. Asimismo, se aprobó la certificación de las obras de saneamiento de las barriadas de Jadú, General Sanjurjo y Príncipe Alfonso[1198], al igual que se concedió una licencia por enfermo al arquitecto municipal Santiago Sanguinetti. Sin embargo, los furiosos temporales de viento y agua no cedían y seguían causando enormes desperfectos. Así, debido al suceso ferroviario ocurrido los pasados días en Algeciras se estaba recibiendo la correspondencia con gran retraso. Al igual que la jura de la bandera se tuvo que hacer en los cuarteles[1199].

2. Acuerdos de la Junta municipal y el Ministerio del Ejército

Pero quizá lo más interesante en cuanto al futuro urbanístico de la Almina fue la noticia que ofrecía *La Época*: "Ceuta, 10—En la sesión celebrada por la Junta Municipal se dio cuenta del acta suscrita por el jefe del Estado Mayor del Ejército y el presidente de la Junta, en que se han acordado las compensaciones que hará el Municipio, con motivo de la cesión para el Ensanche de la ciudad, conforme al nuevo plan de urbanización de los edificios militares, Hospital Central, Farmacia Militar y huerta aneja, y el cuartel donde se alojaba el disuelto regimiento del Serrallo, en el que se construirá el Instituto de segunda enseñanza. Dichas compensaciones consisten en construir por la Junta Municipal dos grupos de edificaciones para el alojamiento de los servicios militares, que una vez que apruebe los proyectos el alto comisario, se comenzarán a construir"[1200].

1196 AGCE. LAC núm. 94. Comisión permanente, 9 de enero de 1930, folio 136 vto.
1197 El Cantábrico, 5 de enero de 1930.
1198 BOCCE núm. 179, 30 de enero de 1930. Comisión permanente, 16 de enero de 1930.
1199 La Correspondencia Militar, 4 de febrero de 1930.
1200 La Época, 11 de enero de 1930.

En los terrenos del antiguo Hospital Central nació la actual plaza de los Reyes. AGCE.

Tal y como señalaba el referido diario, la permanente del 19 de enero de 1930 quedó enterada, "de acta en la que se propone la cesión por el Estado al Municipio de varios edificios de su propiedad, aceptando, aprobando y confirmando las compensaciones que se reseñan en la misma y en atención del beneficio que representa para Ceuta las cesiones consignadas en el acta, debida a la gestión y labor realizada por la Presidencia, dar a esta un amplio y cariñoso voto de gracia"[1201]. Cabe precisar que la Farmacia Militar se encontraba a la entrada de la calle Serrano Orive, enfrente del Hospital Central; en cuanto a la "huerta aneja" estaba situada justo detrás de la citada Farmacia. Con la urbanización del lugar nacería una magnífica manzana y la calle Beatriz de Silva: el 15 de enero de 1931 Félix Palacios propuso dar el nombre a la calle E el de la Beata Beatriz de Silva, "hija ilustre de esta ciudad"[1202].

Según narra Antonio Carmona en su *Historia de Ceuta*, en 1930 el Ministerio de la Guerra entregó al Ayuntamiento de Ceuta el edificio del Hospital Real, que sería derribado al año siguiente y las imágenes de su capilla distribuidas por el padre Bernabé Perpén en otras iglesias[1203]. Y en tan hermoso espacio se habilitaría una de las plazas más señeras de la ciudad, donde en la actualidad se puede ver una réplica de la antigua portada de piedra serpentina del hospital con las esculturas de los reyes San Fernando y San Hermenegildo (Plaza de los Reyes).

En cuanto al instituto de segunda enseñanza, viéndose los cambios políticos que se estaban produciendo, se pospuso su construcción en los terrenos del cuartel del Rebellín, a pesar de que los planos ya estaban firmados por José Blein, decidiéndose que ocupase el edificio del Patronato Militar de Enseñanza, quedando así extinguido dicho Patronato. Con este acuerdo iba a nacer el Instituto Hispano-Marroquí, que, como se ha referido, comenzaría su andadura en el curso 1931-1932.

1201 BOCCE Núm. 178, 23 de enero de 1930. Comisión permanente, l9 de enero de 1930.
1202 BOCCE núm. 232, 29 de enero de 1931. Comisión permanente, 15 de enero de 1931.
1203 CARMONA PORTILLO, Antonio: *Historia de Ceuta*, pp. 90 y 91.

3. La llegada del general Gregorio Benito y la despedida de Millán Astray

Sin salirnos del mes de enero, por R.O. del día 13 tuvo lugar el cese de Millán Astray, al haber sido destinado a las órdenes del Ministro del Ejército[1204]. Con motivo del citado cese, la prensa elogiaba "su figura popularísima", al igual que elogiaba al nuevo jefe de la circunscripción Ceuta-Tetuán, el recién ascendido general de brigada Gregorio Benito Terraza[1205].

Tres días después de la Real Orden, procedente de Madrid llegó a Ceuta el nuevo general jefe de la Circunscripción de Ceuta-Tetuán, siendo recibido en el muelle por los generales Millán Astray y García Benítez, comandante militar Aguilera, jefe de Estado Mayor de la circunscripción y todos los jefes de los Cuerpos de la guarnición. Por otro lado, con el sainete *Para ti es el mundo*, de Arniches, había debutado en el Salón Apolo la compañía que dirigía Leandro Alpuente, obteniendo la obra "un éxito apreciable". También la Asociación de la Prensa celebró junta general para proceder a la renovación de la directiva, siendo reelegido para cargo de presidente Antonio Mico[1206]. Unos días después se celebró la onomástica del rey, y en la barriada Príncipe Alfonso tuvieron lugar unos festejos los días 23 y 24, concediendo la Junta municipal una subvención de 150 pesetas[1207].

Como se ha señalado, el cese de Millán Astray no pasó desapercibido en Ceuta, donde gozaba de un gran prestigio al ser considerado uno de los militares con más aureola de la Guerra del Rif, tanto por haber sido fundador de la Legión (1920), como por sus diversas heridas de guerra y denso historial. Por un lado, la permanente acordó por unanimidad y a petición de "distinguidas personalidades de esta ciudad", "en atención a los prestigios y a la figura eminente del general", nombrarlo hijo adoptivo, al igual que darle su nombre a una calle[1208]. También se acordó nombrar hijo predilecto "al insigne ceutí D. Salvador Navarro de la Cruz"[1209]. El coronel de Ingenieros Salvador Navarro de la Cruz había pasado a la reserva a principios de 1928, siendo nombrado en mayo de

Gregorio Benito en su época de jefe de Regulares. Colección particular.

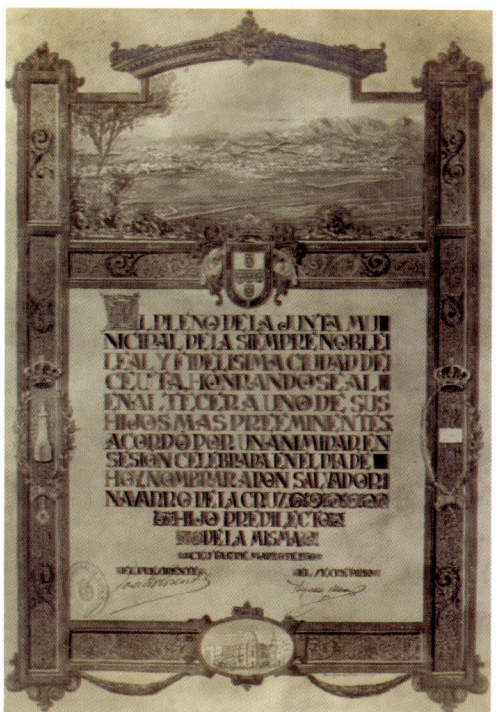

Pergamino dedicado a Salvador Navarro, hijo predilecto de Ceuta. AGCE.

1204   Gaceta de Madrid núm. 14, 14 de enero de 1930.

1205   ABC, 16 de enero de 1930.

1206   La Libertad, 17 de enero de 1930.

1207   AGCE. Caja 1076, 62-4 (Exp. 4).

1208   BOCCE núm.179, 30 de enero de 1930. Comisión permanente, 16 de enero de 1930.

1209   "Elevar una propuesta al Pleno relativa al nombramiento de hijo adoptivo de esta población del general don José Millán Astray. Elevar una propuesta al Pleno relativa al nombramiento de hijo predilecto de esta población de don Salvador Navarro de la Cruz". BOCCE núm. 180, 6 de febrero de 1930. Comisión permanente, 24 de enero de 1930. AGCE LAC núm. 94. Comisión permanente, 24 de enero de 1930, folio 148 vto.

ese mismo año gobernador civil de Badajoz[1210], y unos meses después, en el mes de noviembre, como ya se ha señalado, subdirector general de Comunicaciones[1211]. Para la ocasión, el artista Benigno Murcia confeccionó sendos pergaminos artísticos.

Asimismo, los jefes y oficiales de la guarnición ofrecieron un banquete al general como homenaje de despedida. Igualmente, el 18 por la noche, el Centro de Hijos de Ceuta quiso rendirle un homenaje íntimo con una cena seguida de baile. Millán Astray tenía bastante afinidad con esta asociación; pues, por ejemplo, a finales de diciembre había pronunciado una conferencia que tuvo como tema central su viaje a América: "El glorioso mutilado refirió la emoción que le produjo la entrada en el puerto de Montevideo que tanto le recordaba a Ceuta"[1212]. Al día siguiente del homenaje que le dedicó el Centro de Hijos de Ceuta, tuvo lugar un banquete popular en su honor. Y en sesión plenaria de 17 de marzo de 1930, la Junta municipal ratificó el acuerdo de nombrarlo hijo adoptivo, a la par que acordó poner su nombre a la calle conocida por "Callejón del Obispo". Por último, el general cesante envió una carta a la Asociación de la Prensa agradeciendo las atenciones que los periodistas siempre tuvieron con él.

Con respecto al general de brigada de Infantería Gregorio Benito Terraza, cuando fue nombrado jefe de la Circunscripción Ceuta-Tetuán tenía de 50 años de edad, y venía precedido de una brillantísima hoja de servicios, gran parte forjada en el Protectorado (teniente coronel del Grupo de Regulares de Tetuán, coronel 2° jefe de intervenciones militares…), donde había sido herido en el año 12, aunque no gozaba de la fama y la aureola de Millán Astray. Con el advenimiento de la II República, la supresión de la Circunscripción Ceuta-Tetuán, y la nueva reforma territorial en dos grandes circunscripciones (Oriental y Occidental), el general Benito sería nombrado, el 3 de junio de 1931, jefe de la denominada Circunscripción Occidental del Protectorado[1213]. A modo de resumen, veamos cuáles fueron los comandantes generales de Ceuta durante el periodo 1923-1931:

Comandantes generales de Ceuta (1923-1927)
Jefes de la Circunscripción Ceuta-Tetuán (1927-1931)

Manuel Montero Navarro	1923-1924 general de división
Luis Bermúdez de Castro y Tomás	1924 general de división
Felipe Navarro y Ceballos-Escalera	1924-1925 general de división
Federico Berenguer Fusté	1925-1927 general de división
Agustín Gómez Morato	1927-1928 general de brigada
José Millán Astray y Terreros	1928-1930 general de brigada
Gregorio Benito Terraza	1930-1931 general de brigada

Fuente: Elaboración propia

4. Dimisión y muerte de Primo de Rivera

Volviendo a la esfera nacional, ante estas circunstancias tan adversas, la Dictadura sólo se sostenía por el apoyo del Ejército y del monarca, pero ambos distaban mucho de ser incondicionales. Alfonso XIII deseaba salir de aquel callejón sin salida, y en cuanto al Ejército, ya en 1926, como se ha visto, un grupo de generales de abolengo liberal, como Aguilera, Weyler o Batet, de consuno con algunos políticos, como Romanones, había intentado pro-

1210 Real Decreto 811 de 5 de mayo de 1928, Gaceta de Madrid núm. 126.
1211 "Madrid. La Gaceta de hoy ha publicado las siguientes disposiciones: […] Nombrando subdirector de Comunicaciones a Don Salvador Navarro Cruz, coronel de Ingenieros en situación de reserva". El Telegrama del Rif, 18 de noviembre de 1928.
1212 Revista Diplomática, enero de 1930.
1213 Gaceta de Madrid, núm. 155, 4 de junio de 1931.

nunciarse por el restablecimiento de la normalidad constitucional (la *sanjuanada*). Luego se produjo la rebeldía del arma de Artillería ante la falta de equidad de que creía ser objeto en materia de ascensos y otras cuestiones internas, por lo que Primo de Rivera propuso la disolución del Arma. Asimismo, en 1929 el último jefe del gobierno conservador, Sánchez, Guerra, y varios militares (de nuevo Aguilera, etc.) fraguaron un complot que abortaron en Valencia, pero las intrigas y conspiraciones continuaron.

A comienzos de 1930 Primo de Rivera cumple sesenta años; un cumpleaños sin futuro, al igual que su proyecto. Y también cometió la imprudencia de consultar a las fuerzas de tierra, mar y aire sobre la conveniencia de continuación de la Dictadura, prerrogativa que sólo correspondía en todo caso al soberano. Primo de Rivera había pasado por alto el famoso refrán español (muy militar por cierto) que dice: "El que pregunta se queda de cuadra" (de servicio...; o sea que *la pifia*)[1214]. Entonces, los altos jefes militares contestaron unánimemente que estaban a las órdenes del rey, lo que equivalía a negar un apoyo al dictador en caso de conflicto con el trono. Inmediatamente, Alfonso XIII pidió a Primo de Rivera la dimisión, que tuvo lugar el 28 de enero de 1930. Pocos días después abandona España y se marcha a París. Y en la ciudad de la luz pasaría sus últimas semanas. No pudiendo resistir el tremendo desgaste físico que había sufrido y el peso de tantos desengaños, fallecería el 16 de marzo de 1930.

Pronto la noticia se extendió por todo el país, y la Comisión permanente, reunida en sesión ordinaria del 20 de marzo de 1930, tomó el siguiente acuerdo: "1º. Hacer constar en acta el sentimiento de la Corporación por el fallecimiento del Excelentísimo señor don Miguel Primo de Rivera y Orbaneja, Marqués de Estella, y suspender la sesión durante cinco minutos en señal de duelo, así como testimoniar a su familia el más sentido pésame". Con estas escuetas líneas, la Junta municipal cerraba un ciclo de varios años vividos muy de cerca con el dictador, pues desde el verano de 1924 no había sido raro ver a Primo de Rivera por Ceuta. Sin lugar a dudas, y aunque debido principalmente a la cuestión del Protectorado, ha sido el presidente que más la ha visitado. Y Ceuta lo nombró hijo adoptivo, al igual que le dio su nombre a una de sus vías más emblemáticas por abrir el Campo Exterior. Primo de Rivera, en definitiva, tuvo una relación muy cercana con la ciudad, conociendo de primerísima mano muchos de sus problemas e inquietudes. Un periodo donde el poder militar se impuso sin cortapisas al poder civil, que desgajó a Ceuta de la provincia de Cádiz y su Diputación, que la desposeyó de un Ayuntamiento democrático, que coartó libertades; pero que también trajo numerosos cambios, configurando muchos de los pilares de una ciudad cosmopolita y moderna, con sus defectos y sus virtudes, pero muy alejada del triste penal que había subsistido hasta 1912.

5. El gobierno de Dámaso Berenguer

A la salida del Palacio Real, Primo de Rivera dijo: "Su Majestad ha encargado formar gobierno al general don Dámaso Berenguer [...]. Me alegro de la designación, que me ha causado gratísima impresión". Berenguer, en esos momentos, era jefe del Cuarto Militar del rey y comandante general de Alabarderos. El conde de Xauen no se podía negar a la petición del monarca. Recordemos que fue en Ceuta, durante la visita de los reyes en el mes de octubre de 1927, durante la cena en el palacio municipal, cuando Primo de Rivera sugirió al rey que nombrase conde a Dámaso Berenguer; sugerencia que fue aceptada por el monarca. Por otro lado, Dámaso Berenguer había sido alto comisario, por lo que conocía muy bien la ciudad.

1214 VILA SAN JUAN, José Luis: *La vida cotidiana en España durante la Dictadura de Primo de Rivera*, p. 332.

El Gobierno de Berenguer lo tuvo muy claro desde el principio, se marcó como principal objetivo "llegar a la legalidad constitucional"; es decir, volver a la Constitución de 1876, por lo que levantó numerosas expectativas e incertidumbres en cuanto al futuro de la Alta Comisaría y la Junta municipal de Ceuta.

Con referencia a la Alta Comisaría, el nuevo presidente del Consejo de ministros telegrafió al alto comisario advirtiéndole que contaba con su colaboración a la obra del nuevo Gobierno. Por su parte, el general Jordana le contestó "felicitándole en nombre del Ejército de Marruecos y testimoniándole su incondicional adhesión"[1215]. Días después, en Ceuta, en la permanente del 13 de febrero se leyó un telegrama del conde de Jordana "participando haberle sido ratificado para continuar en el cargo de Alto Comisario y Gobernador Civil"[1216].

Dámaso Berenguer, conde de Xauen.
Comandancia General de Ceuta.

Con respecto a Ceuta, en un principio la Junta municipal acordó "Felicitar al nuevo Gobierno y muy en particular a su Presidente Excmo. Sr. Conde de Xauen, hijo adoptivo de esta ciudad"[1217]. Asimismo, la permanente del 16 de enero quedó "enterada" "de no haberse recibido desde la última sesión disposición oficial alguna que afecte a este Municipio"[1218], por lo que José Enrique Rosende Martínez seguiría siendo presidente de la citada Junta. No obstante, a partir de aquí se vivirá un periodo complicado. Esta situación se agravará a partir del mes de agosto con el Pacto de San Sebastián, por el que se daba finiquitada a la monarquía; cuestión que se verá reflejada en la ciudad con una oposición cada vez más beligerante, deseosa de más libertades y participación ciudadana.

6. Del túnel del Estrecho a la ciudad lineal

Además de la dimisión de Primo de Rivera, la formación del nuevo Gobierno y sus consecuencias en Ceuta, por esas fechas se comentaba insistentemente en los cafés y tertulias de los nuevos planes para unir las dos orillas del Estrecho. Se hablaba de dos proyectos principalmente. Por un lado, estaba el ya conocido plan del teniente coronel de Artillería Pedro Jevenois Labernade, autor de un proyecto de túnel submarino plasmado en el libro *El Túnel Submarino del Estrecho de Gibraltar*, prologado por Dámaso Berenguer; por otro, el del ingeniero salmantino Fernando Gallego Herrera, autor del proyecto del enlace ferroviario y automovilístico mediante un enorme tubo situado a 20 metros de profundidad.

Sobre el primer proyecto, las autoridades lo conocían bien desde hacía un par de años, y ya se estaban haciendo prospecciones y sacando muestras. En cuanto al segundo, Fernando Gallego visitó al general Jordana en Tetuán, exponiéndole su plan y mostrándole los planos, así como varias revistas extranjeras que se ocupaban del invento.

1215 El Progreso, 2 de febrero de 1930.
1216 BOCCE núm. 183, 27 de febrero de 1930. Comisión permanente, 13 de febrero de 1930.
1217 BOCCE núm. 182, 20 de febrero de 1930. Comisión permanente, 7 de febrero de 1930.
1218 AGCE. LAC núm. 94. Comisión permanente, 16 de enero de 1930, folio 139.

Tal era el interés público por estos proyectos que el Centro de Hijos de Ceuta decidió organizar un ciclo de conferencias protagonizada por los propios autores, complementada por otra conferencia del director de Obras Públicas del Protectorado, Daniel Piqueras[1219], sobre el enlace de estos proyectos con el puerto de Ceuta, así como la prolongación del ferrocarril Ceuta-Tetuán, la construcción de autopistas al interior y, sobre todo, el Transahariano. El diario tetuaní *El Norte de África* pron-

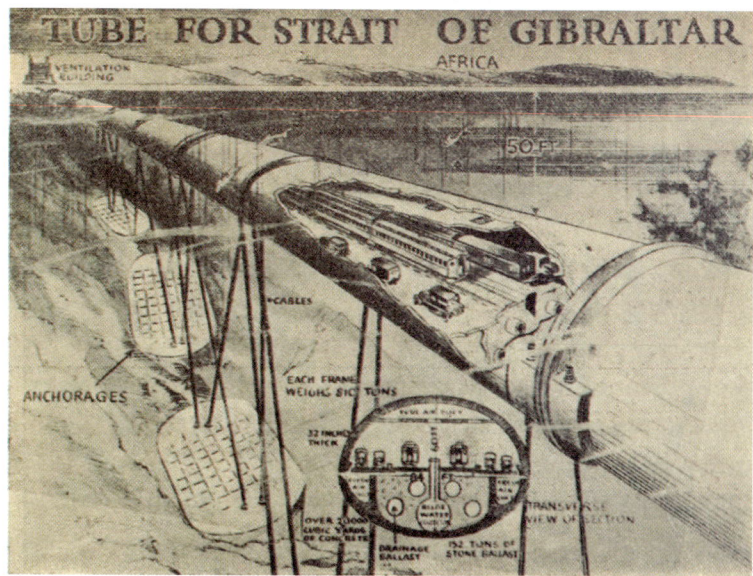

Ilustración del proyecto del ingeniero Fernando Gallego. Colección particular.

to se hizo eco de la noticia y publicó un artículo relacionado con el tema debido al interés que había despertado también en la capital del Protectorado[1220].

La conferencia del teniente coronel Jevenois fue calificada por la prensa como uno de los actos "más importantes celebrados en Ceuta desde hace muchos años"[1221]. Presidió el alto comisario con el presidente de la Junta municipal. El presidente del Centro de Hijos de Ceuta, el ingeniero Mollá, dirigió un saludo de bienvenida al alto comisario y después presentó al conferenciante. Este expuso su proyecto ofreciendo numerosos datos, el sondeo que estaba llevando las autoridades españolas, la importancia de conectar dos continentes, terminando con "brillantes párrafos en los que mostró su confianza en el porvenir de España". Acabó el acto con unas palabras que pronunció el propio conde de Jordana felicitando al conferenciante y al Centro de Hijos de Ceuta, haciendo constar de que "se unan todos los hombres civiles de Ceuta con el Ejército con el mismo ideal"[1222].

Enlazando con el proyecto de Jevenois, Hilarión González del Castillo también proponía revivir la antigua idea de Arturo Soria de la construcción de la ciudad lineal Ceuta-Tetuán, según se contempla en diversos números de 1929 de la *Revista Hispano Africana* (3 proyectos); el último, por cierto, para enlazar con el túnel de Jevenois. Pero en realidad, durante esas fechas se debatía entre los modelos de urbanismo, partiendo como base la ciudad-jardín, que se recomendaba en Marruecos[1223].

7. El Centro de Hijos de Ceuta

En cuanto al resto del mes de febrero, además de la celebración del Voto a la Virgen y del carnaval, un asunto que preocupaba a la Junta municipal por aquellas fechas era combatir el tracoma, enfermedad infecto-contagiosa que afectaba a la visión y que estaba azotando con virulencia a la zona de Levante y Andalucía. De tal calibre era el problema que las autoridades sanitarias tuvieron que publicar un Reglamento con medidas profilácticas para combatirlo (R.O. de 5 de mayo de 1928). Esta enfermedad, que podía conducir a resultados irreversibles, era más frecuente entre las personas que vivían hacinadas y en condiciones poco higiénicas. También en Ceuta, donde, como se ha apuntado, el chabolismo se había

1219 ABC, edición Andalucía, 11 de enero de 1930.
1220 África, Revista de Tropas Coloniales, enero de 1930.
1221 El Telegrama del Rif, 9 de febrero de 1930.
1222 El Telegrama del Rif, 9 de febrero de 1930.
1223 África, Revista de Tropas Coloniales, 1 de agosto de 1928.

convertido en un problema endémico, se habían detectado más de trescientos casos, concentrados fundamentalmente en el Patio Centenero y Huerta Martínez[1224]; por ello se requirió al jefe de Sanidad municipal para que propusiese "las medidas necesarias para combatir la enfermedad"[1225]. El resultado fue la creación de un dispensario anti tracomatoso, que sería puesto en servicio en 1930.

Por otro lado, como se ha visto a lo largo de estos últimos años, el Centro de Hijos de Ceuta se había convertido desde el otoño de 1926 en un foco cultural realmente importante de la ciudad norteafricana, pues desde su inauguración se había mostrado muy activo. No fue el único, rivalizaba sobre todo con el Casino Africano, del que ya hemos trazado algunas gruesas líneas, con el antiguo Casino Militar, que tuvo su origen en 1853 –el Casino Africano y el Casino Militar (Centro Cultural Militar) estaban situados en la misma calle, uno enfrente del otro-, el Casino Español, del que también se ha hecho una breve descripción, El Bakalito, entidad que se había escindido del Casino Africano, además del Círculo Mercantil y el Círculo de Artesanos.

Pero el dinamismo y vitalidad que mostraba el Centro de Hijos de Ceuta era incontestable, apoyando al Comité Local de Turismo, la edición de publicaciones como el citado *Libro de Ceuta* en 1928, la organización y revitalización de actos benéficos, conmemorativos y festivos, y la proliferación de conferencias con unos ponentes de primerísima fila; al igual que ofrecía exposiciones en sus salones. Todo este bagaje le había otorgado merecido reconocimiento y prestigio, convirtiéndose en el centro cultural por excelencia.

La fecha fundacional que figura en sus libros es la de 7 de marzo de 1923, en los salones de La Peña, que era otra sociedad recreativa que en aquellos momentos estaba a punto de cerrar, por lo que el Centro de Hijos de Ceuta se consideraba continuador de ella[1226]. Sin embargo, la Asociación no quedó constituida oficialmente hasta tres años después, a finales de agosto de 1926, que fue cuando se aprobó su reglamento. Según informaba la prensa de la época, esta asociación estaba compuesta "por todas las clases sociales", y tenía como "finalidad la defensa de los interés patrios y locales"[1227]. Igualmente, en aquella misma sesión se procedió al nombramiento de la Junta directiva, siendo

Instalaciones del Centro Hijos de Ceuta. África, Revista de Tropas Coloniales, febrero de 1929.

elegido presidente el comandante de Ingenieros José Mollá Noguerol, influyente contratista de obras, que sería concejal durante la época republicana y primer franquismo. Asimismo, se acordó nombrar socio honorario al historiador portugués Alfonso Dornellas, "que tanto se ha distinguido en la investigación de la historia de Ceuta"[1228], y del que ya hemos trazado un esbozo biográfico. Tras la constitución de la Asociación, el 10 de octubre de 1926 hubo una celebración en el Hotel Majestic, aprovechando la festividad San Daniel y los Santos Mártires; festividad de la que había sido renovado promotor el propio Centro de Hijos de Ceuta junto a la Junta municipal; muestra inequívoca de la vocación que tenía el Centro por la revitalización y el fomento de las tradiciones ceutíes.

1224 ALARCÓN CABALLERO, José Antonio: 'El chabolismo en la Ceuta de los años treinta', p. 182.
1225 BOCCE núm. 187, 27 de marzo de 1930. Comisión permanente, 20 de marzo de 1930.
1226 Entrevista realizada a José Luis Gómez Barceló, 4 de enero de 2019.
1227 ABC, 1 de septiembre de 1926.
1228 El Telegrama del Rif, 1 de septiembre de 1926.

No obstante, no sería hasta 1928 cuando empezó a trasladarse definitivamente al amplio local del vestíbulo de la céntrica y prestigiosa Casa Trujillo; local que sería inaugurado "con mucho entusiasmo", aprovechando las fiestas de carnaval de 1929[1229]. Por otro lado, otro centro cultural que se instaló en la Casa Trujillo fue el citado Casino Español, del que ya se ha apuntado algunas notas.

8. Un Gobierno a la defensiva

Volviendo al pulso de la vida institucional, el nuevo Gobierno empezaba su andadura con numerosos problemas y una oposición cada vez más crecida.

Uno de los primeros ataques que sufrió fue contra las juntas municipales, haciéndose una fuerte campaña para que volviesen los antiguos ayuntamientos; es decir, los anteriores a la dictadura primorriverista. Y a Ceuta también llegaron los ecos de esa campaña a través de una información publicada en el diario *ABC* a mediados de febrero: "Algunos elementos de Ceuta nos escriben para que apoyemos la petición que se ha hecho al Gobierno para que se destituya la Junta Municipal de Ceuta, creada por la Dictadura en agosto de 1925, que, después de elevar los tributos de 900.000 pesetas a 3.600.000, ha cerrado su presupuesto de 1929 con un déficit de 600.000 pesetas, sin haber pagado los servicios tan importantes como el alumbrado y el abastecimiento de aguas, para el Ayuntamiento que tenía con anterioridad a este decreto, que databa de la misma fecha que todos los Ayuntamientos de España. Entienden nuestros comunicantes que en el momento que se va a reconstruir los Municipios españoles, es la ocasión de derogar dicho decreto, y que se restablezca el Concejo ceutí"[1230].

Desde luego, la nota ya mostraba el mal ambiente que reinaba en algunos sectores de la ciudad. Por otro lado, el corto pero incisivo y rotundo escrito no gustó nada a la Junta municipal, sintiéndose profundamente agraviada, dando lugar a que la Comisión permanente acordarse "Dirigirse al Señor Director del periódico ABC para que manifieste, el nombre de los firmantes de la información publicada en su periódico, en su edición del 16 del actual, sobre esta Junta, y que para que por los mismos, se rectifiquen los erróneos conceptos del mismo, y caso contrario, entablar la acción criminal correspondiente"[1231].

Rápidamente, la Cámara de Comercio, a través de su presidente, Manuel Delgado, envió un telegrama al presidente del Consejo de ministros "haciendo constar que dicha entidad es ajena a los deseos expuestos por algunos elementos locales, en sentido de sustituir la actual Junta Municipal por el ayuntamiento antiguo"[1232]. Igualmente, envió otro telegrama a los periódicos de Madrid, con parecido contenido al enviado a Dámaso Berenguer, para dejar clara su postura a la opinión pública[1233].

También la reacción del Gobierno fue rápida. En concreto, el Real Decreto n.º 1067 de 10 de abril de 1930 señalaba en su artículo 1º: "Se restablece el Ayuntamiento de Ceuta", aunque el segundo artículo transitorio aclaraba: "Las actuales Juntas municipales de Ceuta y Melilla seguirán actuando hasta que por el Gobierno de S. M. convoque a elecciones municipales en la Península. Entonces, al mismo tiempo, se celebrarán en dichas ciudades elecciones municipales conforme al Censo formado por sus Juntas locales de Censo"[1234]. Por lo que seguiría presidiendo la Junta municipal José Enrique Rosende hasta la convocatoria de elecciones municipales. Asimismo, el Real Decreto contemplaba que, celebradas las elecciones, el alcalde de la ciudad pasase a depender de la Dirección General de Marruecos y Colonias, concediendo al alto comisario funciones inspectoras sobre las autoridades y servicios de orden civil.

1229 El Sol, 12 de febrero de 1929.
1230 ABC, 16 de febrero de 1930.
1231 BOCCE núm. 184, 6 de marzo de 1930. Comisión permanente, 20 de febrero de 1930.
1232 Heraldo de Castellón, 21 de febrero de 1930.
1233 Diario de Alicante, 21 de febrero de 1930.
1234 Gaceta de Madrid, 11 de abril de 1930, núm. 101, p.267.

No sabemos con certeza quién estuvo detrás de aquel escrito aparecido en *ABC*, lo que sí sabemos es que a partir de entonces la oposición al régimen será más evidente. Sobre esta cuestión, el ceutí, Francisco Sánchez, en su libro *Masonería en Ceuta, origen, guerra y represión 1821-1936*, apunta lo siguiente: "En los meses anteriores a la caída de la dictadura, los ceutíes que deseaban un cambio político se reunían en torno al Casino Africano, ubicado en la Casa de los Dragones, donde la burguesía más progresista debatía sus pareceres políticos. Estas reuniones, de muy diverso signo político, fueron el embrión del partido Unión Republicana, entre cuyos miembros más importantes se contaban los masones Moisés Benhamú, Sánchez Prado, Victori Golañons, Alberto Parres, los hermanos Mas de la Rosa y Sánchez Molinillo, y los socialistas David Valverde, Manuel Pascual, Antonio Domínguez y Domínguez Vega"[1235].

Por su parte, José Antonio Alarcón se manifiesta en parecidos términos: "Durante el año de transición de 1930 se va produciendo una reorganización de las fuerzas políticas. Las de la oposición se organizan en torno a dos vectores: la conjunción republicana, sin adscripción partidista concreta, cuyo único programa común es la instauración de la República, y la socialista, representado por el Partido Socialista Obrero Español (PSOE), que veía en la proclamación de la República un paso transitorio, una revolución democrática necesaria en el camino hacia la instauración del socialismo. En el primero militarán importantes representantes de las clases medias ceutíes que se habían ido consolidando en estos años: el abogado Manuel Olivencia, los comerciantes José Victori, Alberto Parres, Salvador Pulido o Antonio Mena, el médico Antonio Sánchez-Prados, el ingeniero Rafael Vegazo, el ex militar Eduardo Pérez Ortiz o el ex concejal reformista Moisés Benhamú. En el PSOE se organizaba un sector de las clases trabajadoras y un núcleo de dirección integrado por cuadros de las clases medias: el abogado Conrado Lájara, el agente de aduanas David Valverde, el agente comercial Domingo Vega, el sastre Manuel Pascual, el tipógrafo José Lendínez o el comerciante Antonio Becerra, apoyados por la incipiente UGT local"[1236].

También la masonería empezó a resurgir en la ciudad, como asimismo señala el citado Francisco Sánchez: "Durante las primeras décadas del siglo XX, un buen grupo de ceutíes formaba parte de las logias del Protectorado; sobre todo, en las vecinas Tetuán, Larache y en la ciudad internacional de Tánger. A finales de 1928, esos masones decidieron que había llegado el momento de levantar columnas en Ceuta aunque esta ciudad albergase a una sociedad tan militarizada. Sólo habían pasado tres años desde el levantamiento del estado de guerra, se restableció el cargo de presidente del consejo de Ministros y se constituyó lo que se conoce como Directorio Civil. No obstante, la Constitución continuaba suspendida. El nacimiento de la logia ceutí *Hércules* se produjo en un momento histórico novedoso estrenando régimen unos meses después. [...]

La primera de dicha reuniones tuvo lugar el 5 de enero de 1929, en uno de los salones del Café Ambos Mundos. Las siguientes, en el domicilio de Aron Tameshitit, en el almacén de Moisés Benhamú, en el comercio de Isaac Benlolo y en el estudio fotográfico de Diodoro, en pleno paseo del Rebellín; en esta, la última, suscribieron la carta constitutiva. Los estatutos fueron aprobados el 2 de enero de 1930. La primera tenida se celebró el 9 de febrero bajo la presidencia del venerable maestro Salomón Isaac Benlolo. Con el paso de los meses, Hércules se consolidó llegando noticias de su implantación en la ciudad a las tertulias y círculos progresistas, recibiendo numerosas peticiones de ingreso"[1237].

Como vemos, el asociacionismo político y la masonería empezaron a resurgir con fuerza; al igual que el sindicalismo, que cada día se mostraba más activo.

1235 SÁNCHEZ MONTOYA, Francisco: *Masonería en Ceuta, origen, guerra y represión 1821-1936*, p. 208.
1236 ALARCÓN CABALLERO: José Antonio: *Historia de Ceuta, S. XX*, p. 234.
1237 SÁNCHEZ MONTOYA, Francisco: *Masonería en Ceuta, origen, guerra y represión 1821-1936*, pp. 189-208.

9. Grave incidente, afirmación monárquica y submarinos italianos

En cuanto a la vida ceutí, a principios de marzo tuvo lugar un oscuro incidente. Según el diario *El Pueblo*, una pareja de la guardia civil cacheó a un grupo de individuos que escandalizaban en la vía pública, y al retirarse fueron acometidos con arma blanca por dichos sujetos. La pareja disparó sus fusiles hiriendo gravemente a tres de ellos, que eran hermanos. Uno de los guardias resultó herido gravemente también de tres puñaladas[1238]. Poco más se sabe de este suceso; lo que sí está claro era el ambiente que se estaba viviendo en la ciudad estaba cada vez más enrarecido.

Este año la Semana Santa tuvo lugar del 13 al 20 de abril. Visitaron la ciudad muchísimos tetuaníes que llegaron en trenes especiales. Asimismo los legionarios habían desfilado en Málaga con la brillantez y expectación que le caracterizaban. Y el mismo 20 de abril, el Domingo de Resurrección, tuvo lugar en la nueva plaza de toros de Las Ventas de Madrid un acto de afirmación monárquica. Era una forma de contrarrestar la ofensiva y el desgaste que estaba sufriendo el régimen. En Ceuta, ese mismo día, se colocaron pliegos de adhesión en el palacio municipal para secundar el acto celebrado en Madrid, que se llenaron rápidamente con firmas de toda clase de personas sociales. Por su parte, la Junta municipal dirigió al mayordomo mayor del Palacio y al Gobierno extensos telegramas de respeto y adhesión. También el jefe del Comité Liberal-Conservador, señor Heras, envió a Gabino Bugallal, uno de los principales organizadores del acto, un telegrama de adhesión al monarca en nombre de aquel partido. Al igual que el jefe del Comité Liberal-Democrático, Ruiz Molina, envió otro al jefe del partido y a la comisión del mitin de Madrid, al jefe del Gobierno y al mayordomo mayor de Palacio. Del mismo modo telegrafiaron su adhesión los liberales romanonistas. También las representaciones de entidades "que carecen de carácter político, industria, comercio y otras actividades", exteriorizaron su adhesión con telegramas y otros actos[1239].

Por otra parte, esa misma noche debutó con gran éxito la compañía de comedias de Antonia Planas, ya habitual en la ciudad, y en el Centro de Hijos de Ceuta tuvo lugar una fiesta andaluza, donde hubo cante flamenco y se bailó hasta la madrugada[1240].

Por esos días había atracado en Ceuta una flotilla de dos submarinos de la Regia Marina Italiana. Eran los modernos submarinos oceánicos de la clase Balilla *Domenico Millelire* y *Enrico Toti*, a cuyo frente estaban los capitanes de corbeta Pietro Parenti y Alfredo Gillo. Ambos capitanes y sus oficiales fueron recibidos en el palacio municipal, donde se les tributó una agradable recepción. La estancia acabó el día 22. Al mediodía zarparon rumbo a Mahón, donde tenían previsto pasar unos días antes de poner rumbo a su base de Spezzia.

10. La langosta hace la tripa angosta

El mismo día que los submarinos italianos zarpaban rumbo a Menorca, empezaron a aparecer por los cielos de Ceuta pequeñas nubes de langostas. Era la vanguardia de lo que se avecinaba. Ya en el mes de octubre de 1929 se habían tenido las primeras noticias de la plaga de la langosta peregrina, también llamada langosta del desierto o cigarrón berberisco; ortóptero que los entomólogos denominan *schistocerca gregaria*. Normalmente las plagas se producen cuando llega la época de sequía y escasea de alimento, por eso suele ser cíclica. Entonces se vuelven gregarias y se desplazan formando inmensas nubes que oscurecen el cielo y esquilman los campos.

Según Mariano Domínguez, aparecieron dos focos de cierta importancia al sur del Atlas, hasta que invadió toda la zona francesa, llegando a mediados de enero de 1930 al límite de la zona española. A partir de esa fecha fueron apareciendo núcleos diseminados tanto por la región occidental como por la oriental. Los insectos presentaban coloración roja, gris o siena, es decir, no habían llegado a su último estado (coloración amarilla) durante el cual hacen las puestas.

1238 El Pueblo, 5 de marzo de 1930.
1239 El Imparcial, 22 de abril de 1930. El Noticiero Gaditano, 22 de abril de 1922. La Vanguardia, 22 de abril de 1930.
1240 El Telegrama del Rif, 22 de abril de 1930.

La verdadera invasión comenzó el día 20 de marzo penetrando grandes nubes de coloración amarilla entre Barga, de la Compañía Agrícola del Lucus, y la finca propiedad del jalifa del Jolot. Nuevas invasiones se sucedieron y comenzó la puesta en toda la región invadida. Tras varios días detenida por la lluvia, llegó a Tánger.

Hasta este momento, el Norte había sido la orientación de todos los vuelos, pero al llegar a Tánger, si bien muchos bandos siguieron esta dirección cayendo al mar, otros cambiaron la ruta, y buscando las dunas, campo apropiado para sus puestas, continuaron por el litoral llegando a Alcazarseguer. Tras coronar sin esfuerzo los ochocientos metros de Sierra Bullones, la gran nube alcanzó Ceuta, anunciando su llegada oscureciendo el cielo, acompañando a esta oscuridad un sonido similar al de las piedras cuando chocan unas contra otras; para seguidamente invadir la población y alfombrar sus calles de colores bíblicos. En este punto tomaron rumbo Sur, es decir, totalmente opuesto al normal de la plaga en esta generación. Este cambio se explica teniendo en cuenta que no habiendo terminado sus puestas, el insecto las fue efectuando siguiendo las arenas de la costa. Así llegó a Castillejos, Rincón y finalmente a Río Martín, donde desapareció. Podía decirse que, salvo alguna cabila del litoral, todas habían registrado presencia de langosta[1241].

Estas notas que dejó escritas Mariano Domínguez se contrastan con otras de la prensa que informaron cumplidamente del problema. Así, por ejemplo, el día 26 de abril *El Heraldo de Madrid* notificaba desde Tetuán: "Enormes manchas de langosta invaden los sembrados y amenazan destruir las cosechas. El tren mixto que salió de Tetuán para Ceuta tuvo que retroceder ante el peligro de descarrilar por la sorprendente nube que invadía la línea férrea. El alto comisario interino estuvo recorriendo los lugares invadidos". Por su parte, *La Libertad* insistía sobre la noticia: "Una nube de langosta, procedente de la zona francesa, donde este insecto está causando grandes estragos, ha invadido Ceuta, y se teme que produzca daños a los agricultores de esta ciudad; los cuales están alarmados"[1242]. De la misma forma, el *Diario de Córdoba* apuntaba: "Los agricultores están alarmados por los estragos que están causando los terribles insectos. Las autoridades de la plaza, con el auxilio de los soldados, han dado las órdenes oportunas para la extinción de la temible plaga"[1243].

A pesar de la crisis generalizada que había invadido Ceuta y el Protectorado, que ya se empezaba a notar con un continuo goteo de bajas de empresas y establecimientos comerciales, y el aumento de número de parados, el alto comisario llegó a subrayar que lo que más le preocupaba en esos momentos era la plaga, por lo que se decidió como principal medida roturar los campos para destruir las ootecas, los denominados canutos. El Protectorado basaba su feble economía principalmente en la agricultura; por lo que habiendo sucedido este desastre, en plena primavera, se auguraba malas cosechas y no pocos perjuicios, como ya había ocurrido en la vega del Lucus, unas de las tierras más feraces del Protectorado, donde la plaga había devorado la cosecha de cebada.

Abundando sobre esta cuestión, en Ceuta no era raro ver plagas de langostas. En 1892, por ejemplo, hubo una de tal magnitud que quedó grabada en la memoria popular a través de esta letra de carnaval:

> Ustedes recordarán
> aquella gran "langostá"
> que por mitá del Rebellín
> no se podía transitar.
> Los serenos en guerrilla
> iban por los callejones
> matando a escobazos
> la banda de cigarrones...

1241 DOMÍNGUEZ, Mariano: 'La invasión de la langosta peregrina en la Zona de Protectorado', p. 162.
1242 La Libertad, 23 de abril de 1924.
1243 Diario de Córdoba, 23 de abril de 1930.

Visita del infante don Jaime a Ceuta. Cortesía de Rosa Ros Amador.

11. La visita del infante don Jaime

Estaba claro que la situación en Ceuta y el Protectorado había cambiado con respecto a la visita de los reyes de octubre 1927. Ahora las cosas eran muy diferentes. La crisis empezaba a carcomer parte del trabajo realizado durante el anterior periodo expansivo. No obstante, para mostrar un claro mensaje de normalidad, el infante don Jaime hizo una gira por esos territorios. Muy limitado en sus funciones por su sordera que padecía desde pequeño -sufrió una operación de mastoiditis-, era el segundo en la sucesión al Trono, tras el Príncipe de Asturias, su hermano Alfonso.

A las cuatro de la tarde del día 29 de junio llegó el infante a Ceuta a bordo del crucero *Extremadura*. Acudieron a recibirle el alto comisario, general Jordana, el segundo jefe, general Sousa, el jefe de la circunscripción, general Benito, el ministro de España en Tánger, el administrador adjunto de la misma ciudad y las autoridades locales, encabezadas por el presidente de la Junta municipal, José E. Rosende. Rindió honores una compañía del regimiento de Ceuta.

Tras los saludos protocolarios y entre las aclamaciones del público, se dirigió al chalet de la Residencia, en la cuesta de Otero, acompañado del alto comisario. Un escuadrón de lanceros de la Legión le dio escolta. Desde el chalet de la Residencia, el Infante, acompañado del alto comisario y demás autoridades, se trasladó al cuartel de Regulares. Allí pasó a la gran explanada, donde el tabor que mandaba el comandante Pereda realizó con gran precisión diversos ejercicios. A continuación, desfiló ante el infante, quien manifestó su satisfacción por la magnífica presentación de las fuerzas; fuerzas que llegó a reconocer que no conocía. Seguidamente firmó en el álbum de las personas reales y después marchó al palacio municipal, donde se celebró una recepción que resultó muy brillante. Después de la recepción fue obsequiado con un *lunch*. Terminada la visita marchó a Tetuán, donde estuvo alojado en la Alta Comisaría. Tras las recepciones de rigor, visitó al jalifa, los sitios más destacados de Tetuán y el Rincón del Medik, donde fue aplaudido por los bañistas. En los siguientes días estuvo en Alcazarquivir, Larache y, el día 4, en Xauen, donde almorzó en la recién estrenada hospedería de turismo.

El día 5, tras salir de Tetuán a la 10 de la mañana, visitó Dar Riffien, y de allí, acompañado por el conde de Jordana, volvió a Ceuta donde almorzó en el chalet de la Residencia del comisario superior, y a las dos de la tarde marchó al muelle Alfonso XIII, donde le aguardaban todas las autoridades y un numeroso gentío. Una compañía del regimiento de Ceuta, con bandera y música, nuevamente le tributó honores. El infante la revistó y seguidamente embarcó en el *Vapor núm. 4* de la Compañía Arrendataria de Tabacos. Al desatracar el buque, la música interpretó la Marcha Real[1244]. Tenía 22 años recién cumplidos.

Aprovechando la visita del infante, la Comisión permanente del 3 de julio de nuevo volvía sobre el tema impositivo: "Que al interesar del Gobierno la supresión del impuesto de Contribución Industrial, se interese al mismo tiempo o se devuelvan todos los fueros y privilegios que se han perdido en esta ciudad"[1245]. Indudablemente se hacía alusión a una de las grandes conclusiones de la conferencia económica que se había celebrado en Tetuán.

12. Dos inauguraciones

Procedente de Hamburgo, Rotterdam, Amberes y Southampton llegó a Ceuta el vapor alemán S.S. *Watussi*, de la Compañía German African Lines, de unas diez mil toneladas. Dicho buque inauguraba, haciendo escala en el puerto de Ceuta, el servicio regular entre Hamburgo y sur de África. Anteriormente, los buques de German African Lines tocaban en el puerto de Tánger, que había sido sustituido por el puerto de Ceuta por reunir mejores

El trasatlántico alemán *S.S. Watussi*. Colección particular.

———————

1244 África, 1 de julio de 1930.
1245 BOCCE núm. 202, 10 de julio de 1930. Comisión permanente, 3 de julio de 1930.

condiciones y hallarse más próximo a las ciudades típicas de Marruecos. El *Watussi* conducía 250 turistas, que se dirigieron por la mañana en una caravana de automóviles a Tetuán. Con motivo de la inauguración del servicio, los consignatarios en Ceuta, José Trujillo e Hijos, obsequiaron con un *champagne* a las autoridades del Protectorado y de Ceuta, presididas por el alto comisario. El acto resultó muy agradable y cordial. Al entrar las autoridades al igual que a su salida, se interpretaron la Marcha Real y el Himno Alemán, que fueron muy aplaudidos.

Esta nota de esperanza empresarial se completó con la inauguración de una sucursal bancaria. Procedente de Tetuán llegó en automóvil el alto comisario para asistir a la inauguración de la sucursal en Ceuta del Banco Hispano-Americano, acto que tuvo lugar a las siete de la tarde, asistiendo también los generales Benito y García Benítez, el delegado gubernativo, el presidente de la Junta municipal, representaciones comerciales, del clero y cuerpos de la guarnición, industriales y numerosas personalidades. También vino para asistir al acto el representante del Banco en Sevilla, Joaquín Arévalo.

Unos días después, con motivo de la festividad de la patrona de la Marina, se celebró a bordo del crucero *Extremadura* una solemne misa, asistiendo las autoridades militares y civiles de Ceuta. Los marinos fueron obsequiados con ranchos extraordinarios y celebraron diversos festejos, combates de boxeo y regatas. Por otro lado, invitados por el ministro de España en Tánger, marcharon a dicha ciudad donde se les obsequió con un almuerzo, el presidente y otros directivos del Centro de Hijos de Ceuta, correspondiendo la visita que dicho centro hizo en caravana durante las fiestas de la Semana de Tánger[1246].

13. Las fiestas patronales de 1930

Las fiestas patronales de este año, según el programa de actos, se celebraron entre los días 4 y 7 de agosto:

Día 4. A las 7, dianas por las bandas de música de la guarnición. A las 9, apertura del campamento de los Exploradores. A las 11, inauguración del zoco en el muelle de Alfonso XIII. A las 16, cucañas marítimas, partidos de waterpolo y concurso de natación en la bahía. Gran partido de fútbol en la Sociedad Hípica. A las 20, solemne Salve en el Santuario de la Virgen de África. Primera velada en la plaza de la Constitución y vías adyacentes.

Día 5. A las 10, solemne función religiosa en el Santuario de nuestra Excelsa Patrona la Virgen de África. Gran partido de fútbol en la Real Sociedad Hípica. A las 21, gran velada en la plaza de la Constitución y calles adyacentes. Gran función de fuegos artificiales en el muelle del Comercio.

Día 6. A las 11, elevación de globos grotescos y cucañas en la plaza de la Constitución. A las 12, regatas en la bahía. A las 17,30, corrida de toros de la afamada ganadería del Exmo. Sr. Duque de Veragua, para Villalta, Cagancho y Vicente Barrera. A las 21, tercera velada en la plaza de la Constitución y vías adyacentes. A las 23, gran velada de fuegos artificiales en el muelle del Comercio.

Día 7. A las 12, reparto de los donativos en el palacio municipal a las viudas y a los sexagenarios y a los padres de familias numerosas, todos pobres de solemnidad, con arreglo a las bases ya publicadas. Partido de fútbol en la Real Sociedad Hípica. A las 21, última velada en la plaza de la Constitución y vías adyacentes. A las 23, final de fiesta con una gran cabalgata cívico-militar, adjudicándose premios a las carrozas y coches engalanados que lo merezcan a juicio del jurado[1247].

1246 La Vanguardia, 18 de julio de 1930.
1247 BOCCE núm. 203, 17 de julio de 1930. Comisión permanente, 11 de julio de 1930. AGCE, Fiestas.

Proyecto de portada de los años veinte de la feria de Ceuta. AGCE.

Resaltaba la prensa que el día 4, con asistencia de las autoridades, tuvo lugar la inauguración de la Exposición de obras de la Escuela Elemental de Trabajo, sostenida por la Junta municipal, de la que formaban parte, en su mayoría, alumnos obreros. El director, José Figuerola, y los demás profesores fueron felicitados por el éxito de la exposición. Estos trabajos correspondían al segundo año de la implantación de la citada Escuela[1248].

El martes 5 por la mañana el Santuario de la Virgen de África presentaba un aspecto impresionante. Ante unos fieles entregados, que abarrotaban el Santuario, presididos por las autoridades eclesiásticas, civiles y militares, se ofició la misa en honor de la patrona con la brillantez propia de tan señalado día. Predicó el sermón el padre Campos, redentorista de la casa de Osuna[1249].

Ya por la tarde, con lleno rebosante y tarde ventosa, se celebró la primera corrida de feria, lidiándose cinco toros de Veragua, grandes y poderosos, y uno de Gallardo. La corrida empezó algo tarde, a las 17,30, por lo que la presidencia tuvo que escuchar una importante pita. Villalta, Cagancho, que decepcionó a su legión de seguidores, y Vicente Barrera, que había triunfado en la corrida del Domingo de Resurrección, fueron los diestros encargados de lidiar la corrida. Destacó Nicanor Villalta en el cuarto de la tarde. Comenzó el turolense con unas verónicas formidables que fueron premiadas con aplausos generalizados. En quites volvió a ser ovacionado con generosidad. Con la muleta hizo una extraordinaria faena, coreada por el público, que lo llevó en volandas. Elevado por el calor del ambiente, entró a

1248 DÍAZ FERNÁNDEZ, Mª Dolores: Opus cit., p. 84.
1249 La Correspondencia Militar, 9 de agosto de 1930.

matar recto y valiente, y dejó una estocada superior; el volapié fue de nuevo favorablemente acogido por el respetable y la presidencia, que premiaron su impecable labor con cerrada ovación, las dos orejas y vuelta al ruedo[1250].

Pero veamos el ambiente que se respiraba en la ciudad durante estos días festivos. La crónica está firmada por Zogoibi, corresponsal de *El Heraldo de Madrid*:

> "El día 4 de los corrientes dio principio en Ceuta (este magnífico puerto mediterráneo del Norteafricano, de un evidente y esplendido porvenir) las fiestas anuales de su Patrona la Virgen de África. Cuando escribimos estas líneas ya está en su ocaso las notas más sugestivas de su brillante índice festivo. Ceremonias religiosas, desfiles militares, dianas, fútbol, toros. (Misticismo, voluptuosidad deportiva, crueldad, paganía...: la rara mezcla anarquizante de toda fiesta cristiana.) [...]

> En suma: Ceuta se ha visto animadísima y pletórica de visitantes que afluyen de Arcila, Larache, Tánger, Tetuán, de Gibraltar (hay que ver estos ingleses cómo la gozan con los toros) y del solar andaluz. Como consecuencia, estos días desfilan por Ceuta más automóviles que por Nueva York. Indudablemente. Y las mujeres más bonitas del Mundo. Indudablemente. Y es que Ceuta atrae con su fastuoso programa de festejos y su proverbial cortesía hospitalaria. Esta hermosa Ceuta (la asentada), de luminoso, helénico paisaje, amada por egregios dioses mitológicos, que en el orden ornamental, o sea el urbanístico, progresa maravillosamente. Cada día, un nuevo jardín, una calle asfaltada, un nuevo paseo. Centros culturales, centros de recreo, entidades de solidaridad o cordialidad sociales, como la recién nacida Agrupación Socialista, signo meridiano del despertar cívico del pueblo ceutí, en la que se han alistado personas de gran relieve cultural y ciudadano. Obreros, médicos, abogados, comerciantes, industriales..."[1251].

14. Se redobla la ofensiva contra el régimen

La espectacular y detallada descripción que hizo Zogoibi de Ceuta ya anunciaba claramente que una corriente se había instalado en la ciudad con ganas de nuevos retos, "signo meridiano del despertar cívico del pueblo ceutí". Una vez acabada la Guerra del Rif, muchas cosas habían cambiado y, ahora, las inquietudes eran otras.

Una hornada de comerciantes, industriales y profesionales -una pujante clase media que se había formado durante el primorriverismo-, buscaba nuevas soluciones para sus problemas; antiguos miembros del extinguido Ayuntamiento de 1923, que se sentían obviamente agraviados; personas ofendidas por las decisiones de la Junta municipal; el resurgir de los partidos políticos y la participación ciudadana, a la par que una masa obrera, representada por los emergentes sindicatos, también buscaban las suyas ante la evidente falta de expectativas y el negro pozo del paro. Todo un catálogo de intereses: unos cargados de legítimos ideales; otros, más prosaicos y terrenales, en busca de nuevas oportunidades...

Abundando sobre la cuestión política, varias tendencias se fueron consolidando, sobre todo a partir de la segunda parte del año. Por un lado, la citada Agrupación Socialista; por otro, una conjunción republicana, sin adscripción partidista concreta, cuyo único programa común era la instauración de la República[1252]. Ambos partidos se presentarían unidos a las elecciones municipales como Conjunción Republicano Socialista. En cuanto a los partidos monárquicos y conservadores también fueron buscando su espacio político ante la nueva situación que se estaba fraguando; aunque se mostraron muy divididos, naciendo diferentes partidos como Agrupación de Defensa de Ceuta, Partido Reformista, Partido Liberal Independiente o Concentración Monárquica, que se van a presentar a las elecciones por separado[1253].

1250 El Heraldo de Madrid, 7 de agosto de 1930. El Adelanto, 7 de agosto de 1930. Diario de Córdoba, 7 de agosto de 1930.
1251 El Heraldo de Madrid, 14 de agosto de 1930.
1252 ALARCÓN CABALLERO, José Antonio: 'La dictadura de Primo de Rivera y la transición a la República', p. 251.
1253 Ídem.

Sin embargo, este proceso de vuelta a la senda constitucional de la Restauración quedó prácticamente tocado a partir del Pacto de San Sebastián del 17 de agosto de 1930 -donde el nacionalismo periférico obtuvo una abundante cosecha-, por el que los partidos republicanos acordaron en esa localidad una estrategia común para poner fin a la monarquía. Esto suponía *de facto* no sólo la rotura que se estaba produciendo de la transición de la dictadura al sistema constitucional, sino todo un cambio de régimen.

Volviendo a Ceuta, en la tenida de la logia Hércules del 13 de septiembre, José Victori Goñalons pidió que todos se pusieran de pie y guardasen un minuto de silencio para condenar la dictadura de Primo de Rivera, tras el que dio lectura a un escrito proponiendo que todos los masones debían prometer oponerse a la reimplantación de cualquier régimen dictatorial[1254]. También la Agrupación Socialista inició un ciclo de actividades. Así, en el centro de la citada Agrupación dio una brillante conferencia el abogado Conrado Lájara Rubio sobre el tema 'Conceptos fundamentales del orden social y derechos de ciudadanía'. El acto estuvo concurridísimo y en él reinó el mayor entusiasmo. El orador, que se había erigido en el máximo dirigente del emergente PSOE ceutí, fue muy felicitado[1255].

Pocas jornadas después, a finales de septiembre, el doctor Sánchez-Prado impartió una conferencia en el mismo local disertando sobre el tema `Los accidentes de trabajo`. Sánchez-Prado, que tenía una gran ascendencia entre las clases obreras por sus obras sociales, se había convertido en uno de los líderes más carismáticos de la ciudad. En la permanente de 24 de abril de 1930 había sido nombrado médico tocólogo interino con el haber de 4.000 pesetas[1256]. También era miembro de la directiva del Casino Africano -en enero de 1929 fue nombrado vicepresidente-; uno de los centros más activos contra la dictadura desde que su presidente, Santiago Sanguinetti, enfermo desde enero de 1930, tuvo que abandonar la presidencia. A partir de aquí, bajo la presidencia interina de Sánchez-Prado, el Casino fue acogiendo a numerosos actores descontentos.

El doctor Antonio López Sánchez-Prado.
Cortesía de Francisco Sánchez Montoya.

Otra punta de lanza que apareció para derrocar al régimen fue la publicación en Tánger, a finales de agosto, del semanario *Renacimiento*, "semanario independiente, defensor de los intereses generales de Ceuta", cuyo director-propietario era Enrique Porres Fajardo y redactor jefe Ángel Ruiz Enciso[1257] -recordemos que Ángel Ruiz Enciso regentó el parque de atracciones de San Amaro, perdiendo la licencia durante la presidencia de Rosende-. Esta publicación, desde su primer número, mostró su objetivo de desprestigiar a la Junta municipal -recordemos igualmente la campaña que se había iniciado hacía unos meses con la aparición de una denuncia en *ABC*-. Y en este contexto, varios números fueron secuestrados a instancias del delegado gubernativo, coronel Aguilera[1258].

1254 SÁNCHEZ MONTOYA, Francisco: Opus cit., p. 208.
1255 La Vanguardia, 24 de septiembre de 1930.
1256 BOCCE núm. 192, 1 de mayo de 1930. Comisión permanente, 24 de abril de 1930.
1257 GÓMEZ BARCELÓ, José Luis: *Apuntes para la historia de la prensa ceutí (1820-1984)*, p. 142.
1258 La Voz, 15 de octubre de 1930.

La campaña que inició el susodicho semanario tuvo una respuesta por parte de la Junta municipal, presentándole una querella a su director. La demanda fue desestimada, por lo que parte de la prensa, reactivada por el fallo judicial y cansada de la férrea censura, decidió rendirle un homenaje el día 11 de octubre en el Hotel Términus: "se ha obsequiado con un banquete popular al director del semanario *Renacimiento*, que se publica en Tánger y se dedica preferentemente a la depuración de la obra de la Junta Municipal de Ceuta. El banquete ha sido un acto de simpatía y adhesión al Sr. Porres por su labor cívica denunciando ante la Permanente la obra funesta de la Junta Municipal, hecho que le ocasionó una persecución injusta y una querella por supuestas calumnias, seguida de la absolución por los tribunales. Asistieron al banquete más de doscientos comensales y se recibieron muchísimas adhesiones". Presidieron el acto con Enrique Porres el ex alcalde de Ceuta "don Isidoro Martínez [antiguo dirigente local del Partido Reformista de Melquíades Álvarez], el abogado y jefe de los reformistas Sr. Bellver Cano y las redacciones del diario *La Opinión* y *El Defensor de Ceuta*. A los postres usó de la palabra el Sr. Moyano, en nombre de la Comisión, y le siguieron los señores Mendoza, Pérez Caballero y Bellver. Todos fueron muy aplaudidos. El Sr. Porres, para el cual tuvieron grandes elogios cuantos habían hablado, agradeció emocionado el homenaje que se le tributaba, y dijo que lo aceptaba en nombre del pueblo de Ceuta, ya que, como vecino del mismo, se había limitado a interpretar el sentimiento de todos combatiendo a la Junta Municipal y pidiendo su dimisión de su actuación funesta desde que la impuso la Dictadura del general Primo de Rivera"[1259].

Ahondando sobre esta cuestión, José Antonio Alarcón puntualiza: "Un papel importante en el movimiento de oposición los jugará el semanario *Renacimiento*, fundado por el ex militar y aviador Enrique Porres Fajardo, ideólogo de un republicanismo jacobino y de izquierdas. Este semanario acabará siendo censurado y su fundador terminará en la prisión del Hacho, donde se encontraba al proclamarse la República. Con él colaboran Ángel Ruiz Enciso o Joaquín Estévez"[1260]. La detención se produjo el sábado 6 de diciembre por la tarde, cuando en el país se percibían claramente ruidos de sables. No obstante, una vez instaurada la República y excarcelado Enrique Porres, el semanario perdió el sentido de su fundación, por lo que apenas si sobreviviría unos meses más, pues, como señala José Luis Gómez,

"subsistió hasta 1932"[1261]. Otra publicación que apareció en ese año, de clara vocación de oposición al régimen, fue *El Salto del Tambor*, fundada por Emilio Peregrina, de carácter anarco-sindicalista y antiimperialista, también de periodicidad semanal[1262].

Mientras el semanario *Renacimiento* y *El Salto del Tambor* seguían con su política de desprestigiar al régimen, en el Centro Cultural de clases impartió una conferencia el teniente coronel del cuerpo jurídico y vicepresidente de la Asociación de la Prensa, Antonio Martín Escalera, desarrollando el tema: `Los clásicos españoles y la literatura`. El disertante fue muy aplaudido y felicitado. Antonio Martín de la Escalera, también era subdirector de *África, Revista de Tropas Coloniales*[1263].

Semanario Renacimiento.
Cortesía de Francisco Sánchez Montoya.

1259 La Voz, 13 de octubre de 1930.
1260 ALARCÓN CABALLERO, José Antonio: Opus cit., p. 252.
1261 GÓMEZ BARCELÓ, José Luis: Opus cit., p. 142.
1262 ALARCÓN CABALLERO, José Antonio: Opus cit., p. 315.
1263 La Vanguardia, 11 de octubre de 1930.

15. La visita del general Jordana a Gibraltar

En medio de este ambiente, entre el 31 de octubre y el 1 de noviembre realizó el general Jordana un viaje a Gibraltar invitado por el gobernador de la colonia británica, sir Alexander Godley. Este viaje era la natural respuesta de cortesía al que había hecho el año anterior el gobernador de Gibraltar a Ceuta y al Protectorado; aunque tampoco descartamos que durante la visita se produjese un intercambio de impresiones a la vista de los acontecimientos que se estaban viviendo en ambas orillas del Estrecho. El día 30 llegó de Tetuán el general Jordana a Ceuta, durmió en la Residencia de Otero, partiendo al día siguiente bien temprano en el crucero *Extremadura* hacia Gibraltar.

Los dos días de estancia del alto comisario en el Peñón estuvieron marcados por un sinfín de visitas, tanto a instituciones civiles como militares. Especial significación tuvo la parada militar que se celebró el sábado día 1 por la mañana. A pesar del tiempo adverso y desapacible, la presencia de españoles procedentes de las poblaciones aledañas fue realmente manifiesta e importante. Ya por la tarde, a las 5,30 horas, el general Jordana fue despedido por el propio sir Alexander Godley bajo los acordes del mítico Auld Lang Syne, mientras una compañía del Lincolnshire Regiment le rendía honores[1264].

16. Los últimos días del Gobierno de Berenguer

El viaje del general Jordana no fue más que un paréntesis en la vorágine que se estaba produciendo; y lo que pasaba en Ceuta era un tímido reflejo de lo que sucedía en el país. Todo estaba tan enrevesado que José Ortega y Gasset publicó en *El Sol* del 15 de noviembre el demoledor artículo 'El error de Berenguer', que acababa con la rotunda sentencia "Delenda est Monarchia", que emulaba a la romana "Carthago delenda est", atribuida a Catón el Viejo. Más manifiestos, pronunciamientos como el de Jaca -la huelga general y el golpe de estado, como se ha comentado, estaban previstos para el 15 de diciembre, pero los oficiales Fermín Galán y Ángel García se adelantaron al día 12-, o el de Cuatro Vientos, unos días después -aquí estaban implicados Queipo de Llano, presidente del Comité Militar Republicano, y Ramón Franco-, acompañados por un sinfín de huelgas –en 1929 hubo 96 huelgas y 313.065 jornadas perdidas, en 1930 hubo 402 huelgas y 3.745.360 jornadas perdidas[1265]-, redoblados ataques de la prensa…, estaban resquebrajando a marchas forzadas el frágil sistema. Amparado por la crisis acuciante, todo valía para derrocar al régimen; y el régimen, cegado ante tantos ataques, se equivocó fusilando a los dos oficiales pronunciados en Jaca, que fueron elevados al martirologio de la hagiografía republicana.

Así pues, el Gobierno de Dámaso Berenguer, sobrepasado por un sinfín de conflictos, no supo o no pudo cumplir el objetivo que se había marcado de volver a la senda constitucional, dejando en suspenso, tal y como indicaba el Real Decreto n.º 688, "los plazos señalados para las elecciones de Diputados y Senadores y Convocatoria a Cortes a que se refiere Mi Decreto de siete de Febrero corriente"[1266]. La suerte estaba echada. Y el conde de Xauen dimitiría unos días después, el 14 de febrero de 1931, dando paso a un nuevo y efímero Gobierno presidido por el almirante Aznar, que convocó elecciones municipales para el mes de abril...

Mientras tanto, en Ceuta el año 1931 había entrado con aparente normalidad, pero con un renovado ajetreo de fondo. Tras las fiestas de Reyes, en el salón del trono del palacio municipal tuvo lugar la solemnísima recepción con motivo del santo del monarca. Presidieron con el general Benito, el presidente de la Junta municipal, José E. Rosende, el vicepresidente, el delegado gubernativo, coronel Aguilera, y el deán, doctor José Casañas. El desfile de

---

1264 PLEGUEZUELOS SÁNCHEZ, José Antonio: 'Las relaciones entre sir Alexander Goodley y el conde de Jordana. Un viaje de ida y vuelta', s.p.

1265 TAMAMES, Ramón: Opus cit., p. 230.

1266 "Dado en Palacio, a catorce de Febrero de mil novecientos treinta y uno". BOCCE núm. 235, 19 de febrero de 1931.

las autoridades, representaciones de las entidades civiles y clases sociales, fue brillantísimo. Después de la recepción hubo un desfile militar, que fue presenciando por las autoridades desde el balcón del susodicho palacio. También fue día de fiesta en los cuarteles[1267].

En este ambiente festivo, el 1 de febrero se celebró el campeonato local de fútbol entre los equipos Sociedad Deportiva Ceuta F.C., que el año anterior había sido autorizado por la Junta municipal para que en los documentos e insignias pudiese usar el escudo de la ciudad, y el Cultura y Sport Ceutí. Venció el Cultura y Sport Ceutí. En este equipo figuraban nombres como el portero Gómez, Foche, Domingos, Caliani, Foncuberta, Martín, Méndez, Morales, Rey, Botella o el centrocampista utrerano Alfonso Murube. Ambos equipos se fundirían en 1932 en el Ceuta Sport Club, inaugurándose al año siguiente el Estadio Municipal del Docker[1268]; estadio que en la posguerra recibiría el nombre de Alfonso Murube. Por otra parte, a principios de febrero las calles de Ceuta estaban muy animadas con la llegada de dos trasatlánticos, que daban la imagen de una ciudad cosmopolita.

Igualmente, con tiempo espléndido, transcurrieron animadas las fiestas de carnaval, que coincidieron con la dimisión de Berenguer. La Asociación de la Prensa celebró el magnífico y tradicional baile, con asistencia de las autoridades y numeroso público, adjudicándose valiosos premios. También de Cádiz había llegado la Tuna Escolar Normalista, visitando a las autoridades y los centros recreativos, tributándosele continuadas ovaciones. El ambiente era espectacular. El Centro de Hijos de Ceuta, por su parte, organizó una cena americana. Mientras tanto, la Unión Republicana publicó un manifiesto de propaganda para la "reconstrucción municipal", donde exponía los principales puntos de su programa electoral, entre los que se contemplaban la autonomía administrativa, combatir el analfabetismo y la mendicidad, y, como eje principal, la municipalización de los servicios de abastecimiento de aguas, fluido eléctrico y monopolio de tabacos; al igual que se contemplaba la suspensión de los arbitrios de consumo (comer, beber y arder)[1269]. Había tal efervescencia política y social en la ciudad que a mediados de febrero el corresponsal de *La Vanguardia* llegó a señalar: "Reina enorme expectación con motivo del desarrollo de la cuestión política nacional, existiendo barullo por la profusión de noticias contradictorias y otras absurdas que se reciben constantemente"[1270].

1267 La Vanguardia, 24 de enero de 1931.
1268 MASIÀ, Vicent: 'Historia del fútbol en Ceuta', s.p.
1269 La Libertad, 15 de febrero de 1931.
1270 La Vanguardia, 18 de febrero de 1931.

FUENTES

ARCHIVÍSTICAS (ARCHIVOS Y BIBLIOTECAS)

Archivo General de Ceuta (AGCE):
Diversos Expedientes
Fondo fotográfico y documental
Libros de actas capitulares (LAC)
Libros de plenos (LP)
Libros del Casino Africano
Libros de los Exploradores de España
Archivo ABC. Hemeroteca.
Archivo Biblioteca Nacional de España (BNE). Hemeroteca
Archivo Biblioteca virtual de Andalucía. Hemeroteca
Archivo Diocesano Libro de Visitas, Catedral de Ceuta
Archivo El Faro de Ceuta. Hemeroteca
Archivo Fundación Pablo Iglesias. Hemeroteca
Archivo Intermedio Militar de Ceuta
Archivo La Vanguardia. Hemeroteca
Archivo Virtual de la Prensa Histórica
Archivo Virtual de Defensa
Biblioteca pública del Estado en Ceuta "Adolfo Suárez"
Boletín Oficial de Ceuta (BOCCE)
Boletín Oficial de la Zona del Protectorado español en Marruecos (BOZPEM)
Comandancia General de Ceuta
Diario Oficial Ministerio de la Guerra
Diario Oficial del Ministerio del Ejército
Gaceta de Madrid
Instituto Patrimonio Cultural de España (IPCE). Fototeca. Ministerio de Cultura y Deporte
Ministerio de Defensa
Museo del Ejército
rtve.es Filmoteca Española

ARCHIVOS Y COLECCIONES PARTICULARES

Jorge Arbona
Sucesores Bertuchi
José Gallardo Gómez
José Luis Gómez Barceló
Juan Carlos Jorro
Agustín Marañés
Rafael Pleguezuelos González
José Antonio Pleguezuelos Sánchez
Rosa Ros Amador
Francisco Sánchez Montoya
Diego Sastre Ruiz

BIBLIOGRÁFICAS

ALARCÓN CABALLERO, José Antonio: 'Ceuta en la II República', en *Ceuta en los siglos XIX y XX.* IV Jornadas de Historia de Ceuta. Instituto de Estudios Ceutíes. Ceuta, 2004,   pp. 293-343.

ALARCÓN CABALLERO, José Antonio: 'El chabolismo en Ceuta en los años 30', en *La formación de una ciudad: apuntes sobre el urbanismo histórico de Ceuta.* VI Jornadas de Historia de Ceuta. Instituto de Estudios Ceutíes, Patronato de la Ciudad Autónoma. Ceuta, 2006, pp.147-242.

ALARCÓN CABALLERO, José Antonio: *La Cámara de Comercio, Industria y Navegación de Ceuta: un siglo en la historia económica y social de Ceuta (1906-2006),* edita Cámara de Comercio. Ceuta, 2007.

ALARCÓN CABALLERO, José Antonio: 'El puerto de Ceuta, historia de un fracaso´, en *Barcos, puertos y navegación en la Historia de Ceuta.* VIII Jornadas de Historia de Ceuta. Instituto de Estudios Ceutíes, Patronato de la ciudad autónoma de Ceuta. Ceuta, 2008, pp. 67-148.

ALARCÓN CABALLERO, José Antonio: 'Ceuta y el Protectorado en Marruecos: una relación amor-odio', en *Ceuta y el Protectorado español en Marruecos.* IX Jornadas de Historia de Ceuta. Instituto de Estudios Ceutíes. Patronato de la Ciudad Autónoma de Ceuta. Ceuta, 2009, pp. 63-120.

ALARCÓN CABALLERO, José Antonio: 'La dictadura de Primo de Rivera y la transición a la República', en *Ceuta y el Norte de África entre dos dictaduras (1923-1945).* XIV Jornadas de Historia de Ceuta. Instituto de Estudios Ceutíes. Ceuta, 2013, pp. 207-329.

ALARCÓN CABALLERO, José Antonio: *Historia de Ceuta, S. XX.* Instituto de Estudios Ceutíes. Ceuta, 2009.

ARQUES, Enrique y Gibert, Narciso: *Los Mogataces, los primitivos soldados moros de España en África.* Imprenta Revista de Tropas Coloniales. Ceuta, 1928.

ATIENZA PEÑARROCHA, Antonio: *Africanistas y junteros: el Ejército español en África y el oficial José Enrique Varela Iglesias.* Tesis doctoral. Universidad Cardenal Herrera. CEU. Valencia, 2012.

AYALA-CARCEDO, F.J. et al.: 'El XIV Congreso Geológico Internacional de 1926, en España'. Boletín Geológico y Minero, 116 (2), 2005, pp. 173-184.

BAEZA HERRAZTI, Alberto: *El presidio de Ceuta.* Monografías de la Caja de Ahorros y Monte de Piedad de Ceuta, núm. 1. Ceuta, 1985.

BAEZA HERRAZTI, Alberto: *El Aleo, Bastón de Mando de los Comandantes Generales de Ceuta.* Monografías, 1. Grupo aleo. Ilustre Ayuntamiento de Ceuta, Concejalía de Cultura. Ceuta, 1987.

BENEROSO SANTOS, José: *Franco en Gibraltar, marzo de 1935.* Imagenta editorial. Cádiz, 2018.

BOZAL, Valeriano: *Historia del Arte en España (II) Desde Goya hasta nuestros días.* Ediciones Istmo. Madrid, 1978.

BRIONES, Rafael *ad. la.*: ENCUENTROS Diversidad religiosa en Ceuta y en Melilla Sol Tarrés, Óscar Salguero. Barcelona, 2013.

CABALLERO LÓPEZ, Leopoldo: *Ceuta en el recuerdo.* Publicaciones del Instituto Nacional de Enseñanza Media. Ceuta, 1965.

CAMPOS MARTÍNEZ, José María: *Abd el Krim y el Protectorado.*

CAMPOS MARTÍNEZ, José María: 'La Baraka y el Cherif Raisuni', en *Ceuta y el Protectorado español en Marruecos.* IX Jornadas de Historia de Ceuta. Instituto de Estudios Ceutíes. Patronato de la ciudad Autónoma de Ceuta. Ceuta, 2009, pp. 171-208.

CANDAMO, Luis G.: 'Columna y crisol de epopeyas', en *Ceuta, ciudad abierta. 23 crónicas periodísticas.* F.E.PE.T. Madrid, 1986..

CARMONA PORTILLO, Antonio: *Historia de Ceuta*. Editorial Sarriá. Málaga, 2007.

CASSINELLO PÉREZ, Andrés: 'El ejército español en Marruecos. Organización, mandos, tropas y técnica militar', en *El Protectorado Español en Marruecos, la historia trascendida*, pp. 271-298.

COMELLAS, José Luis: *Historia de España Moderna y contemporánea*. Ediciones Rialp. S.A. Madrid, 1975

DÍAZ FERNÁNDEZ, Mª Dolores: *Recuerdos y vivencias de la tercera edad en Ceuta*. Concejalía de Cultura Ilustre Ayuntamiento de Ceuta. Ceuta, 1987.

DÍAZ-PLAJA, Fernando: *Otra Historia de España*. PLAZA&JANÉS, S.A., Editores. Barcelona, 1972.

DOMÍNGUEZ, Mariano: 'La invasión de la langosta peregrina en la Zona de Protectorado', en *África,* 1 de junio de 1930, p. 162.

FRADEJAS LEBRERO, José: *Ceuta en la literatura*. Publicaciones de la Caja de Ahorros y Monte de Piedad de Ceuta. Ceuta, 1983.

GALLARDO GÓMEZ, José Francisco (coordinador): *El manto rojo de Nuestra Señora de África*. Cofradía de Caballeros, Damas y Corte de Infantes de Santa María de África, patrona de Ceuta. Ceuta, 2013.

GARCÍA COSÍO, José: *Pendón o estandarte de la siempre noble, leal y fidelísima ciudad de Ceuta, Historia de una restauración*. Instituto de Estudios Ceutíes. Ceuta, 1979.

GARCÍA COSÍO, José: *Ceuta historia gráfica*. Ceuta, 1984.

GARCÍA COSÍO, José: *Ceuta, historia, presente y futuro*. Segunda edición. Ceuta, 1977.

GARCÍA RUEDA, Mª Isabel: 'Primeros vehículos matriculados en España'. Ministerio del Interior, Dirección General de Tráfico. s.p.

GARRIDO OLIVER, Emilia: *Santiago Sanguinetti, arquitecto en las ciudades de Ronda y Ceuta: el Modernismo y la modernidad*. Editorial La Serranía, 2007.

GIMÉNEZ MARTÍNEZ, Miguel Ángel: 'La representación política en España durante la Dictadura de Primo de Rivera. Estudios Históricos'. Rio de Janeiro, vol. 31, nº 64, p. 131-150, mayo-agosto 2018.

GÓMEZ BARCELÓ, José Luis: *Apuntes para la historia de la prensa ceutí (1820-1984)*. Caja de Ahorros y Monte de Piedad de Ceuta, 1984.

GÓMEZ BARCELÓ, José Luis: *Actividad teatral en Ceuta a finales del siglo XIX*, Cuadernos del Archivo Municipal de Ceuta 6-7. Ceuta, 1990.

GÓMEZ BARCELÓ, José Luis: 'El cine en Ceuta', en *Memorias del cine. Melilla, Ceuta y el norte de Marruecos*. Ciudad Autónoma de Melilla. Melilla, 1999, pp. 57-84.

GÓMEZ BARCELÓ, José Luis: 'El obispado de Ceuta en los siglos XIX y XX', en *Ceuta en los siglos XIX y XX. IV Jornadas de Historia de Ceuta*. Instituto de Estudios Ceutíes. Ceuta, 2004, pp. 113-151.

GÓMEZ BARCELÓ, José Luis: *Palacio de la Asamblea, Guía de visita*. Ceuta, 2011.

GÓMEZ BARCELÓ, José Luis: 'Arquitectura en Ceuta en el periodo de entreguerras', en *Ceuta y el Norte de África entre dos dictaduras (1923-1945)*. Instituto de Estudios Ceutíes. Ceuta, 2013, pp. 151-176.

GÓMEZ BARCELÓ, José Luis. 'Benigno Murcia Mata (1879-1950), un pintor enamorado del mar', en *Almoraima,* Revista de Estudios Campogibraltareños, 46, abril 2017. Algeciras. Instituto de Estudios Campogibraltareños, pp. 31-42.

GONZÁLEZ SORROCHE, Francisca: 'El Somatén. Su formación en Melilla (1923-1929)'. En *Aldaba,* revista del Centro Asociado de la UNED de Melilla núm. 5, 1985, pp. 133-153.

GORDILLO OSUNA, Manuel: *Geografía urbana de Ceuta*. Instituto de Estudios Africanos. Madrid, 1972.

GUERRA LÁZARO, José María: *Tradiciones y milagros de Nuestra Señora de África, Patrona de Ceuta*. Caja de ahorros y Monte de Piedad de Ceuta, agosto de 1983 (cuarta edición).

GUERRERO ACOSTA, José Manuel (director): *El Protectorado español en Marruecos. Repertorio biográfico y emocional*. Volumen I y II. Edita Iberdrola. Bilbao, 2015.

JIMÉNEZ REDONDO, Juan Carlos: 'Primo de Rivera y Portugal, 1923-1931: del 'peligro español' a la nostalgia de la España autoritaria'. *Pasado y Memoria*. Revista de Historia Contemporánea, 16. 2017, pp. 91-117.

LACASA, Ricardo: 'Ceuta Cultural', Ministerio de Cultura. Ceuta.

LARA OSTIO, Justino: 'Evolución del puerto de Ceuta', en *Barcos, puertos y navegación en la historia de Ceuta*. VIII Jornadas de Historia de Ceuta. Instituto de Estudios Ceutíes, Patronato de la Ciudad Autónoma de Ceuta. Ceuta, 2008, pp. 315-321.

LÓPEZ ONTIVEROS, Antonio: 'Viaje Escolar a Ronda, Algeciras, Gibraltar, Ceuta y Tetuán de Ángel Cruz Rueda (1928)', Revista de Estudios Regionales, núm. 85, mayo-agosto, 2009, pp. 257-310.

MADARIAGA, María Rosa de: 'Administración colonial y notables indígenas del Protectorado Español', en *Ceuta en los siglos XIX y XX*. IV Jornadas de Historia de Ceuta. Instituto de Estudios Ceutíes. Ceuta, 2004, pp. 193-208.

MADARIAGA ÁLVAREZ-PRIDA, Mª Rosa: 'El lucrativo "negocio" del protectorado español', en HISPANIA NOVA Revista de Historia Contemporánea Núm. 16, año 2018, pp. 590-619.

MARAÑÉS MORILLA, Agustín: *Los recuerdos de Agustín Marañés*. Ceuta, 2007. Manuscrito sin editar.

MARÍN PARRA, Vicenta: *La educación en Ceuta: 1912-1956*. Ciudad Autónoma de Ceuta, Archivo General, 2012.

MARTÍNEZ, Francisco Javier. 'Estado de necesidad: la Cruz Roja Española en Marruecos, 1886-1927'. História, Ciências, Saúde – Manguinhos, Rio de Janeiro, v.23, n.3, jul.-set. 2016, p.867-886.

MARTÍNEZ CAMPOS, Carlos: *España Bélica, el siglo XX. Marruecos*. Aguilar S.A. Ediciones, 1972.

MECA ROMERO, Alfredo: *Memoria de Secretaría, 1932*. Ayuntamiento de Ceuta.

MONTIJANO RUIZ, Juan: *"Yola" Historia del primer "boom" teatral de la posguerra*. Digital Gami. S.L. Granada, 2007.

MORALES LEZCANO, Víctor: *El colonialismo hispanofrancés en Marruecos (1898-1927)*. Siglo veintiuno de España editores s.a. Madrid, 1976.

NÚÑEZ RIVERO, Cayetano y MARTÍNEZ SEGARRA, Rosa María: *Historia Constitucional de España*. Editorial Universitas, S.A. Madrid, 1996.

ORTEGA, Manuel L. (director): *Anuario-Guía Oficial de Marruecos y del África Española*, 1926. Compañía Ibero-Americana de Publicaciones (S .A). Madrid, 1926.

ORTEGA, Manuel (director): *Anuario-Guía Oficial de Marruecos y del Africa Española*, 1927. Compañía Ibero-Americana de Publicaciones (S .A). Madrid, 1927.

ORTEGA, Manuel (director): *Anuario-Guía Oficial de Marruecos y del Africa Española*, 1930. Compañía Ibero-Americana de Publicaciones (S .A). Madrid, 1930.

PALOMERA PARRA, Isabel y GAITE PASTOR, Jesús: 'Fuentes para la historia de Ceuta y Melilla en la Sección de Fondos Contemporáneos del Archivo Histórico Nacional', en Revista Aldaba, pp. 148-175. Centro Asociado UNED, Melilla, 2017.

PANDO DESPIERTO, Juan: 'Jordana. Vivir con fe, morir en cumplimiento', en *El Protectorado español en Marruecos. Repertorio biográfico y emocional*. Volumen II, 2014, pp. 48-71.

PANDO DESPIERTO, Juan: 'Mehdi, Muley Hassán El', en *El Protectorado español en Marruecos. Repertorio biográfico y emocional.* Volumen II, 2014, pp. 311-317.

PAREJO DELGADO, María Pepa y DELGADO COBOS, Inmaculada: 'Los claroscuros de Menipo un testimonio', en *Ceuta y el Protectorado español en Marruecos.* IX Jornadas de Historia. Instituto de Estudios Ceutíes. Patronato de la ciudad Autónoma de Ceuta, 2009, pp. 9-26.

PENNELL, C.R.: *La guerra del Rif, Abdelkrim el-Jattabi y su Estado rifeño.* La Biblioteca de Melilla, 2001.

PÉREZ YUSTE, Antonio: *La Compañía Telefónica Nacional de España en la Dictadura de Primo de Rivera (1923-1930).* Tesis doctoral. Universidad Politécnica de Madrid, E.T.S.I. de Telecomunicación, mayo de 2004.

PLEGUEZUELOS GONZÁLEZ, Rafael: *Historia de una familia.* Sevilla, 2019.

PLEGUEZUELOS SÁNCHEZ, José Antonio: *Mariano Bertuchi, los colores de la luz.* Edita Ciudad Autónoma de Ceuta, Archivo General; Instituto de Estudios Ceutíes; Ciudad Autónoma de Melilla, Servicios de Publicaciones; UNED de Ceuta; INED de Melilla; Instituto Cervantes y Fundación Premio Convivencia. Ceuta, 2013.

PLEGUEZUELOS SÁNCHEZ, José Antonio: *Rafael Argelés.* Edita Pasión por los Libros, 2014.

PLEGUEZUELOS SÁNCHEZ, José Antonio: *Mariano Bertuchi, carteles y turismo.* Archivo General de Ceuta. Ceuta, 2019.

PLEGUEZUELOS SÁNCHEZ, José Antonio: *Las relaciones entre sir Alexander Goodley y el conde de Jordana, un viaje de ida y vuelta.* Manuscrito s.e. San Roque, 2020.

RONDA IGLESIAS, Javier: *Ceuta, imágenes de un siglo.* Carintia Media. Cádiz, 2003.

RONTOMÉ ROMERO, Carlos: 'Las derechas en Ceuta en el periodo de entreguerras', en *Ceuta y el Norte de África entre dos dictaduras (1923-1945).* XIV Jornadas de Historia de Ceuta. Instituto de Estudios Ceutíes. Ceuta, 2013, pp. 331-357.

SÁNCHEZ MONTOYA, Francisco: *Real álbum de Ceuta, la fotografía a través de las visitas reales (1849-1970).* Edita F.S.M. Ceuta, 1991.

SÁNCHEZ MONTOYA, Francisco: *Más de un siglo de carnaval. Ceuta, 1886-1993.* Cuadernos del Rebellín núm. 8. Dirección provincial del Ministerio de Cultura. Ceuta, 1993.

SÁNCHEZ MONTOYA, Francisco: *República, guerra y represión 1931-1944.* Editorial Natívola. Granada, 2004.

SÁNCHEZ MONTOYA, Francisco: *Masonería en Ceuta, origen, guerra y represión 1821-1936.* 2019.

SÁNCHEZ SOLIÑO, Antonio ad lat.: 'Las obras públicas en el Protectorado español en Marruecos (1912-1956)' en *Revista de Obras Públicas*, núm. 3.381, noviembre 1998, pp. 51-64.

SEVILLA SEGOVIA, Alejandro: *San Antonio de Padua de la Almina en Ceuta (Monte Hacho).* Tipografía A. Mazuelos, Algeciras. Tercera edición, 2005.

SOBREQUÉS, Santiago: *Historia de España Moderna y Contemporánea.* Editorial Vicens-Vives. Barcelona, 1970.

SOLDEVILLA, Fernando: *El año político, 1924.* Imprenta y encuadernación de Julio Cosano. Madrid, 1925.

SOLDEVILLA, Fernando: *El año político, 1925.* Imprenta y encuadernación de Julio Cosano. Madrid, 1926.

SOLDEVILLA, Fernando: *El año político, 1926.* Imprenta y encuadernación de Julio Cosano. Madrid, 1927.

SUEIRO SEOANE, Susana: 'La cuestión de Tánger', en *Ceuta y el Norte de África entre dos dictaduras (1923-1945).* XIV Jornadas de Historia de Ceuta. Instituto de Estudios Ceutíes, Ceuta, 2013, pp. 127-150.

MALERBE, Pierre C.: 'La dictadura de primo de Rivera'. En *Historia de España 11. La caída del rey. De la quiebra del Restauración a la República (1917-1936)*. Historia 16. Madrid, 1976, pp. 35-60.

TUSELL, Javier: *Historia de España, 6. Siglo XX*. Historia 16. Madrid, 1994.

VALERA Y LÓPEZ CORDÓN, Diego (director): *Anuario General de Marruecos y Guinea 1927-1928*. Ceuta, 1928.

VILA SAN JUAN, José Luis: *La vida cotidiana en España durante la dictadura de Primo de Rivera*. Editorial Argos Vergara S. A. Barcelona, 1984.

VILA GARCÍA, Roberto: *1917.El estado catalán y el soviet español*. Editorial Espasa. Barcelona, 2021.

VILLANOVA, José Luis: 'La pugna entre militares y civiles por el control de la actividad interventora en el Protectorado español en Marruecos (1912-1956)', en Hispania, LXV/2, núm. 220 (2005), pp. 683-716.

VILLATORO IGLESIAS, Francisco: 'En recuerdo de Affonso de Dornellas', en *Cuadernos del Archivo Central de Ceuta núm. 17*. Ceuta, 2008, pp.45-177.

VVAA: *Anuario Militar de España, años 1923, 1924, 1925, 1926, 1927, 1928, 1929, 1930, 1931*. Talleres del Depósito de la Guerra, Madrid.

VVAA: *Libro de Ceuta*. Edita Centro Hijos de Ceuta. Ceuta, 1928.

VVAA: *Ceuta, ciudad abierta. 23 crónicas periodísticas*. F.E.P.E.T. Madrid, 1986.

VVAA. *La formación de una ciudad: apuntes sobre el urbanismo histórico de Ceuta*. VI Jornadas de Historia de Ceuta. Instituto de Estudios Ceutíes. Patronato de la Ciudad Autónoma de Ceuta. Ceuta, 2006.

VVAA: *Personajes para la Historia de Ceuta*, VII Jornadas de Historia de Ceuta. Instituto de Estudios Ceutíes. Patronato de la Ciudad Autónoma de Ceuta. Ceuta, 2007.

VVAA: *Barcos, puertos y navegación en la Historia de Ceuta*. VIII Jornadas de Historia. Instituto de Estudios Ceutíes. Patronato de la Ciudad Autónoma de Ceuta. Ceuta, 2008.

VVAA: *Ceuta y el Protectorado español en Marruecos*. IX Jornadas de Historia de Ceuta. Instituto de Estudios Ceutíes. Patronato de la ciudad Autónoma de Ceuta. Ceuta, 2009.

VVAA: *Ceuta y el Norte de África entre dos dictaduras (1923-1945)*. XIV Jornadas de Historia de Ceuta. Instituto de Estudios Ceutíes. Ceuta, 2013.

VVAA: *Informe del ciclo integral del agua en Ceuta*. Ceuta, 2009.

VVAA: *El Protectorado español en Marruecos: la historia trascendida*, Volumen I, II y III. Edita Iberdrola. Bilbao, 2016.

WOOLMAN, David S.: *Abd el-Krim y la guerra del Rif*. Oikos-tau, s.a.-ediciones. Barcelona, 1971.

WARLETA CARRILLO, José: *Comienzan los grandes "raids": El vuelo del "Plus Ultra"*.

HEMEROGRÁFICAS (PERIÓDICOS Y REVISTAS)

ABC, Madrid y Sevilla.

África, Revista de Tropas Coloniales, Ceuta.

Diario de Alicante.

Diario de Almería.

Diario de Valencia.

El Adelanto, Salamanca.

El Cantábrico, Santander.

El Debate, Madrid.

El Defensor de Ceuta.

El Defensor de Córdoba.

El Financiero, Madrid.

El Faro, Ceuta.

El Globo, Madrid.

El Heraldo de Madrid.

El Ideal Gallego, La Coruña.

El Noticiero Gaditano, Cádiz.

El Orzán, La Coruña.

El País, Madrid.

El Pueblo, Madrid.

El Pueblo de Ceuta, Ceuta.

El Siglo Futuro, Madrid.

El Socialista, Madrid.

El Sol, Madrid.

El Telegrama del Rif, Melilla.

Estampa, Madrid.

Heraldo de Madrid.

La Construcción Moderna, Madrid.

La Correspondencia de España, Madrid.

La Correspondencia Militar, Madrid.

La Época, Madrid.

La Esfera, Madrid.

La Fiesta Brava, Semanario taurino, Barcelona.

La Gaceta de Tenerife.

La Ilustración Española y Americana, Madrid.

La Independencia, Almería.

La Libertad, Madrid.

La Nación, Madrid.

La Opinión, Ceuta.

La Provincia, Huelva.

La Razón, Madrid.

La Región, Orense.

La Vanguardia, Barcelona.

La Voz, Córdoba.

Lábaro Hispano, Algeciras.

Marruecos Gráfico, Tetuán.

Mundo Gráfico, Madrid.

Nuevo Mundo, Madrid.

Región, Oviedo.

Revista de Tropas Coloniales, Ceuta.

Revista Diplomática, Madrid.

Revista Telefónica Española, Madrid.

Teruel: diario, Teruel.

TELEMÁTICAS

ASOCIACIÓN DE MILITARES ESPAÑOLES: 'Efeméride día 20 de octubre. Recompensas. Medalla Militar Individual al teniente de Intendencia don Miguel García Almenta Gutiérrez', 1 de noviembre de 2018. https://ame1.org.es/efemeride-dia-20-de-octubre-recompensas-medalla-militar-individual-al-teniente-de-intendencia-don-miguel-garcia-almenta-y-gutierrez/

BLOGDECEUTA.COM: 'Hospital militar O'Donnell'. http://blogdeceuta.com/2016/08/hospital-militar-odonnell.html

CNT, Valencia: 'Clandestinidad en la dictadura de Primo de Rivera'. https://valencia.cnt.es/que-es-la-cnt/historia/1923-1930-clandestinidad-en-la-dictadura-de-primo-de-rivera/

CEUTA REPORTAJES: 'La Hípica: el primer campo de fútbol de Ceuta', 21 de marzo de 2015. http://ceutareportajes.blogspot.com/2015/03/la-hipica-el-primer-campo-de-futbol-de.html

COLEGIO MÉDICO DE CEUTA: '90 años de existencia (1927-2017)', 13 de junio de 2017. https://elfarodeceuta.es/90-anos-existencia/

CORREAS, José Carlos: 'Mario Roso de Luna'. https://filosofia.nueva-acropolis.es/2013/mario-roso-de-luna/

DURÍN, 'Qué dura es la vida del coleccionista (II): Jamboree Nacional 1929', 2 de octubre de 2013. https://blog.larocadelconsejo.net/2013/10/que-dura-es-la-vida-del-coleccionista-ii-jamboree-nacional-1929/

EJÉRCITO DE TIERRA: 'Comandancia General de Ceuta'. https://ejercito.defensa.gob.es/unidades/Ceuta/comge_ceuta/Historial/index.html

EXPÓSITO GONZÁLEZ, Raúl: 'Textos para la formación de las enfermeras Cruz Roja', 11 de enero de 2013. https://www.enfermeriadeciudadreal.com/textos-para-la-formacion-de-las-enfermeras-de-cruz-roja-128.htm

FERNÁNDEZ PAVÉS: María José: 'Financiación ciudad autónoma de Melilla', https://libros-revistas-derecho.vlex.es/vid/financiacion-ciudad-autonoma-melilla-57668623

GÓMEZ BARCELÓ, José Luis: 'Sobre la Cruz Roja de Ceuta'. 16 de septiembre de 2019. http://www.cronistasoficiales.com/?p=113623

GÓMEZ BARCELÓ, José Luis: 'La Semana Santa de 1927, a la vista del programa oficial', 14 de abril de 2019. https://elfarodeceuta.es/la-semana-santa-de-1927-a-la-vista-del-programa-ficial/amp/#referrer=https%3A%2F%2Fwww.google.com&amp_tf=De%20%251%24s

GONZÁLEZ, Agustín Ramón: 'Jaime Janer Robinson: un gran marino ilustrado', 4 de mayo de 2014. https://abcblogs.abc.es/espejo-de-navegantes/otros-temas/jaime-janer-robinson-un-gran-marino-ilustrado.html

HERMANDAD DE CABALLEROS LEGIONARIOS: Historia de García Aldave, 7 de febrero de 2012. https://www.faceboock.com/notes/hermandad-de-caballeros-legionarios/historia-de-garcía-aldave/10150591824333960

MANOL VILLA, Domingo: 'El ropero de Santa Victoria', 4 de diciembre de 2011. https://www.elcorreo.com/vizcaya/v/20111204/vizcaya/ropero-santa-victoria-20111204.html

MASIÁ, Vicent: 'Historia del fútbol en Ceuta', 2009. http://futboleriadeceuta.blogspot.com/2013/05/historia-del-futbol-en-ceuta.html

MONTAGUT, Eduardo: 'El modelo sindical de la Dictadura de Primo de Rivera', 29 de marzo de 2016. https://www.nuevatribuna.es/articulo/historia/modelo-sindical-dictadura-primo-rivera/20160321141123126621.html

MUÑOZ DOMÍNGUEZ, José: 'La fiscalidad de los territorios de Ceuta y Melilla'. Aldaba n.º 6. Universidad Nacional de Educación a Distancia, 1986. http://revistas.uned.es/index.php/ALDABA/article/view/19619

MUÑOZ PRADAS, Francisco: 'La implantación de la Gota de leche en España (1902-1935): Un estudio a partir de la prensa histórica', octubre de 2016. http://dx.doi.org/10.3989/asclepio.2016.10

ORDUÑA REBOLLO, Enrique: 'Historia del Municipalismo español (XVI). Un siglo de municipalismo. El Estatuto Municipal de Calvo Sotelo', 12 de marzo de 2012. http://laadministracionaldia.inap.es/noticia.asp?id=1057451

PATRIMONIO CULTURA DE CEUTA: 'Edificio de la Junta de Obras del Puerto'. web.ceuta.es:8080/patrimoniocultural/edificios/controlador?cmd=get-ficha&id=9

PÉREZ ADÁN, Luis Miguel: 'Somos el Somatén', 2 abril 2016, https://www.laverdad.es/murcia/cartagena/201604/02/somos-somaten-20160402004556-v.html

PÉREZ SAN EMETERIO, Carlos: 'Entre Oriente y Occidente: Los vuelos del "Jesús del Gran Poder", www.ejercitodelaire.mde.es

RAMIRO DE LA MATA, Javier: 'Mariano Gómez Ulla', s.p. http://dbe.rah.es/biografias/10954/mariano-gomez-ulla

ROVIRA JIMÉNEZ DE LA SERNA, Mª Luisa: 'Francisco Fuentes'. Real Academia de la Historia. dbe.rah.es/biografias/9970/francisco-fuentes

ROS, Rosa: 'Bartolomé Ros: a través de un objetivo'. Centro virtual Cervantes. Madrid, octubre de 1996. http://cvc. cervantes.es/ACTCULT/fotografia/ros//biografia.htm

SÁNCHEZ, Javier: 'Por qué se celebra el día del libro', 22 de abril de 2016, https://www.revistagq. com/noticias/articulos/por-que-se-celebra-el-dia-del-libro/23781

SÁNCHEZ MONTOYA, Francisco: 'Fotógrafos en la historia de Ceuta', 20 de abril de 2014. https:// elfarodeceuta.es/fotografos-en-la-historia-de-ceuta/

SARO GANDARILLAS, Francisco: 'Luis Aizpuru Mondéjar', s.p. http://dbe.rah.es/biografias/7292/ luis-aizpuru-mondejar

SEGURA GRAÍÑO, Cristina: 'Santa Beatriz de Silva y Meneses' http://dbe.rah.es/biografias/29909/ santa-beatriz-de-silva-y-meneses

TORREMOCHA SILVA, Antonio: 'La Compañía Trasmediterránea en el puerto de Algeciras (II)', 24 de abril de 2017. https://www.europasur.es/algeciras/Compania-Trasmediterranea-puerto-Algeciras-II_0_1129687160.html

102.63 J.Pitarch
-1928-